Bibl. Ephem. Theol. Lovan.

XXXII

L'ÉVANGILE DE LUC

PROBLÈMES LITTÉRAIRES ET THÉOLOGIQUES

Mémorial Lucien Cerfaux

F. Neirynck / † L. Cerfaux / J. Coppens
B. Dehandschutter / J. Delobel / A. Denaux / A. Descamps
J. Duplacy / J. Dupont / E. E. Ellis
W. G. Kümmel / R. Pesch / E. Samain / W. C. van Unnik

DUCULOT

Students and External Readers	Staff & Research Students
DATE DUE FOR RETURN	**DATE OF ISSUE**
FOUR WEEKS ONLY - 6 APR 1977 FOUR WEEKS ONLY 2 6 MAY 1977	14 JUL 77 0 0 0 0 0 6 30 JUN 00
	N.B. All books must be returned for the Annual Inspection in June

Any book which you borrow remains your responsibility
until the loan slip is cancelled

L'ÉVANGILE DE LUC

Problèmes littéraires et théologiques

BIBLIOTHECA EPHEMERIDUM THEOLOGICARUM
LOVANIENSIUM

XXXII

L'Évangile de Luc

Problèmes littéraires et théologiques

Mémorial Lucien Cerfaux

PAR

F. Neirynck

† L. Cerfaux – J. Coppens – B. Dehandschutter
J. Delobel – A. Denaux – A. Descamps – J. Duplacy
J. Dupont – E. E. Ellis – W. G. Kümmel – R. Pesch
É. Samain – W. C. van Unnik

Éditions J. DUCULOT, S. A., GEMBLOUX (Belgique)

© Éditions J. Duculot, S.A., B - 5800 Gembloux (1973)
(Imprimé en Belgique sur les presses Duculot) D. 1973, 0035.21

Avant-propos

Le choix du sujet de la XIXᵉ session des Journées Bibliques de Louvain (21-23 août 1968) faisait partie d'un programme de recherches plus vaste. Les Journées de 1965 avaient été consacrées à l'étude de la Tradition et rédaction dans les évangiles synoptiques, *et il s'était avéré que la richesse du thème débordait largement les limites d'une seule session. Sensibles aux orientations actuelles des études évangéliques, les organisateurs du* Colloquium Biblicum Lovaniense *décidèrent alors de traiter séparément chacun des évangiles synoptiques: Luc en 1968, Matthieu en 1970 et Marc en 1971. Suite à l'édition du volume* De Jésus aux Évangiles, *les rapports des différentes sessions sont maintenant en cours de publication dans la* Bibliotheca Ephemeridum Theologicarum Lovaniensium [1].

Les Journées Bibliques de 1968 eurent un caractère particulier. Mgr L. Cerfaux, qui s'était encore chargé d'un des séminaires, décéda le dimanche 11 août à Lourdes. Il venait d'achever la rédaction de l'introduction sur « L'utilisation de la Source Q par Luc ». La mort du professeur émérite qui fut cofondateur du Colloquium Biblicum Lovaniense *et, en 1949, premier président des Journées Bibliques, donna lieu à une séance d'hommage qui, le 23 août, clôtura solennellement les Journées. Au cours de cette séance, Mgr A. Descamps, Recteur Magnifique de l'Université, faisait revivre, dans son « Ébauche d'un portrait », l'exégète mais aussi l'homme et le prêtre Lucien Cerfaux, et Mgr J. Coppens retraçait la carrière et l'œuvre scientifiques de celui qui, pendant des longues années, fut son* collega proximus. *Les participants des XIXᵉˢ Journées Bibliques s'engagèrent de dédier les rapports à la mémoire du regretté Mgr L. Cerfaux.*

F. NEIRYNCK

---

1. I. DE LA POTTERIE (éd.), *De Jésus aux Évangiles. Tradition et rédaction dans les évangiles synoptiques* (Bibl. Eph. Theol. Lov., 25), Gembloux-Paris, 1967; M. DIDIER (éd.), *L'Évangile selon Matthieu. Rédaction et théologie* (Bibl. Eph. Theol. Lov., 29), Gembloux, 1972.

Table des matières

Monseigneur Lucien Cerfaux

Ébauche d'un portrait

Je me propose de faire revivre ici l'homme et le prêtre, et aussi, dans l'exégète, ce qui était sa manière, et, si l'on ose dire, son tour de main [1].

Il vaut la peine, assurément, de s'essayer à ce portrait. D'abord parce que, chez Mgr Cerfaux, la manière de travailler importait autant que le résultat, et que cette manière avait quelque chose d'insaisissable. Ensuite, parce que l'être d'exception que nous avons fréquenté était lui-même une personnalité complexe, un peu solitaire, échappant toujours par quelque côté. En tous cas il n'avait aucun de ces traits accusés qui composent souvent une image lisible au premier coup d'œil, au grand plaisir du portraitiste, et, plus encore, du caricaturiste. Et si nous devions à tout prix chercher le trait dominant, c'est sans doute l'image d'un débit hésitant qui s'offrirait à nos yeux ; mais cette hésitation, peut-être symbolique, ne fait qu'accroître l'embarras de l'analyste. On peut donc craindre que s'estompe trop vite une figure un peu indécise. Déjà maintenant notre tâche sera difficile, et la palette devra éviter les tons trop criards.

I. Origines, formation, premier enseignement

Il n'est jamais indifférent pour un homme d'avoir tiré sa substance de tel ou tel milieu humain, dont les composantes sont éternellement les mêmes : le donné biologique, la situation dans le temps et dans l'espace, l'imbrication dans une famille et une structure sociale. Il n'est pas nécessaire d'être un adepte d'Hippolyte Taine pour énoncer ce modeste aphorisme.

---

1. Cet « in memoriam » fut prononcé à la séance d'hommage qui clôtura les Journées Bibliques de Louvain, le 23 août 1968. Au cours de la même séance, l'œuvre scientifique du maître fut présentée par Mgr J. Coppens. A ce sujet, on peut se reporter aussi à mon esquisse antérieure : *La carrière et l'œuvre scientifique de Mgr L. Cerfaux*, dans *Annua Nuntia Lovaniensia*, 10 (1955), 39-52, texte qui parut également dans *Eph. Theol. Lov.*, 30 (1954), 683-696.

Influence du moment. On ne peut certes l'apercevoir à la manière
des astrologues, en s'écarquillant les yeux sur la date du 14 juin 1883.
Mais cette influence éclatera plus tard, à toutes les grandes étapes de
la vie. Naître en 1883, ce sera, par exemple, faire ses classes secondaires
en un temps qui fut, pour les humanités gréco-latines, une période de
gloire ; ce sera aussi faire sa théologie en pleine crise moderniste, avec
les suites que l'on peut deviner. Nous reviendrons sur tout cela.

Influence du milieu géographique. Nous sommes dans la grande cein-
ture verte qui entoure l'agglomération de Charleroi vers l'est et le sud,
une zone de transition entre le sillon industriel de la Sambre et le clair
pays de l'Entre-Sambre-et-Meuse. Ce n'est plus du tout la grande vallée
fumante et rougeoyante, ce n'est pas encore le franc plateau condruzien,
aux larges horizons. C'est un petit pays aux vallées capricieuses, aux
replis parfois abrupts. Il y manque de larges échappées, et le charme
en est fait de menus tableautins, nettement découpés sur le ciel. Presles
en fait partie, avec des sapins sur les hauteurs sablonneuses, des prairies
à flanc de coteaux, de hauts peupliers dans les fonds humides. C'est un
village un peu « déjeté », — comme dirait un Liégeois, — dont le centre
n'est nulle part, à moins qu'il soit sur cette aire raboteuse, bordée de
vieilles maisons en cailloux, que nous traversâmes samedi en suivant le
cortège funèbre, observant ainsi, nous a-t-on dit, un rite obligatoire.
Un peu plus haut, le cimetière escalade un coteau, puis c'est l'église
classique, au flanc d'un vaste château, lui-même adossé à une crête
de verdure et d'arbres qui barre fermement l'horizon. — La maison des
Cerfaux est à l'autre bout du village, et même au bout de la province.
Miraculeusement préservée jusqu'à ce jour, elle fait toujours face à la
grand-route, et, derrière, courtil et verger dévalent jusqu'à la Biesme,
le frais ruisseau.

Si Lucien Cerfaux fut incontestablement une âme de poète, il serait
sans doute simpliste d'en chercher tout le secret dans le charme de sa
terre natale. Il n'empêche qu'il y a peut-être plus d'une analogie — nous
y viendrons — entre l'œuvre de l'exégète et le paysage de son enfance,
auquel il resta si passionnément attaché. En outre, ce fut sans doute
en souvenir de Presles qu'il partagea son existence entre son jardin
et sa bibliothèque. Et sa poésie fut bien cette poésie de la terre, dont on
a dit qu'elle ne meurt jamais. En le voyant sur ses quelques arpents
de pré, on le devinait d'accord avec Horace : *hoc erat in votis*, c'était
un de mes vœux, une terre d'une étendue modeste. A Louvain même,
il cultivait avec amour son menu potager, et les fleurs qu'il réservait
à la chapelle. Il voulait, sur sa table, les produits de son labeur : ses
légumes, le miel de ses ruches, la confiture de ses groseilles... Et le
visiteur occasionnel, invité à descendre pour prendre la collation de
4 heures, se trouvait délicieusement dépaysé, transporté d'un seul coup

« J'ai passé ma vie à me faire la main au métier d'historien. Je crois connaître la documentation chrétienne autant que d'autres.

Je n'ai jamais trouvé que l'étude historique diminuait ma foi. J'ai trouvé un contact vivant avec le Christ de l'histoire, et je suis sûr que c'était en même temps le Christ de ma foi. Ce contact m'a enrichi.

J'ai voulu vous faire profiter de mon expérience. Ces leçons nous diront si j'ai réussi. Nous reprendrons dans notre dernière leçon le sujet : comment le Christ de la foi se construit au fur et à mesure des approches historiques. »

Dernière page de Mgr Cerfaux écrite de sa main à Lourdes le 8 août 1968.

dans le monde des choses de la terre, simples et authentiques, et inspiratrices, sans doute, de bien d'autres formes d'authenticité.

Influence du milieu social. Jean-Baptiste Cerfaux était un ouvrier, non pas exactement un très pauvre journalier, comme il y en avait tant à l'époque, mais un modeste artisan, qui dut vendre un carré de pré pour payer les études du plus doué de ses fils. Lucien Cerfaux gardera toujours quelque chose de ses humbles origines, oui, peut-être par une légère pointe de contestation qui marquait son caractère, mais surtout par son amour de la vie simple et frugale. Lorsque sa mère l'eut rejoint pour vivre avec lui à Louvain, son foyer redevint, à l'image de celui de Presles, un intérieur d'ouvrier. Il prenait ses repas dans une petite cuisine-cave, équipée d'un chétif mobilier, dans ce cadre domestique des simples, où la pauvreté passe inaperçue tant elle est humaine ; à table, il servait lui-même sa maman, ainsi que l'invité d'occasion, à la bonne franquette. Et il se dégageait de ces scènes une vérité particulière, pareille de nouveau à celle des choses de la terre.

Influence de la race. Le père Cerfaux († 1937) était un homme très bon, très doux : la mère était plus vive, plus impérieuse ; elle fut toujours la conductrice du foyer. Leur fils Lucien tenait des deux. Il était lui-même doux et humble de cœur, comme le prouve justement son attachement à ses parents. Il garda toujours à portée de la main, parmi ses livres de chevet, le marteau de son père au manche usé, et sans doute pensait-il que les outils du fils devaient être aussi probes que celui du père. Pendant la guerre, par égard pour sa mère restée veuve, il fit presque chaque semaine, en bicyclette, le trajet Louvain-Presles et retour [2]. Et durant les onze années que Madame Cerfaux passa à Louvain (1944-1955), son fils la servit avec une patience inaltérable, lui rendant ses devoirs à son premier appel, c'est-à-dire, bien souvent — ô tempora... — dès 5 h. du matin... Mais l'aménité de Mgr Cerfaux n'avait rien de bonasse : à l'image de sa maman, il savait réagir avec vivacité et parfois regimber.

Influence du milieu religieux. Né un 14 juin, l'enfant fut baptisé le lendemain, qui était le jour annuel de l'adoration paroissiale. On rapporte que, lors de l'office divin, le curé Aimé Masnuy exhorta ses confrères et ses paroissiens à demander, pour le baptisé du jour, la grâce de la vocation sacerdotale. Heureux temps, où l'on savait voir loin et préparer l'avenir dans la foi et la patience ! Ce fut, semble-t-il, en souvenir du curé précédent, Lucien Boisdenghien, que l'enfant avait reçu son prénom. Pareils détails sont évocateurs d'un certain milieu

---

2. M. le chanoine Gille rapporte qu'au cours de 1944, lors d'un bombardement allié sur la région de Charleroi, alors qu'il se rendait sur les lieux pour voir s'il n'y avait pas de secours à apporter aux blessés, il trouva le chanoine Cerfaux blotti dans un fossé le long de la route, à côté de sa bicyclette.

paroissial. On ne peut les oublier, si l'on veut comprendre le grand croyant que fut et resta toujours Lucien Cerfaux.

* * *

« Il est un moment de la vie, où la route qui passe devant sa maison doit conduire l'enfant chez les hommes... Voici le petit garçon de Presles fréquentant l'école moyenne de Châtelet, la ville proche... Un prêtre l'y attendait pour l'aider à prendre le tournant vers l'idéal du sacerdoce » [3]. Oui, après Dieu, c'est à l'abbé Jules François que Lucien Cerfaux doit sa vocation. Pour être né moi aussi sur le même petit terroir que l'abbé François, j'aurais bien envie d'évoquer plus longuement sa noble figure ; mais je puis renvoyer à un discours de Mgr Xavier Nassaux [4], ainsi qu'à une plaquette de Mgr Cerfaux lui-même [5].

Lucien Cerfaux entra au Petit Séminaire de Bonne-Espérance en 1898 ; il avait quinze ans et fut admis d'emblée en 5me, tout en étant astreint à suivre en 6me les cours de latin. De ses successifs titulaires de classe, — les abbés Saussez, Dehauffe, Windal (celui-ci mort récemment à 91 ans), Hoc, Carlier, De Backer (les deux derniers en rhétorique), — plusieurs ont laissé, dans la chronique tournaisienne, outre des souvenirs très colorés, une réputation méritée d'excellents humanistes. Il est sûr que le garçon s'est abreuvé largement aux sources pures de la culture gréco-latine, et qu'il en fut marqué pour toujours. Son sens de l'approche des textes s'en trouva fondé à jamais.

Au Collège belge de Rome, où il arriva au sortir de sa rhétorique, il a laissé quelques souvenirs hauts en couleur. Je sais bien que l'on a dit malicieusement qu'il s'y révélait déjà sous le signe d'une sorte d'hésitation congénitale. A en juger par sa mise, on le voyait balancer entre deux attraits. Aujourd'hui il était vêtu d'une soutane rapiécée, d'une sorte de bure encrassée, comme s'il s'essayait à une existence de capucin italien. Le lendemain il apparaissait tiré à quatre épingles, portant pince-nez et manchettes, maniant une badine et arborant un cigare fin. Coquet ou négligé : il semblait ne pas connaître de milieu. A Louvain, on le retrouvera tantôt en tenue de jardinier, tantôt sanglé dans une belle soutane surmontée du camail noir.

Il n'est pas facile de se représenter l'impression que purent faire sur l'abbé Cerfaux l'enseignement scolastique de la Grégorienne (1903-1909) et les prudentes leçons des premiers maîtres de l'Institut Biblique (1909-1911).

3. X. NASSAUX, L'enseignement de M. le Chanoine Cerfaux au Grand Séminaire de Tournai, dans Annua Nuntia Lovaniensia, 10 (1955), p. 29.

4. X. NASSAUX, art. cit., p. 29-30.

5. L. CERFAUX, A la pieuse mémoire de Monsieur l'Abbé Jules François, Tournai, 1930.

Thomisme ou scotisme : ici aussi il balança longtemps. Et, à certains moments, son esprit frondeur l'emportait, le faisant verser dans une sorte d'engouement pour une gloire aujourd'hui oubliée, le Père Déodat de Basly. C'était pure réaction contre un certain thomisme, et aussi contre tel de ses condisciples qu'il jugeait conformiste et qui effectivement, cinquante ans plus tard, ruminait encore l'exaspération qu'il avait éprouvée en écoutant le néo-scotiste Cerfaux.

En tout cas, il emporta de Rome l'irremplaçable formation de base que procure le cycle classique de philosophie et de théologie. Il emmenait aussi une grande vénération pour l'Église des martyrs et des catacombes, un ardent amour de l'épopée franciscaine, une foi confirmée au Christ et à Pierre. Car, ne nous y trompons pas : à travers les vicissitudes d'une longue carrière, la théologie de Lucien Cerfaux est restée inébranlablement *Romanae Ecclesiae Filia* [6].

En 1911, il fut nommé professeur d'Écriture sainte au séminaire de Tournai, pour remplacer M. Rasneur. A la carrure d'athlète du futur évêque, succédait la silhouette la plus fluette du diocèse ; à un verbe sonore, mais riche en harmoniques, faisait écho une voix aussi rocailleuse que les chemins creux de Presles.

Du point de vue « génétique », la période du professorat tournaisien fut décisive. Ce fut le temps où le jeune professeur s'assimila véritablement les textes bibliques, s'efforçant avant tout de s'identifier aux vieux auteurs. Le temps aussi où il commença à s'enfoncer dans des recherches arides sur les sources entourant le Nouveau Testament. Pour un tempérament intuitif et primesautier, c'était la voie de l'ascèse et du dépouillement, c'était une manière de miracle.

C'était le temps où le modernisme poursuivait sur sa lancée. La qualité intellectuelle d'un Loisy ne fut pas sans impressionner notre jeune exégète. Mais la contestation agit sur lui comme un aiguillon. Quelque chose dans son tempérament le portait au défi, et, retranché sur le roc de sa foi, il ne lui déplaisait pas d'organiser la défense et la contre-attaque.

On aperçoit ici quelques autres jalons. Mgr avouait lui-même avoir fortement subi l'influence de la personnalité — sinon de l'œuvre — du Père de Grandmaison. C'est bien celui-ci qui fut à l'origine des recherches de Mgr sur la gnose simonienne : il les lui avait demandées pour prévenir les attaques que P. Alfaric s'apprêtait à livrer dans ce secteur. Il faut se rappeler aussi qu'au temps du professorat tournaisien,

---

6. « Vous avez reconnu Béatrice, la théologie, Fille de Dieu. Fille de l'Église catholique romaine. Fille intellectuelle et charnelle, dont le manteau copie la couleur de nos prés et de nos bois, et vêtue de flamme comme il sied à une inspirée du ciel » (L. CERFAUX, *Révélation et histoire* [Béatrice et Clio], dans *Recueil Lucien Cerfaux*, Gembloux, 1954, t. I, p. 339).

la brillante école théologique du Saulchoir avait trouvé refuge aux portes de la ville ; le jeune Cerfaux y noua des amitiés stimulantes, notamment avec le Père Lemonnyer, dont il admirait beaucoup les qualités d'exégète-théologien.

Arrêtant ici cette méditation sur les origines, disons que les influences subies et les quelques impulsions venues du dehors ne suffisent pas à rendre compte du lent et majestueux épanouissement d'une œuvre profondément originale. La distance est trop grande, en particulier, entre celle-ci et la formation reçue en sciences bibliques. C'est ici qu'il faut s'incliner devant ce qu'on ose appeler un donné génétique exceptionnel, ressort d'une personnalité puissante, au pouvoir véritablement créateur. C'est l'une des raisons pour lesquelles l'œuvre du maître gardera quelque chose d'exemplaire.

II. La « manière » de l'exégète chevronné

Le professorat à Louvain démarra définitivement en 1930. Il est temps de dire ce que fut la manière du maître durant cette période de pleine maturité, celle dont la plupart d'entre nous ont été les témoins.

1. Primauté des sources

On sentait vite, chez le professeur, le culte des vieux textes. Son premier principe, — si l'on ose user d'un vocable aussi peu biblique, — un principe qu'il n'énonçait pas mais que l'on devinait rapidement, c'est qu'il fallait lire inlassablement le texte sacré. Le Nestle grec qu'on lui voyait dans les mains était plus que fatigué, et le maître en avait déjà usé plusieurs jusqu'à la corde. Et, bien sûr, la parfaite compréhension philologique du texte était un impératif préliminaire, qu'il supposait obéi chez l'auditeur.

Sa connaissance éprouvée de toute l'Écriture lui faisait percevoir les harmoniques bibliques du texte étudié, et il poussait volontiers dans cette direction, s'intéressant notamment aux citations de l'Ancien Testament dans le Nouveau, et reconstituant, le cas échéant, des florilèges perdus.

Le professeur avait également pris un contact direct avec les sources environnant le Nouveau Testament, surtout avec la littérature hellénistique. Il l'avait fait dès le temps de son enseignement à Tournai, ce qui était particulièrement révélateur. Courants gnostiques, religions à mystères, judaïsme alexandrin, Pères apostoliques : une connaissance vivante de ce monde bariolé lui permettait de projeter le Nouveau Testament sur une toile de fond qui faisait ressortir singulièrement les textes.

Il complétait évidemment ses enquêtes par l'étude des travaux les plus importants, revenant volontiers aux grands auteurs, tel que Norden. Ses relevés bibliographiques ont, certes, intrigué. Il paraissait tiraillé entre deux contraires : une sorte d'indifférence pour l'information et un désir de jouer le jeu selon les règles. D'une part, il aurait été tenté de dire, avec un autre professeur : « De deux choses l'une ! Ou bien les auteurs pensent comme moi, et il est donc inutile que je les lise ; ou bien ils pensent différemment, et alors ils m'embrouillent ! » Il aurait pu le dire, mais il ne le disait pas, car il pressentait la critique, et, *propter metum Judaeorum*, il s'astreignait aux enquêtes réglementaires. Mais il prenait volontiers quelques raccourcis, de types divers. Il n'était pas hanté par le souci d'être exhaustif ou systématique. Si on l'avait poussé à bout, sans doute aurait-il avoué qu'il pouvait, lui, comme poète, prendre certaine licence, que d'autres toutefois, — les prosateurs que nous étions, — eussent été mal venus de se permettre.

Il ne fréquentait guère les congrès. Est-ce à cause des horizons si fermement dessinés de son vallon natal ? Toujours est-il qu'il n'eut jamais la tentation des voyages (ni, entre parenthèses, des séjours en montagne). Et s'il avait de nombreux amis à l'étranger, il n'amorça de rapports qu'avec quelques-uns, tels, — pour ne citer que les morts, — Goguel et Fridrichsen.

2. Prédilection pour l'étude thématique

Équipé comme nous l'avons dit, il concevait son cours, non pas comme un commentaire suivi, mais comme l'étude d'un grand thème : le royaume de Dieu chez saint Matthieu, la vie intime de saint Paul. Pour cela il commençait, — *pars analytica*, comme il disait, — par décortiquer les mots et les formules. Et c'est ici que commençait un laborieux accouchement. Craignant la traîtrise des synonymes, il semblait redouter que l'auditeur mît sous les vieux mots un concept de son cru. S'étant fait lui-même une âme d'ancien, il s'efforçait de tirer jusqu'à lui un auditoire encore enlacé dans les mailles du dernier manuel, mais il craignait par-dessus tout d'être inférieur au message à faire entendre. De là d'abord cette sorte de concentration qui le caractérisait pendant la leçon. Debout à côté de la chaire, balançant les épaules, penchant la tête, il semblait chercher à la pointe de ses souliers l'impossible équivalent. Jamais professeur ne fut aussi totalement « à son affaire ». Il était comme absent et ne semblait pas voir l'auditoire. Tendu dans un effort sacré, qui l'absorbait tout entier, toute digression lui eût paru sacrilège. Personne, à ce spectacle, n'eût songé à sourire ; même les innocents tapotements sur les pupitres avaient pris fin, et une attention presque liturgique figeait les disciples ; l'autorité du maître avait quelque chose de religieux. De là encore ces gestes qui voulaient éprouver les choses : — va-et-vient du pouce sur l'index, pour faire sentir le texte comme le grain d'une roche. Car il avait le sens du terrain : il l'avait aiguisé en bêchant son jardin ou en palpant des silex au cours de modestes expéditions

archéologiques. De là aussi ces traits dessinés à la craie sur la chaire,
comme pour ébaucher l'inexprimable. De là toujours ces à-coups dans
le débit, ces sortes de gémissements incantatoires. Oui, c'était bien à un
enfantement qu'on assistait, à une douloureuse naissance. Mais voici
qu'apparaissait quelque chose de frais, de neuf et de vivant. Si parfois
le nouveau-né gardait quelque chose d'informe, — on a beaucoup plai-
santé un certain manque de clarté, — sans doute le maître estimait-il
ne pouvoir le retoucher lui-même. Il préféra toujours le clair-obscur
du texte original à la fausse clarté de nos concepts.

Après les mots, il accordait une attention particulière aux formules,
auxquelles il essayait de rendre aussi leur saveur première. Il savait
surtout leur poser la question qui importe souverainement. Non pas,
assurément : quelle place tient cette formule dans ma synthèse mentale
à moi ? — Mais bien plutôt : à quel intérêt ancien veut-elle répondre ?
Dans quel milieu faut-il donc la situer ? Pareille question le conduisait,
à l'occasion, jusqu'à des analyses de sources dans lesquelles il excellait.

Le style, — cette forme globale des péricopes, — sans faire le sujet
exact de ses recherches, était toujours l'objet de ses notations pénétrantes.
Il avait analysé soigneusement les grands ouvrages classiques de la *Formgeschichte*, et s'était pénétré de leurs inventaires des genres littéraires,
mais il était trop personnel pour être l'esclave d'aucune classification.

Dans la deuxième partie de son cours, — *pars synthetica*, — il regroupait
les conclusions de ses analyses, non pas, de nouveau, suivant je ne sais
quel ordre logique, mais en respectant jusqu'au scrupule les enchaîne-
ments qu'il estimait être ceux des anciens.

Et c'était là, en quelque sorte, le point culminant de son enseignement.
Déjà au séminaire, il avait conquis ses élèves par ce qu'il appelait ces
« synthèses partielles », qui gardaient la fraîcheur de leurs matériaux.
A l'instar des maçons d'autrefois, il aimait laisser les moellons apparents,
mais il se risquait à construire la chapelle, car il entendait donner abri
à notre besoin d'unité, contenu toutefois dans des limites raisonnables.

3. Genèse des maîtres-livres

Tant que la synthèse n'était pas trop vaste, le maître se sentait à
l'aise. Était-ce encore une sorte de connaturalité avec les horizons précis
de sa vallée ? Toujours est-il qu'il aimait se cantonner dans des exposés
soigneusement délimités. Il s'était même formé une doctrine de la
synthèse partielle. Dans l'un des rares « excursus » qu'il se soit permis
à ma souvenance, il expliquait les mécanismes psychologiques qui lui
paraissaient sous-tendre l'œuvre écrite : vocables, thèmes, groupements
plus larges. Il soulignait avec finesse que l'activité intellectuelle vraie
ne se contente ni de concepts (répondant aux vocables), ni d'ailleurs de
simples jugements (les formules), et qu'en revanche elle ne parvient pas

non plus, normalement, à de vastes systèmes. L'objectif véritable de l'esprit, c'est un groupement d'idées de grandeur limitée. Si l'ambition de la synthèse est trop grande, l'esprit humain, jouant à cache-cache avec lui-même, préfère se complaire à des « points de vue », même discordants, qui coexistent tant bien que mal, et dont la « complémentarité » l'apaise mieux, en définitive, que certaines réductions à l'unité.

C'est bien ce qui explique, à mon sens, certains caractères des grands ouvrages de Mgr Cerfaux. Il ne faut pas oublier qu'il attendit jusqu'à 60 ans avant de publier son premier livre. La ciselure et la sculpture lui parlaient, l'architecture lui paraissait un art abstrait. Le genre littéraire qu'il préféra, ce fut l'article de revue bien troussé, finement travaillé. Dans la mise au point de ses livres, c'était l'ordonnancement général qui le torturait. Les matériaux étaient prêts, et déjà groupés en paragraphes ou chapitres. Mais, en vertu de sa doctrine même, le maître n'avait plus de boussole pour décider de leur mise en ordre. Il savait trop bien que saint Paul n'avait jamais eu à l'esprit une synthèse totale sur l'Église, sur le Christ, sur le chrétien. Pour peu, on lui eût donc fait avouer qu'il pouvait aussi bien commencer son livre par le dernier chapitre et le finir par le premier. Et tel fut effectivement le parti qu'il prit dans l'un des ouvrages cités, dont la construction lui infligea un tourment particulier ; c'est en dernière minute qu'il se résolut à en renverser complètement le plan primitif. C'est dire que chacun de ses grands livres reste essentiellement un ensemble de synthèses partielles, qui gardent toutes leur propre structure interne. Il ne voulait ni ne pouvait les fondre en une sorte de système. Chacun de ses maîtres-livres évoque, non pas la cathédrale idéale de Viollet-le-Duc, mais la grande église diverse, accueillante à tous les styles, où telle chapelle disparate n'en est pas moins délicieuse, et où tel coin d'ombre a son charme propre.

4. Sa langue

Voilà pour le fond. Disons un mot de la forme.

Au cours, son latin n'était pas à la hauteur de sa culture classique. Bien sûr, lui-même ne croyait pas à ce latin de professeur d'hébreu, et il ne comptait d'ailleurs en rien sur les moyens oratoires. Pour lui, la parole articulée était pur moyen, et même le son inarticulé en était un. En revanche, dès que Mgr Cerfaux prenait la plume, l'artiste s'éveillait. Son style contraste curieusement avec sa parole. Il garde aussi, il est vrai, quelque chose de volontairement inachevé, mais ce n'est là qu'un trait mineur. Oui, Mgr sautait volontiers le chaînon d'un raisonnement. Son esprit rapide s'accommodait mal du rituel d'une démonstration ; il pratiquait abondamment le silence, le sous-entendu, l'ellipse, l'anacoluthe. S'il avait écrit en syllogismes, nous dirions qu'il sautait habituellement la mineure. Il était allergique aux « dont », « parce que », « en effet »,

« c'est pourquoi », tous ces mots qui sont comme des béquilles pour les pesants marcheurs que nous sommes. Il eût approuvé sans réserve le romaniste qui vitupérait les « Cosaques du dont ». Et parfois le raisonnement tourne court sur une interrogation, ou sur une brève et péremptoire assertion qui ressemble à une dérobade, et fait penser à Paul, concluant sa laborieuse démonstration sur le voile des femmes : « au reste, ... tel n'est pas notre usage... » (*I Cor.*, XI, 16). Après tout, le décrochage a toujours fait partie des meilleures stratégies.

Ceci dit, sa langue écrite fut un merveilleux instrument de sa pensée. Il la plia à son office, qui était avant tout de respecter, avec toute la discrétion voulue, le vocabulaire même des écrits inspirés. Une enquête statistique ferait voir que des vocables qui nous paraissent essentiels en théologie sont totalement absents de ses livres, simplement parce qu'ils ne sont pas au lexique des deux Testaments. Sa discipline, sur ce point, était à la mesure de sa rigueur d'exégète.

Et puis, que de textes artistement écrits ! Dans ses livrets moins techniques, la trouvaille est souvent charmante et inattendue ; sa plume est plus vive que sa canne à pêche (que l'on sait avoir été très agile) ; la phrase est pure et fraîche comme l'eau du ruisseau, l'image aimable et lumineuse comme la tache de soleil dans le sous-bois.

III. Le prêtre

Il est certain que l'idéal de la vie religieuse, même au sens canonique du terme, a tenu une grande place dans l'esprit de Mgr Cerfaux. Il semble avoir été hanté, à plus d'une reprise, par des projets précis de vie monastique, dans le style des petits couvents franciscains d'Italie, voire des *carceri* d'Assise. S'il y renonça, au moins trouva-t-il dans la remise qu'il fit aménager en maisonnette au fond d'un jardinet, une ébauche de l'ermitage dont il avait rêvé autrefois. Et il en avait toujours gardé l'esprit, à la fois comme tertiaire de Saint-François et comme père spirituel de religieuses franciscaines.

Les Sœurs de Manage semblaient providentiellement accordées à ses goûts. Outre qu'elles se réclament comme lui de François d'Assise, elles sont nées comme lui, — et, ma foi, pas si longtemps avant lui, — dans un humble village d'Entre-Sambre-et-Meuse. Monseigneur a d'ailleurs fait revivre avec amour, dans une modeste pièce de théâtre, cette naissance à Mâcon-lez-Chimay. De sa charte franciscaine et de ses origines rurales, la Congrégation a gardé cet esprit de douceur, de simplicité, d'abnégation, qui, pour ma part, m'a plus d'une fois édifié. Que le parfum chrétien du Mâcon de 1836 se soit mêlé à l'esprit brûlant de François d'Assise, voilà qui nous rend bien attachant ce village de chez nous. Aux yeux de Monseigneur, les Franciscaines de Manage avaient aussi le grand mérite d'enseigner les enfants de Presles. On parle encore de ses expéditions de guerre à Roly, d'où il ramenait en vélo, pour ravitailler les religieuses, des poulets qui se prenaient à chanter dans le panier, ou même à y pondre. Manière bien à lui d'associer son dévouement aux Sœurs à son incorrigible penchant pour le pittoresque et les *fioretti*.

C'est en 1940 que Monseigneur vint habiter, au boulevard de Tervuren, une maison jouxtant celle des Franciscaines de Manage. Depuis lors, il fut l'incomparable aumônier de la petite communauté, et en outre il s'occupa activement, depuis pas mal d'années, des destinées générales de la Congrégation. Pareil choix et pareille fidélité en disent plus long que des livres sur l'esprit religieux d'un prêtre.

Il fut depuis toujours un fervent tertiaire de Saint-François. Il le fut par sentiment mais aussi par conviction ; il le fut pour lui-même, cherchant là un moyen de sanctification personnelle, mais aussi pour ses confrères du diocèse, auxquels il aimait apporter ainsi une aide fraternelle. Aussi prenait-il très à cœur les responsabilités qui lui échurent dans la fraternité diocésaine ; lui, si avare de son temps, était ponctuel aux réunions. Ce ministère lui fournit l'occasion de quelques pacifiques passes d'armes contre ceux qui concevaient autrement l'indépendance du Tiers-Ordre. Ce qui répondait encore à une inclination de sa nature, toujours attentive à préserver les franchises et le droit d'asile.

L'âme de cette religion, c'était, bien sûr, une foi inébranlable. Cette foi était discrète, mais elle pouvait jaillir au détour d'une conversation, comme elle transparaissait à travers d'innombrables conférences spirituelles.

Cette solidité dans la foi, elle était sans doute tributaire d'un milieu. Un atavisme chrétien la soutenait, et Rome l'avait fortifiée. Mgr Cerfaux s'en rendait sans doute compte mieux que nous. Mais il était beaucoup trop exigeant pour s'accommoder de ce qui eût pu ressembler à une attitude fidéiste. Il prisait très haut les droits de l'intelligence et, face à certain abus de l'argument d'autorité, il aimait rapporter cette réplique : « La vérité *aussi* a ses droits. » A plus d'une reprise, il a souligné avec bonheur que le christianisme est à base de raison, et que saint Paul a tracé la voie en subordonnant le don des langues au don d'intelligence. Ainsi, il ne pouvait manquer d'exiger de lui-même une rigoureuse justification de sa propre foi. Pour autant qu'on puisse pénétrer jusque là, il semble avoir surtout misé, quant à lui, sur la force spirituelle du christianisme naissant. A ses yeux, l'arbre se reconnaissait à ses fruits, et, pour avoir soulevé le monde gréco-romain comme un ferment soulève la pâte, l'Évangile avait fait la preuve qu'il était de Dieu.

Ainsi sa foi n'était pas celle du charbonnier. Elle avait élagué même ; elle transcendait bien des formules, mais non, comme il arrive aujourd'hui, pour remplacer Dieu par l'homme. Car elle restait ancrée à l'essentiel. Et surtout, elle faisait une place unique à la personne vivante de Jésus, inlassablement écouté dans l'Évangile, adhéré cordialement, suivi dans ses exemples, avec cette lumière supplémentaire qui leur vient d'un François d'Assise, d'un Curé d'Ars, d'un Benoît Labre.

* * *

Vooraleer te besluiten, hecht ik eraan te onderstrepen hoe groot de belangstelling en de sympathie van Professor Cerfaux steeds waren voor al zijn studenten, zowel de nederlands- als de franssprekenden. Hoewel hij slechts een passieve kennis van het Nederlands bezat, heeft hij zijn Vlaamse of Hollandse leerlingen steeds met de grootste waardering en de grootste vriendelijkheid bejegend. Voor niemand was hij een steen des aanstoots of een teken van tegenspraak. Onder zijn goede vrienden telde hij verscheidene Vlamingen. Hij hield zich steeds verwijderd van alle discussies die niet rechtstreeks met zijn opdracht verbonden waren ; hij bleef als verheven boven tal van pijnlijke conflicten. Zijn talrijke nederlandssprekende studenten zijn hem dan ook trouw geweest, en zij bleven hem steeds een warm hart toedragen.

* * *

Pour terminer, je voudrais dire quelles promesses contient cette œuvre, et cette façon d'approcher le monde de la Bible.

Pour Mgr Cerfaux, l'âme de toute exégèse, nous l'avons dit, c'est un retour laborieux à la vision des auteurs humains de la Bible, au travers d'un long dépouillement de nous-mêmes. Le premier résultat, c'est un salutaire dépaysement, celui que nous éprouvions, presque physiquement, en écoutant les premières leçons du maître. La vraie récompense, c'est une nouvelle présence des textes, une saveur de choses jamais goûtées jusque là.

Je sais bien que pareille démarche est aujourd'hui mise en question, à la fois comme méthode historique et comme approche croyante. L'analyse existentielle d'un Bultmann refuse l'idée même du retour à un passé normatif, et conteste que l'histoire puisse avoir un sens pour le croyant. A l'idéal du dépaysement devrait succéder celui de l'engagement, et le vieux texte aurait épuisé ce qu'il peut donner dès là qu'il aurait provoqué la confrontation entre l'homme d'aujourd'hui et son Dieu. Le passé ne serait plus un *in se*, mais un *pro me*. Ce n'est pas le lieu de développer ici ce sujet redoutable. Qu'il me suffise de dire que Mgr Cerfaux n'a pas ignoré l'objection, mais qu'il l'a regardée en face. Et il a pensé que si le dialogue avec la philosophie existentielle permet de salutaires prises de conscience, elle ne conclut pas par la déroute de l'histoire. Nous pensons, avec beaucoup, que l'irréprochable probité de Mgr Cerfaux restera source d'inspiration, tant pour le chrétien que pour l'historien.

Nova et vetera. Rarement une œuvre aura laissé, par là même qu'elle n'eut d'autre ambition que de faire revivre les vieux textes, une telle impression de jeunesse et de nouveauté. Elle résistera, nous en sommes persuadé, à l'érosion du temps.

Oude Markt 13   A. DESCAMPS
3000 Leuven

La carrière et l'œuvre scientifiques de Monseigneur Lucien Cerfaux

Le dimanche 11 août 1968 s'éteignit à Lourdes doucement dans le Seigneur Monseigneur Lucien Cerfaux. Il venait de fêter à Louvain dans l'intimité le 14 juin 1968 son quatre-vingt-cinquième anniversaire [1].

---

1. Lucien Cerfaux naquit à Presles le 14 juin 1883. Son père Jean-Baptiste Cerfaux y décéda le 19 août 1937 à l'âge de 84 ans ; sa mère, Augustine Marchand, mourut à Louvain, le 22 avril 1955, âgée de 93 ans. Après ses premières études à l'École moyenne de Châtelet, il passa au Petit Séminaire de Bonne Espérance, puis fut envoyé à Rome pour y entreprendre et achever sa philosophie (1903-1906) et sa théologie (1906-1910) à l'Université grégorienne. Au terme de ce cycle d'études, il séjourna un an (1910-1911) à l'Institut Biblique, puis succéda au professeur Rasneur pour l'enseignement de l'Écriture sainte au Séminaire de Tournai.

Voici comment notre regretté collègue passa les derniers jours de sa vie laborieuse. Le mardi 6 août 1968 il s'embarqua en compagnie de sa secrétaire Mademoiselle Élisabeth Dries pour Lourdes, à l'aéroport de Zaventem. Avant de prendre place vers midi à bord du DC-6, il s'entretint avec l'aumônier, M. l'abbé de Meeûs, un de ses anciens élèves qui lui demanda ses lumières sur l'encyclique *Humanae Vitae*. Arrivé à Tarbes, une auto vint le prendre et le conduire à la maison d'Auxilium à Lourdes. Le mercredi 7 août fut un jour de repos. Les jeudi, vendredi et samedi il fit une conférence sur les évangiles de 11 heures à midi. Le soir du vendredi 9 août, anniversaire de son ordination sacerdotale, il célébra la sainte messe dans la crypte de la maison. Le chant du Te Deum et du Magnificat rehaussèrent la célébration eucharistique, et Monseigneur se sentit à la fois heureux et fort émotionné.

Le samedi après-midi, notre collègue fit vers 4 heures de l'après-midi une petite randonnée en auto dans les environs de Lourdes. Rentré chez lui, il célébra la messe, prit une légère réfection et se retira dans sa chambre plus tôt que de coutume. Vers 9 heures il appela sa secrétaire qui constata avec effroi que Monseigneur était gravement souffrant. Un médecin appelé d'urgence le fit transporter à une clinique où on essaya de venir en aide au malade qu'un infarctus venait de terrasser. Au cours de la nuit il reçut en pleine lucidité les derniers sacrements. Dans la matinée le malade était calme et son état paraissait s'améliorer. Il reçut à ce moment la visite de Mgr Théas. Vers 11 heures, brusquement, sans cri et sans souffrance apparente, il s'endormit dans le Seigneur.

Nous remercions vivement Mlle Dries de nous avoir communiqué ces renseignements et nous lui exprimons également un vif remerciement au nom des collègues et des amis du défunt et des innombrables lecteurs qui ont profité de ses œuvres, pour les services éminents qu'elle a rendus au maître durant 23 ans (1945-1968), copiant ses textes, corrigeant ses épreuves et lui rendant d'innombrables services qui ont décuplé ses moyens de travail. Les religieuses franciscaines de Manage,

Au terme d'un labeur ardu courageusement entrepris et mené à bonne fin, il avait, au cours du même mois, donné le bon à tirer pour un nouvel ouvrage : *Jésus aux origines de la tradition*. Puis, fidèle à une longue coutume, il était parti faire à Lourdes une série de leçons et d'instructions à un groupe d'auditrices se vouant à l'apostolat. Il eut le bonheur d'y célébrer le 9 août 1968 le soixantième anniversaire de son ordination sacerdotale, événement que la paroisse de Presles s'apprêtait à fêter solennellement le dimanche 25 août. Et déjà il se préparait à offrir aux XIXᵉˢ Journées Bibliques les prémices de vues nouvelles sur la source dite des *Logia*, vues qui l'auraient amené à revoir en partie ses positions touchant les structures des Évangiles synoptiques et leurs sources [2]. La Providence en disposa autrement. Au moyen âge, un chroniqueur aurait noté que la Vierge tint à accueillir son fidèle serviteur en cet endroit privilégié de son culte qu'est la ville et le sanctuaire de Lourdes. Peut-être aurait-il ajouté qu'elle voulut également nous apprendre que ce site béni n'est pas seulement un lieu où l'on peut chercher et trouver la guérison mais encore et mieux une porte qui s'ouvre au ciel : *Haec est porta Dei. Justi intrabunt per illam.*

* * *

Lucien Cerfaux naquit à Presles, village situé au sud de Charleroi, dans l'Entre-Sambre-et-Meuse, région qui par son caractère champêtre et verdoyant contraste avec le bassin industriel environnant. Ses premières études, on l'a rappelé maintes fois, ne le prédestinaient ni au sacerdoce ni aux études classiques. Mais voici qu'en cours de route, le brillant étudiant changea d'orientation, se mit à apprendre le latin et le grec au petit séminaire de Bonne Espérance, se sentit appelé par le Seigneur et obtint le privilège d'entamer et d'achever ses études de philosophie et de théologie dans la Ville éternelle. Il y conquit à l'Université Grégorienne les grades de docteur en philosophie et en théologie,

---

dont il fut l'aumônier à Louvain, méritent aussi toute notre reconnaissance pour les soins dont elles ont entouré le professeur.

Lors de son émeritat, Monseigneur n'avait pas abandonné tout enseignement. Depuis de nombreuses années, il avait accepté de donner à Bruxelles chaque vendredi après-midi aux Auxiliaires de l'Apostolat des instructions sur le Nouveau Testament. De même il se rendait chaque année une ou même deux fois à Lourdes, où est établie la maison de formation internationale de cette association, pour y porter la « bonne nouvelle ». Monseigneur accepta aussi de donner quelques cours à l'Université du Latran. D'où les articles parus dans *Euntes docete* et *Divinitas*.

Monseigneur jouit en général d'une excellente santé. En 1962 toutefois, au milieu des travaux du concile, il dut s'aliter et prendre quelques mois d'un repos d'ailleurs encore très relatif.

2. Sa communication était intitulée *L'utilisation de la Source Q par Luc*. Voir dans ce volume, p. 61-69.

puis aborda à l'Institut Biblique Pontifical, qui venait à peine d'ouvrir ses portes, des études d'exégèse spécialisée. Notre collègue, qui n'aimait pas trop les confidences et qui s'inspirait volontiers de l'invitation de S. Jacques à freiner la langue quand il s'agit du prochain, ne nous a guère fait part de ce que les maîtres romains ont pu lui apprendre. A tabler sur ses silences, à nous appuyer aussi sur le manque de références dans ses écrits aux professeurs dont il suivit les leçons, il ne rentrait pas de Rome avec une formation accomplie, en possession d'une méthode de travail rigoureuse. Mais à tout le moins il y avait acquis ou développé un désir immense d'apprendre et un goût des Saintes Écritures qui l'ont marqué pour la vie. Revenu dans le pays, il eut la chance peu commune de pouvoir accéder tout de suite, en 1911, à l'enseignement des Livres Saints, au Grand Séminaire de son diocèse. Qu'il y ait gardé le goût pour les études et les recherches personnelles, qu'il l'ait même augmenté, n'est pas surprenant pour qui se rappelle les brillantes traditions intellectuelles du clergé tournaisien, puis le contact bienfaisant que les maîtres du Couvent du Saulchoir, installé aux portes de la ville épiscopale, en particulier le Père Lemonnyer [3], entretenaient avec les professeurs du séminaire de Tournai, enfin les amitiés que Lucien Cerfaux veillait à entretenir avec d'anciens condisciples, épris comme lui d'ambition scientifique, tel le prêtre gantois Paul van Imschoot [4], stimulés l'un et l'autre dans cette voie par les encouragements que le chanoine Van Crombrugghe aimait prodiguer [5].

Désireux de faire profiter les étudiants de théologie et de philosophie et lettres de l'enseignement d'un maître qui dans l'entretemps s'était familiarisé avec les problèmes de l'hellénisme, de ses courants religieux et de leur éventuel impact sur le christianisme naissant, Mgr Ladeuze [6]

---

3. Cfr J. TONNEAU, Lemonnyer, Antoine, O.P. (1872-1932), dans Dict. Théol. Cath. Tables générales, Paris, 1965, col. 2948-2949. — L. Cerfaux se chargea de rééditer en 1963 sa Théologie du Nouveau Testament, parue en première édition en 1928 : Nouvelle Bibliothèque des Sciences religieuses, Paris, 1963. In-8, 228 p.

4. Paul van Imschoot naquit à Gand, le 17 septembre 1889 et y décéda le 25 mai 1968. Après des études au Collège Sainte-Barbe, à l'Université grégorienne et à l'Institut biblique romain, il devint successivement professeur au Collège d'Eeklo, professeur au Grand Séminaire de Gand, directeur et professeur de religion à la Maison St-Pierre des Dames de l'Instruction chrétienne à Gand. — Cfr P. VAN DEN BERGHE, In memoriam Mgr. Paul van Imschoot, dans Coll. Brug. Gand., 14 (1968), 270-271.

5. Sur le chanoine Camille Van Crombrugghe (2 mai 1875-14 avril 1940), cfr J. COPPENS, Le chanoine Camille Van Crombrugghe. In Memoriam, dans Ann. Univ. Cath. Louvain, 1940-1941, t. LXXXV, p. LXXXI-CII.

6. Sur Mgr Paulin Ladeuze, cfr J. COPPENS, Paulin Ladeuze oriëntalist en exegeet 1870-1940. Een bijdrage tot de geschiedenis van de Bijbelwetenschap in het begin van de XXᵉ eeuw, dans Kon. Vl. Academie Wet., Lett. en Sch. Kunsten, Versl. en Med., III, 1, Bruxelles, 1941.

obtint des évêques en 1928 que le chanoine Cerfaux fût nommé maître de conférences pour enseigner à l'Université de Louvain l'histoire de l'hellénisme. Rien en ce moment ne fit prévoir que deux ans plus tard notre collègue accéderait à la chaire d'Écriture sainte du Nouveau Testament. Le chanoine Édouard Tobac n'avait que cinquante-trois ans, il était en pleine activité et il paraissait jouir d'une santé robuste [7]. Seuls ses familiers soupçonnaient qu'en l'occurrence les apparences étaient trompeuses. Au lendemain du décès, survenu le 4 mai 1930, il ne manquait pas d'excellents candidats pour reprendre sa succession. Que Mgr Ladeuze ait manifesté aux évêques ses préférences pour le choix du professeur du séminaire de Tournai, s'explique. Celui-ci avait déjà un pied dans l'étrier ; il pouvait en outre faire valoir un droit d'ancienneté, et, à défaut d'un ouvrage imposant, il avait à son actif une série d'articles que les spécialistes avaient accueillis avec faveur.

* * *

Ce furent donc les publications déjà nombreuses sur le milieu hellénistique qui ouvrirent à notre collègue les portes de l'Université. Ce domaine de recherches continua à l'intéresser tout le long de sa carrière mais, à partir de sa promotion de 1930, il passe manifestement à l'arrière-plan. Non pas qu'il ait totalement perdu de vue l'hellénisme. Le nombre imposant de dissertations qu'il inspira et dirigea, surtout dans la faculté de philosophie et lettres, montre que son intérêt pour l'étude du milieu religieux hellénistique diminua à peine. Signalons une étude sur Philon de Byblos (L. Bellon, 1954), — une enquête sur le dieu alexandrin Aiôn (L. Pepin, 1944), — deux dissertations sur le culte des empereurs (J. Tondriau, 1940, 1941 et R. Boreux, 1947), — une monographie sur les thiases de Dionysos (A. Ancia, 1940), — un exposé de M. Depré sur la connaissance de Dieu chez les philosophes du IIe siècle après Jésus-Christ (1940), — une étude sur la religion d'Aelius Aristide (J. Maréchal, 1939), — un examen des noms et attributs divins dans les *Livres Sibyllins* (A. Collard, 1951), — deux enquêtes sur le *Corpus Hermétique* : celle de P. Renard sur le mysticisme cosmique du *Corpus Hermeticum* (1949) et celle de Fr. Petit sur la transposition des formules de gnose dans l'*Asclepius* latin (1949), — deux dissertations sur Philon d'Alexandrie (J. Giblet, 1946, 1948 et M.-Chr. Wathelet, 1954), — une série de travaux sur la gnose, en particulier sur celle de Valentin : L. Burnet (1942), A. Torhoudt (1938, 1942), D. Caenepenne (1946), Y. Janssens (1946), J. Mouson (1949), F. Petit (1949), — deux monographies sur la

---

7. Sur Édouard Tobac (13 octobre 1877-4 mai 1930), cfr J. Coppens, *Éloge académique de Monsieur le professeur Édouard Tobac*, Louvain, 1930. — Cfr aussi *Ann. Univ. Cath. Louvain 1930-1933*, Louvain, 1933, p. LXXVIII-XCV.

polémique entre chrétiens et païens (C. Dumont, 1942 et M. Bonnave, 1945), — ainsi que deux thèses consacrées aux sectes chrétiennes : les ébionites baptistes (J. Thomas, 1934, 1935) et les manichéens (J. Ries, 1953).

A cette série de recherches sur l'hellénisme se rattachent aussi plusieurs travaux consacrés aux Pères de l'Église : aux Pères Apostoliques en général (S. Van Roye, 1945 ; A. Hermans, 1946 ; J. Ponthot, 1950), à la *Didachè* (A. Diépart, 1949), à la *Lettre à Diognète* (M. Taverne, 1952), à S. Justin (I. Posnoff, 1948 et Fl. Hofmans, 1954), et même à S. Jérôme (V. Caris, 1944) et à S. Augustin (A.-M. Galot, 1948). Bref, le professeur s'intéresse en quelque sorte à toutes les époques de la culture gréco-romaine. Il s'enhardit à envoyer ses élèves en reconnaissance dans toutes les directions.

Si la plupart des travaux auxquels nous venons de renvoyer ne furent pas publiés, du moins intégralement, le professeur réussit à amener quelques-uns de ses élèves à couronner leurs patientes recherches par l'impression des mémoires qu'il eut le privilège de diriger. Signalons : J. Thomas, *Le mouvement baptiste en Palestine et en Syrie (150 av. J.-C. — 300 après J.-C.)*, Louvain, 1935 ; — A. Torhoudt, *Een onbekend gnostisch systeem in Plutarchus' De Iside et Osiride*, dans *Studia hellenistica*, t. I, Louvain, 1942 ; — L. Sanders, *L'hellénisme de saint Clément de Rome et le Paulinisme*, *ibid.*, Louvain, 1943 ; et surtout L. Cerfaux-J. Tondriau, *Un concurrent du christianisme. Le culte des souverains dans la civilisation gréco-romaine*, dans *Bibl. théologie*, Paris-Tournai, 1957.

La part d'intervention personnelle du professeur dans la conception, l'élaboration, la rédaction de ces nombreux travaux n'est pas facile à préciser, mais, en règle générale, elle est grande, voire capitale. Elle apparaît surtout dans l'ouvrage sur le culte des empereurs, où les parties les mieux pensées et les mieux écrites sont de la main de notre regretté collègue, qui ne cessa de guider et de stimuler un disciple qu'un tragique accident ravit trop tôt à la science et à l'affection de son maître [8].

Quant aux travaux strictement personnels de L. Cerfaux, outre la série d'articles composés au début de sa carrière et l'importante collaboration à l'œuvre de J. Tondriau, retenons surtout son étude sur la *Gnose*, parue dans le *Dictionnaire de la Bible. Supplément*, fasc. 13-14, 1936, col. 659-701. Cette contribution notable, qui résume les travaux antérieurs du professeur et qui laisse entrevoir les sujets de dissertation qu'il suggérera plus tard à ses élèves, brille par l'ordre et la clarté. En outre, elle débute par un exposé méthodique des opinions présentées par les meilleurs spécialistes : démarche excellente et plutôt rare dans les écrits de notre collègue.

---

8. J. Tondriau périt dans un accident d'avion en revenant d'un voyage d'études en Inde.

Dans son article, Lucien Cerfaux nous invite à distinguer trois forma-
tions de gnose caractérisée. Il y a d'abord un gnosticisme vulgaire,
étranger et antérieur à la gnose philosophique (col. 681), voire substan-
tiellement indépendant des sectes chrétiennes (col. 681). Ce mouvement,
qui éblouit les yeux de l'historien après 150, est l'apogée de tendances qui
furent présentes longtemps auparavant (col. 681). « Si, à un moment donné
dans la seconde moitié du IIe siècle, il a été fortement étayé par la gnose
philosophique, et si le succès de celle-ci, dans une large mesure, a contribué au sien, cela ne doit pas nous faire oublier qu'il avait son existence
propre » (col. 681).

En deuxième lieu, il y a le gnosticisme philosophant dont la gnose
hermétique est le représentant païen le plus important. Tout désigne
l'Égypte comme la patrie des écrits qui relèvent de ce courant religieux
(col. 677). Se ralliant au sentiment de M. Puech, Cerfaux conclut que
les premiers germes de cette littérature peuvent être anciens, mais que
la forme sous laquelle nous la possédons n'est pas antérieure à la fin du
IIe siècle (col. 678).

Enfin il y a le gnosticisme philosophique chrétien. Il se situe en tout
premier lieu à Alexandrie, où enseignaient entre 130-150 Basilide, Valentin et leurs premiers disciples (col. 672). Valentin transporta sa chaire
à Rome. A la même époque y arriva du Pont le fils de l'évêque de Sinope,
le nommé Marcion, qui élabora un système fort différent de celui des
gnostiques alexandrins (col. 672). Tertullien témoigne de l'importance
du marcionisme, et Celse s'exprime comme s'il n'y avait eu à son époque
que deux Églises chrétiennes, la « grande » Église et l'Église marcionite,
avec, à côté d'elles, la broussaille des sectes gnostiques (col. 675).

Après avoir défini ce qu'il considère comme les traits distinctifs
d'« une religion de gnose » (col. 682), le professeur estime que ni le christianisme (col. 697), ni le paulinisme (col. 698), ni le johannisme ne
constituent une vraie gnose (col. 699). Grâce à sa notion spéciale de révélation, à sa doctrine religieuse riche et précise, à sa notion historique
du salut, à ses moyens de salut bien constitués et largement originaux,
le christianisme, et avant lui, le judaïsme ont résisté à la tentation d'un
courant venu du paganisme (col. 700). « La gnose resta à la périphérie
du christianisme, y provoquant seulement la formation de sectes
hérétiques » (col. 700).

Quant aux origines lointaines des courants gnostiques préchrétiens,
Cerfaux proposait de distinguer deux centres principaux : l'un plus philosophique, à Alexandrie ; l'autre, plus magique et mythologique, en
Asie Mineure et en Syrie (col. 681-682). A la débâcle des paganismes
nationaux et à la crise des grandes écoles philosophiques, succéda dans
ces milieux une théologie. A Alexandrie, elle travailla surtout sur quelques
notions philosophiques vagues et générales et sur des vieilles mytholo-
gies interprétées allégoriquement. En Asie Mineure et en Syrie, l'élément

magique et astrologique, emprunté au milieu religieux irano-babylonien, fut plus important (col. 700). L'apport des mystères ne semble pas avoir été considérable (col. 688). De même, celui du judaïsme ne fut guère notable, car on ne constate nulle part dans les milieux juifs un mouvement de gnose bien caractérisé (col. 690). Notre collègue trouve toutefois quelques affinités avec la gnose dans la littérature apocalyptique juive, — problème peut-être trop vite expédié (col. 689), — et il admet quelques contacts de vocabulaire et même de thèmes dans certains écrits juifs, notamment dans la littérature sapientielle (col. 689) et surtout chez Philon. Le vocabulaire de l'auteur juif qui termina son activité littéraire peu après l'an 40 de notre ère, s'oriente vers une gnose philosophique, et l'atmosphère théologique de son œuvre est déjà celle de la gnose alexandrine (col. 686).

Si l'on fait abstraction de sa collaboration à l'ouvrage de J. Tondriau, c'est avec le remarquable article sur la gnose que se clôt en quelque sorte, en 1936, l'orientation hellénistique des recherches et publications de Lucien Cerfaux.

Terminons cet aperçu en notant que les succès remportés par le professeur auprès des étudiants en philologie classique fut tel que par moments il porta ombrage à quelques professeurs de la section, qui reprochèrent au spécialiste de l'hellénisme une méthode trop empreinte de subtilité théologique. Par ailleurs, sa compétence lui valut la collaboration de M. Willy Peremans dans une initiative digne d'être relevée, celle de la fondation et de la direction des *Studia hellenistica*, collection qui fait honneur à notre Université.

* * *

L'année 1936 constitue, nous venons de le noter, un vrai tournant dans les publications de notre collègue. Elle marque l'avènement de la série d'articles qui présagent la composition des grands travaux bibliques du professeur. En étroite collaboration avec deux d'entre les meilleurs élèves du maître, à cette époque nos *collegae proximi*, Albert Descamps et Édouard Massaux, nous prîmes en 1954 l'initiative de les réunir en deux volumes intitulés : *Recueil Lucien Cerfaux*, auxquels un troisième s'ajouta huit ans plus tard, en 1962. C'est à ces trois tomes, œuvre monumentale, qu'à l'avenir se rapportera en tout premier lieu quiconque voudra prendre connaissance des études nombreuses et variées que le maître composa et publia au cours de ses dix-neuf ans d'enseignement au Séminaire de Tournai, de ses vingt-trois ans de professorat à l'Université de Louvain et de ses treize ans d'émérita laborieux, vécues sans interruption dans l'ambiance universitaire de notre Alma Mater.

Nous ne pouvons songer à en résumer le contenu ni même à en signaler les conclusions principales. Renvoyons à la présentation lumineuse et

brillante qu'en donna jadis celui que l'on peut appeler son élève de
prédilection, Monseigneur Albert Descamps, qui en 1953 eut l'honneur de
lui succéder pour une période hélas ! trop tôt interrompue [9]. En cet
hommage ultime, nous nous limiterons aux grands travaux que le
professeur entreprit et réalisa depuis 1942, travaux qui lui valurent
des lecteurs et des disciples de plus en plus nombreux au-delà de nos
auditoires louvanistes.

* * *

Le début de cette période de grande activité littéraire consacré aux
Livres Saints coïncide presque avec la nomination de Lucien Cerfaux,
le 19 février 1941, comme membre de la Commission biblique [10]. Cette
promotion le remplit d'une grande joie, à l'étonnement de divers collègues habitués à ne pas saluer précisément en cet aréopage une société
de savants chevronnés. La satisfaction qu'éprouva le maître de Louvain
s'explique.

La nomination survint à un moment où le nouveau secrétaire de la
commission, le Père Vosté, O.P., susurrait un peu partout qu'il allait
infuser un sang nouveau à un organisme sclérosé, généralement peu
apprécié dans les milieux catholiques et manifestement déconsidéré en
dehors de l'Église. Puis, si ceux qui partageaient avec lui la même promotion : A. Allgeier, A. Clamer, J. Freundorfer, B. Allo, J. Bover,
n'étaient pas tous des étoiles de première grandeur, tous pouvaient
passer pour des travailleurs honnêtes et tous étaient recrutés en dehors
des établissements d'enseignement théologique de la Ville éternelle.
Enfin et surtout, la nomination conférait au professeur de Louvain un
brevet d'orthodoxie et elle lui apportait un supplément appréciable
d'autorité, lui permettant de frayer, à l'abri de suspicions et d'attaques,
quelques voies nouvelles en exégèse catholique. N'oublions pas en effet
que Lucien Cerfaux avait grandi en période de crise moderniste [11].
Lui-même, tout comme pas mal d'auteurs de cette époque, s'était senti
mal à l'aise pour exprimer ce qu'il estimait résulter honnêtement de ses
travaux. Nous n'hésitons donc pas à nous féliciter de cette nomination

---

9. A. DESCAMPS, *La carrière et l'œuvre scientifique de Monseigneur Lucien Cerfaux.
— Manifestation - Huldebetoon Mgr Lucien Cerfaux*, dans *Annua Nuntia Lovaniensia*,
10 (1955), 40-52.

10. Cfr J.-M. VOSTÉ, dans l'*Osservatore Romano*, 5 mars 1951, n⁰ 53, p. 3.

11. Sur le modernisme cfr J. RIVIÈRE, *Le modernisme dans l'Église. Étude d'histoire religieuse contemporaine*, Paris, 1929. — J. COPPENS, *Modernisme. 2, in de R.K.
Kerk*, dans *Winkler Prins Encyclopaedie*, 6ᵉ éd., Amsterdam-Bruxelles, 1952,
t. XIII, p. 760-761. — H. DUMÉRY, *Le modernisme*, dans *Les grands courants de la
pensée mondiale contemporaine*, IIᵉ partie, vol. I, Paris, 1961, p. 123-157.

qui lui donna le supplément de courage dont il eut besoin pour pleinement s'affirmer.

Ne nous arrêtons pas aux opuscules qui vont se succéder nombreux et variés, également surtout depuis 1942 : en 1934, *Les peuples anciens de l'Orient* ; — en 1943, *La Communauté apostolique*, dans la collection *Témoins de Dieu* ; — en 1946, *L'Église des Corinthiens, ibid.*, no 7 ; encore la même année *La voix vivante de l'Évangile au début de l'Église*, dans la collection *Lovanium* ; — en 1947, *Retraite apostolique* et *Une lecture de l'Épitre aux Romains*, dans *Bibl. Inst. Sc. Rel.*, II ; — en 1953, *Les Actes des Apôtres*, en collaboration avec Dom Jacques Dupont ; — en 1955, l'*Apocalypse de saint Jean lue aux fidèles*, dans *Lectio divina*, no 17, en collaboration avec J. Cambier ; — en 1957, dans *Spiritualité biblique*, le *Discours de Mission dans l'Évangile de saint Matthieu*, et *L'Antiquité. Le Proche Orient*, en collaboration avec P. Houssiau ; — en 1963, la *Théologie du Nouveau Testament*, réédition avec quelques compléments d'un ouvrage du P. Lemonnyer ; — en 1966, *L'itinéraire spirituel de saint Paul* ; — en 1967, *Le Trésor des Paraboles* [12].

* * *

En général, les exégètes ne s'attarderont sans doute guère à la lecture de ces *opera minora* où souvent le savant se dédouble en maître de spiritualité. Il y a cependant de fines observations à y glaner, des remarques judicieuses et même des prises de position importantes qui nous aident à parfaire l'image que le maître s'est formée de l'Église naissante et des documents littéraires qu'elle nous a légués. A l'avenir, nos collègues tiendront surtout à s'instruire dans les trois volumes du *Recueil Cerfaux* et dans cette autre trilogie littéraire qui constitue la plus riche, la plus suggestive, la plus nuancée, et peut-être la plus monumentale des théologies pauliniennes dont la science catholique peut se glorifier aujourd'hui [13].

L'étude de la pensée paulinienne a surgi très tôt à l'horizon des préoccupations littéraires de notre collègue, notamment dès 1925 dans un article publié par les *Ephemerides Theologicae Lovanienses* et intitulé : *L'Église et le Règne de Dieu d'après saint Paul.* Toutefois, à parcourir la bibliographie du professeur de 1922 à 1942, on ne peut pas encore

---

12. Nous ferons toutefois exception pour la présentation d'un opuscule, à savoir *L'itinéraire spirituel de saint Paul*, parce qu'il complète la trilogie paulinienne.

13. *Recueil Lucien Cerfaux*, édité par J. COPPENS, A. DESCAMPS, É. MASSAUX, 2 vol., Gembloux, 1954. — Tome III. Gembloux, 1962.

La théologie de l'Église suivant saint Paul (*Unam Sanctam*, 10), Paris, 1942 ; 2e éd., Paris, 1948 ; nouv. éd., Paris, 1965. — *Le Christ dans la théologie de saint Paul* (*Lectio Divina*, 6), Paris, 1951 ; 2e éd., Paris, 1954. — *Le chrétien dans la théologie paulinienne* (*Lectio Divina*, 33), Paris, 1962.

deviner que le premier volume de la trilogie paulinienne se trouve déjà
sur le métier. Au reste, à parcourir la liste des écrits du maître avec plus
d'attention, on s'aperçoit que le premier volume doit son existence
autant et peut-être plus au problème posé par l'ecclésiologie des Actes
que par l'étude des textes pauliniens. En l'année 1925 parut en effet,
ne l'oublions pas, dans la même revue l'article intitulé *Les « Saints »
de Jérusalem.*

Observons que vers 1940 la publication d'une nouvelle théologie de
saint Paul était particulièrement opportune. Les milieux catholiques
continuaient à vivre de la brillante *Théologie de saint Paul* du Père
Ferdinand Prat, S.J. [14]. Mais les ouvrages bibliques, surtout ceux du
Nouveau Testament, vieillissent relativement vite.

Le nombre des spécialistes qui s'y adonnent est grand et les publications inondent le marché du livre. Puis l'ouvrage classique de Ferdinand
Prat n'avait pas été mis à jour [15], et ses cadres, empruntés aux manuels
de théologie, se présentaient trop comme un carcan imposé à la pensée
de l'Apôtre des Gentils, pensée beaucoup moins rigide, moins systéma-
tisée, plus dynamique. Ajoutons que la publication du premier volume
de la trilogie en pleine période de guerre, à un moment où les livres de
valeur se faisaient rares et où ceux parus dans les pays non occupés
par les armées étrangères n'arrivaient pas jusqu'à nous, contribua à
assurer à *La Théologie de l'Église suivant saint Paul* un succès qui, pour
un livre difficile à lire, dépassa toutes les prévisions.

D'aucuns insisteront peut-être aussi sur le fait que le volume s'insérait
à point dans ce foisonnement d'ouvrages consacrés à l'Église qui ont
amené certains auteurs à appeler ce siècle celui de l'ecclésiologie et à
saluer en *Lumen gentium* l'heureux aboutissement d'une préoccupation
majeure de notre époque.

Des trois ouvrages qui composent aujourd'hui la trilogie paulinienne,
le premier, du moins sous sa forme originale, n'est pas le plus important,
mais, à mon avis, il est le plus technique, il révèle le mieux la méthode
du maître, il prête aussi le plus au dialogue, voire à la contestation. C'est
en ce volume que son auteur a définitivement trouvé et mis en place
les cadres dans lesquels il a élaboré la théologie de l'Apôtre. Puis il nous
y livre plus que dans les volumes suivants des excursus savants qui nous
révèlent la croissance des solutions auxquelles il a fini par se rallier. Enfin
ce premier volume est le seul jusqu'à présent à avoir obtenu trois éditions

---

14. Sur le R. P. Ferdinand Prat cfr J. CALÈS, *Un maître de l'exégèse contemporaine. Le père Ferdinand Prat (1857-1934)*, Paris, 1942. — *La théologie de saint
Paul*, t. I, Paris, 1908 ; t. II, Paris, 1912. — Édition refondue I, 7ᵉ éd., Paris,
1920 ; II, 6ᵉ éd., Paris, 1923.

15. J. DANIÉLOU en donna une nouvelle édition abrégée : cfr *La théologie de
saint Paul*, I-II, Paris, 1961-1962.

qui nous font connaître, grâce aux additions, mutations et précisions
y apportées, les difficultés des problèmes abordés et les efforts que l'auteur
s'est imposés pour soutenir et clarifier ses vues. Essayons donc de dégager en tout premier lieu les grandes lignes de ce premier ouvrage de
synthèse, qui, malgré les hésitations que notre collègue semble avoir
éprouvées devant de vastes vues d'ensemble, fut pour un coup d'essai
un vrai coup de maître.

Cerfaux vise à nous offrir de la théologie paulinienne, non plus une vue
en quelque sorte statique, mais l'exposé vivant d'une doctrine qui fut
en constante évolution. Il souligne fortement la légitimité de ce point
de vue et il la défend, au besoin âprement, contre des conceptions qu'il
juge trop simplistes, telles par exemple celles du Père Allo entreprenant
de ramener l'essentiel de la théologie de l'Apôtre presque à une source
unique d'inspiration, la vision du Christ sur le chemin de Damas. Deuxième aspect frappant de l'œuvre : alors que les recherches de Cerfaux
sur l'ambiance hellénique du christianisme naissant auraient pu faire
songer à l'hypothèse de contacts plutôt étroits de la théologie paulinienne
avec la religiosité gréco-romaine, l'auteur ne leur accorde qu'une importance secondaire. Les vraies sources de la théologie de l'Apôtre se trouvent
ailleurs. Cerfaux insiste sur l'influence capitale exercée sur l'Apôtre des
Gentils par l'Église de Jérusalem ; il souligne l'expérience chrétienne
personnelle de l'apôtre, expérience faite des intuitions d'une vie religieuse intense et aussi de révélations divines ; il relève encore, du moins
pour la dernière étape, des affinités avec les thèmes et le vocabulaire de
l'apocalyptique juive. Certes des rencontres avec le milieu hellénistique
ne font pas défaut, mais elles lui paraissent plutôt sporadiques et margi-
nales. Elles dérivent par exemple d'un stoïcisme vulgarisé ou de vagues
conceptions platoniciennes. Troisième constatation : l'évolution de la
pensée paulinienne se déroule en trois phases principales. Les deux
premières surgissent et s'entremêlent dans les lettres généralement
reconnues comme authentiques. Celles de l'époque archaïque : la première
et la deuxième lettre aux Thessaloniciens, et celles de la grande période
missionnaire : les épîtres aux Galates et aux Romains, la première et la
deuxième lettre aux Corinthiens. La troisième et dernière phase est
attestée par les épîtres aux Colossiens et aux Éphésiens qui marquent un
tournant notable dans l'évolution littéraire et théologique de saint
Paul [16]. Cerfaux délimite ces trois étapes en dégageant ce qui caractérise
Celle-ci lui apparut d'abord surtout comme l'héritière des privilèges

---

16. L. Cerfaux s'explique clairement sur les trois phases dans *La théologie du
Nouveau Testament*, p. 157-161, où il distingue la « période archaïque », représentée
par les épîtres aux Thessaloniciens (p. 158), — la période des grandes épîtres,
à savoir I et II Corinthiens et Romains, c'est-à-dire la période créatrice de son
apostolat, — la période des épîtres de la captivité, à savoir Colossiens et Ephésiens.
« L'unanimité peut se faire sur la formule que ces épîtres, même si elles n'étaient

le plus nettement le développement de la foi paulinienne en l'Église. accordés à la nation élue de l'Ancien Testament, c'est-à-dire comme le peuple de Dieu jouissant de l'élection divine, de la sainteté et de l'appellation « église » du Seigneur. Puis l'Église, réalisant le *verus Israel*, prit de plus en plus aux yeux de l'Apôtre l'aspect d'une entité spirituelle, s'identifiant mystérieusement avec le Christ dans son corps jusqu'à subsister en quelque sorte en lui. En troisième instance, l'Église devint une réalité transcendante, temple spirituel s'élevant jusqu'au ciel, épouse céleste du Seigneur Jésus, réalisant au ciel la sagesse de Dieu [17]. Désormais l'Église se dissocie du corps physique du Christ [18]. Elle tend à devenir un corps qu'après pas mal d'hésitation Cerfaux finit par appeler mystique, un corps suffisamment distinct du Christ pour que celui-ci puisse être appelé sa tête.

Dans ces conditions, il n'est pas étonnant que le sens du terme *ekklèsia* évolue lui aussi. Appliqué d'abord à l'église locale de Jérusalem pour la désigner en tant qu'incarnant la communauté messianique, la communauté ou église idéale de Dieu déjà entrevue par l'Ancien Testament (*Is.*, IV, 3 ; *Sag.*, XVIII, 9) et ses prolongements (*Hen.*, XXXVIII, 4 ; LI, 1-5 ; LXII, 6-8 ; Philon, *De praem.*, 123), le terme fut particularisé par saint Paul, peut-être en partie sous l'influence de l'usage grec profane. Dans les lettres aux Colossiens et aux Éphésiens le vocable regagna sa portée universelle.

Dans la vaste et impressionnante synthèse que la troisième édition améliora encore et compléta d'un nouveau chapitre consacré à l'organisation de l'Église, chapitre sans doute en partie occasionné par les débats de Vatican II, tout n'est pas également clair [19]. Les vues de Cerfaux sur le corps du Christ, qui dans les grandes épîtres missionnaires ne se différencierait guère de son corps physique, n'ont pas convaincu tous ses collègues. Le regretté Monseigneur Joseph Lebon par exemple ne parvint jamais à s'assimiler une exégèse aussi subtile. Il fallut l'opuscule du chanoine Werner Goossens et l'article du professeur Joseph Havet pour remédier au manque de clarté, ou, selon une expression qui circula dans la ville universitaire, pour dissiper le brouillard dont la brillante hypo-

---

pas de saint Paul, représentent un développement authentique de sa doctrine. Nous estimons quant à nous que saint Paul est seul à posséder les ressorts intimes de sa doctrine au point d'avoir pu écrire une deuxième synthèse si différente, superficiellement, de la première, et si pareille pour le fond » (p. 161).

En ce texte, tout comme dans les trois ouvrages de la trilogie, l'auteur ne s'exprime pas suffisamment sur la place qui revient à l'épître aux Philippiens.

17. *La théologie de l'Église suivant saint Paul*, nouvelle (troisième) édition, p. 404.
18. *Ibid.*, p. 407.
19. Nous avons essayé de présenter en raccourci les vues de notre collègue dans *L'état présent des études pauliniennes*, dans *Eph. Theol. Lov.*, 32 (1956), 363-372. Cfr *Anal. Lov. Bibl. Orient.*, sér. III, n° 3, Bruges, Desclée De Brouwer, 1956.

thèse du maître s'enveloppait [20]. De même, son explication de l'épithète « saint » accordée aux chrétiens, et en premier lieu à ceux de Jérusalem, risque d'être contestée. Pour Cerfaux, la formule κλητοὶ ἅγιοι, où κλητοί conserverait un sens nominal technique, à traduire « convoqués par Dieu et à ce titre saints » et élus, dériverait de la formule de la Septante κλητὴ ἁγία (*Exod.*, XII, 16 ; *Lev.*, XXIII, 2-44, neuf fois ; *Num.*, XXVIII, 25), expression barbare et insupportable pour une oreille grecque. L'hypothèse n'est pas à exclure, mais, à mon avis, bien d'autres facteurs ont pu et dû intervenir pour l'application du terme « saint » aux premiers chrétiens. Notre collègue n'ignorait pas les textes de Qumrân, mais on peut se demander s'il en a tiré tout le profit possible. Puis et surtout il me paraît avoir tort d'identifier l'assemblée sainte de l'Ancien Testament avec le « peuple du désert ». Les textes qu'il cite ne concernent pas précisément ce peuple en tant que pérégrinant dans la péninsule du Sinaï. Ils visent les assemblées liturgiques de ce peuple qui par ailleurs, durant la période de son séjour au désert, n'apparaît pas comme particulièrement saint. Aussi les livres postérieurs de l'Ancienne Loi ont-ils transporté l'épithète au « reste » d'Israël, au peuple élu dans sa vocation et sa réalisation eschatologiques. Enfin nous nous demandons encore si le concept de « peuple de Dieu » dont *Lumen gentium* s'est délecté, obtient dans la théologie paulinienne l'importance que Lucien Cerfaux crut devoir lui accorder. Le concept intervient rarement (*II Cor.*, VI, 16 ; *Rom.*, IX, 25-26 ; cfr *Tit.*, II, 14 ; *Hebr.*, IV, 9 ; VIII, 10 ; X, 30 ; *I Petr.*, II, 9-10 ; *Apoc.*, XVIII, 4 ; XXI, 3), dans des contextes où l'Apôtre transpose les privilèges d'Israël sur les chrétiens et en fonction de la citation de textes vétérotestamentaires. Au reste, en *Rom.*, XI, 1, 2 ; XV, 10 ; *Hebr.*, XI, 25, l'expression reste réservée au peuple juif.

Nous avons déjà signalé que la troisième édition s'enrichit d'une étude sur l'organisation hiérarchique de l'Église primitive. Une autre ajoute importante concerne les rapports de l'ecclésiologie paulinienne avec la prédication de Jésus sur le royaume de Dieu [21].

* * *

---

20. W. GOOSSENS, *L'Église corps du Christ d'après saint Paul. Étude de théologie biblique* (*Études Bibliques*), Paris, 1949 (cfr par exemple p. 87). — J. HAVET, *La doctrine paulinienne du « corps du Christ ». Essai de mise au point*, dans *Littérature et théologie pauliniennes* (*Recherches Bibliques, 5*), Bruges-Paris, 1960, p. 185-216.

21. *Op. cit.*, p. 327-349 : *Du règne de Dieu à l'Église* et p. 351-400 : *L'organisation de l'Église*. Il n'est pas exclu que sa participation à *Lumen Gentium* l'ait amené à formuler ses positions en ce qui concerne le problème difficile des ministères dans les églises pauliniennes.

Voir aussi sur la notion originale du royaume la *Théologie du Nouveau Testament*, p. 55-60. Sur l'Église en tant que ' peuple de Dieu ' voir les observations critiques de J. COPPENS, *L'Église, peuple de Dieu, dans le Nouveau Testament*, dans *Mélanges Jacques Pirenne*, Bruxelles, 1973, p. 165-173.

La division de la croissance de la pensée théologique paulinienne en trois étapes successives se retrouve dans le deuxième volume de la trilogie : *Le Christ dans la théologie de saint Paul*, volume paru en 1951 et réédité, soigneusement revu, en 1954. Des trois volumes, c'est celui qui me paraît le plus harmonieusement construit, celui aussi qui soulève le moins de contestation, celui encore qui réussit le mieux à serrer de près les cheminements souvent sinueux de la pensée de l'Apôtre [22]. Les trois étapes déjà entrevues dans le développement de la théologie de l'Église, nous venons de le noter, réapparaissent. Elles sont intitulées : *Le Christ acteur du salut*, — *Le Don du Christ*, — et *Le mystère du Christ*. En d'autres termes, peut-être plus clairs et certes plus évocateurs de la triple division, nous rencontrons successivement le Christ historique, le Christ spirituel ou mystique, et le Christ céleste ou apocalyptique, tout comme l'Église nous apparut successivement sous un jour historique comme le peuple de Dieu, puis spirituellement comme le corps du Seigneur et en troisième lieu, dans une perspective apocalyptique, comme la cité céleste.

Au sujet des titres du Christ relevons une phrase qui résume les longues analyses de l'auteur et nous laisse voir comment il arrive à nuancer ses conclusions [23] : « Ayant renoncé à l'expression *Fils de l'homme* et puisque d'autre part *Kyrios* vise l'exaltation et que *Fils de Dieu* est épithète et ne joue pas vraiment le rôle de substantif, il restait à saint Paul de suivre la ligne de l'Ancien Testament et des apocalypses et d'appeler ὁ Χριστός le Christ préexistant exerçant son activité salutaire à partir de sa préexistence ».

Parmi les pages les plus denses du livre, comptons celles où l'auteur dégage les éléments qui nous permettent de conclure à la divinité du Christ. Deux données nous préparent à la soupçonner et à l'accepter : le fait que le don apporté par le Christ au monde est un don divin et s'identifie avec sa personne [24] ; puisque son œuvre de salut est celle même de Dieu, au point qu'on est tenté de dire que le Christ est la sagesse même de Dieu, celle-ci étant son statut d'existence et d'origine [25]. Puis le titre de « Seigneur » attribué au Christ et surtout la phrase mystérieuse de l'épître aux Philippiens : « Dieu lui donna le Nom au-dessus de tout nom », supposent que Jésus est introduit, plus loin que sa dignité de Seigneur, dans l'intimité inaccessible de la subsistance divine elle-même [26]. Bien que dans ce texte il s'agisse *in recto* de l'humanité de Jésus,

---

22. Nous avons présenté et analysé le deuxième volume de notre collègue dans *La christologie de saint Paul*, parue dans *L'Attente du Messie* (*Recherches Bibliques*, 1), Bruges-Paris, 1954, 139-153.

23. *Le Christ dans la théologie de saint Paul* (*Lectio Divina*, 6), Paris, 1951, p. 374.

24. *Ibid.*, p. 384.

25. *Ibid.*, p. 384.

26. *Ibid.*, p. 385.

tant donné que Paul voit le Christ glorifié avec sa nature humaine avant de le considérer dans l'isolement de sa divinité [27], il semble que le Christ n'introduit son humanité dans la sphère et la subsistance divines que parce que sa personne ne les a jamais quittées [28]. Nous dépassons encore davantage ce que fut l'histoire temporelle du Christ et nous pénétrons vraiment jusque dans son état d'éternité [29], quand, réfléchissant sur la filiation divine, d'abord il est vrai entrevue dans la glorification de la parousie, Paul s'élève à la considération d'une filiation éternelle, d'une génération dans la demeure inaccessible aux créatures, c'est-à-dire dans l'éternité [30]. Encore un pas de plus est franchi, et cette fois dans une orientation qui commence à se colorer de philosophie, quand l'Apôtre attribue au Christ la *morphè theou*, situant ainsi l'être du Sauveur en Dieu et lui conférant, par un droit de nature, les privilèges divins [31].

Enfin, dernière étape, le fait d'être l'image de Dieu, interprété à la lumière de Platon, de Philon, mais surtout du *Livre de la Sagesse*, constitue le Christ dans sa réalité de personne [32]. Paul aboutit à cette suprême représentation du Christ préexistant, d'une part en remontant à partir des créatures vers le mystère de l'acte même de la création [33], et, d'autre part, en spéculant sur le rang qui revient au Christ par droit de naissance éternelle [34].

Peut-être s'étonnera-t-on, après avoir suivi la pensée de l'Apôtre vers une profession de foi de plus en plus clairement affirmée en la divinité du Seigneur Jésus, que Paul hésite à donner au Christ le nom de *theos*. L'explication de ce fait n'est pas difficile. Chez Paul, le titre *theos* signifiait la divinité en désignant Dieu le Père. Cette portée particulière qui est bien attestée, s'opposait donc à sa dévolution [35]. Il ne semble pas en revanche que l'Apôtre ait éprouvé la même difficulté pour transposer au Christ le terme *Kyrios*.

* * *

Neuf ans se situent entre les parutions des deux premiers volumes de la trilogie paulinienne (1942, 1951). Il aura fallu à peu près un même laps de temps pour la composition et la publication du tome troisième

---

27. *Ibid.*, p. 384.
28. *Ibid.*, p. 385.
29. *Ibid.*, p. 385.
30. *Ibid.*, p. 385.
31. *Ibid.*, p. 386.
32. *Ibid.*, p. 387.
33. *Ibid.*, p. 386.
34. *Ibid.*, p. 386.
35. *Ibid.*, p. 387-392.

et, de plus, les instances multipliées de ses élèves, notamment d'Albert
Descamps et d'Édouard Massaux, voire celles de Mgr Charue, auquel
le volume allait être dédié, pour qu'en 1962 *Le Chrétien dans la théologie
paulinienne* vît le jour. A mon avis, c'est des trois volumes le moins
original et peut-être le moins bien construit. Des hors-d'œuvre et des
reprises d'exposés antérieurs n'en sont pas totalement absents. L'évolution de la pensée de l'apôtre y est également moins distinctement
marquée. Les trois stades que l'on voit bien indiqués dans la *Théologie
de l'Église selon saint Paul* et que l'on arrive aussi à déceler dans *Le
Christ selon la théologie de saint Paul*, sont beaucoup moins fortement
indiqués.

Après une longue introduction consacrée à l'*Économie chrétienne* [36],
trois chapitres nous entretiennent successivement de l'*Espérance chrétienne* [37], du *Statut présent du chrétien* [38] et du *Chrétien en face du mystère
de Dieu* [39]. Si on laisse de côté l'introduction qui à certains égards aurait
pu servir de préambule à toute la trilogie, on retrouve quand même bien
les trois phases rencontrées dans les enquêtes sur l'Église et le Christ.
Nous pourrions en effet intituler les chapitres II, III, IV, qui abordent
formellement le sujet de l'ouvrage : *Le chrétien, membre du peuple de Dieu,
en marche vers l'éternité*, — puis *Le chrétien uni dans sa vie spirituelle
au Seigneur*, — enfin *Le chrétien anticipant sa glorification céleste par une
participation à la connaissance du « mystère »*. Nous sommes ainsi une fois
de plus confronté avec trois aspects : *historique, mystique* et *eschatologique*, qui appartiennent en propre à la fois au Christ, à l'Église et au
Chrétien.

En 1955, dans une conférence faite aux pèlerins du Centre Richelieu,
nous marquions en clair les divisions et articulations des deux premiers
volumes de la théologie paulinienne de L. Cerfaux et nous avions l'audace
de lui tracer en quelque sorte l'ordre et les sections du volume qui devait
encore voir le jour. Notre collègue n'a pas repris, faut-il s'en étonner,
le plan que nous osions lui suggérer, mais à y regarder de près il ne s'en
est pas tellement éloigné dans le volume qu'en 1962 il tint à offrir en
cadeau à saint Paul lui-même, pour commémorer le dix-neuvième
centenaire de l'entrée de l'Apôtre dans la Ville éternelle [40].

On aurait tort d'inférer de notre appréciation liminaire du *Chrétien
dans la théologie paulinienne* que ce troisième volume ne contient pas
d'aperçus importants et même entièrement neufs. Appelons en premier
lieu l'attention sur les développements consacrés à la mystique pauli-

36. *Le chrétien dans la théologie paulinienne*, p. 29-140.
37. *Ibid.*, p. 143-215.
38. *Ibid.*, p. 219-428.
39. *Ibid.*, p. 431-493.
40. *Ibid.*, p. 9. — Cfr *supra*, n. 19.

nienne. L'auteur y apporte des précisions à ses vues antérieures touchant l'union des chrétiens avec le Christ et le degré d'union particulière qui échut à l'Apôtre. Il éclaircit ainsi notablement son emploi du terme « mystique ».

Le professeur réagit fortement contre la tendance très répandue à appeler abusivement mystique toute la vie morale et spirituelle des chrétiens, notamment sur la base de formules pauliniennes telles que « dans, avec, par » le « Christ, le Seigneur, l'Esprit », qui ne sont souvent que des ellipses ou raccourcis métonymiques. Rejetant aussi bien l'explication hellénistique de W. Bousset que l'explication judéo-hellénistique de A. Deissmann [41], Cerfaux est tenté de suivre davantage A. Schweitzer qualifiant la vie chrétienne d'eschatologique, en dépendance d'une mentalité plutôt judaïque [42]. Certes, d'accord avec A. Wikenhauser, Lucien Cerfaux reconnaît que la situation du chrétien implique un état objectif nouveau, une vie nouvelle qui devient en lui comme une nature ou mieux une surnature [43], vie qui constitue — elle, et non pas la foi [44], — la raison d'être et la vraie origine de la justification. Mais cet état du chrétien que la théologie appelle surnaturel, ne mérite pas encore, au sens propre du mot, la qualification de mystique [45]. Le qualificatif qui caractérise le mieux cet être et cette activité surnaturels du chrétien serait, pour L. Cerfaux, « ontologique » [46] ou « théologique » [47].

Pourtant notre collègue n'entend pas contester l'existence d'une vraie mystique. Rien ne serait plus faux que de priver l'Apôtre de toute vraie expérience mystique. Il faut même estimer que Paul est un mystique au sens propre du mot [48]. Et d'ajouter : « Nous croirions même volontiers que, parmi les enfants des hommes, il n'y eut pas de plus grand mystique que lui » [49]. Enfin si notre collègue refusa d'appeler mystique toute vie chrétienne, il n'hésite pas à penser que la vie mystique s'entrouvre devant tous les chrétiens avec ses abîmes, et que l'Apôtre les invite à l'imiter dans son expérience jusque-là [50].

---

41. *Ibid.*, p. 326.
42. *Ibid.*, p. 326.
43. *Ibid.*, p. 328.
44. *Ibid.*, p. 326, 328.
45. *Ibid.*, p. 328. Cfr le texte très clair de la p. 333 : « Notre critique n'a voulu viser que la prétention de l''être chrétien' à porter le nom de 'mystique'. ». Voir encore p. 327 : « De tous les chrétiens, quelle que soit l'intensité de leur vie religieuse il est vrai de dire qu'ils vivent dans le Christ et que le Christ vit en eux : c'est vrai par la réalité même de leur existence dans l'ordre de la grâce. »
46. *Ibid.*, p. 327.
47. *Ibid.*, p. 341, 342. — Le terme n'est pas heureux ; c'est plutôt « théologal » qu'il faudrait dire.
48. *Ibid.*, p. 328.
49. *Ibid.*, p. 328.
50. *Ibid.*, p. 341.

Quant à caractériser la vie mystique proprement dite, il l'appelle avant tout une expérience où peuvent intervenir des phénomènes charismatiques [51] mais où se réalise surtout un sentiment de contact immédiat, de présence ou de visite [52]. « Bien inutile, remarque-t-il, est le dilemme ' mystique de Dieu ' ou ' mystique du Christ ' » [53], bien qu'ailleurs il semble opter pour une « mystique de Dieu ». Quand il arrive à la langue paulinienne de se servir d'expressions apparentées au terme « mystique », c'est dans un contexte diamétralement opposé à la « mystique du Christ » [54]. L'expérience mystique au sens propre du mot fait commencer une vie d'intimité avec Dieu qui nous associe à sa propre vie intime [55]. « Nous croyons, spécifie-t-il, que l'expérience de la divinité qu'a faite saint Paul fut à la fois expérience du Père, du Fils et de l'Esprit-Saint. Pourquoi ne pas nous contenter dans ce cas de parler d'une expérience de Dieu ? » [56] Toutefois, nous l'avons déjà appris en partie, ailleurs cette affirmation radicale est tempérée. La vie proprement mystique peut aussi se réaliser à travers le mystère eucharistique. « Ces premières communions chrétiennes rendaient le Christ vraiment présent d'une présence ' mystique ', anticipant la Parousie, dans la communauté et dans l'âme des fidèles » [57]. Bref, nous aboutissons alors à une « mystique du Christ » et de plus à une « mystique eschatologique », cette dernière se concrétisant plus particulièrement dans « une connaissance de la *gloire*, présente dans la vie de l'âme chrétienne » [58].

Remercions notre collègue pour cette admirable relecture de vues qu'il avait déjà exposées une première fois mais avec moins d'acribie dans *Le Christ dans la théologie paulinienne* [59]. Une autre relecture de considérations déjà antérieurement présentées concerne la « connaissance du mystère » [60].

---

51. *Ibid.*, p. 341.
52. *Ibid.*, p. 341.
53. *Ibid.*, p. 341.
54. *Ibid.*, p. 334.
55. *Ibid.*, p. 334.
56. *Ibid.*, p. 334.
57. *Ibid.*, p. 337.
58. *Ibid.*, p. 339.
59. *Op. cit.*, p. 156-157, où se rencontre déjà la formule pas très heureuse de « mystique ontologique ». Cfr aussi p. 243-255. La conclusion de la page 254 ne comporte pas encore les longs développements du troisième volume : « A condition de bien savoir qu'on tente d'exprimer l'ineffable, tout ce qui, dans l'action divine sur nous dépasse les mots infirmes qui s'imposent à nous, on pourra parler de 'mystique' à propos des rapports du Christ avec les chrétiens auxquels il communique une vie 'dérivée' de la sienne. »
60. *Le chrétien selon la théologie paulinienne*, p. 433-469.

Cerfaux répète que le « mystère » est au centre des épîtres de la captivité [61], comprenons des lettres aux Colossiens et aux Éphésiens [62]. C'est selon lui la forme que prit l'évangile paulinien sous l'influence d'un recours aux formules apocalyptiques [63]. Bien que l'eschatologie d'où ces dernières proviennent reste toujours à l'arrière-fond, la connaissance y prend le pas sur elle [64].

Une autre caractéristique des épîtres de la captivité, c'est l'usage du terme « mystère » au singulier. L'Apôtre vise ainsi le plan du salut divin, révélé et réalisé dans le Christ, ouvert par lui à tous, juifs ou païens sans distinction. Que Paul ait emprunté le terme au monde gréco-romain, n'est pas établi [65]. Les parallèles immédiats se trouvent au contraire dans l'apocalyptique juive et dans les livres sapientiaux de l'Ancien Testament [66], et le contact s'est vraisemblablement réalisé en indépendance complète de Qumrân [67]. Il y a certes une certaine affinité avec les mystères grecs, mais elle consiste presque uniquement dans le vocabulaire. Un des indices les moins équivoques se rencontre en Col., II, 18 [68]. En outre, comme Paul se sert du terme et de la thématique du « mystère » pour barrer la route aux spéculations mystériques des Juifs d'Asie [69], il n'est pas exclu que le vocable possède quelques sous-entendus impliquant des allusions vagues à la connaissance des rites grecs [70].

De l'analyse des deux lettres de la captivité il ressort que l'Apôtre a reçu par apocalypse la communication du mystère [71]. Il en ressort ensuite que pour accéder à la connaissance du mystère, les fidèles ne peuvent se contenter de la triade « foi, espérance, charité » [72]. Il faut que l'« épignose » s'y ajoute [73], c'est-à-dire une pénétration de plus en plus profonde dans le mystère de la sagesse divine [74], une pénétration surnaturelle du mystère du Christ [75], une montée et une croyance vers les

---

61. *Ibid.*, p. 452.
62. Le plus souvent Cerfaux omet de parler de la lettre aux Philippiens. Il est toutefois clair qu'il ne la vise pas en parlant des lettres de la captivité. Cfr *ibid.*, p. 435 : « Pour ce qui regarde la parousie, l'épître aux Philippiens reste archaïque, ne dépassant pas le niveau de *I* et *II Thess.* et de *I Cor.* ».
63. *Ibid.*, p. 433.
64. *Ibid.*, p. 434.
65. *Ibid.*, p. 442.
66. *Ibid.*, p. 443.
67. *Ibid.*, p. 444.
68. *Ibid.*, p. 439.
69. *Ibid.*, p. 442.
70. *Ibid.*, p. 442.
71. *Ibid.*, p. 449-450.
72. *Ibid.*, p. 467.
73. *Ibid.*, p. 467.
74. *Ibid.*, p. 461.
75. *Ibid.*, p. 469.

réalités de l'autre monde, réalités célestes dont l'épignose prépare la possession [76]. Pour ces raisons [77], Cerfaux suggère de réserver à cette connaissance d'apocalypse ou d'épignose la qualification de « mystique » [78].

Après ces deux relectures de vues qui furent déjà largement exposées dans *Le Christ selon la théologie de saint Paul*, signalons comme la partie la plus originale de l'ouvrage le livre II, où notre collègue expose *L'espérance chrétienne*, notamment les vues de l'Apôtre sur le sort des chrétiens trépassés avant le retour du Seigneur. On sait les difficultés que pose en la matière la pensée paulinienne et l'on connaît les vues discutables d'O. Cullmann exposées dans *Immortalité de l'âme ou résurrection des morts*, Neuchâtel, 1956. Paul, raisonne notre collègue, aurait pu imaginer une entrée en possession immédiate d'un corps nouveau préparé pour nous dans le ciel [79]. Mais cette idée ne frôle pas son imagination, ou, si elle la frôle, elle est rejetée sans autre examen [80]. De même il ne s'arrête pas à l'hypothèse d'une résurrection anticipée, en quelque sorte larvée [81]. Sachant que la philosophie grecque a préparé les voies à la révélation du Christ, il trouve naturel de faire parler au christianisme la langue de Socrate et de Platon [82]. Cette dernière phrase, écrite en note, est parfaitement claire. Dans le texte même, Cerfaux n'est pas aussi affirmatif. Paul, conclut-il, ne va pas jusqu'à identifier le ' *moi* ' qui subsiste après la mort avec une âme naturellement immatérielle [83]. Et de conclure : « Le corps ressuscitera pour participer à la discrimination du jugement, mais le ' moi ' *intellectuel*, devenu ' moi ' *spirituel*, l'homme intérieur, est capable de jouir consciemment de la présence de son Seigneur » [84].

* * *

76. *Ibid.*, p. 461.

77. *Ibid.*, p. 467-469.

78. *Ibid.*, p. 467. : « *Puisque la connaissance* religieuse paulinienne, à un moment donné, se concentre sur le ' mystère ' et que celui-ci, d'une manière si peu définissable que ce soit, touche au monde commun des mystères du monde antique, ne vaudrait-il pas mieux garder la propriété des termes et ne parler ' mystique ' qu'en relation avec le ' mystère ' paulinien ? »

Remarquons que l'auteur parle une nouvelle fois à la page 467 de « mystique du Christ » et de « mystique ontologique » et qu'il fait de nouveau allusion aux rapports à établir entre « mystique de Dieu » et « mystique du Christ ». La solution se trouve sans doute dans le fait (*ibid.*, p. 468) que la gloire de Dieu est révélée sur la face du Christ ressuscité. Cfr *supra*, p. 38-40.

79. *Ibid.*, p. 182, note 1.

80. *Ibid.*, p. 182, note 1.

81. *Ibid.*, p. 182, note 1.

82. *Ibid.*, p. 182, note 1.

83. *Ibid.*, p. 186. Soulignons l'adverbe « naturellement ». Il peut donc s'agir d'une âme devenue immatérielle et immortelle par une spiritualisation dérivant de Dieu par le Christ.

84. *Ibid.*, p. 186. — Relevons encore les explications de Cerfaux sur le jugement final et la béatitude éternelle, et soulignons qu'en l'occurrence il tend à admettre

Sollicité par le Père Chifflot de résumer ses grands travaux consacrés à la théologie paulinienne, Lucien Cerfaux entreprit en 1964-1965 d'écrire ce qu'il appela *L'itinéraire spirituel de saint Paul* [85]. L'opuscule est précieux. Il permit à son auteur de compléter par une esquisse historique sa trilogie théologique, de souligner une nouvelle fois ses options les plus chères, de compléter aussi, en plus d'un endroit, des positions antérieures. Et puis, dans cet ouvrage plus dégagé d'érudition, les formules heureuses qui nous révèlent le talent littéraire de notre collègue, abondent et charment le lecteur.

Notons en premier lieu que l'auteur reste fidèle à la ligne de conduite tracée pour les trois grands ouvrages, c'est-à-dire qu'il estime pouvoir revendiquer pour une expression authentique de la pensée paulinienne les épîtres de la captivité [86]. En outre, en cet opuscule il intègre dans son exposé le contenu des épîtres pastorales [87]. Il ne recule même pas devant une hypothèse plutôt hasardeuse. Les Pastorales seraient des lettres authentiques de Paul, éditées après sa mort et retravaillées par un bon écrivain romain, helléniste comme pouvait l'être un diacre de cette époque [88]. Ce rédacteur aurait revu le premier texte plus primesautier, y aurait ajouté quelques souvenirs de Paul conservés par Timothée et Tite, et aurait produit ainsi une œuvre répondant davantage aux besoins actuels de l'église romaine [89]. Cette hypothèse de travail possède, aux yeux de Cerfaux, l'avantage de nous restituer ce qu'il appelle un « milieu paulinien » qui aurait existé à Rome entre les années 66-80 [90]. Pour ce milieu, il ne s'agissait de rien moins que de sauver l'originalité du christianisme en présence de menaces nouvelles émanant de l'influence dissolvante d'un philojudaïsme *redivivus*, et cela en organisant en quelque sorte l'orthodoxie paulinienne [91].

L'opuscule reste fidèle aux grandes étapes du paulinisme que nous avons appris à connaître dans la trilogie. L'auteur précise la date de l'Épître aux Galates qu'il situe après les deux Lettres aux Corinthiens mais avant celle aux Romains. Nous assistons dès lors à la succession suivante dans la prédication paulinienne : kérygme archaïque inspiré par la tradition de l'église de Jérusalem et par la vision du chemin de Damas, kérygme annonçant l'intervention eschatologique de Dieu, anticipée par la résur-

---

plus d'affinités que de coutume chez lui, avec l'hellénisme : cfr p. 186, 205, 207, 212, surtout avec le stoïcisme, « les vieilles formules stoïciennes » (p. 212).

85. *L'itinéraire spirituel de saint Paul* (*Lire la Bible*, 4), Paris, 1966.
86. *Ibid.*, p. 136, 162-163.
87. *Ibid.*, p. 185-195.
88. *Ibid.*, p. 186.
89. *Ibid.*, p. 186.
90. *Ibid.*, p. 186.
91. *Ibid.*, p. 188.

rection du Christ [92] ; en deuxième lieu, kérygme répondant aux aspirations profondes d'auditoires grecs, et, par conséquent, centré sur les richesses spirituelles de la foi chrétienne : le don de l'esprit et l'union avec le Christ [93] ; en troisième lieu, kérygme de la liberté chrétienne provoqué par la contre-mission des judaïsants ; enfin, en dernier lieu, kérygme mystérique tendant à présenter la foi chrétienne dans le cadre d'une théologie du mystère.

Deux chapitres spéciaux exposent d'une façon plus explicite les deux *topoi* théologiques que l'Apôtre développa quand son génie théologique fut en pleine maturité, à savoir un essai de théologie de l'histoire (Épître aux Romains) et une conception de l'Église entrevue comme une et universelle (Épîtres de la captivité).

L'opuscule nous fournit d'importantes précisions sur l'originalité de la pensée paulinienne. Tout comme dans ses ouvrages antérieurs, notre collègue n'accorde guère d'importance à une éventuelle influence essénienne [94]. En revanche, il signale à diverses reprises des rapprochements avec les discours de propagande du judaïsme hellénistique [95]. Philon entre lui aussi en ligne de compte, à savoir pour illustrer la mantique chrétienne [96] et l'exégèse paulinienne du testament d'Abraham [97]. Pas mal de contacts ou du moins d'analogies nous font songer au milieu philosophique gréco-romain, stoïcien ou platonisant. Paul connaît et utilise fort à propos le droit hellénistique [98]. En *II Cor.*, XI, 21-29, le lecteur se reporte tout naturellement à l'éloquence grecque. L'appel au « témoignage de la conscience » (*II Cor.*, I, 12), les mots de « confiance, liberté, pureté d'intention, aptitude », qui viennent aux lèvres de l'Apôtre, relèvent d'un affinement psychologique dont l'hellénisme n'est pas absent [99]. Dans ses notions de psychologie, le terme « intelligence », si révélateur de la pensée grecque, se présente souvent sous sa plume [100]. La même pensée grecque, celle d'Euripide, d'Ovide, des stoïciens, surgit devant nous quand Paul décrit les luttes qui se déroulent à l'intérieur de tout homme préoccupé de réaliser la loi morale [101]. La philosophie platonicienne se profile derrière les affirmations pauliniennes quand l'Apôtre cherche à se représenter une survie indépendante de la résurrection matérielle du corps [102].

---

92. *Ibid.*, p. 13.
93. *Ibid.*, p. 13.
94. *Ibid.*, p. 24, 30, 98. — La seule analogie signalée p. 137 concerne l'aspiration à l'unité.
95. *Ibid.*, p. 51, 96, 108.
96. *Ibid.*, p. 78.
97. *Ibid.*, p. 80, 97.
98. *Ibid.*, p. 98, 147, 153.
99. *Ibid.*, p. 73.
100. *Ibid.*, p. 83.
101. *Ibid.*, p. 112.
102. *Ibid.*, p. 85-86.

Abandonnant l'étroitesse de vue du judaïsme, Paul semble même avoir embrassé, dans un moment d'illumination intellectuelle, la perspective du dualisme grec [103]. D'autres affinités avec l'hellénisme sont signalées en passant, par exemple à propos de la création, reflet de l'existence divine [104], de l'*ecclesia*, assemblée du peuple chrétien [105], de la spiritualisation du culte [106], de l'humanisme chrétien [107], de la parousie du Christ et de l'entrée triomphale des souverains hellénistiques [108]. C'est donc surtout avec le platonisme et le stoïcisme vulgarisés que les ressemblances apparaissent. Toutefois, dans les Épîtres de la captivité, les religions à mystères offrent également quelques recoupements. Et l'auteur de nous renvoyer à la présence du terme technique *embateuô* [109].

Relevons que Cerfaux reste fidèle dans son opuscule à certaines vues particulières qui ont fait l'objet de contestation, par exemple à son interprétation des « saints », à son hypothèse sur l'assemblée israélite du désert comme type de l'église de Jérusalem, à ses spéculations sur le corps du Christ à identifier avec le « corps » des fidèles, à ses vues sur la mystique paulinienne [110]. Ailleurs il se complaît dans une présentation vague qui paraît vouloir rester même en deçà de ce que l'Apôtre semble affirmer [111]. Parfois le lecteur n'arrive pas ou très difficilement à saisir la pensée de l'exégète. C'est par exemple le cas quand il affirme qu'on a tort de faire porter sur la formule « vivre dans le Christ » tout le poids de la christologie et même de la mystique paulinienne [112]. C'est encore le cas quand il nous invite à découvrir dans la Lettre aux Philippiens une notion de survie spirituelle différente de celle ébauchée dans les Épîtres aux Corinthiens [113]. C'est enfin le cas d'une phrase pourtant capitale que nous lisons p. 169-170 : « Il s'est créé en tout cas... un mode de penser chrétien, dans lequel le corporel et le spirituel, sans se confondre, s'unissent intimement dans une même existence. Selon ce thème très général se conçoivent la résurrection, la 'présence' eucharistique du Christ, le 'corps du Christ'. La théorie du Christ cosmique... en est en quelque sorte une nouvelle application » [114].

---

103. *Ibid.*, p. 86.

104. *Ibid.*, p. 107.

105. *Ibid.*, p. 131, 132.

106. *Ibid.*, p. 145.

107. *Ibid.*, p. 157.

108. *Ibid.*, p. 58.

109. *Ibid.*, p. 171. — Il semble que les résultats de la dissertation de J. Dupont, *Gnosis*, Bruges-Paris, 1949, contribuèrent à amener L. Cerfaux à nuancer ses positions à l'endroit de l'impact de l'hellénisme sur la pensée paulinienne.

110. *Ibid.*, p. 90-91.

111. C'est par exemple le cas des passages qui traitent de l'eucharistie. Cfr p. 25, 26, 45, 68, 87, 88, 117, 151, 170.

112. *Ibid.*, p. 90.

113. *Ibid.*, p. 169.

114. *Ibid.*, p. 169-170.

Un des apports les plus neufs de l'opuscule me paraît consister dans les nombreuses notations sur la personnalité de l'Apôtre. A les réunir, le lecteur se fait un portrait de Paul, portrait dont plusieurs traits valent également pour son interprète, celui qu'à Louvain ses confrères appelaient, parfois avec un grain de malice, mais le plus souvent avec une nuance de respect pour le tertiaire franciscain, « le frère Lucien ».

Saint Paul n'est pas le paysan du Danube [115]. Il est théologien et bibliste. Il connaît les finesses de l'école, parfois même ses rouleries [116]. Il aime la liberté et le libre langage, « la plus belle chose à trouver chez les hommes » [117]. Mais il sait que l'indépendance n'est pas dans le refus de soumission, mais dans la liberté virile et courageuse avec laquelle on accomplit une destinée [118]. En particulier, le théologien ne pénètre dans les mystères de la science divine que par des chemins tracés dans des symboles et selon les doctrines affirmées par la tradition [119]. Et puis, qu'on n'oublie pas que la théologie et l'action de l'Apôtre furent l'expression de son expérience spirituelle [120]. Paul a aimé Jésus de l'amour d'un serviteur [121]. Il porta en son cœur l'exigence d'une charité [122] ouverte à un service sans mesure [123]. Aussi consentit-il à se jeter dans l'aventure de la sainteté, toujours à recommencer, jamais achevée [124].

En terminant la lecture du brillant et bienfaisant opuscule, on a l'impression que, pour sa propre personne, l'auteur n'a pas éprouvé le besoin de dépasser la pensée de l'Apôtre, même là où elle n'offrait qu'un clair-obscur. Il aimait laisser aux théologiens, sinon à l'Église, le soin de résoudre les problèmes au-delà des affirmations pauliniennes [125]. L'Église, telle était sa conviction, continue aujourd'hui, comme dans le passé, l'œuvre de ses conciles, et, sous la lumière venant du progrès de l'herméneutique d'un côté, des études historiques et psychologiques de l'autre, elle ne cesse de nous dire comment entendre la révélation dont elle est la gardienne [126].

* * *

---

115. *Ibid.*, p. 114.
116. *Ibid.*, p. 34.
117. *Ibid.*, p. 75.
118. *Ibid.*, p. 35.
119. *Ibid.*, p. 72.
120. *Ibid.*, p. 33.
121. *Ibid.*, p. 178.
122. *Ibid.*, p. 25.
123. *Ibid.*, p. 122.
124. *Ibid.*, p. 122.
125. *Ibid.*, p. 111.
126. *Ibid.*, p. 111-112.

Monseigneur Cerfaux célébrait son soixante-dix-neuvième anniversaire quand en 1962 il donna le jour au *Chrétien selon la théologie de saint Paul*, rivalisant ainsi, au point de vue d'une paternité spirituelle, avec celle dont les patriarches de l'Ancienne Loi avaient joui selon la chair. En ce moment, les travaux du Concile qui s'ouvrait le 11 octobre 1962 et dont il était devenu un des experts les plus vénérables par l'âge et par la science, allaient dans une certaine mesure lui ravir ses loisirs [127]. Sa production littéraire était à ce moment suffisamment vaste et brillante pour qu'il pût songer à consacrer le reste de ses jours à se relire, peut-être aussi à se préciser et à recueillir en élégants volumes de spiritualité, tel *Le Trésor des Paraboles* (1966), les miettes tombées de sa table de travail et dont sans doute pas mal de cananéennes, aujourd'hui comme autrefois, désiraient se nourrir et se délecter. Eh bien non, ce ne devait pas encore être le terme d'une activité littéraire créatrice. D'anciens élèves et même ceux qu'on appelait les enfants adoptifs, qui payaient largement par une admiration sans réserves le privilège de l'assomption dans le cercle des intimes du Maître, le sollicitèrent de couronner sa carrière par une œuvre sur la vie et l'enseignement de Jésus.

Il y avait pour l'entreprendre l'exemple du Père Lagrange, qui en 1930 prit congé de ses élèves, lecteurs et admirateurs, par *L'Évangile de Jésus-Christ*, ouvrage où il alliait aux conclusions de son œuvre exégétique les convictions de foi les plus fermes et les sentiments de dévotion les plus intimes. Il y avait aussi la tentation de reprendre, avec l'espoir de faire mieux, l'essai de Jean Steinmann [128] et surtout l'*Histoire de Jésus*, audacieusement entreprise en 1961 par l'homme de lettres, le croyant sincère, et l'excellent élève des maîtres de Louvain que fut Arthur Nisin [129]. Mais il s'avéra bientôt qu'une vie de Jésus n'était pas à réaliser, pour de nombreuses raisons. Ce projet, si jamais il prit véritablement corps, fut donc bien vite abandonné. Le professeur se rallia en fin de compte aux limites que Jean Steinmann s'était tracées : faire abstraction des évangiles de l'enfance, renoncer à mettre en œuvre les données johanniques malgré leur revalorisation par F. M. Braun et C. H. Dodd [130], élaborer non pas une vie du Sauveur mais en esquisser quelques tableaux,

---

127. Cfr M. von Galli-B. Moosbrugger, *Das Konzil. Chronik der ersten Session*, Mayence, 1963.

128. J. Steinmann, *La Vie de Jésus*, dans *Le Club des Librairies de France. Collection Biographies*, Paris, 1959.

129. A. Nisin, *Histoire de Jésus*, Paris, 1961. Cfr *Eph. Theol. Lov.*, 38 (1962), 367-368.

130. F.-M. Braun, *Jean le théologien et son évangile dans l'Église ancienne* (*Études Bibliques*), Paris, 1959. — *Jean le Théologien. Les grandes traditions d'Israël. L'accord des Écritures d'après le quatrième évangile*, Paris, 1964. — *Jean le théologien. Sa théologie. Le mystère de Jésus-Christ*, Paris, 1966. — C. H. Dodd, *Historical Tradition in the Fourth Gospel*, Cambridge, 1963.

ceux sur lesquels les sources les plus anciennes, c'est-à-dire *Marc* et les *Logia*, fournissent les données les plus sûres.

Pour mener à bonne fin son ouvrage, Cerfaux pouvait se référer et s'appuyer sur les nombreuses études de détail consacrées aux évangiles au cours de sa carrière. Les unes concernent le texte des évangiles. D'autres, plus importantes, soulèvent le problème de la probité des souvenirs évangéliques. Il en est qui s'attachent à résoudre la question synoptique et en reprennent l'examen en fonction de l'hypothèse Vaganay. Puis le Maître pouvait s'appuyer aussi sur une série d'articles expliquant des scènes capitales de la vie de Jésus ou des paroles majeures de son enseignement. Enfin il disposait en quelque sorte d'une première ébauche du nouvel ouvrage mis sur le métier dans le volume intitulé *La voix vivante de l'Évangile au début de l'Église*, paru dans la collection *Lovanium*, Tournai, 1946. C'est en se référant à ces publications que Lucien Cerfaux rédigea, — entreprise merveilleuse à son âge, — dans la collection *Pour une histoire de Jésus* le volume auquel il travailla jusqu'au mois de juin dernier et dont hélas ! il n'a pu voir la parution : *Jésus aux origines de la Tradition*, in-8°, 304 pages, achevé d'imprimer en premières épreuves le 21 mai 1968 pour les Éditions Desclée De Brouwer [131]. Nous ne pouvons pas terminer cet aperçu de l'œuvre du maître sans une analyse de ce dernier ouvrage, son testament spirituel.

* * *

Après une introduction où il fait connaître les témoins de la vie et de l'enseignement du Seigneur : les *Douze*, les *Apôtres* au sens où il comprenait ce vocable, et les *Disciples*, et avoir pris position dans les débats sur le rôle des communautés chrétiennes primitives dans l'élaboration des matériaux de la tradition [132], le Maître divise son ouvrage en trois grandes parties d'ampleur sensiblement égale. Les deux premières nous font connaître les seules phases de la vie de Jésus qu'il nous est possible de reconstituer approximativement d'après les normes que la science historique nous impose, à savoir le ministère de Jésus en Galilée [133] et le drame de la passion avec ses prodromes immédiats et son épilogue glorieux [134].

Au chapitre d'introduction il manque un éclaircissement sur la façon dont l'auteur se représente les sources des évangiles synoptiques. Comme

---

131. Le jour même de l'hommage rendu au regretté maître, les premiers exemplaires du volume furent envoyés à Louvain et remis à ses disciples et collaborateurs les plus intimes.

132. *Jésus. Aux origines de la Tradition*, Bruges, Desclée De Brouwer, 1968, p. 13-50.

133. *Ibid.*, p. 51-144.

134. *Ibid.*, p. 145-236.

nous regrettons qu'il n'ait pas résumé à l'intention des lecteurs de son livre les vues qu'il comptait exposer aux auditeurs des XIXes Journées Bibliques de Louvain sur les sources et la composition de *Lc.*, VI-VII. Il y développe en effet sa façon de concevoir la *Quelle*, ce document hypothétique auquel A. von Harnack s'intéressa vivement, qu'il considéra plus ancien que Marc, et que P. Batiffol appela en 1910 l'*Anonyme de Matthieu et de Luc*. Réfléchissant sur ce document au terme de sa longue carrière d'exégète, L. Cerfaux propose de l'interpréter comme un document foncièrement galiléen, presque comme un évangile de Galilée, et de lui assigner le sigle G à la place de Q. En outre, il y distingue deux grandes séquences probablement séparées l'une de l'autre par le *Discours de la mission*. La première conduirait le lecteur de la prédication en Galilée (*Mt.*, III, 7-10 ; *Lc.*, III, 7-9) à Césarée de Philippe ; la deuxième débuterait par le refus d'accorder aux foules un miracle thaumaturgique et se poursuivrait jusqu'à la section des paraboles inclusivement. La source G devient ainsi aux regards de Cerfaux presque un évangile, et elle se rapproche même de ce que d'aucuns ont voulu se représenter comme le Matthieu araméen primitif. Ajoutons que le maître, reprenant en les modifiant certaines positions antérieures, continuait à croire que des documents écrits, tels le *Sermon sur la montagne* et un *Recueil de paraboles*, ont pu exister antérieurement à Q-G.

A la lumière de ces données nouvelles, que notre collègue espérait soumettre à la discussion des auditeurs des Journées Bibliques, on comprend que dans son ouvrage posthume il ose intituler le chapitre consacré au ministère galiléen de Jésus *La Tradition de Galilée*. Il y expose en effet cette période de la vie de Jésus sur la base de Marc et sur celle du document Q ou G, qu'il considère désormais comme spécifiquement galiléen.

A suivre Cerfaux, le ministère de Galilée, que la prédication du Baptiste amorce, débuta par l'annonce de la venue du Royaume, c'est-à-dire par la prédication de l'*Évangile* proprement dit. Il se développa ensuite par le *Panégyrique du Baptiste*, « pur joyau de style oral », comprenant deux récitatifs antithétiques, composés en style de prophète inspiré, puis par le *Discours sur la Montagne*. Si Luc a élagué ce morceau et si Matthieu l'a arrondi, il conserve, malgré ces retouches, sous les diverses modifications la pensée originale du Sauveur. Chef-d'œuvre du style oral, il se fixa dans les mémoires de la communauté chrétienne qui n'en fut pas l'auteur. « Des chefs-d'œuvre littéraires, en effet, ne se créent pas par une communauté » [135]. La religion de Jésus qui s'y exprime, « prend le contre-pied de celle du judaïsme tardif. Mais elle ne naquit pas de cette opposition. Elle dérive du contact mystérieux du prophète de Galilée avec son Dieu, dont il est le Fils, celui qui connaît ses secrets

---

135. *Ibid.*, p. 74.

et qui les révèle. L'expérience de Jésus continua et acheva celle des prophètes de l'Ancien Testament. Comme ceux-ci, Jésus oppose à la politique des chefs du peuple et aux idéologies mondaines une religion qui ne s'inspire que de Dieu ». « Des pièces (comme le *Sermon sur la montagne*), si limées, si construites, ne sont peut-être pas d'un premier jet. Elles n'ont pas été non plus récitées une fois pour toutes, mais furent reprises devant de nouveaux auditoires » [136].

Un autre discours, ancré solidement dans l'histoire, est celui que Jésus adressa à ses disciples pour les envoyer en mission en Galilée. Cerfaux opte pour la recension longue de *Mt.*, X, 5-16 et il suppose qu'elle fut transmise et conservée dans les *Logia*. N'y voyons pas une expansion littéraire de la recension brève que nous lisons dans Marc et Luc [137]. Toutefois le texte de Matthieu fut retravaillé [138]. Aussi bien Luc que Marc conservent par endroits des *logia* originaux que le premier évangile omet et qui plus d'une fois s'inspirent des cycles narratifs d'Élie et d'Élisée (*II Reg.*, IV, 29).

Le *discours de mission* pose le problème de l'attente eschatologique. Schweitzer l'a comprise d'une manière trop matérielle et radicale, comme si la mission galiléenne des apôtres allait coïncider avec la destruction du monde. Cerfaux le conteste. « Semailles, croissance, maturation, note-t-il, anticipant ainsi l'enseignement des paraboles, sont à l'échelle humaine. Et pourquoi pas, quoique d'une autre manière, la récolte ? On ne fauche pas d'un unique coup de faucille » [139].

Matthieu termina son évangile en reprenant le discours de mission galiléen, mais en lui donnant une solennité digne du Ressuscité et une ampleur désormais universelle. Mais en l'universalisant, il n'a pas trahi la pensée du Sauveur, car une perspective eschatologique fut présente dès les débuts de l'évangile, et dès les origines la mission contenait, d'une façon « prophétique et typique » [140], le mystère d'une évangélisation destinée à toute l'humanité. Du discours de la mission, le professeur rapproche les paroles prophétiques du Maître condamnant les villes incrédules (*Mt.*, XI, 20-24 ; XII, 41-42 ; *Lc.*, X, 12-15 ; XI, 31-32).

C'est encore à la prédication en Galilée que Cerfaux rattache les *Paraboles du Royaume* groupées fictivement par Matthieu en une seule journée [141]. Pour en expliquer le langage et la finalité, le professeur fait appel à l'influence conjuguée de divers textes vétérotestamentaires empruntés à Isaïe, à Ézéchiel et à Daniel. Aux données fournies par

---

136. *Ibid.*, p. 77.
137. *Ibid.*, p. 81.
138. *Ibid.*, p. 83.
139. *Ibid.*, p. 88.
140. *Ibid.*, p. 90.
141. *Ibid.*, p. 95.

les livres prophétiques de l'Ancien Testament s'ajustent celles reprises à la littérature apocalyptique. Le professeur applaudit aux efforts de Mgr Hermaniuk et du R. P. Denis, développant l'un et l'autre ses propres intuitions [142].

Notre collègue aime proclamer l'originalité des paraboles du Royaume. Il souligne fortement que Jésus y parle uniquement des semailles [143]. De même, ainsi que le professeur Dahl l'aurait bien discerné, l'idée de croissance y est fondamentale [144]. Enfin il note que le style n'est pas celui du Sermon sur la montagne. Il n'y a pas là pourtant une objection à faire remonter fidèlement la teneur des paraboles à Jésus lui-même, quitte à reconnaître que la communauté primitive a pu prendre plus de liberté dans leur explication et leur application à des situations nouvelles. « Il arrivera que la parabole tournant visiblement à l'allégorie, l'explication se mêlera à l'exposé parabolique *(parabole du filet)*. L'exégète sera libre de séparer ce que l'évangéliste a uni, sans prétendre pour cela que Jésus, dans sa pensée, n'unissait pas déjà la parabole et l'explication, celle-ci réagissant sur celle-là » [145].

L'exposé des paroles de Jésus relatives à la mission galiléenne se termine par l'*Action de grâces du révélateur* dont la première strophe (*Mt.*, XI, 25-27 ; *Lc.*, X, 21-22) est d'inspiration daniélique [146]. La troisième, propre à Matthieu (XI, 28-30), se situe au contraire dans un contexte sapiential ; elle contient une citation littéraire de Jérémie (*Jer.*, VI, 16) ; elle est rédigée dans un style d'école qui fait contraste avec les deux premières strophes incandescentes, reprises l'une et l'autre aux *Logia* [147] ; elle appartient à une époque postérieure de la vie de Jésus, tout comme le texte du *Pater* que le Sauveur enseigna à ses disciples quand « au désert » il forma sa première communauté [148].

A la suite de l'étude des discours galiléens de Jésus, notre collègue touche brièvement aux récits de vocation, puis étudie plus longuement les narrations de miracles ou de controverses. Sous la pression de tendances communautaires : *parénèse, typologie biblique, christologie, liturgie*, le domaine de l'histoire proprement dite s'y rétrécit [149]. Une certaine

---

142. *Ibid.*, p. 105, avec renvoi à M. HERMANIUK, *La parabole évangélique*, Louvain, 1947 et A.-M. DENIS, *Les thèmes de connaissance dans le Document de Damas*, Louvain, 1967.

143. *Ibid.*, p. 106.

144. *Ibid.*, p. 110, avec renvoi à N.A. DAHL, *The Parables of Growth*, dans *Stud. Theol.*, 5 (1951), 132-166.

145. *Ibid.*, p. 115.

146. *Ibid.*, p. 116.

147. *Ibid.*, p. 117.

148. *Ibid.*, p. 118.

149. *Ibid.*, p. 120.

démythologisation s'impose donc, dans la mesure où la tradition parle le langage d'une mentalité dépassée. Ni l'historien ni l'exégète n'ont toutefois le droit de pousser le travail d'interprétation jusqu'à nier le donné religieux qui fait l'essence de la révélation [150]. Notre collègue insiste sur le fait que le Sauveur refusa à ses contemporains le signe merveilleux qu'ils réclamaient. Jésus se distança ainsi de toute thaumaturgie. Quant aux récits qui rapportent les conflits, nous serions en présence de textes qui donnent l'impression d'une étroite communion de vie avec la réalité où les anecdotes ont pris naissance [151].

Après avoir exposé le ministère de Jésus en Galilée sur la base d'une tradition qu'il appela celle de Galilée en fonction du caractère galiléen de Q, Cerfaux expose le drame de la passion et son épilogue glorieux en se référant à ce qu'il nomme la *Tradition de Jérusalem* [152]. Cette désignation se comprend beaucoup moins bien. En l'occurrence, les sources sont l'évangile de Marc, déjà utilisé pour la *Tradition de Galilée*, et un prétendu récit archaïque de la passion, désigné par le sigle D. La désignation : *Tradition de Jérusalem*, s'appuyerait-elle surtout sur la prétendue origine hiérosolymitaine de ce dernier document ? Quoi qu'il en soit, Cerfaux estime que les péricopes du ministère à Jérusalem possèdent des caractères distincts des souvenirs de la période galiléenne. Elles se présentent comme de petites unités littéraires amalgamées en un récit continu ; elles révèlent de plus une ferme construction chronologique et géographique, et elles se baseraient en partie, comme nous l'avons déjà noté, sur un document archaïque racontant le drame de la passion [153]. Notre collègue s'évertue à reconstituer ce texte de base. Soulignons qu'il soutient fermement que Jésus a prédit sa passion, puis qu'il s'est identifié

---

150. *Ibid.*, p. 123.
151. *Ibid.*, p. 139.
152. Voici les sous-divisions de la section :
La montée à Jérusalem (p. 149-158), *Les actes de Jésus à Jérusalem :* a) controverses (p. 160-162), paraboles de rupture (p. 162-167), b) annonce de la venue apocalyptique (p. 167-177 : l'espérance de la communauté chrétienne d'après saint Paul, p. 168-179, la venue du Fils de l'homme dans la tradition évangélique, p. 170-177), c) le Testament nouveau : p. 177-186 ; la tradition paulinienne, p. 178-180, la tradition synoptique, p. 180-184, l'interprétation primitive, p. 184-186). — *La passion* (p. 187-209) : a) *à la recherche du récit archaïque*, préliminaires (p. 189-190), la dernière cène (p. 190-194), le martyre (p. 194-203), selon les Écritures (p. 203-206) ; b) *le récit et l'histoire* (p. 203-209). — *La résurrection :* a) la tradition de Jérusalem d'après I Cor. (p. 212-214), b) le propre témoignage de Paul (p. 214-216), c) le message apostolique dans les *Actes* (p. 216-220), d) les récits des Évangiles (p. 220-233) : la sépulture et les femmes au tombeau (p. 221-223), les apparitions du Ressuscité : aux femmes (p. 223-224), aux disciples d'Emmaüs (p. 224-225), aux Douze, apparitions du type « reprise de la vie commune » (p. 226-227), apparition finale avec mandat de mission (p. 227-230), synthèse (p. 230-233).
153. *Ibid.*, p. 145.

avec le Serviteur de Yahvé et avec le Fils d'homme, voire qu'il a accepté, tout en la corrigeant, une certaine identification messianique [154].

Commentant les paroles de la cène eucharistique, qu'il se représente, non suivant la rédaction lucanienne mais conformément à la tradition de Paul-Marc-Matthieu, l'exégète paraphrase comme suit la foi en la présence réelle. « Comme l'exige tout le milieu sacrificiel et sacramentel de la tradition primitive, il faut conclure que le pain et le vin ' consacrés ' portent *en eux* la puissance d'efficacité de la présence du Christ qui agit pour sauver le monde... Nous annonçons (la mort du Seigneur) en mangeant le pain eucharistique et en buvant le vin mystique. N'est-ce pas dire que ceux-ci portent en eux la force de Dieu dans le mystère d'une présence réelle du Christ incarné ? » [155]

Dans l'exposé des récits de la résurrection, le maître accepte les apparitions galiléennes, se tient en ordre principal aux données fournies par la première épître aux Corinthiens et suit maintes fois les suggestions d'un article bien connu de son élève Albert Descamps.

Une troisième et dernière partie groupe les données de la tradition évangélique qu'il n'est pas possible de situer dans un cadre géographique ou chronologique un tant soit peu rigoureux. Il s'agit d'une part des données groupées par Luc dans son long récit de voyage qui conduit Jésus de Galilée à Jérusalem, données provenant en partie de la source des *Logia* et en partie de renseignements qui lui sont propres et qui semblent appartenir au milieu des « disciples », — d'où l'appellation *Tradition des disciples* [156] ; d'autre part, il est question de *Dits du Seigneur* éparpillés à travers les trois synoptiques et y encadrés de brèves introductions narratives (*apophtegmes* ou *paradigmes*) ou y groupés à la mode rabbinique. Le professeur en étudie le style se souvenant des vues jadis exprimées par le Père Jousse, et en analyse avec bonheur les traits saillants [157].

---

154. *Ibid.*, p. 175.

155. *Ibid.*, p. 186.

156. Cette section de l'ouvrage comprend les divisions suivantes : *Les soixante-dix disciples* (p. 237-240), *Mœurs chrétiennes* (p. 240-241), *La miséricorde de Dieu* (p. 241-244), *Anticipation de l'Église* (p. 244-250). — Voir sur la grande insertion lucanienne A. DENAUX, *Het lucaanse reisverhaal*, dans *Coll. Brug. Gand.*, 14 (1968), 214-243.

157. Voici les en-tête des sous-divisions : *Le mode de transmission des logia :* sans contexte logique (p. 251-252), comme pointes dans des anecdotes (p. 252), en groupes artificiels (p. 252-254), — *La poétique des logia* (p. 254-259), — *La poésie et les images : le champ des images* (p. 259-260), du roseau aux arbres (p. 260-261), les oiseaux du ciel (p. 261-264), la lumière (p. 264-265), le pain quotidien (p. 265), vêtements et trésor (p. 266), ville et maison (p. 266-267), de la naissance à la mort (p. 267-268), — *un style « imagé »* (p. 268-269), — *Authenticité des logia* (p. 269-271).

Terminant ses considérations sur les *logia*, le professeur s'enhardit à énoncer trois critères pour remonter à partir d'eux aux *ipsissima verba* du Sauveur. Un premier critère consistera dans la conformité d'un logion avec l'ambiance qui fut celle de Jésus, avec les habitudes du milieu palestinien de l'époque, avec l'influence thématique de l'Ancien Testament [158]. Un deuxième fera appel à la présence du style oral prophétique ou du moins d'un style d'école qui osa et fut en mesure d'opposer aux répétitions des docteurs du judaïsme un enseignement d'autorité inspiré par Dieu [159]. Un troisième sera la conformité du logion avec ce que l'on peut assigner comme la doctrine la plus originale du Sauveur, tels ses enseignements sur le Royaume, ou ses réflexions touchant les destinées du Fils de l'homme et du Serviteur souffrant, surtout quand les textes sont rédigés dans un langage tombé relativement vite en désuétude dans les premières communautés chrétiennes [160]. Si quelque doute subsiste lors de la convergence de ces trois critères positifs, ou seulement de deux d'entre eux, pour un même logion, il proviendra de la fidélité même qu'éventuellement les premiers missionnaires chrétiens ont pu garder à la lettre de l'enseignement de Jésus, s'évertuant à parler son propre langage jusque dans les amplifications ou actualisations de sa doctrine [161].

Quelques pages d'épilogue concluent le volume. Elles soulignent la probité des souvenirs évangéliques et proclament l'originalité et la transcendance de la personne de Jésus. Écoutons une page vigoureuse d'apologétique au meilleur sens du mot [162] : « Les théories qu'on peut imaginer pour expliquer le christianisme indépendamment de son fondateur sont condamnées par la documentation conservée dans la communauté chrétienne. On n'ose plus guère aujourd'hui considérer Jésus comme un sectaire juif, dont on aurait adopté des sentences issues du rabbinisme, ou parallèles. Les hypothèses analogues, une dépendance de principe de l'essénisme ou de sectes apocalyptiques, n'ont pas plus d'avenir. La théorie que la communauté chrétienne aurait créé la doctrine s'écroule non seulement devant sa transcendance, mais même devant le caractère ' lettré ' des paroles et de l'enseignement que l'on prête à Jésus. Une populace chrétienne, juive — et a fortiori une foule hellénistique — serait impuissante à manier la poétique ou les images traditionnelles du style oral. Même un groupe de lettrés passés, Dieu sait pourquoi, au christianisme n'auraient pas créé ces chefs-d'œuvre que sont les paraboles ou les discours, sans qu'on ait gardé le souvenir de

---

158. *Op. cit.*, p. 270.
159. *Ibid.*, p. 270.
160. *Ibid.*, p. 270.
161. *Ibid.*, p. 271.
162. *Ibid.*, p. 274.

leurs noms ou de leurs écoles. Il reste donc à admettre que Jésus, par son génie, dépassait son temps. Avant d'enseigner ses disciples à la manière des docteurs juifs, il fut le prophète de notre documentation, parlant dans les compositions de style oral des maîtres anciens. Dans les ' logia ' dispersés dans nos évangiles transparaît encore quelque chose de l'inspiration ' poétique ' qui animait les improvisations de la première période de son message. »

* * *

Telles sont les lignes maîtresses de l'ouvrage que notre collègue nous offre comme son testament spirituel. Ceux qui en aborderont la lecture avec le désir et l'espoir d'y trouver des analyses rigoureuses, poursuivies jusque dans les plus menus détails, risquent d'être déçus. L'auteur n'a pas voulu les entreprendre, sauf et encore d'une façon très générale dans l'exposé du récit de la passion. Un autre sujet de déception proviendra sans doute de ce que l'auteur adopte par endroits un vocabulaire qui prête à une certaine confusion. Il y a dans nos évangiles des traditions relatives au ministère galiléen de Jésus et d'autres qui concernent les événements qui se sont déroulés à Jérusalem durant les dernières semaines de sa vie et après sa résurrection. Mais la question est de savoir si l'on peut distinguer aussi radicalement d'un point de vue littéraire une « tradition de Galilée » et une « tradition de Jérusalem ». Il semble que de part et d'autre nous ayons en grande partie les mêmes porteurs de la tradition, les Douze, les Apôtres, les Disciples. La dernière étude du regretté disparu, prévue pour les Journées Bibliques d'août 1968, dissipe partiellement, il est vrai, l'ambiguïté, mais, on en conviendra, tout danger d'obscurité n'est pas pour autant écarté. Le manque de clarté, il faut l'imputer, ce me semble, au fait que notre collègue n'arriva pas à élaborer des vues personnelles très fermes touchant la solution à donner au problème synoptique. En cette matière, il paraît avoir évolué. Après avoir accueilli avec faveur les suggestions de Vaganay et avoir accompagné un de ses étudiants dans la voie tracée par le maître de Lyon [163], après avoir esquissé une structure de Matthieu basée sur la présence de cinq tomes [164], il paraît être revenu à des vues plus nuancées, sans toutefois retrouver des positions bien circonscrites. Ajoutons encore qu'il ne paraît pas avoir dominé suffisamment la littérature qumrânienne et que, pour les récits de la résurrection, il se garde

---

163. Préface de L. VAGANAY, *Le problème synoptique*, Tournai-Paris, 1954. — Cfr N. VAN BOHEMEN, *L'institution des Douze. Contribution à l'étude des relations entre l'évangile de Matthieu et celui de Marc*, dans *La Formation des Évangiles* (*Recherches Bibliques*, 2), Bruges, 1957, p. 116-151.

164. *La voix vivante de l'Évangile au début de l'Église*, Tournai, 1946.

trop de préciser ses positions à l'endroit des développements de la tradition que nous rencontrons déjà fort conséquents dans l'œuvre lucanienne.

Mais l'ouvrage du regretté professeur est à lire dans l'esprit où il l'a conçu et achevé. Abordé de cette manière, il possède une valeur irremplaçable. D'abord nous y trouvons évoquées, ou même fortement reprises, les conclusions ou hypothèses émises par notre collègue au cours d'une vie entière dans des articles ou ouvrages consacrés aux évangiles. Puis nous y glanons pas mal de fines observations énoncées et insérées comme en passant dans le texte, ainsi qu'un nombre considérable d'expressions bien frappées, originales, pétillantes de l'esprit si vif et si original du professeur. Beaucoup se réjouiront aussi de l'assurance avec laquelle le Maître maintient l'authenticité des *logia* de Jésus touchant sa volonté d'assumer le rôle de Serviteur de Yahvé et sa certitude d'obtenir le destin du Fils d'homme daniélique. Ce n'est pas sans éprouver un sentiment de propre sécurité que nous avons en l'occurrence vu nos propres positions confirmées par notre collègue. Enfin, en un temps où le scepticisme est envahissant et où pas mal d'auteurs, spécialistes d'une vulgarisation faussement comprise, popularisent à la légère des opinions auxquelles une solide assiette scientifique fait défaut, la voix du professeur, voix de la science et voix vivante d'un évangile vécu, témoignage sacerdotal d'une foi chrétienne intégrale, confirmera le lecteur dans son adhésion au Seigneur, à l'Église, à l'Évangile.

* * *

Personne ne sera surpris de l'influence que l'enseignement du professeur exerça durant les vingt-trois ans de son enseignement louvaniste (1930-1953) et les quinze ans (1953-1968) d'un éméritat qui ne fut rien moins qu'un *otium cum dignitate*. Quelques zélés admirateurs du maître ont même voulu faire mention d'une « école Cerfaux ». Un de ses plus brillants élèves, le Père Jacques Dupont, semble le contester en préférant parler d'une « école de Louvain », et il nous paraît avoir raison [165]. D'abord la personnalité du maître que Mgr Descamps nous a fait connaître est si originale qu'elle ne se prête guère à une copie fidèle et facile. Puis ses vues sont si nuancées, si balancées, qu'elles ne peuvent servir de point

---

165. J. Dupont, *Les Béatitudes*. Nouvelle édition entièrement refondue, Louvain, 1958, p. 26, n. 2. L'auteur a été à « l'école de Cerfaux » mais ne parle pas d'une école de son maître. Il note justement que les élèves de Cerfaux n'adoptent pas toujours les mêmes positions. « La bonne entente entre exégètes s'accommode à merveille de pareilles contestations. On parle parfois d'une ' école de Louvain ' ; ce qui la caractérise n'est pas tant l'accord sur certaines thèses qu'un même respect des textes, un même goût pour les méthodes rigoureuses et pour un travail fini jusque dans le détail. »

de départ ou de programme à des prolongements qui ne feraient que les durcir et les dénaturer. Au reste, la gloire la plus authentique d'un maître n'est pas d'éduquer au psittacisme mais de former des élèves qui l'égalent ou même le dépassent. Enfin, ainsi que le remarque le Père Dupont, il n'y a pas de méthode Cerfaux. Il y a la méthode d'une science philologique et historique probe dont à Louvain, depuis belle lurette, d'éminents maîtres, les Van Hoonacker, Tobac, Lebon, Lefort, ont donné le bel exemple [166]. Si l'on veut trouver un aspect qui particularise la mise en œuvre de cette méthode chez Cerfaux, c'est qu'elle s'y allie, plus que chez les professeurs dont nous venons d'aligner les noms, à ce qu'on pourrait appeler une certaine intuition poétique et un besoin plus prononcé de colorer religieusement ses exposés : deux aspects qui vaudront à son œuvre des lecteurs plus nombreux et une diffusion dans des milieux épris à la fois de science et de spiritualité.

* * *

L'évangile de Jean rapporte que le bruit s'était répandu parmi les frères que Jean ne mourrait pas. Pourtant Jésus n'avait pas dit : « Il ne mourra pas », mais : « Il me plaît qu'il demeure jusqu'à ce que je vienne » [167]. Vraiment tel qu'il fut toujours, tel il demeura jusqu'à la venue du Seigneur :

— avec son ermitage situé en bordure de la ville universitaire, en face des premiers gazons et arbres du parc d'Heverlee qui lui rappelaient les horizons boisés de Presles [168] ;

---

166. Cfr J. COPPENS, *Le chanoine Albin Van Hoonacker. Son enseignement, sa méthode et son œuvre exégétique*, Bruges, Desclée De Brouwer, 1935. — *Éloge académique de Monsieur le professeur Édouard Tobac*, Louvain, 1930. — *Mgr Louis-Théophile Lefort*, dans *Quatre années d'études et de recherches théologiques et canoniques à Louvain (Annua Nuntia Lovaniensia*, 16), Louvain, 1962, p. 244-259. — E. LAMOTTE, *Discours aux funérailles de Mgr Lefort*, *ibid.*, 260-264. — G. GARITTE, *Monseigneur L.-Th. Lefort*, *ibid.*, 265-268. — G. BARDY, *Hommage à Monseigneur Joseph Lebon*, dans *Annua Nuntia Lovaniensia*, 5 (1948), p. 56-75. — A. VAN ROEY, *In Memoriam Mgr Joseph Lebon*, dans *Un. Cath. Louvain, Annuaire-Jaarboek 1957-1959*, t. III, p. 40-54.

167. *Jn.*, XXI, 23. — Le seul changement à noter fut l'adoption du costume clergyman qu'il tint d'ailleurs à porter en stricte conformité aux instructions épiscopales. *Qui fidelis est in minimis in maioribus non deficiet*. Comme me le fit observer un collègue, Monseigneur manifestait et rayonnait de suffisantes qualités sacerdotales pour ne pas devoir soustraire au public sous un travesti laïque le témoignage de son sacerdoce.

168. Mgr vint s'établir en 1940, au n° 110 du boulevard de Tervuren, pour devenir l'aumônier de la maison des Franciscaines de Manage. Sa mère vint le rejoindre en 1944. Plus tard, Monseigneur se fit construire dans le jardin une maisonnette où il s'établit pour travailler et prier à son aise.

A la mort de sa mère, Monseigneur garda la maison paternelle de Presles, située

— avec sa tête couronnée d'années laborieuses et de cheveux gris
et s'agitant, tout comme sa pensée, d'un mouvement perpétuel en quête
d'un équilibre difficile à trouver ;

— avec son verbe quelque peu balbutiant, qui évoquait les éructations
d'un oracle ;

— avec sa bienveillance souriante, ondoyante, magnétique, qui voilait
et faisait accepter une obstination parfois farouche à poursuivre et à
réaliser ses desseins ;

— avec son style poétique, son art délicat, d'autant plus délicat,
pour reprendre une expression de Puech, qu'il était instinctif ;

— avec ses formules enveloppantes de théologien subtil et même
quelque peu madré ;

— avec son besoin intense de réunir autour de lui en thiase ses disciples les plus fidèles, les plus dociles aussi, auxquels il dispensait parfois
en paraboles, psychopompe chrétien avisé, les mystères du Royaume
de Dieu et de son petit royaume à lui ;

— avec son désir apostolique de susciter des fraternités franciscaines
où il aimait prêcher la vie et l'enseignement du Sauveur à la douce
lumière irradiée par un des disciples les plus merveilleux du Maître ;

— avec sa prédilection pour l'évangile lucanien, l'évangile dit des
femmes, servantes de l'Église, auxquelles il eut la joie d'adresser ses
dernières monitions apostoliques ;

— avec sa piété toute sacerdotale, puisée chaque jour au saint sacrifice
de la messe, piété où connaissance et charité s'alliaient et s'entrou-
vraient à ces élans de mystique qu'il croyait être la vocation de tout
chrétien vivant intensément sa foi [169], mystique certes du genre intellectuel, ce qui n'est pas une condamnation [170].

C'est l'image de ce prêtre savant et saint, éternellement jeune, éternellement au travail, éternellement en quête de questions et de solutions nouvelles, que nous conserverons fidèlement à Louvain. Elle sera
pour nous une source d'inspiration perpétuelle, la figure parfaite du
didascale chrétien, nouveau Barnabé, compagnon constant de Paul, à
la fois épris d'initiatives charismatiques et soumis aux traditions venues

---

Route de Fosses, n° 93, au lieu-dit les « Sponges ». Il y aménagea un bureau, une
salle à manger, deux chambres à coucher avec bain, et il tint à s'y rendre, conduit
en auto par sa secrétaire, chaque dimanche.

Il aimait se repaître des paysages de son village natal et des aspects variés de
son domaine champêtre, dont il connaissait toutes les plantations, tous les petits
coins, tous les agréments, et où il se livrait ou invitait ses hôtes à se livrer à la pêche
de la truite. Une des dernières photos le situe devant la maisonnette montrant
fièrement la « prise » que ses invités venaient de réaliser.

169. *Le chrétien dans la théologie paulinienne*, p. 468.

170. *Ibid.*, p. 468.

du Maître et transmises par la communauté chrétienne [171], — ne cessant de se référer au Christ toujours présent dans son œuvre, l'Église, — devenu lui-même par ses travaux, par sa doctrine spirituelle, par sa vie exemplaire toute apostolique, une référence vivante au Seigneur ressuscité [172].

Hogeschoolplein 3
3000 Leuven

J. COPPENS

---

171. *La théologie de l'Église suivant saint Paul*, 3ᵉ éd., p. 356.
172. *Ibid.*, p. 380.

L'utilisation de la Source Q par Luc

Introduction du Séminaire

I. La Source Q

Avant de traiter de l'utilisation de la Source Q par Luc, aux ch. VI et VII de son évangile, nous décrirons brièvement cette source elle-même. Certes, la source n'existerait plus si *Lc* et *Mt* ne nous en avaient conservé des extraits, et méthodologiquement, l'analyse des deux évangiles, précède la reconstruction du document ancien. Quelques généralités sont cependant nécessaires pour introduire le sujet.

Le document a été découvert au cours des fouilles poursuivies à la fin du siècle dernier et au début de ce siècle dans les substructures de nos évangiles synoptiques. P. Batiffol écrivait en 1910 : « La critique croit avoir découvert un document analogue à l'Évangile selon saint Marc et qui a servi de source seconde à Luc et aussi bien à Matthieu. Ce document hypothétique, cet évangile x, les critiques le désignent algébriquement par le sigle Q, initiale du mot allemand *Quelle* : nous pourrions l'appeler ' l'Anonyme de Luc et de Matthieu ' [1].

Harnack a attaché son nom à ce document *(Sprüche und Reden)*. Il concluait qu'il est une compilation de sentences et de discours, avec pour horizon la Galilée, qu'il a été écrit originellement en araméen, est plus ancien que *Mc* et serait vraisemblablement l'œuvre de l'apôtre Matthieu, les *logia* dont parle Papias.

Nous croyons pouvoir conserver le gros de ces hypothèses, au point que j'ajouterais volontiers au titre d'évangile « anonyme » de Batiffol l'adjectif galiléen, ce qui me suggérerait le sigle G. Le changement de sigle signifierait un changement de perspective : je m'intéresserais au document pour lui-même ; le considérer simplement comme une source *secondaire* porte en soi le danger de le limiter indûment à la « double tradition », à ce qui est uniquement commun à *Mt* et *Lc*, en excluant toute possibilité que Q (ou G) ait débordé parfois la double tradition, et qu'on puisse lui attribuer des morceaux soit de la triple

---

1. *Orpheus et l'Évangile*, Paris, 2e éd., 1910, p. 173.

tradition, soit des sources particulières de *Mt* et *Lc* (Streeter). Batiffol, après Wernle, insistait sur le fait que la *Quelle* restituée par Harnack n'est qu'un minimum.

C'est en tout cas à travers *Lc* et *Mt*, lus simultanément (dans une synopse qui devrait exister à côté des synopses des trois ou des quatre et qui serait une synopse des deux), que nous atteignons Q et que nous nous le représentons.

Nous étudions en premier lieu ce qui correspond dans Q à la première partie de la vie publique, telle qu'elle est décrite dans les trois synoptiques, depuis la proclamation du Baptiste jusqu'à la césure de Césarée de Philippe.

Ceci constituerait comme la première partie de Q, un premier jet, une première rédaction, qui se distingue fortement du reste des matériaux du document. Elle est formée avant tout de deux « séquences » (suite de péricopes enchaînées par un auteur qui a précédé *Lc* et *Mt*) relativement bien délimitées, et se distinguant par le style très particulier des morceaux qui les composent : style oral, comparable à celui des prophètes de l'A.T., phénomène unique dans notre matière évangélique. Venaient d'abord deux morceaux parallèles à l'ouverture évangélique de Marc. Streeter les unit à la première séquence dont nous allons parler. C'est en premier lieu le discours de Jean-Baptiste eschatologique et messianique, ensuite le récit long de la tentation de Jésus au désert, dans un style très particulier, midrashique, faisant allusion à des miracles magiques proposés par le diable.

Suit une première série de péricopes, la grande séquence restituée à travers *Lc* et *Mt* et comprenant : un discours inaugural de Jésus, une péricope consacrée au(x) miracle(s) (pluriel ou singulier), la demande de Jean-Baptiste, la réponse de Jean-Baptiste, l'éloge du Baptiste, la parabole des enfants jouant sur la place. Ce sont les chapitres VI et VII de Luc. J'ajouterais volontiers deux péricopes provenant de la séquence de *Mt* : la malédiction des villes du lac et l'action de grâces de Jésus au sujet de ses disciples.

Une 2e séquence, plus courte, rapporte l'accusation des Pharisiens au sujet des miracles (qui seraient le résultat d'une possession démoniaque) et le refus de Jésus de leur donner un autre signe (du ciel). Peut-être faudrait-il y ajouter une série de malédictions contre les Pharisiens (*Lc.*, XI, 37-52 = *Mt.*, XXIII, 1-36) et les prophéties menaçantes qui suivent les malédictions : *Lc.*, XI, 49-51 ; XIII, 34-35 = *Mt.*, XXIII, 34-39 (« Voici que j'envoie vers vous des prophètes »... « Jérusalem, Jérusalem, toi qui tues les prophètes et qui lapides ceux qui te sont envoyés... »).

La présence dans Q du discours de mission long (long par opposition du discours de *Mc*) et d'un recueil de paraboles mériterait une recherche spéciale et approfondie. Nous arrivons, pour nous, à la conclusion que

Q contenait un discours de mission, placé entre les deux séquences. Quant aux paraboles du semeur, du grain de sénevé et du levain, des indices assez évidents plaident pour leur présence dans la source. Mais à notre avis, la question des discours (même du sermon sur la montagne, en tout cas du discours de mission et du recueil de paraboles) devrait se traiter avant d'aborder la source Q. Celle-ci a contact avec les discours, mais il se pourrait que ceux-ci aient une histoire relativement indépendante de celle de l'évangile anonyme et soit en relation d'une autre manière avec la tradition orale.

Après cela, nous n'avons plus dans Q que des péricopes sans liaison immédiate entre elles (elles sont perdues dans des discours de *Mt* ou des compositions d'enseignements de *Lc* au cours du voyage). Je proposerais de réserver ouverte la question de savoir s'il s'agit toujours de la même source écrite Q, ou s'il ne faudrait pas inventer une autre explication. Colpe me paraît avoir fait un essai dans ce sens dans son article sur le Fils de l'Homme dans le *Theol. Wört*.

II. Synopse critique de la grande séquence

Nous la divisons en trois compartiments. Le premier sera naturellement le discours inaugural (sermon sur la montagne de *Mt*.)

Ier COMPARTIMENT

Lc., VI, 20-49	*Mt*., V-VII
Discours inaugural	*Discours inaugural*
Introduction solennelle	Introduction solennelle
Béatitudes	Béatitudes
Sur la miséricorde	Sur l'amour du prochain
Soyez miséricordieux, comme…	Soyez parfaits, comme…
Parabole des arbres	Parabole des arbres
Logion « Seigneur, Seigneur »	Logion « Seigneur, Seigneur »
Parabole de la construction	Parabole de la construction

1. Le discours inaugural possède un début solennel dans *Lc* comme dans *Mt*. Il faut dire qu'il n'y a de commun que le détail des μαθηταί. C'est important. Car Harnack insiste sur l'absence des disciples.

Dans *Lc*, *Jésus lève les yeux vers eux et* leur parle, dans *Mt* il ouvre *la bouche et* les enseigne. Le discours commence par les béatitudes, a de nombreux points communs, et se termine par la parabole de la construction.

2. Du discours, Luc passe avec Q à une partie narrative centrée sur la question du Baptiste à Jésus.

Lorsqu'il eut achevé toutes ces paroles : *'Επειδὴ ἐπλήρωσεν πάντα τὰ ῥήματα αὐτοῦ*... (*Lc.*, VII, 1).

Lorsqu'il eut achevé les paroles : *ὅτε ἐτέλεσεν ὁ 'Ιησοῦς τοὺς λόγους τούτους* (*Mt.*, VII, 28). *Lc* et *Mt* ont une version différente de l'araméen. Q a donc circulé sous des formes différentes. Le discours vient de Q(araméen traduit).

2ᵉ COMPARTIMENT - VERS LA DEMANDE DU BAPTISTE

La critique semble s'accorder pour donner une certaine préférence à Luc, en tant qu'il représente mieux que *Mt* ce qu'était primitivement la source.

La différence essentielle du texte de *Lc* avec celui de *Mt* consiste en ce que Luc a rapproché davantage du discours inaugural la demande du Baptiste. *Mt* qui s'accorde avec lui pour placer très tôt la guérison du serviteur du centurion, fait suivre ce miracle d'une série d'autres miracles (dont on a les parallèles dans *Mc*) et des péricopes concernant les disciples, y compris le discours de mission. F. Neirynck, qui a étudié attentivement la composition de *Mt*, alors que je me mets au point de vue de la constitution probable de Q, arrive aussi à la conclusion que *Mt* retarde trop l'épisode de la demande du Baptiste. Il écrit : « Le rédacteur a réalisé ici une composition très systématique : l'enseignement de Jésus (V-VII), puis ses miracles, d'abord avec un intérêt plutôt christologique VIII, 1-17, puis avec une tendance nettement catéchétique (VIII, 18-IX, 34), préparant ainsi dès VIII, 18ss. la mission des disciples (IX, 35-XI, 1). Ce n'est qu'après avoir associé les disciples à l'œuvre de Jésus que la question sera posée sur *τὰ ἔργα τοῦ χριστοῦ* (XI, 2). Cette anticipation (et combinaison) des textes sur les disciples, tant d'après l'ordre de Q que d'après celui de *Mc*, donne ici à l'intention catéchétique du rédacteur son expression dans la structure même de l'évangile »[2].

La Synopse de ce compartiment se présente comme suit :

Lc., VII, 1-17	*Mt.*, VIII, 1-XI, 1
Transition : Quand il eut fini...	Transition : Quand il eut fini...
	Guérison du lépreux
Guérison du serviteur du centurion	Guérison du serviteur du centurion
Résurrection à Naïm	Série de miracles et péricopes concernant les disciples
	Transition : Quand il eut fini...

---

2. F. NEIRYNCK, *La rédaction matthéenne et la structure du premier évangile*, dans *Eph. Theol. Lov.*, 48 (1967), p. 72 (= *De Jésus aux Évangiles*, p. 72).

Un problème me paraît se poser pour la guérison du lépreux. A mon avis, la composition de Q s'accommoderait bien de sa présence. En effet, la demande de Jean-Baptiste, implicitement, et la réponse de Jésus, explicitement, portent sur les miracles. Les miracles de Jésus sont-ils bien ceux qu'il fallait attendre de celui qui viendrait après Jean ? Jésus répond : j'accomplis les prophéties d'Isaïe.

Contentons-nous à présent de quelques remarques. Le contexte de Q, en ce moment, est intéressé par les miracles. Déjà la tentation du désert nous a orientés vers la question des miracles : le démon propose à Jésus d'user d'une puissance magique. La question du Baptiste revient sur les miracles. On s'attendrait normalement à trouver dans notre comparti-ment intermédiaire plusieurs exemples de miracles.

Luc a pu omettre la guérison du lépreux parce qu'il l'avait déjà rapportée dans un contexte marcien précédent (*Lc.*, V, 12-16). Par compensation, il introduit, venant de sa source propre, un exemple de résurrection. La réponse de Jésus fera allusion, parmi d'autres, à ces deux genres de miracles.

Ce problème sera repris dans la troisième partie de notre exposé.

3ᵉ COMPARTIMENT

Lc., VII, 18-50	*Mt.*, XI, 2-27
Demande de Jean-Baptiste	Demande de Jean-Baptiste
Réponse de Jésus	Réponse de Jésus
Éloge du Baptiste	Éloge du Baptiste
+ Et tout le peuple, etc.	+ Depuis les jours de Jean-Baptiste
Parabole des enfants jouant	Parabole des enfants jouant
La pécheresse	
Lc., X, 13-15	Malédiction des villes du lac.
Lc., X, 21-22	Action de grâces pour la révéla-tion aux disciples.

Nous reviendrons dans notre paragraphe suivant sur l'addition de Luc : « Et tout le peuple... » (VII, 29-30). — *Mt* a raison, croyons-nous, de placer à la suite de la parabole, les deux dernières péricopes : malé-diction et action de grâces. Elles appartenaient vraisemblablement à la grande séquence de Q. Luc a placé la première dans le discours de mission, il utilise la seconde à propos du retour des 70 disciples. Sa rédaction est artificielle, en particulier pour la malédiction. Le style, prophétique, ne cadre pas avec le discours de mission ; Luc a été poussé par une allusion dans le discours, à la condamnation de Sodome et Gomorrhe et au sort qui les attend au jour du jugement.

La malédiction est bien à sa place dans le contexte de la demande de Jean-Baptiste, l'intérêt continuant à se porter sur les miracles. Quant à l'action de grâces à propos des disciples, il serait vraisemblable qu'elle ouvre une nouvelle section de Q, qui sera consacrée aux disciples. Il nous reste de cette section le discours de mission et des logia que *Mt* et *Lc* ont dispersés dans la partie de leur évangile qui les sépare de la seconde séquence. — Il se pourrait que Luc ait préféré terminer la séquence sur une révélation qui lui tient à cœur : *la miséricorde*.

III. La construction littéraire du ch. 7 de Luc

Le chapitre s'ouvre par une transition du discours inaugural à une section narrative et s'arrête à un tableau d'ensemble, rédigé par Luc, de l'activité de Jésus. (Celui-ci marque le début du ch. VIII). La transition, « Quand il eut fini d'adresser au peuple ces paroles » (VII, 1), qui est identique pour l'idée avec celle de *Mt*, est vraisemblablement inspiré par celle de Q. Entre la transition et le tableau, la matière rassemblée par Luc a pour noyau la composition de Q. Le miracle de la guérison du serviteur du centurion de Capharnaüm (Q) est suivi de la résurrection du fils de la veuve de Naïm, et Luc suggère que les miracles ont intrigué le Baptiste : « Les disciples de Jean l'informeront de tout cela » (VII, 18). *Mt* sera plus explicite en parlant à ce propos des « œuvres du Christ » (*Mt*, XI, 2). La coïncidence des deux notations pourrait encore nous faire remonter à Q. En tout cas, Luc paraît être l'interprète fidèle de la pensée de la source. Les disciples du Baptiste rapportent à Jésus la demande de leur Maître et Jésus répond. L'épisode est suivi de l'éloge du Baptiste. Ce dernier morceau est un excellent modèle de style oral ; il était contenu dans Q, de même que la parabole des enfants qui le suivait immédiatement. Luc a placé entre les deux discours de Jésus un fragment provenant d'un logion de Q, qui appartenait à un contexte différent. Le chapitre se termine par l'onction de la pécheresse. On peut donc conclure que pour l'ensemble, Luc dépend de Q. Une analyse du détail des péricopes justifiera ce jugement global.

ANALYSE

Dans la source, entre le grand discours inaugural et la mission des disciples de Jean se situait certainement le miracle du serviteur du centurion. A première vue, Luc corse un récit plus simple, vraisemblablement celui que *Mt* nous a conservé. Dans le même *Mt*, le miracle de la double tradition est précédé de la guérison d'un lépreux. Celui-ci appartient à la triple tradition, et les exégètes en plein accord l'excluent de

Q. F. Neirynck explique en passant que *Mt* aurait voulu composer, en ajoutant le centurion à deux miracles de *Mc* (le lépreux et la belle-mère de Pierre), une trilogie qu'il soulignerait par l'accomplissement d'une prophétie d'Isaïe (VIII, 17) [3].

Cette hypothèse n'est pas inconciliable avec la présence du miracle du lépreux dans Q. *Mt* aurait pu suivre d'abord la source Q [4], qui rapportait dans ce cas plusieurs miracles dans le but de préparer l'intervention de Jean. Il aurait abandonné Q après la guérison du centurion reprenant alors la trame de *Mc* pour énumérer une série de miracles. A ce moment, l'idée d'une trilogie aurait passé par la tête du rédacteur. Mais il faudrait discuter ce point : la citation d'Isaïe paraît se rapporter au tableau d'ensemble des miracles du v. 16.

On pourrait donc, il me semble, envisager l'hypothèse que, pour une fois, la triple et la double tradition chevaucheraient. On devrait analyser, dans cette hypothèse, le récit de la guérison du lépreux. Quant à l'omission du miracle du lépreux dans *Lc*, elle s'explique naturellement par le fait que notre auteur a raconté ce miracle dans un contexte marcien contenant une série de miracles (*Lc.*, V, 12ss. = *Mc.*, I, 40ss.).

Le récit de la mission du Baptiste est aussi plus compliqué chez *Lc* que chez *Mt* et probablement que dans la source. Il y a d'abord la répétition mot-à-mot de la teneur du message (v. 20) ; il y a surtout la mention des miracles accomplis par Jésus en présence des messagers : « A ce moment-là, écrit Luc, il guérit beaucoup de gens affligés de maladies, etc. » (v. 21). Cette nomenclature des miracles répond partiellement à la réponse de Jésus : « Allez rapporter à Jean ce que vous avez vu et entendu : les aveugles voient, etc. ». On pourrait se demander si ce n'est pas Luc qui a raison, car *Mt* contient également la phrase : « Allez rapporter à Jean ce que vous avez vu et entendu ». La réponse dépasse l'horizon de l'épisode particulier raconté par Q ; ne serait-elle pas écrite en fonction de la petite strophe (v. 22-23), un morceau de tradition primitive, qui énumère les miracles et explique l'activité de Jésus dans la lumière d'Isaïe (tout en tenant compte des faits concrets de la vie de Jésus)? Il y aurait beaucoup à dire là-dessus. On pourrait se demander pourquoi Luc ne mentionne pas, parmi les miracles de Jésus, la guérison des lépreux, reprise cependant dans la strophe. Ne pourrait-on pas avancer l'hypothèse que Luc se trouve encore dans cette omission, sous l'influence de Q (selon la tradition conservée par *Mt*), où les miracles du lépreux et du serviteur du centurion voisinaient ? Le lecteur est censé savoir que Jésus guérissait des lépreux, et les disciples de Jean doivent également le savoir. C'est un phénomène rédactionnel normal ;

---

3. *La rédaction matthéenne*, p. 68.
4. Ceci est conforme à la pratique des auteurs anciens qui sont liés par la source qu'ils utilisent momentanément.

ce qu'on vient de dire ou même d'omettre intentionnellement influence la construction littéraire (le phénomène de « rémanence » d'une sensation est bien connu en psychologie). Ce serait en tout cas l'énumération de la strophe qui lui aurait fait penser à raconter ici une résurrection, qui était contenue dans les sources propres et qui est de couleur hellénistique.

Un des chefs d'œuvre de l'évangile de Luc, peut-être le plus beau, c'est l'épisode de la pécheresse. Il est parallèle à la parabole de l'enfant prodigue, cet autre chef d'œuvre. De part et d'autre, le pécheur, pour sa confiance et son amour, qui répond à la miséricorde de Dieu, est exalté au-dessus du pharisien.

La scène de la pécheresse vient, comme naturellement, après la parabole des enfants jouant, en exemple des enfants de Dieu qui justifient la Sagesse de Dieu. La Sagesse de Dieu, qui se révèle désormais dans l'œuvre de Jésus, comme elle se révélait déjà dans l'œuvre de Jean, culmine dans le pardon des pécheurs et leur position d'appelés par excellence. Ils sont les « pauvres » auxquels la bonne nouvelle est annoncée. La scène allégorique rappelle d'autre part le discours inaugural : « Soyez miséricordieux comme votre Père est miséricordieux », et termine l'ensemble des deux chapitres comme une sorte d'« inclusion ».

Luc a senti le besoin d'articuler encore davantage la miséricorde dans le contexte de Q. Entre l'éloge du Baptiste qui se termine sur l'antithèse si bien dans le style et l'esprit de la source : « le plus petit dans le Royaume de Dieu est plus grand que lui » (*Lc* a conservé l'expression de Q : le royaume de *Dieu*, non « des cieux »), il insère aux vv. 29-30 un logion qui se trouvait ailleurs dans la source (cfr *Mt.*, XXI, 31-32). Sous la plume de Luc, le logion primitif devient comme un commentaire de la parole finale de la parabole des enfants : la sagesse a été justifiée par tous ses enfants. Il écrit en effet : « Tout le peuple qui l'écoutait — et les publicains eux-mêmes — ont *justifié* [5] Dieu en recevant le baptême de Jean : mais en ne se faisant pas baptiser par lui, les légistes ont rendu vain pour eux le dessein de Dieu ». *Mt*, dans le logion qu'il a conservé dans son texte original, faisait dire à Jésus : « les publicains et les courtisanes vous précèdent dans le royaume de *Dieu* » (encore Royaume de Dieu, comme Q). Pourquoi Luc supprime-t-il ici « les courtisanes » du logion primitif, si ce n'est par un sens littéraire d'une finesse digne de lui ? De parler des courtisanes affaiblirait l'effet qu'il veut produire en mettant en scène, pour terminer le chapitre, la courtisane du festin, aimante, croyante et *pardonnée*.

---

5. Le verbe « justifier », rare, se retrouve à la fois dans la finale de la parabole et dans le « commentaire » de Luc.

NOTE FINALE

Dialogues et contestations à développer au Séminaire.

A. Questions générales de construction.

  1. La rédaction du miracle du serviteur du centurion (surchargeant Q), rapport avec Jaïre ? ou plutôt avec Corneille. — Source des *envoyés*.
  2. Hypothèse concernant la guérison des lépreux remplacée par une résurrection (les paroles de Jésus font allusion aux lépreux et au ressuscité).
  3. Rattachement de l'épisode de la pécheresse à l'ensemble de la construction lucanienne : le lieu de Lc.

B. Question des centres d'intérêt de Luc.

  1. Le caractère de cohésion de la narration générale.
  2. L'art de conter dans les récits.
  3. Les intérêts particuliers
     a) artistiques
     b) doctrinaux :
        miséricorde
        intérêt pour les craignants Dieu
        intérêt pour les publicains et les pécheurs.
  4. La fidélité aux paroles du Baptiste et de Jésus, aux dits des logia (le centurion).

C. La fidélité à la source Q (mode de fidélité).

† L. Cerfaux

Bibliographie Lucien Cerfaux

Publications

1. Le titre « Kyrios » et la dignité royale de Jésus, *Revue des Sciences Philosophiques et Théologiques*, 11 (1922), 40-71 ; *Recueil* I, 3-35.
2. Les rois de Perse protecteurs de la colonie juive d'Éléphantine, *Collationes Dioecesis Tornacensis*, 18 (1922-1923), 49-54.
3. La politique religieuse des Perses à l'égard des Juifs, *Coll. Dioec. Torn.*, 18 (1922-1923), 104-112.
4. Le titre « Kyrios » et la dignité royale de Jésus, *Rev. Sc. Philos. Théol.*, 12 (1923), 125-153 ; *Recueil* I, 35-63.
5. Le drame de l'Exode, *Coll. Dioec. Torn.*, 19 (1923-1924), 251-263.
6. Influence des Mystères sur le Judaïsme alexandrin avant Philon, *Muséon*, 37 (1924), 29-88 ; *Recueil* I, 65-112.
7. La Gnose simonienne, *Recherches de Science Religieuse*, 15 (1925), 489-511 ; *Recueil* I, 191-209.
8. L'Église et le Règne de Dieu d'après saint Paul, *Eph. Theol. Lov.*, 2 (1925), 181-198 ; *Recueil* II, 365-387.
9. Les « Saints » de Jérusalem, *Eph. Theol. Lov.*, 2 (1925), 510-529 ; *Recueil* II, 389-413.
10. Saint Paul, l'apôtre, fondateur d'Églises, *Coll. Dioec. Torn.*, 21 (1925-1926), 146-158.
11. Saint Paul : Sollicitudo omnium ecclesiarum, *Coll. Dioec. Torn.*, 21 (1925-1926), 245-255.
12. La Gnose simonienne, *Rech. Sc. Relig.*, 16 (1926), 5-20, 265-285, 481-503 (cfr n. 7) ; *Recueil* I, 210-223, 223-240, 240-258.
13. Saint Paul et l'unité de l'Église, *Nouvelle Revue Théologique*, 53 (1926), 657-673.
14. Les grands sermons de Galilée, *Coll. Dioec. Torn.*, 22 (1926-1927), 197-209.
15. La probité des souvenirs évangéliques, *Eph. Theol. Lov.*, 4 (1927), 13-18 ; *Recueil* I, 369-387.
16. Recension dans *Muséon*, 40 (1927) : E. EISLER, Orphisch-Dionysische Mysteriengedanken, 137-139.
17. Saint Barnabé, apôtre des Gentils, *Coll. Dioec. Torn.*, 23 (1927-1928), 209-217.
18. Bulletin d'Écriture sainte, *Études Franciscaines*, 40 (1928), 190-199.
19. Le Vrai Prophète des Clémentines, *Rech. Sc. Relig.*, 40 (1928), 143-163 ; *Recueil* I, 301-319.
20. Les Paraboles de Jésus, *Nouv. Rev. Théol.*, 55 (1928), 186-198.
21. L'Évangile de Jésus-Christ, *Coll. Dioec. Torn.*, 24 (1928-1929), 97-101.
22. Une apologie moderne [L. DE GRANDMAISON], *Revue Catholique des Idées et des Faits*, 8 (1928-1929), n° 28 (5 oct. 1928) 9-10.
23. Science libre et radicale [M. DELAFOSSE], *Rev. Cath. Idées Faits*, 8 (1928-1929), n° 36 (30 nov. 1928) 11-12.
24. L'Évangile de Jésus-Christ [M.-J. LAGRANGE], *Rev. Cath. Idées Faits*, 8 (1928-1929), n° 41 (4 jan. 1929) 15-16.

25. Religions de contrebande, *Rev. Cath. Idées Faits*, 8 (1928-1929), n⁰ 49 (1 mars 1929) 6-7.

26. Le Baptême des Esséniens, *Rech. Sc. Relig.*, 19 (1929), 248-265 ; *Recueil* I, 321-336.

27. Le « style oral » dans les Évangiles [M. Jousse], *Rev. Cath. Idées Faits*, 9 (1929-1930), n⁰ 5 (26 avril 1929) 14-16.

28. L'incrédulité des Juifs [A. Charue], *Rev. Cath. Idées Faits*, 9 (1929-1930), n⁰ 21-22 (16 et 23 août 1929) 7-8.

29. Pour comprendre la littérature sacrée, *Rev. Cath. Idées Faits*, 9 (1929-1930), n⁰ 23 (30 août 1929) 10-11.

30. L'espérance chrétienne [A. Lemonnyer], *Rev. Cath. Idées Faits*, 9 (1929-1930), n⁰ 26 (20 sept. 1929) 8-9.

31. Le berger de Thékoa, *Rev. Cath. Idées Faits*, 9 (1929-1930), n⁰ 37 (6 déc. 1929) 11-14.

32. Les poèmes de la consolation, *Coll. Dioec. Torn.*, 25 (1929-1930), 177-184.

33. Bulletin d'Écriture Sainte — Introduction, *Coll. Dioec. Torn.*, 25 (1929-1930), 121-125, 241-245.

34. Les acteurs de Dieu, *Rev. Cath. Idées Faits*, 9 (1929-1930), n⁰ 44 (24 jan. 1930) 10-11.

35. Le secret d'Alexandre le Grand, *Rev. Cath. Idées Faits*, 9 (1929-1930), n⁰ 51 (14 mars 1930) 6-7.

36. Les interventions divines dans la fondation de l'Église, *Coll. Dioec. Torn.*, 26 (1930-1931), 147-156.

37. Le nom divin « Kyrios » dans la Bible grecque, *Rev. Sc. Philos. Théol.*, 20 (1931), 27-51 ; *Recueil* I, 113-136.

38. Adonai et Kyrios, *Rev. Sc. Philos. Théol.*, 20 (1931), 417-452 ; *Recueil* I, 137-172.

39. Vestiges d'un florilège dans I Cor., I, 18-III, 24?, *Revue d'Histoire Ecclésiastique*, 27 (1931), 521-534 ; *Recueil* II, 319-332.

40. Recension dans *Rev. Hist. Eccl.*, 27 (1931) : A. Meyer, Das Rätsel des Jacobusbriefes, 356-358.

41. Recensions dans *Eph. Theol. Lov.*, 8 (1931) : J. Schmid, Matthäus und Lukas, 263-265 ; — M. Meinertz-F. Tillmann, Die Gefangenschaftsbriefe des heiligen Paulus, 265-266 ; — K. J. Schaefer, Untersuchungen zur Geschichte der lateinischen Übersetzung des Hebräerbriefs, 266-268.

42. Un témoignage pour le christianisme, *Rev. Cath. Idées Faits*, 11 (1931-1932), n⁰ 14 (26 juin 1931) 14-15.

43. La Bible et l'Assyriologie [P. Dhorme], *Rev. Cath. Idées Faits*, 11 (1931-1932), n⁰ 18 (24 juillet 1931) 4-5.

44. Les origines de l'Eucharistie [W. Goossens], *Rev. Cath. Idées Faits*, 11 (1931-1932), n⁰ 29 (9 oct. 1931) 15-16.

45. Ame inachevée [R. Brasillach], *Rev. Cath. Idées Faits*, 11 (1931-1932), n⁰ 36 (27 nov. 1931) 17-18.

46. Alexandre le Grand [G. Radet], *Rev. Cath. Idées Faits*, 11 (1931-1932), n⁰ 39 (18 déc. 1931) 9-10.

47. Les Esséniens, *Rev. Cath. Idées Faits*, 11 (1931-1932), n⁰ 48 (19 février 1932) 16-18 ; n⁰ 52 (18 mars 1932) 23-24.

48. Comment saint Paul jugeait son temps, *Coll. Dioec. Torn.*, 27 (1931-1932), 1-11.

49. « L'histoire de la tradition synoptique » d'après Rudolf Bultmann, *Rev. Hist. Eccl.*, 28 (1932), 582-594 ; *Recueil* I, 353-367.

50. La Judée (Bibliographie 1928-1931), *Antiquité Classique*, 1 (1932), 411-418.

51. Recension dans *Muséon*, 45 (1932) : R. Tramontano, La lettera di Aristea a Filocrate, 168-170.

52. Recensions dans *Rev. Hist. Eccl.*, 28 (1932) : J. Mackinnen, The Historic Jesus, 86-90 ; — J. Schmid, Zeit und Ort der paulinischen Gefangenschaftsbriefe, 350-351 ; — A. von Harnack, Studien zur Geschichte des Neuen Testaments und der Alten Kirche, 610-612 ; — F. Tillmann, Das Johannesevangelium, 847-848.

53. Recensions dans *Eph. Theol. Lov.*, 9 (1932) : A Schenz, Matthaeus 1, 1-4, 23 im Lichte der semitisch-literarischen Architektonik, 77-80 ; — F. Hauck, Das Evangelium des Markus, 80-81 ; — D. Haugg, Judas Iskarioth in den neutestamentlichen Berichten, 84-85 ; — H.E. Weber, Eschatologie und Mystik im Neuen Testament, 297-298.

54. Le Christ dans la vie de saint Paul, *Coll. Dioec. Torn.*, 28 (1932-1933), 81-94, 225-238.

55. La révélation de l'espérance [C. Spicq], *Rev. Cath. Idées Faits*, 12 (1932-1933), n⁰ 2-3 (8 avril 1932) 23.

56. Le judaïsme avant Jésus-Christ [M.-J. Lagrange], *Rev. Cath. Idées Faits*, 12 (1932-1933), n⁰ 8 (13 mai 1932) 11-12.

57. Les papyri du Nouveau Testament, *Rev. Cath. Idées Faits*, 12 (1932-1933), n⁰ 18-19 (29 juillet 1932) 4-5.

58. Où en est le problème de Jésus [F.-M. Braun], *Rev. Cath. Idées Faits*, 12 (1932-1933), n⁰ 40 (23 déc. 1932) 9-11.

59. L'idéal religieux des Grecs et l'évangile [A.-J. Festugière], *Rev. Cath. Idées Faits*, 12 (1932-1933), n⁰ 46 (3 février 1933) 9-11.

60. La Dame de l'Erable [M. Goury], *Rev. Cath. Idées Faits*, 12 (1932-1933), n⁰ 52 (17 mars 1933) 12-14.

61. Recensions dans *Muséon*, 46 (1933) : A. Merk, Novum Testamentum graece et latine, 321 ; — B. Botte, Les origines de la Noël et de l'Épiphanie, 321-322.

62. Recensions dans *Rev. Hist. Eccl.*, 29 (1933) : J. Sickenberger, Die Briefe des heiligen Paulus an die Korinther und Römer, 112-114 ; — J. Rohr, Der Hebräerbrief und die geheime Offenbarung des hl. Johannes, 114-115 ; — R. Tramontano, La Lettera di Aristea a Filocrate, 119-120 ; — G. Erdmann, Die Vorgeschichten des Lukas- und Matthäus-Evangeliums und Vergils IV. Ekloge, 958-960 ; — C. Guignebert, Jésus, 960-965.

63. Recensions dans *Eph. Theol. Lov.*, 10 (1933) : I.M. Vosté, Parabolae selectae D.N.I. Christi, 471-472 ; — K. Staab, Pauluskommentare aus der Griechischen Kirche, 472-475 ; — H. Molitor, Die Auferstehung der Christen und Nichtchristen nach dem Apostel Paulus, 475-476 ; — F. Buechsel, Die Johannesbriefe, 476-478 ; — A.J. Festugière, L'idéal religieux des Grecs et l'Évangile, 285-287 ; — F. Guntermann, Die Eschatologie des hl. Paulus, 287-290 ; — J. Wobbe, Der Charis-Gedanke bei Paulus, 78-79.

64. Saint Paul a-t-il connu Jésus ?, *Rev. Cath. Idées Faits*, 13 (1933-1934), n⁰ 1 (31 mars 1933) 13-15.

65. Hermès Trismégiste, *Rev. Cath. Idées Faits*, 13 (1933-1934), n⁰ 3 (14 avril 1933) 20-21.

66. La doctrine du Royaume de Dieu, *Coll. Dioec. Torn.*, 29 (1933-1934), 321-339.

67. *Les peuples anciens de l'Orient* (Collection Belge de Manuels d'Histoire), Tournai-Paris, Casterman, 1934. In-12, 160 p.

68. Recensions dans *Rev. Hist. Eccl.*, 30 (1934) : K. Lake-S. New, Six Collations of New Testament Manuscripts, 361-362 ; — J. Sickenberger, Die Geschichte des Neuen Testaments, 634 ; — F.G. Kenyon, The Chester Beatty Papyri. Fasc. I and II, 634-637.

69. Recensions dans *Eph. Theol. Lov.*, 11 (1934) : P. Vannutelli, Quaestiones de synopticis evangeliis, 123-124 ; — F. Prat, Jésus-Christ, 369-370 ; — I.M. Vosté, De conceptione virginali Jesu Christi, 372-373 ; — M.-J. Lagran-

GE, Histoire ancienne du Canon du Nouveau Testament, 635-637 ; — G. BONAC-
CORSI, Primi Saggi di filologia neotestamentaria, 637-638 ; — L. LUMINI,
O Sobrenatural nos Evangelhos Sinóticos, 639.

70. Problèmes autour du N.T. I. Le problème du Vaticanus, *Coll. Dioec. Torn.*,
30 (1934-1935), 373-383.

71. M. Loisy, apologiste, *Rev. Cath. Idées Faits*, 14 (1934-1935), n° 37 (7 déc. 1934)
9-11.

72. Les déviations du Judaïsme [J. BONSIRVEN], *Rev. Cath. Idées Faits*, 14 (1934-
1935), n° 44 (25 jan. 1935) 8-10.

73. Les éditions du Nouveau Testament grec, *Rev. Cath. Idées Faits*, 14 (1934-
1935), n° 46 (8 février 1935) 18-19.

74. A propos des sources du troisième évangile. Proto-Luc ou proto-Matthieu ?,
Eph. Theol. Lov., 12 (1935), 5-27 ; *Recueil* I, 389-414.

75. Variantes de Luc, IX, 62, *Eph. Theol. Lov.*, 12 (1935), 326-328 ; *Recueil* I,
498-501.

76. Un nouvel évangile apocryphe, *Eph. Theol. Lov.*, 12 (1935), 579-581.

77. Recension dans *Muséon*, 48 (1935) : C.H. KRAELING, A Greek Fragment of
Tatian's Diatessaron from Dura, 368.

78. Recensions dans *Rev. Hist. Eccl.*, 31 (1935) : H. JONAS, Gnosis und spätantiker
Geist, 369-372 ; — A. STEINMANN, Die Apostelgeschichte, 374-376 ; —
H.I. BELL - T.C. SKEAT, Fragments of an Unknown Gospel and other Early
Christian Papyri, 569-572 ; — F.G. KENYON, The Chester Beatty Biblical
Papyri. Fasc. III and IV, 572-574 ; — M.A. SANDERS, A Third-Century
Papyrus Codex of the Epistles of Paul, 574-577.

79. Recensiones dans *Eph. Theol. Lov.*, 12 (1935) : A LOISY, La naissance du
christianisme, 102-104 ; — B. KRAFT, Die Zeichen für die wichtigeren Handschriften des griechischen Neuen Testaments, 364 ; — J. SUNDWALL, Die
Zusammensetzung des Markusevangeliums, 365 ; — F. HAUCK, Das Evangelium
des Lukas, 365-366 ; — I.M. VOSTÉ, De baptismo, tentatione et transfigura-
tione Jesu, 366-367 ; — F. LA CAVA, « Ut videntes non videant », 368 ; —
P. GAECHTER, Der formale Aufbau der Abschiedsrede Jesu, 368-369 ; —
J. LEBRETON - J. ZEILLER, L'Église primitive, 373-374 ; — A. ROSMINI,
Opere edite e inedite, 745-746 ; — P. BUZY, S. Matthieu ; L. PIROT, S. Marc,
746-747 ; — A. GOODIER, Jesus Christus, 747-748 ; — K. BORNHÄUSER,
Studien zum Sondergut des Lukas, 748-749 ; — E.-B. ALLO, Première épître
aux Corinthiens, 749-751 ; — K. STEUR, Poimandres en Philo, 752-753.

80. Une nouvelle « Histoire de «l'Église » [J. LEBRETON-M. ZEILLER], *Rev. Cath.
Idées Faits*, 15 (1935-1936), n° 1 (29 mars 1935) 9-11.

81. L'Église et la civilisation au Moyen âge [G. SCHNÜRER], *Rev. Cath. Idées Faits*,
15 (1935-1936), n° 21-22 (23 août 1935) 6-7.

82. Un évangile inconnu, *Rev. Cath. Idées Faits*, 15 (1935-1936), n° 27 (27 sept. 1935)
8-9.

83. La première épître aux Corinthiens [E.-B. ALLO], *Rev. Cath. Idées Faits*, 15
(1935-1936), n° 28 (4 oct. 1935) 12-13.

84. « Les quatre évangiles en un seul » de Tatien [C.H. KRAELING], *Rev. Cath. Idées
Faits*, 15 (1935-1936), n° 36 (29 nov. 1935) 10-12.

85. Un fragment du Diatessaron grec, *Eph. Theol. Lov.*, 13 (1936), 98-100 ; *Recueil* I,
501-504.

86. Le symbolisme attaché au miracle des langues, *Eph. Theol. Lov.*, 13 (1936),
256-259 ; *Recueil* I, 501-504.

87. La composition de la première partie du Livre des Actes, *Eph. Theol. Lov.*, 13
(1936), 256-259 ; *Recueil* II, 183-187.

88. Parallèles canoniques et extra-canoniques de « l'Évangile inconnu », *Muséon*, 49 (1936) 55-77 ; *Recueil* I, 279-299.

89. Les récentes découvertes de textes évangéliques, *Rev. Sc. Philos. Théol.*, 25 (1936), 331-341.

90. Gnose (préchrétienne et néotestamentaire), *Suppl. Dict. Bible*, 3 (1936), fasc. 13-14, 659-701.

91. Recension dans *Rev. Hist. Eccl.*, 32 (1936) : A. STEINMANN, Die Briefe an die Thessalonicher und Galaten, 110.

92. Recensions dans *Eph. Theol. Lov.*, 13 (1936) : L. BIELER, *ΘΕΙΟΣ ANHP*, 110-111 ; — T. SIGGE, Das Johannes-evangelium und die Synoptiker, 112-113 ; — V. LARRANAGA, El proemio-transición de Act. I, 1-3, 113-114 ; — K.T. SCHAEFFER, Der griechisch-lateinische Text des Galaterbriefes, 114 ; — J. HUBY, Les épîtres de la captivité, 115 ; — H. WINDISCH, Paulus und das Judentum, 115-116 ; — E. PETERSON, Die Kirche aus Juden und Heiden, 118 ; — ID., Das Buch von den Engeln, 124 ; — H.G. MEECHAM, The Letter of Aristeas, 284-285 ; — M.-J. LAGRANGE, Critique textuelle. II. Critique rationelle, 285-287 ; — P. FRIESENHAHN, Hellenistische Wortzahlenmystik im Neuen Testament, 288 ; — A.T. CADOUX, The Sources of the Second Gospel, 288-289 ; — J. DILLERSBERGER, Das Wort vom Logos, 289 ; — J. LEIPOLDT, Jesus und Paulus, 289-290 ; — W. KAMLAH, Apokalypse und Geschichtstheologie, 291 ; — A. LOISY, Remarques sur la littérature épistolaire, 524-525 ; — J. BRENZ, Kommentar zum Briefe an die Epheser, 525-526 ; — J. DILLERSBERGER, Der neue Gott, 526-527 ; — P. TOUILLEUX, L'Apocalypse et les cultes de Domitien et de Cybèle, 527-528 ; — D. HAUGG, Die zwei Zeugen, 528-530 ; — C. VAN BEEK, Passio Sanctarum Perpetuae et Felicitatis, 530 ; — J. LEBRETON-J. ZEILLER, Histoire de l'Église, 530-531 ; — R. CESSI, Legende Antoniane, 541.

93. Un chapitre du Livre des « Testimonia » (P. Ryl. Gr. 460), *Eph. Theol. Lov.*, 15 (1937), 69-74 ; *Recueil* II, 219-226.

94. La Bible, *Apologétique*, Paris, Bloud & Gay, 1937, 1035-1049.

95. Simon le Magicien à Samarie, *Rech. Sc. Relig.*, 27 (1937), 615-617 ; *Recueil* I, 175-182.

96. Recensions dans *Muséon*, 50 (1937) : A.-S. MARMADUI, Diatessaron de Tatien, 160 ; — H. LIETZMANN, Zur Würdigung des Chester-Beatty Papyrus der Paulusbriefe, 160-161 ; — C. SCHMIDT, Acta Pauli, 161-162.

97. Recensions dans *Rev. Hist. Eccl.*, 33 (1937) : C.H. ROBERTS, Two Biblical Papyri in the John Rylands Library, 70-72 ; — F.G. KENYON, The Chester Beatty Biblical Papyri, Fasc. V, 72-75 ; — K. PRÜMM, Der christliche Glaube und die altheidnische Welt, 338-339 ; — F.G. KENYON, The Chester Beatty Biblical Papyri, Fasc. VI, 541-542.

98. Recensions dans *Eph. Theol. Lov.*, 14 (1937) : G. HARTMANN, Der Aufbau des Markusevangeliums, 121-122 ; — P. GAECHTER, Der formale Aufbau der Abschiedsrede Jesu, 122-123 ; — A.V. STROEM, Der Hirt des Hermas, 123 ; — K. HEUSSI, Der Ursprung des Mönchtums, 125-126 ; — I.M. VOSTÉ, De passione et morte Jesu Christi, 329-330 ; — E.-B. ALLO, Seconde épître aux Corinthiens, 330-331 ; — J.R. PALANQUE, e.a., Histoire de l'Église, 333-334 ; — H. FELDER, Jesus von Nazareth, 498 ; — J. BLINZLER, Die neutestamentlichen Berichte über die Verklärung Jesu, 675-676 ; — F. HEILER, Urkirche und Ostkirche, 680-682.

99. Le « supernomen » dans le Livre des Actes, *Eph. Theol. Lov.*, 15 (1938), 74-80 ; *Recueil* II, 175-182.

100. Encore la question synoptique, *Eph. Theol. Lov.*, 15 (1938), 330-337 ; *Recueil* I, 415-424.

101. Remarques sur le texte des Évangiles à Alexandrie au IIe siècle, *Eph. Theol. Lov.*, 15 (1938), 674-682 ; *Recueil* I, 487-498.

102. Recension dans *Rev. Hist. Eccl.*, 34 (1938) : J. CHAPMAN, Matthew, Mark and Luke, 581-583.

103. Recensions dans *Eph. Theol. Lov.*, 15 (1938) : M. ZERWICK, Untersuchungen zum Markus-Stil, 120-121 ; — G. BARDY, Le Sauveur, 121 ; — J. DEY, Παλιγγενεσία, 121-123 ; — U. HOLZMEISTER, Commentarius in epistolas SS. Petri et Iudae, 123 ; — A. WIKENHAUSER, Die Kirche als der mystische Leib Christi, 124-125 ; — E. AMMAN, Histoire de l'Église, 357 ; — J. MICHL, Die Engelvorstellungen in der Apokalypse, 360 ; — F. AMIOT, L'enseignement de S. Paul, 360-361 ; — V. LARRAÑAGA, L'Ascension, 710-711 ; — Y.-M. FARIBAULT, Un livre : Gnosis und spätantiker Geist, 711-712.

104. Regale Sacerdotium, *Rev. Sc. Philos. Théol.*, 28 (1939), 5-39 ; *Recueil* II, 283-315.

105. La première communauté chrétienne à Jérusalem (*Act.*, II, 41-V, 42), *Eph. Theol. Lov.*, 16 (1939), 5-31 ; *Recueil* II, 125-156.

106. S. Exc. Mgr Gaston-Antoine Rasneur, évêque de Tournai, *Annuaire Université de Louvain*, 84 (1936-1939), 2, I-VI.

107. Éloge académique de S. Exc. Mgr P. Ladeuze, Recteur magnifique, *Annuaire Université de Louvain*, 85 (1939-1941), XXXIX-XLI.

108. Recensions dans *Rev. Hist. Eccl.*, 35 (1939) : H.J.M. MILNE - T.C. SKEAT, Scribes and Correctors of the Codex Sinaiticus, 82-83 ; — T. ARVEDSON, Das Mysterium Christi, 83 ; — W.L. KNOX, St John and the Church of the Gentiles, 779-780 ; — A. JÜLICHER, Itala, T. 1. Matthäusevangelium, 784-785 ; — F. BURI, Clemens Alexandrinus und der paulinische Freiheitsbegriff, 785-787 ; — C.W. BARLOW, Epistolae Senecae ad Paulum et Pauli ad Senecam « quae vocantur », 787-788.

109. Recensions dans *Eph. Theol. Lov.*, 16 (1939) : U. HOLZMEISTER, Historia aetatis Novi Testamenti, 126-127 ; — H. HÖPFL - B. GUT, Introductio specialis in Novum Testamentum, 127 ; — P. GAECHTER, Summa Introductionis in Novum Testamentum, 128 ; — J. MOLITOR, Der Paulus-text des hl. Ephräm, 128-129 ; — L. BREHIER-R. AIGRAIN, Grégoire le Grand, 129-130 ; — A. KEMMER, Charisma maximum, 130 ; — A. LIESKE, Die Theologie der Logosmystik bei Origenes, 147-149 ; — M. UNGRUND, Die metaphysische Anthropologie der h. Hildegard von Bingen, 167 ; — F.M. BRAUN, L'Évangile devant les temps présents, 517 ; — J. SCHMID, Das Evangelium nach Markus, 517 ; — A. WIKENHAUSER, Die Apostelgeschichte, 517 ; — E.F. SUTCLIFFE, A Two Year Public Ministry, 517-518.

110. La gnose, essai théologique manqué, *Irénikon*, 17 (1940), 3-20 ; *Recueil* I, 263-278.

111. Le privilège d'Israël selon saint Paul, *Eph. Theol. Lov.*, 17 (1940), 5-26 ; *Recueil* II, 339-364.

112. Recensions dans *Eph. Theol. Lov.*, 17 (1940) : E. DABROWSKI, La Transfiguration de Jésus, 69 ; — N. FAIVRE, Jésus en Galilée, 69 ; — M. FORTUNÉ, Apocalypse de saint Jean, 70 ; — J. DE TONQUÉDEC, Les maladies nerveuses et les manifestations diaboliques, 80 ; — L. HERTLING, Theologia ascetica, 87 ; — A. STOLZ, Théologie de la mystique, 88-89.

113. La carrière scientifique de Mgr Ladeuze, *Rev. Cath. Idées Faits*, 20 (1940-1941), (10 mai 1940) 6-8.

114. Recension dans *Muséon*, 54 (1941) : T. VON SCHEFFER, Hellenische Mysterien und Orakel, 232.

115. Recensions dans *Rev. Hist. Eccl.*, 37 (1941) : E. SCHICK, Formgeschichte und Synoptikerexegese, 213-214 ; — C.M. EDSMAN, Le baptême de Jean, 214-

216 ; — P. Dabin, Le sacerdoce royal des fidèles dans les livres saints, 216-217.

116. Recensions dans *Eph. Theol. Lov.*, 18 (1941) : J. Chaine, Les épîtres catholiques. La seconde épître de saint Pierre, les épîtres de saint Jean, l'épître de saint Jude, 301-302 ; — *Pisciculi*, Studien zur Religion und Kultur des Altertums, 302-303 ; — H.U. von Balthasar, Die « Gnostischen Centurien » des Maximus Confessor, 303.

117. *La théologie de l'Église suivant saint Paul* (Unam Sanctam, 10), Paris, Les Éditions du Cerf, 1942. In-8, VIII-334 p. (Cfr n. 145 et 247).

118. Recensions dans *Eph. Theol. Lov.*, 19 (1942) : P. Bläser, Das Gesetz bei Paulus, 140 ; — J. Reuss, Matthäus-, Markus- und Johannes-Katenen nach den handschriftlichen Quellen untersucht, 140-141.

119. *La communauté apostolique* (Témoins de Dieu, 2), Paris, Les Éditions du Cerf, 1943. In-8, 101 p. (Cfr n. 181 et 258).

120. « Kyrios » dans les citations pauliniennes de l'Ancien Testament, *Eph. Theol. Lov.*, 20 (1943), 5-17 ; *Recueil* I, 173-188.

121. Témoins du Christ d'après le Livre des Actes, *Biblica et Orientalia Rmo P. J.-M. Vosté dicata = Angelicum*, 20 (1943), Rome, 1943, 166-183 ; *Recueil* II, 157-174.

122. Recension dans *Rev. Hist. Eccl.*, 39 (1943) : P. Bruin, Beruf und Sprache der biblischen Schriftsteller, 452-453.

123. Recensions dans *Eph. Theol. Lov.*, 20 (1943) : P. van Imschoot, Jesus Christus, 106 ; — R. Thibaut, Le sens de l'Homme-Dieu, 106-107 ; — E. Strasser, Alfonsus Tostatus und seine Gnadenlehre im Kommentar zum 19. Kapitel des Matthäusevangelium, 107-109 ; — E.-B. Allo, Paul, apôtre de Jésus-Christ, 108-109 ; — R. de Vroylande, Paul 1942 ou une libre adaptation aux temps modernes de quelques épîtres de saint Paul, 109 ; — Athènagore, Supplique au sujet des chrétiens. Introduction et traduction de G. Bardy, 109 ; — Clément d'Alexandrie, Le Protreptique. Introduction et traduction de C. Mondésert, 109-110 ; — Grégoire de Nysse Contemplation sur la vie de Moïse, ou Traité de la perfection en matière de vertu. Introduction et traduction de J. Daniélou, 110-111 ; — L. Pfeifer, Ursprung der katholischen Kirche und Zugehörigkeit zur Kirche nach Albert Pigge, 111 ; — M.M. Philippon, La doctrine spirituelle de Sœur Élisabeth de la Trinité, 117-118 ; — M.-T. Guignet, Une expérience mystique. Marie-Antoinette de Geuser, 118-119 ; — H. Ranty, Les Orantes de l'Assomption, 122 ; — A. Vande Kerckhove, Histoire de l'abbaye cistercienne de Val-Dieu à travers les siècles dès son origine jusqu'à nos jours, 122 ; — G. Goossens, Hiérapolis de Syrie. Essai de monographie historique, 123 ; — P. Paschini, Lodovico Cardinal Camerlengo, 123-124.

124. *S.S. Pie XII. Encyclique sur les études bibliques, introduite et commentée,* Bruxelles, Éditions Universitaires, 1945. In-16, 112 p.

125. Abraham « père en circoncision » des Gentils (*Rom.* IV, 12), *Mélanges E. Podechard*, Lyon, Facultés catholiques, 1945, 57-62 ; *Recueil* II, 333-338.

126. Recension dans *Eph. Theol. Lov.*, 21 (1945) : P. Van Imschoot, Jésus-Christ, 187.

127. *L'Église des Corinthiens* (Témoins de Dieu, 7), Paris, Les Éditions du Cerf, 1946. In-8, 116 p.

128. *La voix vivante de l'Évangile au début de l'Église* (Coll. Lovanium), Tournai, Casterman, 1946. In-8, 189 p. (Cfr n. 205).
   Die lebendige Stimme des Evangeliums in der Frühzeit der Kirche. Trad. de Ingeborg Klimmer, Mainz, Matthias-Grünewald-Verlag, 1953. In-8, 152 p.
   De levende stem van het Evangelie, Tielt, Lannoo, 1955. In-8, 192 p.

129. Un grand recteur : Mgr Ladeuze, *Revue Générale Belge*, 1946, (n. 3) 315-333.
130. Mgr Ladeuze, fils aîné de Bonne-Espérance, — *Bona Spes* (Bull. assoc. anciens élèves du Sem. de Bonne-Espérance), 1946, n. 23-24) 11-12.
131. Le chapitre XVe du Livre des Actes à la lumière de la littérature ancienne, *Miscellanea Giovanni Mercati* I (Studi e testi, 121), Città del Vaticano, 1946, 107-126 ; *Recueil* II, 105-124.
132. L'hymne au Christ-Serviteur de Dieu (*Phil.*, II, 6-11 = *Is.*, III, 13-LIII, 12), *Miscellanea historica Alberti de Meyer* (Université de Louvain. Recueil de travaux d'histoire et de philologie, 3e série, 22e fasc.), Louvain, 1946, I, 117-130 ; *Recueil* II, 3-15.
133. « L'aveuglement d'esprit » dans l'Évangile de saint Marc, *Mélanges L. Th. Lefort = Muséon*, 59 (1946), Louvain, 1946, 267-279 ; *Recueil* II, 3-15.
134. Le Royaume de Dieu, *La Vie Spirituelle*, 1946, (n. 313) 645-656.
135. Recensions dans *Eph. Theol. Lov.*, 22 (1946) : D. AMAND, Fatalisme et liberté dans l'antiquité. Recherches sur la survivance de l'argumentation morale antifataliste de Carnéade chez les philosophes grecs et les théologiens chrétiens des quatre premiers siècles, 204-205 ; — A. GIGON, Considérations sur l'histoire de la religion révélée, 208-209 ; — MAXIME LE CONFESSEUR, Centuries sur la charité. Introduction et traduction de J. PEGON, 210 ; — N. STÉTHATOS, Le Paradis Spirituel et autres textes annexés. Texte, traduction et commentaire par M. CHALENDARD, 212 ; — R. SUGRANYES DE FRANCH, Études sur le droit palestinien à l'époque évangélique, 396-397 ; — H. SAHLIN, Der Messias und das Gottesvolk. Studien zur protolukanischen Theologie, 397-399 ; — H. ALMQVIST, Plutarch und das Neue Testament. Ein Beitrag zum Corpus hellenisticum Novi Testamenti, 399-400 ; — L.-M. DEWAILLY, Jésus-Christ, Parole de Dieu, 400 ; — S. HANSON, The Unity of the Church in the New Testament. Colossians and Ephesians, 400-401 ; — Th. CAMELOT, Foi et Gnose. Introduction à l'étude de la connaissance mystique chez Clément d'Alexandrie, 403-404.
136. La communauté apostolique, *Lumières d'Assise*, 1 (1946-1947), I, 4, 27-34.
137. *Une lecture de l'Épître aux Romains* (Bibliothèque de l'Inst. Sup. des Sc. Rel., 2), Tournai, Casterman, 1947. In-8, 139 p.
138. Hymnes au Christ des Lettres de saint Paul, *Revue Diocésaine de Tournai*, 2 (1947), 3-11.
139. Réflexions sur l'Histoire Sainte de Daniel-Rops, *Revue Générale Belge*, 1947, (n. 17) 725-730.
140. Comment saint Paul prêchait, *Évangéliser*, 1 (1947), 4, 333-347.
141. Le thème littéraire parabolique dans l'Évangile de saint Jean, *Coniectanea Neotestamentica in hon. A. Fridrichsen*, 11 (1947), 15-25 ; *Recueil* II, 17-26.
142. *Retraite apostolique*, Gembloux, Duculot, 1947. In-16, 160 p. (Pro manuscripto).
143. Recension dans *Rev. Hist. Eccl.*, 42 (1947) : G. VERBEKE, L'évolution de la doctrine du pneuma, du stoïcisme à S. Augustin, 132-134.
144. Recensions dans *Eph. Theol. Lov.*, 23 (1947) : F.-M. BRAUN, Les études bibliques d'après l'encyclique de S.S. Pie XII « Divino afflante Spiritu », 691 ; — M. ZERWICK, Graecitatis biblicae cognitio quid ad S. Scripturam interpretandam conferat exemplis illustratur, 691 ; — P. CLAUDEL, Introduction au « Livre de Ruth », 197 ; — J. BONSIRVEN, Les enseignements de Jésus Christ, 197 ; — F. AMIOT, Saint-Paul. Épître aux Galates. Épîtres aux Thessaloniciens, 198-199 ; — H. RIESENFELD, Jésus transfiguré. L'arrière-plan du récit évangélique de la Transfiguration de Notre-Seigneur, 558-560 ; — S. LYONNET, De « Iustitia Dei » in Epistola ad Romanos, 561 ; — A. FRIDRICHSEN, The Apostle and his Message, 561-562.

145. *La théologie de l'Église suivant saint Paul* (Unam Sanctam, 10), 2ᵉ éd., Paris, Les Éditions du Cerf, 1948. In-8, VII-334 p. (Cfr n. 117 et 247).
    The Church in the Theology of St. Paul. Engl. Transl. by G. WEBB and Adr. WALKER, Londres, Nelson et New-York, Herder, 1959. In-8, 419 p.

146. La charité fraternelle et le retour du Christ selon *Jo.*, XIII, 33-38, *Eph. Theol. Lov.*, 24 (1948), 321-332 ; *Analecta Lovaniensia Biblica et Orientalia*, Ser. II, fasc. 6 ; *Recueil* II, 27-40.

147. La « méthode historique » et la Bible, *Revue Générale Belge*, 1948, (n. 38) 216-228.

148. Recensions dans *Eph. Theol. Lov.*, 24 (1948) : H. BALTHASAR et J. GILLAIN, Emmanuel. Présentation intuitive de la vie et la doctrine de Jésus avec les textes des quatre évangiles et de notes, 148 ; — W. GROSSOUW, Pour mieux comprendre saint Jean, 148 ; — R. ERNST, Unseres Herrn Abschieds-reden vor seinem Leiden und seiner Himmelfahrt, 148-149 ; — C. SPICQ, Saint-Paul. Les Épîtres Pastorales, 149-151 ; — W. GROSSOUW, In Christus. Schets van een Theologie van Sint-Paulus, 151 ; — J. HUBY, Mystiques paulinienne et johannique, 151-152 ; — P. BROUTIN, Mysterium Ecclesiae, 155-156 ; — Th. INNITZER, Leidens- und Verklärungsgeschichte Jesu Christi, 486-487 ; — A. DRUBBEL, Zie, daar stond een rood paard, 487 ; — P. AN-DRIESSEN, L'apologie de Quadratus conservé sous le titre d'Épître à Diognète. L'Épilogue de l'Épître à Diognète. Current Topics. The Authorship of the Epistula ad Diognetum, 488-489.

149. Hommage à Monseigneur Ladeuze, *Eph. Theol. Lov.*, 25 (1949), 325-331.

150. Simples réflexions à propos de l'exégèse apostolique, *Eph. Theol. Lov.*, 25 (1949), 565-576 ; *Anal. Lov. Bibl. et Orient.*, Ser. II, fasc. 16, 1950, 33-44 ; *Recueil* II, 189-203.

151. Le monde païen vu par saint Paul, *Studia hellenistica*, 5 (1949), 155-163.

152. Justice et justification, *Supplément. Dictionnaire de la Bible*, 4 (1949), fasc. 23, 1417-1510 (en collaboration avec A. DESCAMPS).

153. Recensions dans *Rev. Hist. Eccl.*, 44 (1949) : A. BENTZEN, Messias, Moses redivivus, Menschensohn, 583-584 ; — J. JEREMIAS, Unbekannte Jesus-worte, 584-585 ; — O. CULLMANN, Die Tauflehre des Neuen Testaments, 585-586 ; — W.G. KÜMMEL, Das Bild des Menschen im Neuen Testament, 586-587.

154. Recensions dans *Eph. Theol. Lov.*, 25 (1949) : J. DANIÉLOU, Origène, 110-111 ; — H. SAHLIN, Studien zum dritten Kapitel des Lukasevangelium, 405-407 ; — P.-C. LOU-TSING-TSIANG, La rencontre des humanités et la découverte de l'Évangile, 407-408 ; — J. RUYSSCHAERT, Juste Lipse et les Annales de Tacite. Une méthode de critique textuelle au XVIᵉ siècle, 447-448.

155. Agnoia (Agnosia), *Reallexikon Antike und Christentum* I, 1950, 186-188.

156. Antitakten, *Reallexikon Antike und Christentum* I, 1950, 476-477.

157. La théologie de la grâce selon saint Paul, *La Vie Spirituelle*, 83 (1950), 5-19.

158. Citations scripturaires et tradition textuelle dans le Livre des Actes, *Aux sources de la tradition chrétienne (Mélanges M. Goguel)*, Neuchâtel, 1950, 43-51 ; *Recueil* II, 93-103.

159. *Problèmes et méthodes d'exégèse théologique (Anal. Lov. Bibl. et Orient.*, Ser. VI, fasc. 16), Louvain, Publications Universitaires, 1950. In-8, 91 p. (en colla-boration avec J. Coppens et J. Gribomont). (Cfr n. 150).

160. Kyrios, *Suppl. Dict. Bible*, 5 (1950), fasc. 24, 200-228.

161. Trois réhabilitations dans l'Évangile, *Bulletin de la Faculté Catholique de Lyon*, 72 (1950), 5-13 ; *Recueil* II, 51-59.

162. Recension dans *Muséon*, 63 (1950) : H.C. PUECH, Le manichéisme, 133-136.

163. Recensions dans *Eph. Theol. Lov.*, 26 (1950) : H.J. Vogels, Novum Testamentum, 439 ; — J. Pirot, Paraboles et allégories évangéliques, 440 ; — S.M. Gillet, Thomas d'Aquin, 442-443.

164. *Le Christ dans la théologie de saint Paul* (Lectio Divina, 6), Paris, Les Éditions du Cerf, 1951. In-8, 438 p. (Cfr n. 193).

165. Révélation et histoire, *La Revue nouvelle*, 13 (1951), (*Échanges*, juin 1951), 582-593 ; *Recueil* I, 337-350.

166. L'exégèse de l'Ancien Testament par le Nouveau Testament, *Rencontres 6* : *L'Ancien Testament et les chrétiens*, Paris, Les Éditions du Cerf, 1951, 132-148 ; Recueil II, 205-217.

167. L'antinomie paulinienne de la vie apostolique, *Rech. Sc. Relig.*, 39 (1951), (*Mélanges Lebreton*), 221-235 ; Recueil II, 455-467.

168. Saint Paul et le « Serviteur de Dieu » d'Isaïe, *Studia Anselmiana*, fasc. 27-28 : *Miscellanea Biblica et Orientalia R.D. Athanasio Miller oblata*, Rome, 1951, 221-235 ; *Recueil* II, 439-454.

169. La mission de Galilée dans la tradition synoptique, *Eph. Theol. Lov.*, 27 (1951), 369-389 ; 28 (1952), 629-647 ; *Anal. Lov. Bibl. et Orient.*, Ser. II, fasc. 36 ; *Recueil* I, 424-448, 449-469.

170. La résurrection des morts dans la vie et la pensée de saint Paul, *Lumière et Vie*, 1 (1952), 61-82.

171. La mystique paulinienne, *La Vie Spirituelle. Suppl.*, 6 (1952), 413-425.

172. La situation du chrétien dans le monde d'après le Nouveau Testament, *Tolérance et communauté humaine*, Tournai, 1952, 49-56 ; *Recueil* III, 201-207.

173. Recension dans *Rev. Hist. Eccl.*, 47 (1952) : H.L. Schoeps, Theologie und Geschichte des Judenchristentums, 212-216.

174. Recension dans *Eph. Theol. Lov.*, 28 (1952) : M. Arbolega Martinez, El « Pueblo » en la Passion. Una tremenda accusación injusta, 92.

175. La tradition selon saint Paul, *La Vie Spirituelle. Suppl.*, 7 (1953), 176-188 ; *Recueil* II, 253-263.

176. Le Fils né de la femme (*Gal.*, III, 23-IV, 9), — *Bible et Vie Chrétienne*, 1 (1953), 59-65.

177. Le Christ et les miracles, signes messianiques de Jésus et œuvres de Dieu selon l'Évangile de S. Jean, *L'Attente de Messie* (Recherches Bibliques, 1), Bruges, Desclée De Brouwer, 1953, 131-138 ; 2e éd., 1958 ; *Recueil* II, 41-50.

178. L'itinéraire du Règne de Dieu au Royaume des Cieux, *Bible et Vie Chrétienne*, 1 (1953), 20-32.

179. Saint Pierre et sa succession, *Rech. Sc. Relig.*, 41 (1953), 188-202 ; *Recueil* II, 239-251.

180. Introduction, dans *Les Actes des Apôtres* (La Sainte Bible), Paris, Les Éditions du Cerf, 1953. In-8, 219 p. (en collaboration avec J. Dupont), 7-33. (Cfr n. 222 et 244).

181. *La communauté apostolique* (Témoins de Dieu, 2), 2e éd., Paris, Les Éditions du Cerf, 1953. In-8, 103 p. (Cfr n. 119 et 258).
     La communità degli Apostoli. Trad. par A.M. Martinelli, Milan, Vita e Pensiero, 1955. In-16, 110 p.

182. Luc (Évangile de —), *Suppl. Dict. Bible*, 5 (1953), fasc. 26, 545-594 (en collaboration avec J. Cambier).

183. Recensions dans *Rev. Hist. Eccl.*, 48 (1953) : R. Morgenthaler, Die lukanische Geschichtsschreibung als Zeugnis, 235-236 ; — O. Cullmann, Saint Pierre, disciple, apôtre, martyr, 809-813.

184. Recensions dans *Eph. Theol. Lov.*, 29 (1953) : The Interpreter's Bible. Vol. VII. General Article on the New Testament. The Gospel according to St. Matthew.

The Gospel according to St. Mark, 97-99 ; — F. AMIOT, La Bible apocryphe. Évangiles apocryphes, 103 ; — C. SMITS, Oud-testamentische Citaten in het Nieuwe Testament. I. Synoptische Evangeliën, 445-447 ; — K. CRUYS-BERGHS, Sint Paulus en de priester, 680 ; — M. STEINHEIMER, Die *ΔOΞA TOY ΘEOY* in der römischen Liturgie, 680-681.

185. Les deux points de départ de la tradition chrétienne, *Recueil* II, Gembloux-Paris, 1954, 265-282.

186. L'Apôtre en présence de Dieu (selon saint Paul), *Recueil* II, Gembloux-Paris, 1954, 469-481.

187. La section des pains (*Mc.*, VI, 31-VIII, 26 ; *Mt.*, XVI, 13-XVI, 12), *Synoptische Studien, Festschrift A. Wikenhauser*, Munich, 1954, 64-77 ; *Recueil* I, 471-485.

188. L'unité du Corps apostolique dans le Nouveau Testament, *L'Église et les Églises. Mélanges Dom Lambert Beauduin*, Chèvetogne, 1954, 99-109 ; *Recueil* II, 227-237.

189. Saint Paul nous parle du Salut, *Lumière et Vie* 1954, fasc. 15, 83-102.

190. Préface, dans L. VAGANAY, *Le Problème synoptique*, Paris, Desclée, 1954, V-XI.

191. Préface, dans P. VAN IMSCHOOT, *Théologie de l'Ancien Testament*, Paris, Desclée, 1954, V-VI.

192. *Recueil Lucien Cerfaux. Études d'Exégèse et d'Histoire Religieuse (Bibl. Eph. Theol. Lov.*, 6-7), 2 vol., Gembloux, Duculot, 1954. In-8, XLIV-504, 558 p.

193. *Le Christ dans la théologie de saint Paul* (Lectio Divina, 6), 2e éd., Paris, Les Éditions du Cerf, 1954. In-8, 435 p. (Cfr n. 164).
   Jesuscristo en S. Pablo. Trad. par A. ARZA, Bilbao, Desclée De Brouwer, 1955. In-8, 455 p.
   Christ in the Theology of St. Paul. Trad. par G. WEBB et A. WALKER, Londres, Nelson et New-York, Herder, 1959. In-8, 559 p

194. Le problème synoptique. A propos d'un livre récent, *Nouv. Rev. Théol.*, 76 (1954), 494-505 ; *Recueil* III, 83-97.

195. Service du Christ et Liberté. Pensées tirées de l'Épître aux Galates, *Bible et Vie Chrétienne*, 8 (1954), 7-15.

196. Les sources scripturaires de *Mt.* XI, 25-30, *Eph. Theol. Lov.*, 30 (1954), 740-776 ; 31 (1951), 331-342 ; *Recueil* III, 139-160.

197. Rapport : L'Église et le message de la Bible, *Rencontres Bibliques*, Lille, 1954, 1954, 123-130.

198. Recensions dans *Eph. Theol. Lov.*, 30 (1954) : K.Th. SCHAEFFER, Grundriss der Einleitung in das Neue Testament, 476 ; — J. HAAS, Die Stellung Jesu zu Sünde und Sünder nach den vier Evangelien, 477 ; — B. SCHNEIDER, « Dominus autem Spiritus est » (*II Cor.*, 3, 17a). Studium exegeticum, 477-478.

199. La vision de la femme et du dragon de l'Apocalypse en relation avec le prot-évangile, *Eph. Theol. Lov.*, 31 (1955), 21-33 ; *Recueil* III, 237-251.

200. A genoux en présence de Dieu (*Eph.*, 3, 14-19), *Bible et Vie Chrétienne*, 10 (1955), 87-90 ; *Recueil* III, 309-312.

201. *L'Apocalypse de saint Jean lue aux chrétiens* (Lectio divina, 17), Paris, Les Éditions du Cerf, 1955. In-8, 238 p. (en collaboration avec J. CAMBIER).

202. Le conflit entre Dieu et le souverain divinisé dans l'Apocalypse de Jean, *Regalita Sacra. Contributo al thema dell'VIII Congresso Internazionale di Storia delle Religioni* (Roma, Aprile 1955), *Studies in the History of Religions* (Supplements to Numen, 4), Leiden, 1959, 459-470 ; *Recueil* III, 225-236.

203. Recension dans *Rev. Hist. Eccl.*, 50 (1955) : H. VON CAMPENHAUSEN, Kirchliches Amt und geistliche Vollmacht in den ersten drei Jahrhunderten, 569-574.

204. La connaissance des secrets du Royaume d'après Mt. 13,11 et par., *New Testament Studies*, 2 (1955-1956), 238-249 ; *Recueil* III, 123-138.

205. *La voix vivante de l'Évangile au début de l'Église* (Bible et Vie Chrétienne), 2e éd., Tournai, Paris, Casterman, Éditions de Maredsous, 1956. In-8, 157 p. (Cfr n. 128).

 La voz viva del Evangelio al comienzo de la Iglesia. (Colección Prisma, 43). Trad. par F. PEGENANTE RUBIO, San Sebastian, Ediciones Dinor, 1958. In-8, 177 p.

 De levende stem van het Evangelie in de begintijd van de Kerk (Woord en Beleving, 2), 2e druk, Tielt, Lannoo, 1959, In-8, 194 p.

 The Four Gospels. An Historical Introduction, Westminster Md., Newman Press, 1960. In-8, XXII-145 p.

206. Recensions dans *Rev. Hist. Eccl.*, 51 (1956) : J. MUNCK, Paulus und die Heilsgeschichte, 532-541 ; — A. BRUNOT, Le génie littéraire de saint Paul, 542-544.

207. Recensions dans *Eph. Theol. Lov.*, 32 (1956) : F. LO BUE, Che cosa è il Nuovo Testamento, 87 ; — W.L. DULIÈRE, La péricope sur le « Pouvoir des clès », 88 ; — ID., Le canon néotestamentaire et les écrits chrétiens approuvés par Irénée, 88.

208. *Discours de mission dans l'Évangile de saint Matthieu* (Spiritualité Biblique), Tournai, Desclée et Cie, 1957. In-8, 147 p.

 De Zendingsrede in het evangelie van Matteüs, Tournai, Desclée et Cie, 1958.

 Il Discorso Missionario di Gesù nel Vangelo di S. Mateo, Milan, 1962. In-16, 136 p.

209. En marge de la question synoptique. Les unités littéraires antérieures aux trois premiers évangiles, *La Formation des Évangiles. Problème synoptique et Formgeschichte* (Recherches bibliques, 2), Bruges, Desclée De Brouwer, 1957, 24-33 ; *Recueil* III, 99-110.

210. Fructifiez en supportant (l'épreuve). A propos de Luc, VIII, 15, *Revue Biblique*, 64 (1957), 481-491 ; *Recueil* III, 111-122.

211. Les paraboles du Royaume dans l'« Évangile de Thomas », *Muséon*, 70 (1957), 307-327 (en collaboration avec G. GARITTE).

212. *Un concurrent du Christianisme. Le Culte des Souverains dans la civilisation gréco-romaine* (Bibliothèque de Théologie, Série III, vol. 5), Paris, Tournai, New York, Rome, Desclée et Cie, 1957. In-8, 535 p. (en collaboration avec J. TONDRIAU).

213. *L'Antiquité. Le Proche-Orient* (Histoire et Humanités), Tournai, Paris, Casterman, 1957. 175 p. avec gravures et planches (en collaboration avec P. HOUSSIAU). (Cfr n. 264).

214. G. GARITTE - L. CERFAUX, Le Protévangile de Jacques en géorgien, *Muséon*, 70 (1957), 233-265.

215. La Palabra de Dios, *La Biblia y el Sacerdote*. Trad. par J. GOITEIA, Bilbao, 1957, 23-38.

216. La Parola di Dio, *Bibbia e il Prete*, Brescia, Morcelliana, 1957, 25-39.

217. L'Évangile de Jean et le « logion johannique » des synoptiques, *L'Évangile de Jean* (Recherches bibliques, 3), Bruges, Desclée De Brouwer, 1958, 147-160.

218. La condition chrétienne et liberté selon S. Paul. Structure et Liberté, *Études Carmélitaines*, Bruges, 1958, 244-252.

219. Le sacre du grand prêtre d'après Hébreux, 5, 5-10, *Bible et Vie Chrétienne*, 21 (1958), 54-58.

220. L'inscription funéraire de Nazareth à la lumière de l'histoire religieuse, *Revue Internationale Droits Antiquité*, 5 (1958), 347-363 ; *Recueil* III, 17-32.

221. La volonté dans la doctrine paulinienne, *Qu'est-ce que vouloir ?*, Paris, Les Éditions du Cerf, 1958, 13-23 ; *Recueil* III, 297-307.

222. *Les Actes des Apôtres* (La Sainte Bible), 2ᵉ éd., Paris, Les Éditions du Cerf, 1958. In-8, 224 p. (en collaboration avec J. DUPONT). (Cfr n. 180 et 244).

223. De Saint Paul à l'« Évangile de la Vérité », *New Testament Studies*, 5 (1958-1959), 103-112 ; *Recueil* III, 47-59.

224. Influence de Qumrân sur le Nouveau Testament, *La Secte de Qumrân et les Origines du Christianisme* (Recherches Bibliques, 4), Bruges, Desclée De Brouwer, 1959, 233-244 ; *Recueil* III, 33-45.

225. La multiplication des pains dans la liturgie de la Didachè (Did. IX, 4), *Studia Biblica et Orientalia* II, Rome, Inst. Pont. Bibl., 1959, 375-390 ; *Biblica*, 40 (1959), 943-958 ; *Recueil* III, 209-223.

226. La prière dans le christianisme primitif, *La prière. Problèmes de la vie religieuse d'aujourd'hui*, Paris, Les Éditions du Cerf, 39-49 ; *Recueil* III, 253-263. (Cfr n. 248).

La preghiera nel cristianesimo primitivo, *La Preghiera et la religiosa d'oggi*, Torino, Edizione Paoline, 1960, 143-154.

227. La pensée paulinienne sur le rôle de l'intelligence dans la révélation, *Divinitas*, 3 (1959), 386-396 ; *Recueil* III, 351-360.

228. La vie de Jésus devant l'histoire, *Euntes Docete*, 12 (1959), 131-140 ; *Recueil* III, 175-182.

229. Le message chrétien d'après saint Paul, *Euntes Docete*, 12 (1959), 255-266 ; *Recueil* III, 313-322.

230. L'influence des « mystères » sur les épîtres de S. Paul aux Colossiens et aux Éphésiens, *Sacra Pagina. Miscellanea Biblica Congressus Internationalis Catholici de Re Biblica* II, Paris, Gembloux, 1959, 373-379 ; *Recueil* III, 279-285.

231. Les Actes des Apôtres, *Introduction à la Bible. II. Nouveau Testament*, Tournai, Paris, Casterman, 1959, 337-374.

232. Recensions dans *Rev. Hist. Eccl.*, 54 (1959) : W. FOERSTER, Neutestamentliche Zeitgeschichte, 513-514 ; — J.-P. AUDET, Le Didachè, 515-522.

233. En faveur de l'authenticité des épîtres de la captivité. Homogénéité doctrinale entre Éphésiens et les grandes épîtres, *Littérature et théologie pauliniennes* (Recherches Bibliques, 5), Bruges, Desclée De Brouwer, 1960, 60-71 ; *Recueil* III, 265-278.

234. *Apostle and Apostolate*. Trad. par D. D. DUGGAN, New York, Desclée, 1960. In-8, 184 p.

235. Pour l'histoire du titre « Apostolos » dans le Nouveau Testament, *Rech. Sc. Relig.*, 48 (1960), 76-92 ; *Recueil* III, 185-200.

236. La vocation de saint Paul, *Euntes Docete*, 14 (1961), 3-35.

237. La sotériologie paulinienne, *Divinitas*, 5 (1961), 88-114 ; *Recueil* III, 323-350.
La salvacción en S. Pablo, *Selecciones de Teología*, 1 (1962), 31-37.

238. Le message des Apôtres à toutes les nations, *Scrinium Lovaniense. Mélanges historiques. Historische opstellen Étienne Van Cauwenbergh*, Louvain, Bibl. Univ., 1961, 99-107 ; *Recueil* III, 7-15.

239. Recension dans *Rev. Hist. Eccl.*, 56 (1961) : J. PÉPIN, Mythe et allégorie, 72-75.

240. *Le chrétien dans la théologie paulinienne* (Lectio Divina, 33), Paris, Les Éditions du Cerf, 1962. In-8, 539 p.
De christen in de paulinische theologie, Antwerpen, Patmos, 1964. In-8, 567 p.
Christus in der paulinischen Theologie. Trad. par A. SCHORNE et E. S. REICH, Düsseldorf, Patmos Verlag, 1964. In-8, 332 p.

The Christian in the Theology of St Paul. Trad. par L. Soiron, London, Chapman, 1967. In-8, 568 p.

El cristiano en san Pablo. Trad. par L. De Aguirre, Bilbao, Desclée De Brouwer, 1967. In-8, 494 p.

Il cristiano nella teologia paolina. Trad. par L. Tosti, Roma, 1969. 651 p.

241. *Recueil Lucien Cerfaux*, t. III : *Supplément* (Bibl. Eph. Theol. Lov. XVIII), Gembloux, Duculot, 1962. In-8, 458 p. (Cfr n. 192).

242. L'évangile éternel (Apoc., XIV, 6), *Eph. Theol. Lov.*, 39 (1963), 672-681.

243. Carta-prefacio, A. Javierre, *El tema literario de la successión en el Judaismo, Hellenismo y Cristianismo primitivos*, Zurich, 1963.

244. *Les Actes des Apôtres*. Introduction de L. Cerfaux. Traduction et notes de J. Dupont, Paris, Les Éditions du Cerf, 1964. In-16, 224 p. (Cfr n. 180 et 222).

245. A. Lemonnyer - L. Cerfaux, *Théologie du Nouveau Testament*, Paris, Bloud et Gay, 1964. In-8, 288 p.

Theologie van het Nieuwe Testament. Trad. par J. H. P. Jacobs, Tielt, Lannoo, 1967. In-12, 238 p.

246. La mission apostolique des Douze et sa portée eschatologique, *Mélanges Eugène Tisserant* I, Città del Vaticano, 1964, 43-66.

247. *La théologie de l'Église suivant saint Paul* (Unam Sanctam, 54). Nouvelle édition, mise à jour et augmentée, Paris, Les Éditions du Cerf, 1965. In-8, 416 p. (Cfr n. 117 et 145).

La teologia della Chiesa secondo S. Paolo, Roma, 1968, 513 p.

248. L. Cerfaux - L. Cognet - P. R. Regamey - A. M. Roguet - O. Rousseau, *La prière* (Coll. Problèmes de vie religieuse). Nouvelle édition, revue et corrigée, Paris, Les Éditions du Cerf, 1965. (Cfr 226).

249. *L'itinéraire spirituel de saint Paul* (Lire la Bible, 4), Paris, Les Éditions du Cerf, 1965. In-8, 212 p.

De geestelijke groei van Paulus. (Woord en Beleving, 2e ser., I). Trad. par H. Van der Burght, Tielt, Lannoo, 1967. In-12, 222 p.

Itinerario spiritual de San Pablo. Trad. par A. E. Lator, Barcelona, Herder, 1968. In-8, 275 p.

The Spiritual Journey of Saint Paul. Trad. par J. C. Guiness, New York, Sheed and Ward, 1968. In-8, XVIII-236 p.

Geistliches Itinerarium des heiligen Paulus. Trad. par H. Waach, Luzern, München, Ress-Verlag, 1968. 222 p.

Itinerario espiritual de Paulo, Lisboa, Livraria Sampedro, 1969. 240 p.

250. L'Église dans l'Apocalypse, *Aux Origines de l'Église* (Recherches bibliques, 7), Bruges, Desclée De Brouwer, 1965, 111-124.

Die Kirche in der Apokalypse, *Vom Christus zur Kirche*, Wien, Herder, 1966, 139-157.

The Church in the Book of Revelation, *Birth of the Church*, trad. par C. U. Quinn, Staten Island, 1968, 141-159.

251. La miséricorde de Dieu dans la pensée de saint Paul, *L'Évangile de la miséricorde. Hommage Schweitzer*, Paris, Les Éditions du Cerf, 1965, 135-146.

252. Traditie en Schrift, *Diocesaan Tijdschrift Bisdom Luik*, 22 (1966), 257-271.

Traditie en Schrift, *Collationes Brugenses et Gandavenses*, 12 (1966), 338-352.

Tradition et Écriture, *Revue Diocésaine de Tournai*, 21 (1966), 361-369.

Tradition et Écriture, *Revue Ecclésiastique de Liège*, 52 (1966), 257-265.

Tradition et Écriture, *Revue Diocésaine de Namur*, 20 (1966), 159-170.

253. *Le trésor des paraboles*, Tournai, Desclée De Brouwer, 1966. In-16, 164 p.

The Treasure of the Parables. Trad. par M. Bent, De Pere, Wisc., St. Norbert's Abbey Pr., 1968. 143 p.

Il Tesoro delle parabole. Trad. par L. MELOTTI, Torino, 1968. 128 p.

Er redete in Gleichnissen. Trad. par R. TSCHADY, München, Ars Sacra, 1969, 159 p.

Mensaje de las parábolas (Actualidad biblica, 11). Trad. par A. G. FRAILLE, Madrid, Fase, 1969. 238 p.

254. Note complémentaire sur la position des Églises au sujet des rapports entre la Tradition et l'Écriture, *Rev. Dioc. Tournai*, 21 (1966), 370-372.

255. Les images symboliques de l'Église dans le Nouveau Testament, *L'Église de Vatican II*, t. II (ed. G. BARAUNA), Paris, Les Éditions du Cerf, 1966, 243-258.

De symbolische beelden van de Kerk in het Nieuwe Testament, De Kerk van Vaticanum II, vol. I (ed. G. BARAUNA), Antwerpen, Patmos, 1966, 345-359.

Die Bilder für die Kirche im Neuen Testament, De Ecclesia. Beiträge zur Konstitution « Ueber die Kirche », t. I (ed. G. BARAUNA), Freiburg i. Br., Herder, 1966, 220-235.

Le immagini simboliche della Chiesa nel N. T., La Chiesa del Vaticano II (ed. G. BARAUNA), Freiburg i. Br., Herder, 1965, 299-313.

As imagens simbólicas da Igreja no N.T., Igreja do Vatic. II (ed. G. BARAUNA), Petropolis, 1965, 331-345.

256. *Préface*, dans A. MENS, *L'Ombrie italienne et l'Ombrie brabançonne. Deux courants religieux parallèles d'inspiration commune*, Paris, 1967.

257. *Jésus aux origines de la Tradition. Matériaux pour l'histoire évangélique* (Pour une histoire de Jésus, III), Bruges, Desclée De Brouwer, 1968. In-12, 304 p.

Jesús en los orígenes de la tradición. Bilbao, Desclée de Brouwer, 1970. 268 p.

Jezus aan de bronnen van de overlevering (De geschiedenis van Jezus, 3). Trad. par L. VAN DEN EYNDEN, Brugge, Desclée de Brouwer, 1970.

258. *La puissance de la foi. La communauté apostolique* (Réédition), dans *Foi vivante*, n. 93, Paris, Les Éditions du Cerf. In-8, 104 p. (Cfr n. 119 et 181).

259. En relisant une thèse [A. M. Charue, L'incrédulité des Juifs dans le Nouveau Testament, 1929], *Mélanges A. M. Charue*, Gembloux, 1969, 9-20.

260. Le Royaume de Dieu, *Populus Dei.* Studi in onore del Card. Alfredo Ottaviani (Communio, 10-11), II, 1969, 777-802.

261. Le peuple de Dieu, *Ib.*, 803-804.

262. L'Église (Sémantique et histoire), *Ib.*, 865-917.

263. La survivance du peuple ancien à la lumière du Nouveau Testament, *Ib.*, 919-929.

264. L. CERFAUX-M. MICHAUX-P. HOUSSIAU, *L'Antiquité, le Proche-Orient, la Grèce.* Éd. refondue (Histoire et humanités), Paris, Tournai, Casterman, 1970. 324 p. (Cfr n. 213).

265. L'utilisation de la Source Q dans Luc, *L'Évangile de Luc. Problèmes littéraires et théologiques.* Mémorial L. Cerfaux (Bibl. Eph. Theol. Lov., 32), Gembloux, Duculot, 1973, 61-69.

Direction

1. F. LAUREYS, *L'Ancien Testament dans la théologie de saint Paul* (1932). — *Ann. Univ. Cath. Louvain (AUL)*, 1930-1933, 448-450.

2. J. THOMAS, *Sectes baptistes et disciples de Jean aux premiers siècles chrétiens* (1933). — Les ébionites baptistes, *Rev. Hist. Eccl.*, 30 (1934), 257-296 ; *Univ. Cath. Lov. Sylloge excerptorum e dissertationibus*, 1 (1934), fasc. 4. — *Le mouvement baptiste en Palestine et Syrie (150 av. J.-C.-300 ap. J.-C.)* (Dissert. ad gradum magistri in S. Fac. Theol., Ser. II, XXVIII), Gembloux, Duculot, 1935. In-8, XXVIII-456 p.

3. V. HEYLEN, *Les métaphores et les métonymies dans les Épîtres pauliniennes. Contribution à l'étude des procédés de la pensée de saint Paul* (1934). — *AUL*, 1934-1936, 583-584. — Les métaphores et les métonymies dans les épîtres pauliniennes, *Eph. Theol. Lov.*, 12 (1935), 253-290 ; *Sylloge excerptorum*, 2 (1935), fasc. 2.

4. D. DEDEN, *De godsdienstige kennis van Sint Paulus onder godsdiensthistorisch opzicht* (1935). — Le mystère paulinien, *Eph. Theol. Lov.*, 13 (1936), 405-442 ; *Sylloge excerptorum*, 3 (1936), fasc. 2.

5. P. SAMAIN, *L'accusation de Magie contre le Christ dans les Évangiles* (1937). — *Eph. Theol. Lov.*, 15 (1938), 449-490 ; *Sylloge excerptorum*, 5 (1938), fasc. 4. — *AUL*, 1936-1939, 749-750.

6. L. SANDERS, *Paulinisme et stoïcisme dans la Prima Clementis* (1938). — *L'hellénisme de saint Clément de Rome et le paulinisme* (Studia hellenistica, 2), 1943. In-8, XXXI-182 p. — Le Panégyrique de saint Paul, *Ib.*, 1-40 ; *Sylloge excerptorum*, 9(1944), fasc. 4.

7. A. TORHOUDT, *De ektroma-mythe der Valentiniaansche gnosis in Plutarchus' De Iside et Osiride* (Doct. en Philos. et Lettres, phil. class., 1938), 124 p. — *AUL*, 1936-1939, 781-783. — *Een onbekend gnostisch systeem in Plutarchus' De Iside et Osiride* (Studia hellenistica, 1), 1942. In-8, XIII-126 p.

8. J. MARÉCHAL, *Étude sur la religion d'Aelius Aristide* (Docteur en Philos. et Lettres, phil. class., 1939), 263-LVII p.

9. A. ANCIA, *Les thiases de Dionysos* (Licencié en Philos. et Lettres, phil. class., 1940), 267 p.

10. M. DEPRÉ, *La connaissance de Dieu chez les philosophes du II*e *siècle après Jésus-Christ* (Docteur en Philos. et Lettres, phil. class., 1940). — *AUL*, 1940-1941, 451-452.

11. J. TONDRIAU, *La divinisation des souverains par identification ou comparaison avec une divinité (période hellénistique et romaine)* (Licencié en Philos. et Lettres, phil. class., 1940), 306 p. — *De l'importance et du rôle dans le culte des souverains et de leur assimilation à une divinité particulière* (Docteur en Philos. et Lettres, phil. class., 1941), 661 p. — *AUL*, 1940-1941, 480-481

12. J. NELIS, *L'antithèse ΖΩΗ-ΘΑΝΑΤΟΣ dans les Épîtres pauliniennes* (Licencié en Philos. et Lettres, phil. clas., 1941), 127 p. — L'antithèse littéraire ΖΩΗ-ΘΑΝΑΤΟΣ dans les Épîtres pauliniennes, *Eph. Theol. Lov.*, 20 (1943), 18-53. — *Les Antithèses littéraires dans les Épîtres de saint Paul* (Docteur en Philos. et Lettres, phil. class., 1947), 243 p. — *AUL*, 1944-1948, t. I, 1249-1250.

13. C. DUMONT, *Le thème chrétien de la polémique contre les idoles* (Licencié en Philos. et Lettres, phil. clas., 1942), 100 p.

14. L. BURNET, *Existence des Associations religieuses dans le gnosticisme* (Licencié en Philos. et Lettres, phil. class., 1942), 298 p.

15. M. HERMANIUK, *La parabole chez Clément d'Alexandrie* (Docteur en théologie, 1943), 224 p. — *AUL*, 1942-1943, 523. — La parabole chez Clément d'Alexandrie. Définition et source de la théorie, *Eph. Théol. Lov.*, 21 (1945), 5-60 ; *Sylloge excerptorum*, 11 (1946), fasc. 3. — *La parabole évangélique. Enquête exégétique et critique* (Dissert. ad gradum magistri in S. Fac. Theol., Ser. II, XXXVIII), Louvain, 1947. In-8, XXVIII-494 p.

16. Liliane PEPIN, *Le dieu alexandrin ΑΙΩΝ* (Licenciée en Philos. et Lettres, phil. class., 1944), 130 p.

17. V. CARIS, *Het gezag der H. Schrift en de Openbaring volgens den H. Hiëronymus* (Docteur en théologie, 1944), 141 p. — *AUL*, 1944-1948, t. I, 1072-1073.

18. Suzanne VAN ROYE, *Le Christ docteur, révélateur et prophète chez les Pères apostoliques* (Licenciée en Philos. et Lettres, phil. class., 1945), X-247 p.

19. Madeleine BONNAVE, *La polémique de Celse. Le christianisme est une secte de magiciens* (Licenciée en Philos. et Lettres, phil. class., 1945), XII-234 p.

20. A. DESCAMPS, *La justice et les justes dans le premier Évangile* (Docteur en théologie, 1945), 131 p. — *AUL*, 1944-1948, t. I, 1116-1117. — Le christianisme comme justice dans le premier Évangile, *Eph. Theol. Lov.*, 22 (1946), 5-33 ; *Sylloge excerptorum* 12 (1946), fasc. 3. — *Les Justes et la Justice dans les Évangiles et le christianisme primitif, hormis la doctrine proprement paulinienne* (Dissert. ad gradum magistri in S. Fac. Theol., Ser. II, XLIII), Louvain, 1950. In-8, XIX-335 p.

21. M. FRAEYMAN, *Oude en Nieuwe Tempel in het Nieuwe Testament* (Docteur en théologie, 1945), 150 p. — *AUL*, 1944-1948, t. I, 1117-1118. — La Spiritualisation de l'idée du Temple dans les Épîtres pauliniennes, *Eph. Théol. Lov.*, 23 (1947), 378-412 ; *Sylloge excerptorum*, 15 (1948), fasc. 3.

22. J. BIENAIMÉ, *Les métonymies dans les Épîtres de saint Paul* (Licencié en Philos. et Lettres, phil. class., 1946), III-279 p.

23. Denise CAENEPENNE, *La gnose valentinienne et le Nouveau Testament* (Licenciée en Philos. et Lettres, phil. class., 1946), 221 p.

24. Yvonne JANSSENS, *Héracléon* (Docteur en Philos. et Lettres, phil. class., 1946), 213 p. — *AUL*, 1944-1948, t. I, 1194.

25. J. DUPONT, *Sophia Theou dans les Épîtres de saint Paul* (Docteur en théologie, 1946), 463 p. — *AUL*, 1944-1948, t. I, 1156. — Μόνῳ σοφῷ θεῷ (Rom., XVI, 27), *Eph. Theol. Lov.*, 22 (1946), 362-375 ; *Sylloge excerptorum*, 14 (1947), fasc. 1. — « *Gnosis* », *la connaissance religieuse dans les Épîtres de saint Paul* (Dissert. ad gradum magistri in S. Fac. Theol., Ser. II, XL), Louvain, 1949. In-8, XX-604 p. ; 2e éd., 1960.

26. J. GIBLET, *La théologie de l'image de Dieu selon Philon d'Alexandrie. Préambules à la théologie paulinienne* (Docteur en théologie, 1946), 180 p. — *AUL*, 1944-1948, t. I, 1157-1158. — L'homme image de Dieu dans les commentaires littéraux de Philon d'Alexandrie, (Studia hellenistica, 5), 1948, 93-118 ; *Sylloge excerptorum*, 17 (1949), fasc. 5.

27. E. JACQUEMIN, *La volonté de Dieu dans le Nouveau Testament* (Docteur en théologie, 1946), 208 p. — *AUL*, 1944-1948, t. I, 1161-1162. — La portée de la troisième demande du *Pater*, *Eph. Theol. Lov.*, 25 (1949), 61-76 ; *Sylloge Excerptorum*, 18 (1950), fasc. 4.

28. A. HERMANS, *De Eschatologie der apostolische Vaders. Barnabas, Didachè I en II Clemens* (Docteur en Théologie, 1946), 269 p. — *AUL*, 1944-1948, t. I, 1158-1159. — Le Pseudo-Barnabé est-il millénariste ?, *Eph. Theol. Lov.*, 35 (1959), 849-876 ; *Sylloge excerptorum*, 34 (1960), fasc. 2.

29. L. HOES, *Het Openbaringsbegrip bij St. Paulus* (Docteur en théologie, 1946), 352 p. — *AUL*, 1944-1948, t. I, 1159-1161. — Parousia of Apocalypsis bij St. Paulus, *Studia Catholica*, 23 (1948), 175-179 ; *Sylloge excerptorum*, 17 (1949), fasc. 1.

30. A. VERHEUL, *De charismatische opvatting van het Apostelschap bij den H. Paulus* (Docteur en théologie, 1946), 281 p. — *AUL*, 1944-1948, t. I, 1170-1172. — Kent Sint Paulus buiten « De Twaalf » nog andere Apostelen ?, *Studia Catholica*, 22 (1947), 65-75 ; *Sylloge excerptorum*, 14 (1947), fasc. 6.

31. F. ZUZA, *La Pédagogie de Jésus dans son enseignement aux foules de Galilée* (Diplômé Inst. Sc. Relig., 1947), 77 p.

32. Raymonde BOREUX, *Le culte impérial dans les persécutions des premiers siècles* (Licenciée en Philos. et Lettres, philol. Class., 1947), 202 p.

33. Anne-Marie GALOT, *La Cosmologie de saint Augustin et la Bible dans les trois derniers livres des « Confessions »* (Licenciée en Philos. et Lettres, philol. class., 1948), 211 p.

34. É. MASSAUX, *L'influence de l'Évangile de saint Matthieu sur Clément Romain, Barnabé et dans la Didachè* (Docteur en Théologie, 1948), 236 p. — *AUL*, 1944-1948, t. I, 1274-1275. — L'influence littéraire de l'Évangile de saint Matthieu sur la Didachè, *Eph. Theol. Lov.*, 25 (1949), 5-41 ; *Sylloge excerptorum*, 18 (1950), fasc. 2. — *Influence de l'Évangile de saint Matthieu sur la littérature chrétienne avant saint Irénée* (Dissert. ad gradum magistri in S. Fac. Theol., Ser. II, XLII), Louvain, 1950. In-8, XLVII-730 p.

35. Irène POSNOFF, *Les prophètes dans la Synthèse chrétienne de saint Justin* (Docteur en Philos. et Lett., philol. class., 1948), 311 p. — *AUL* 1944-1948, t. I, 1293-1294.

36. J. CAMBIER, *Les réalités qui demeurent dans l'Épître aux Hébreux* (Docteur en théologie, 1948), 154 p. — *AUL*, 1944-1948, t. I, 1270-1271. — Eschatologie ou Hellénisme dans l'Épître aux Hébreux. Une étude sur « menein » et l'exhortation finale de l'Épître, *Salesianum*, 11 (1949), 62-96 ; *Sylloge excerptorum*, 18 (1950), fasc. 1.

37. F. VAN AELST, *De synoptische aantekeningen over de biddende Christus* (Docteur en théologie, 1948), 154 p. — *AUL*, 1944-1948, t. I, 1281-1282.

38. Amélie DIÉPART, *L'archaïsme de la liturgie de la Didachè* (Licenciée en Philos. et Lettres, phil. class., 1949), VII 126 p.

39. J. CORNELIS, *Clément d'Alexandrie et l'Évangile spirituel* (Docteur en théologie, 1949), XI-198 p. — *AUL* 1944-1940, 525-526.

40. N. VAN BOHEMEN, *De prioriteit van Mattheus in de episoden van de roeping en de zending der twaalf apostelen* (Docteur en théologie, 1949), XV-182 p. — *AUL*, 1949-1950, 535-536. — L'institution des Douze. Contribution à l'étude des relations entre l'évangile de Matthieu et celui de Marc, *La formation des Évangiles* (Rech. Bibl., 2) Bruges, 1957, 116-151 ; *Sylloge excerptorum*, 31 (1958), fasc. 6.

41. J. MOUSON, *La théologie d'Héracléon* (Docteur en théologie, 1949), 209 p. — *AUL*, 1949-1950, 531-532. — Jean-Baptiste dans les fragments d'Héraclon, *Eph. Theol. Lov.*, 30 (1954), 301-322 ; *Sylloge excerptorum*, 27 (1954), fasc. 9.

42. Françoise PETIT, *La transposition des formules de gnose dans l'Asclepius latin* (Licenciée en Philos. et Lettres, phil. class., 1949), 161 p.

43. P. RENARD, *Le mysticisme cosmique dans le Corpus Hermeticum* (Licencié en Philos. et Lett., philol. class., 1949), 128 p.

44. J. COMBLIN, *L'Apocalypse de Jean et les fêtes de pèlerinage avant la ruine de Jérusalem* (Docteur en théologie, 1950), 143 p. — *AUL*, 1949-1950, 603. — La liturgie de la Nouvelle Jérusalem, *Eph. Theol. Lov.*, 29 (1953), 5-40 ; *Sylloge excerptorum*, 25 (1953), fasc. 2.

45. P. DELOR, *Visions apocalyptiques des Patriarches et des Prophètes dans le Nouveau Testament* (Docteur en théologie, 1950). 143 p. — *AUL*, 1949-1950, 603.

46. J. PONTHOT, *Le « Nom » dans la théologie des Pères Apostoliques* (Docteur en théologie, 1950), X-150 p. — *AUL*, 1949-1950, 605-606. — La signification religieuse du « Nom » chez Clément de Rome et la Didachè, *Eph. Theol. Lov.*, 35 (1959), 339-361 ; *Sylloge excerptorum*, 33 (1959), fasc. 1.

47. A. VERGOTE, *Het getuigenis-thema in het vierde Evangelie* (Docteur en théologie, 1950), 202 p. — *AUL*, 1949-1950, 607-608. — L'exaltation du Christ en croix selon le quatrième Évangile, *Eph. Theol. Lov.*, 28 (1952), 5-23 ; *Sylloge excerptorum*, 23 (1952), fasc. 2.

48. Marie-Claire BAETS, *Le « Livre des Témoignages » de J. Rendel Harris a-t-il existé ?* (Licenciée en Philos. et Lettres, philol. classique, 1950), 162 p.

49. A. COLLARD, *Les noms et attributs divins dans les livres Sibyllins juifs* (Licencié en Philos. et Lettres, phil. class., 1951), 152 p.

50. Marthe JACOBS, *Agapè, Sources et originalité du vocabulaire ΑΓΑΠΗ, ΑΓΑΗΑΝ dans les Épîtres de saint Paul* (Licenciée en Philos. et Lettres, philol. class., 1952), 195 p.

51. A. HOUSSIAU, *Le Verbe de Dieu dans la polémique de saint Irénée* (Docteur en théologie, 1952), 187 p. — *AUL*, 1950-1952, 517-518. — L'exégèse de Matthieu, XI, 27b, selon saint Irénée, *Eph. Theol. Lov.*, 29 (1953), 328-354 ; *Sylloge excerptorum*, 26 (1954), fasc. 2. — *La christologie de saint Irénée* (Dissert. ad gradum magistri in S. Fac. Theol., Ser. III, I), Louvain, 1955.

52. Josée MICHIELS, *La multiplication des pains dans la pensée chrétienne primitive* (Diplômée Inst. Sc. Relig., 1952), 103 p.

53. Monique TAVERNE, *La date de la lettre à Diognète* (Licenciée en Philos. et Lettres, philos. class., 1952), 118 p.

54. Léa MONFORT, *La miséricorde dans l'Écriture sainte* (Diplômée Inst. Sc. Relig., 1953), 92 p.

55. Evelyne LIBERT, *Richesse et pauvreté dans le message prophétique* (Diplômée Inst. Sc. Relig., 1953), 90 p.

56. F. HOFMANS, *De Profeten, Kristus en de Apostelen in de Apologie van S. Justinus* (Docteur en théologie, 1953), 184 p. — *AUL*, 1953, 442-443. — De Profeet Mozes in de Apologie van S. Justinus, *Eph. Théol. Lov.*, 30 (1954), 416-439 ; *Sylloge excerptorum*, 27 (1954), fasc. 3.

57. J. RIES, *Les rapports de la Christologie manichéenne avec le Nouveau Testament dans l'Eucologe copte de Narmouthis (Médînet Mâdi)* (Docteur en théologie, 1953), 206 p. — *AUL*, 1953, 448. — Introduction aux études manichéennes. Quatre siècles de recherches, *Eph. Theol. Lov.*, 33 (1957), 453-482 ; *Sylloge excerptorum*, 31 (1958), fasc. 3.

58. M. SABBE, *De Apologieën van Paulus te Jerusalem en te Cesarea* (Docteur en théologie, 1953), 152 p. — *AUL*, 1953, 448. — La rédaction du récit de la transfiguration, *La Venue du Messie* (Rech. Bibl., 6), Bruges, 1962, 65-100 ; *Sylloge excerptorum*, 38 (1963), fasc. 1.

59. A. BERTRANGS, *De invloed van het Oud Testament op de Paulinische Notie van de Roeping der Heidenen* (Docteur en théologie, 1953), 142 p. — *AUL*, 1953, 438-439. — La vocation des Gentils chez saint Paul, *Eph. Theol. Lov.*, 30 (1954), 391-415 ; *Sylloge excerptorum*, 27 (1954), fasc. 2.

60. P. PARRÉ, *Θλῖψις et le concept de tribulation dans les Épîtres pauliniennes* (Licencié en Philos. et Lettres, phil. class., 1953), 152 p.

61. Marie-Ange RALET, *Les emplois et les sens du terme ΚΑΡΠΟΣ dans le Nouveau Testament* (Licenciée en Philos. et Lettres, phil. class., 1954), 161 p.

62. B. WILLAERT, *De drie grote synoptische lijdensvoorzeggingen* (Docteur en théologie, 1954), 252 p. — *AUL*, 1954-1956, 848-850. — La connexion littéraire entre la première prédication de la passion et la confession de Pierre chez les Synoptiques, *Eph. Theol. Lov.*, 32 (1956), 24-45 ; *Sylloge excerptorum*, 28 (1956), fasc. 1.

63. L. BELLON, *Philo Bublios. Enkele Problemen. Hoeveel boeken bevatte zijn Phoinikike Historia* (Lic. Wijsb. Lett. Klass. Filologie, 1954), VI-140 p.

64. Marie-Christine WATHELET, *L'héritier des biens divins de Philon d'Alexandrie et l'héritier de Dieu de saint-Paul* (Licenciée en Philos. et Lettres, Philol. class., 1954), XII-186 p.

65. A. ZEGHERS, *L'utilisation des réminiscences pauliniennes dans Ignace d'Antioche* (Docteur en Philos. et Lettres, phil. class. 1954). — *AUL*, 1954-1956, XCI, 872.

66. X. DE MEEûS, *La composition de Lc., IX, 5 -XVIII, 14* (Docteur en théologie, 1955), XXIII-259 p. — *AUL*, 1954-1956, 899-900. — Composition de Lc XIV

et genre symposiaque, *Eph. Theol. Lov.*, 37 (1961), 847-870. — *Sylloge excerptorum*, 36 (1962), fasc. 7.

67. *Collationes Dioecesis Tornacensis* (jusqu'en 1930).

Ephemerides Theologicae Lovanienses (depuis 1934).

Studia hellenistica (En collaboration avec W. Peremans).

Bibliothèque de l'Institut des Sciences religieuses.

Bibliothèque de Théologie (En collaboration).

L'ÉVANGILE DE LUC

Luc en accusation dans la théologie contemporaine *

I

Il y a quelques années, dans un article sur le problème actuel de l'interprétation des Actes des Apôtres, U. Wilckens se demandait « si la piètre opinion de plusieurs exégètes contemporains sur la théologie lucanienne était exégétiquement défendable » [1]. Et dans un article sur « Le kérygme de Luc », O. Betz attirait l'attention sur le fait que « quelques spécialistes du Nouveau Testament aujourd'hui voyaient en Luc un exemple frappant de ce qu'on appelle le *Frühkatholizismus* » ; à cette assertion, il joignait la question du bien-fondé de cette présentation de Luc : « A-t-il (Luc) vraiment corrompu le kérygme » [2] ? Ces deux questions récentes nous amènent à un problème de la théologie néotestamentaire qui occupe la science depuis bientôt deux siècles et qui, loin d'avoir trouvé une solution, se pose aujourd'hui avec une acuité particulière.

Son origine coïncide avec l'adoption d'une nouvelle orientation dans l'étude des évangiles synoptiques qui se dessina il y a environ vingt ans [3]. Après la première guerre mondiale, la « critique des formes » fut appliquée à l'exégèse des évangiles ; par la reconstitution des unités primitives de la tradition orale, elle s'efforçait de retracer la préhistoire du matériel employé dans les évangiles écrits et ainsi de se rapprocher davantage de la

---

* Texte traduit en français par T. SNOY.

1. U. WILCKENS, *Interpreting Acts in a Period of Existentialist Theology*, dans L. E. KECK et J. L. MARTYN (éd.). *Essays Presented in Honor of Paul Schubert*, New York, 1966, p. 60-83, voir p. 60. Cfr aussi H. D. BETZ, *Das Verständnis der Apokalyptik in der Theologie der Pannenberg-Gruppe*, dans ZThK, 65 (1968), 257-270, voir p. 270 : " Es scheint jedoch zweifelhaft, dass die Pannenberg-Gruppe Lukas den Ehrenplatz anbieten möchte, denn dieser Name ist in gegenwärtigen Theologenkreisen nicht gerade eine Empfehlung ".

2. O. BETZ, *The Kerygma of Luke*, dans *Interpretation*, 22 (1968), 131-146, voir p. 131.

3. Sur l'histoire de la recherche, cfr J. ROHDE, *Die redaktionsgeschichtliche Methode. Einführung und Sichtung des Forschungsstandes*, Hambourg, 1966 ; H. ZIMMERMANN, *Neutestamentliche Methodenlehre. Darstellung der historisch-kritischen Methode*, Stuttgart, 1967, p. 214ss.

plus ancienne tradition évangélique, de connaître aussi les principes qui avaient contribué à sa formation et à sa déformation. Le rôle des évangélistes semblait dans une large mesure se borner à transmettre et à rédiger, et c'est seulement à propos de l'évangile de Marc que continuait de se poser la question de sa tendance théologique ; ce problème s'était en effet imposé à la critique par la thèse de Wrede sur le secret messianique comme vision dogmatique de base de l'évangéliste Marc. Peu après la seconde guerre mondiale cependant, on s'avisa — un article de G. Bornkamm peut être considéré comme le premier exemple de cette problématique [4] — que les évangélistes apportaient au matériel qui leur était transmis des modifications, au plan non seulement de la rédaction formelle mais aussi du contenu. L'intérêt se concentra en premier lieu sur l'évangile de Luc. Dans une conférence tenue en 1949 sur « Ministère et communauté dans le Nouveau Testament », E. Käsemann avançait cette affirmation : Luc aurait « pour la première fois propagé la théorie *frühkatholisch* de la tradition et de la légitimité » ; chez Luc, la théologie de l'histoire prendrait la place de l'apocalyptique et la *theologia gloriae* supplanterait alors la *theologia crucis* [5]. Et à peu près en même temps, Käsemann expliquait dans des bulletins sur la littérature récente que Luc « fournissait des garanties en vue d'établir la vérité et la nécessité de la foi chrétienne » ; pour comprendre sa théologie, « on devait tenir compte du phénomène du *Frühkatholizismus* naissant ». Il assurait en outre que les écrits lucaniens étaient sans doute plus anciens chronologiquement que les Épîtres Pastorales, mais qu'ils représentaient un développement ultérieur et avaient déjà franchi le seuil menant au *Frühkatholizismus*, car ils défendaient un principe ecclésiastique de la tradition et de la légitimité et l'eschatologie y reculait à la périphérie [6].

---

4. G. BORNKAMM, *Die Sturmstillung im Matthäusevangelium*, dans *Jahrb. der Theol. Schule Bethel*, N. F., 1 (1948), 49ss., et dans G. BORNKAMM, G. BARTH, H. J. HELD, *Ueberlieferung und Auslegung im Matthäusevangelium* (Wiss. Mon. zum A. und N. T., 1), Neukirchen, 1960, p. 48-53. La dénomination *Redaktionsgeschichte* apparaît pour la première fois un peu plus tard chez W. MARXSEN, *Der Evangelist Markus. Studien zur Redaktionsgeschichte des Evangeliums* (FRLANT, 67), Goettingue, 1956.

5. E. KAESEMANN, *Amt und Gemeinde im Neuen Testament*, dans *Exegetische Versuche und Besinnungen*, t. I, Goettingue, 1960, p. 109-134, voir p. 132s. Voir déjà dans une recension de ThLZ, 73 (1948), 666.

6. E. KAESEMANN, *Aus der neutestamentlichen Arbeit der letzten Jahre*, dans *Verk. und Forsch.* (1947-48, 1949-50), 195-223, voir p. 221 ; *Ein neutestamentlicher Ueberblick*, dans *Verk. und Forsch.* (1949-50, 1951-52), 191-218, voir p. 209 ; *Probleme der neutestamentlichen Arbeit in Deutschland*, dans *Die Freiheit des Evangeliums und die Ordnung der Gesellschaft* (Beitr. zur Ev. Th., 15), Tubingue, 1952, p. 133-152, voir p. 141. Cfr le résumé des travaux d'E. Käsemann sur l'exégèse de Luc chez E. HAENCHEN, *Die Apostelgeschichte* (Meyers Kom., 3), Tubingue, 14e éd., 1965, p. 46, n. 2.

Mais l'opinion de Käsemann sur la rédaction des écrits lucaniens se caractérise surtout en ce qu'il qualifie expressément de contestable cette évolution théologique : on *doit* refuser que Luc fournisse des garanties de la vérité de la foi chrétienne, que chez lui, la croix du Christ devienne une méprise de la part des Juifs, et on *doit* reconnaître que la conception de Paul s'oppose radicalement à cette théologie lucanienne. La même position se rencontre également dans l'article de P. Vielhauer, paru à la même époque, sur « Le paulinisme des Actes des Apôtres »[7]. Ici, à propos des discours de Paul dans les Actes des Apôtres, il montre que ceux-ci seraient prépauliniens dans la christologie, mais postérieurs à Paul dans la valorisation de la théologie naturelle, la conception de la Loi et l'eschatologie et qu'ils défendraient une théologie de l'histoire inconciliable avec Paul. L'on pourrait conclure : « A cause des présupposés qui conditionnent sa manière d'écrire l'histoire, Luc n'appartient plus au christianisme primitif, mais à l'Église en passe de devenir *frühkatholisch*».

De façon significative, dès le début de l'étude de la rédaction de Luc, la présentation de sa théologie est allée de paire avec une sévère critique, basée essentiellement sur Paul. Ceci vaut également pour les deux ouvrages importants qui parurent peu après les articles de Käsemann et Vielhauer et qui sont restés fondamentaux pour l'étude actuelle de Luc. Les « Études sur la théologie de Luc » de H. Conzelmann sous le titre *Die Mitte der Zeit* (1954 ; 3e éd., 1960)[8] ont défendu deux thèses principales :

a) Le retard de la parousie qu'on attendait comme imminente conduit chez Luc à l'abandon de la *Naherwartung* et à son remplacement par une vision de l'histoire du salut où la vie de Jésus constitue le « milieu du temps », entre le temps de la Loi et des Prophètes et le temps de l'Église.

b) Comme historien, Luc écrit la première « vie de Jésus » où le temps du salut est décrit comme *passé*. Dans son commentaire des Actes des Apôtres, E. Haenchen se rallie à cette idée de Conzelmann et défend la perspective selon laquelle Luc *devait* faire suivre la vie terrestre de Jésus achevée par l'ascension de l'histoire du temps qui continuait après Jésus : « Pour lui, la vie de Jésus était en soi une phase de l'histoire du salut qui différait essentiellement de l'époque postérieure »[9].

---

7. P. Vielhauer, *Zum « Paulinismus » der Apostelgeschichte*, dans *Ev. Th.*, 10, (1950-51), p. 1-15 ; dans *Aufsätze zum Neuen Testament* (Th. Bücherei, 31), 1965, p. 9-27 (les citations proviennent dans la suite de ce dernier ouvrage).

8. H. Conzelmann, *Die Mitte der Zeit. Studien zur Theologie des Lukas* (Beitr. zur hist. Th., 17), Tubingue, 1956. La 3e édition (1960) a été largement retravaillée ; c'est d'après elle qu'on cite dans la suite (la 4e éd. de 1962 est identique quant au texte ; elle ne contient que des compléments bibliographiques).

9. E. Haenchen, *Die Apostelgeschichte*, p. 88.

Aux travaux de ces quatre pionniers de l'exégèse moderne de Luc s'est ajoutée dans les dix dernières années une littérature abondante qui développa les idées de ces chercheurs (surtout E. Grässer et S. Schulz) [10], ou les critiqua et les modifia (surtout U. Wilckens, H. Flender et W. C. Robinson) [11]. Comme nous avons l'intention d'exposer ci-dessous les accusations qu'ils formulent et les arguments critiques qu'on leur a opposés dans le cadre de l'exégèse de Luc depuis environ 1950, il n'est pas nécessaire d'entrer ici dans le détail des recherches postérieures [12], puisque ces arguments seront de toute façon évoqués au cours de la présentation qui va suivre.

Si donc nous considérons d'abord la critique à laquelle est soumise la théologie des écrits lucaniens, les cinq points suivants entrent surtout en ligne de compte :

a) Luc ignore l'attente de la venue prochaine du Royaume de Dieu et il a par conséquent nié le droit de s'interroger sur le moment de la fin : « Ce n'est pas votre affaire de connaître les temps et les moments que le Père a fixés de sa propre autorité » (*Act.*, I, 7). Luc renonce donc à toute indication sur la venue du Royaume de Dieu : il modifie la parole de Jésus en *Mc.*, IX, 1 : « Quelques-uns de ceux qui sont ici ne goûteront pas la mort avant d'avoir vu le Royaume de Dieu venu avec puissance », et « à la venue du Royaume, il substitue une conception intemporelle de ce dernier » : « Quelques-uns de ceux qui sont ici ne goûteront pas la mort avant d'avoir vu le Royaume de Dieu » (*Lc.*, IX, 27) [13]. De cette renonciation à la *Naherwartung* et de l'ajournement de la fin des

---

10. E. GRAESSER, *Das Problem der Parusieverzögerung in den synoptischen Evangelien und in der Apostelgeschichte* (BZNW, 22), Berlin, 1956 (2e éd., 1960) ; S. SCHULZ, *Gottes Vorsehung bei Lukas*, dans ZNW, 54 (1963), 104-116 ; *Die Stunde der Botschaft. Einführung in die Theologie der vier Evangelisten*, Hambourg, 1967.

11. U. WILCKENS, *Die Missionsreden der Apostelgeschichte. Form- und traditionsgeschichtliche Untersuchungen* (Wiss. Mon. zum A. und N. T., 5), Neukirchen, 1961 ; *Interpreting Acts* (voir n. 1) ; H. FLENDER, *Heil und Geschichte in der Theologie des Lukas* (Beitr. zur Ev. Th., 41), Münster, 1965 ; W. C. ROBINSON, *Der Weg des Herrn. Studien zur Geschichte und Eschatologie im Lukas-Evangelium* (Theol. Forsch., 36), Hambourg, 1964.

12. Pour l'histoire des travaux récents sur Luc, voir en plus des ouvrages cités aux notes 1 et 3 : C. K. BARRETT, *Luke the Historian in Recent Study*, Londres, 1961 ; E. HAENCHEN, *Die Apostelgeschichte*, p. 37ss. ; W. C. VAN UNNIK, *Luke-Acts, a Storm Center in Contemporary Scholarship*, dans *Studies in Luke-Acts*, p. 15-32 ; H. FLENDER, *Heil und Geschichte*, p. 9ss. ; M. RESE, *Die alttestamentlichen Motive in der Christologie des Lukas*, Diss. Bonn, 1965, p. 18ss. ; I. H. MARSHALL, *Recent Study of the Gospel According to St. Luke*, dans *Expos. Times*, 80 (1968-69), 4-8.

13. H. CONZELMANN, *Die Mitte*, p. 6 ; E. HAENCHEN, *Die Apostelgeschichte*, p. 86 ; E. GRAESSER, *Das Problem*, p. 194, 206 ; S. SCHULZ, *Die Stunde der Botschaft*, p. 237.

temps dans un avenir indéterminé, Luc tire alors une conséquence certaine : il compense le retard de la parousie par une certaine présentation de l'histoire. « L'helléniste Luc est l'inventeur de l'histoire du salut, d'une conception d'après laquelle l'histoire, entre deux limites absolues — la création et la fin du monde —, se déroule en trois phases : le temps d'Israël, le temps de Jésus et le temps de l'Église » (S. Schulz) ; ainsi, l'histoire juive devient-elle la préhistoire de l'histoire du salut accomplie dans le Christ, et l'histoire du monde depuis lors n'est plus une histoire de l'élection comprise à la manière de l'Ancien Testament juif, mais une histoire de la Providence interprétée dans une perspective hellénistique [14]. Du fait de cette position adoptée par Luc, la théologie de l'histoire dont la caractéristique est d'affirmer la continuité du salut prend la place de l'apocalyptique, et « l'eschatologie devient un problème spécial de l'histoire » (E. Käsemann) [15]. H. Conzelmann a fondé sa thèse des trois époques de l'histoire du salut selon la conception lucanienne avant tout sur le « logion des violents » : « Jusqu'à Jean, ce furent la Loi et les Prophètes ; depuis lors est annoncée la Bonne Nouvelle du Royaume de Dieu, et chacun essaie d'y entrer par violence » (*Lc.*, XVI, 16). Cette thèse a trouvé un large accord, même chez des chercheurs qui ont par ailleurs des objections contre l'idée que se fait Conzelmann de la théologie lucanienne [16]. Cependant, de cette division en trois époques de l'histoire du salut et de l'interprétation de l'histoire de Jésus comme « milieu du temps », il résulte que Luc regarde l'histoire de Jésus comme passée et écrit en historien la première « vie de Jésus » [17].

---

14. H. CONZELMANN, *Die Mitte*, p. 6 ; R. BULTMANN, *Theologie des Neuen Testaments*, Tubingue, 5ᵉ éd., 1965, p. 469s. ; E. DINKLER, *The Idea of History in Earliest Christianity* (1955), dans *Signum crucis. Aufsätze zum Neuen Testament und zur christlichen Archäologie*, Tubingue, 1967, p. 313-350, voir p. 334.

15. E. KAESEMANN, *Amt und Gemeinde*, p. 132s. ; *Das Problem des historischen Jesus* (1954), dans *Exegetische Versuche und Besinnungen*, t. I, p. 187-214, voir p. 198s. ; P. VIELHAUER, *Zum « Paulinismus »*, p. 24, 26 ; E. LOHSE, *Lukas als Theologe der Heilsgeschichte*, dans *Ev. Th.*, 14 (1954), 256-275, voir p. 265 ; W. MARXSEN, *Einleitung in das Neue Testament*, Gütersloh, 1963, p. 139.

16. H. CONZELMANN, *Die Mitte*, p. 6s., 9s., 92ss., 140, 158, 171 ; E. HAENCHEN, *Die Apostelgeschichte*, p. 86, 88 ; E. KAESEMANN, *Neutestamentliche Fragen von heute* (1957), dans *Exegetische Versuche und Besinnungen*, t. II, Goettingue, 1964, p. 11-31, voir p. 30 ; E. GRAESSER, *Das Problem*, p. 215 ; G. KLEIN, *Lk 1, 1-4 als theologisches Programm*, dans E. DINKLER (éd.), *Zeit und Geschichte. Dankesgabe an R. Bultmann*, Tubingue, 1964, p. 193-216, voir p. 199s. ; W. MARXSEN, *Einleitung*, p. 139 ; S. SCHULZ, *Gottes Vorsehung*, p. 104 ; *Die Stunde der Botschaft*, p. 275s., 284 ; A. GEORGE, *Tradition et rédaction chez Luc. La construction du troisième évangile*, dans ETL, 43 (1967), 100-129, voir p. 101, n. 4. Cfr aussi la littérature citée par W. C. ROBINSON, *Der Weg des Herrn*, p. 8, n. 5.

17. H. CONZELMANN, *Die Mitte*, p. 30, 156, 158, 173s. ; E. HAENCHEN, *Die Apostelgeschichte*, p. 86s. ; E. KAESEMANN, *Das Problem des historischen Jesus*, p. 199 ;

b) Luc ne comprend pas non plus le caractère salvifique de la mort de
Jésus. Sa mort sur la croix ne revêt pas pour lui de signification expiatoire,
mais elle est provoquée par une méprise des Juifs [18]. A la question :
« Comment l'acte posé par Dieu dans le passé constitue-t-il à proprement
parler un acte de salut ? », Luc ne connaît que la réponse : « Dieu l'a
ainsi décidé » [19]. Et U. Wilckens l'a dit explicitement, ce manque chez
Luc d'un fondement interne de la fonction sotériologique de la mort de
Jésus entraînerait « un appauvrissement essentiel » [20].

c) Mais tandis que la vie de Jésus devient un temps simplement passé
auquel seule la tradition apostolique peut donner accès, celle-ci acquiert
chez Luc une valeur absolue, et en cela, Luc se rattache au *Frühkatholizismus*. Approuvée par de nombreux chercheurs, cette thèse du *Frühkatholizismus* chez Luc [21] a été développée par certains dans le sens
suivant : non seulement Luc considérerait les apôtres comme les garants
de la tradition évangélique et refuserait donc à Paul le titre d'apôtre [22],
mais, avec la notion de tradition, il défendrait aussi expressément la
conception d'une succession fondée par les apôtres [23]. Ainsi, d'après
ces exégètes, la continuité du ministère ecclésiastique contrôle-t-elle
l'Esprit [24] ; « chez Luc, l'Esprit ne souffle plus où il veut, mais il est
lié aux premiers apôtres, à leurs successeurs et aux ministres de l'Église » ;
le Paul lucanien « confie tout l'héritage de la doctrine chrétienne...
à la garde du clergé qui possède le monopole du pouvoir ministériel
d'interpréter » [25]. Tandis qu'ainsi l'*Église* devient le but propre de
l'histoire vue sous un angle édifiant et que le ministère ecclésiastique

---

W. Marxsen, *Einleitung*, p. 138, 142 ; U. Wilckens, *Die Missionsreden*, p. 202 ;
S. Schulz, *Die Stunde der Botschaft*, p. 238, 284 ; R. Bultmann, *Theologie*, p. 469.

18. P. Vielhauer, *Zum « Paulinismus »*, p. 22 ; H. Conzelmann, *Die Mitte*,
p. 187s. ; E. Kaesemann, *Aus der neutestamentlichen Arbeit*, p. 221 ; *Das Problem
des historischen Jesus*, p. 199 ; C. K. Barrett, *Luke the Historian*, p. 59s. ; E. Haenchen, *Die Apostelgeschichte*, p. 82 ; W. Marxsen, *Einleitung*, p. 140 ; U. Wilckens,
Die Missionsreden, p. 216 ; S. Schulz, *Die Stunde der Botschaft*, p. 236, 289 ; M. Rese,
Die alttestamentlichen Motive, p. 205, 323s.

19. S. Schulz, *Die Stunde*, p. 279.

20. U. Wilckens, *Die Missionsreden*, p. 216.

21. E. Kaesemann, *Amt und Gemeinde*, p. 132 ; *Ein neutestamentlicher Ueber-
blick*, p. 209 ; *Probleme der neutestamentlichen Arbeit*, p. 141 ; *Neutestamentliche
Fragen*, p. 29 ; P. Vielhauer, *Zum « Paulinismus »*, p. 26 ; U. Wilckens, *Die
Missionsreden*, p. 192 ; S. Schulz, *Die Stunde*, p. 257.

22. E. Kaesemann, *Amt und Gemeinde*, p. 130s. ; S. Schulz, *Die Stunde*, p. 256 ;
G. Klein, *Lk 1, 1-4*, p. 212.

23. E. Kaesemann, *Probleme der neutestamentlichen Arbeit*, p. 141 ; E. Dinkler,
art. *Tradition*, V, dans RGG, VI, Tubingue, 3ᵉ éd., 1962, p. 970-974, voir p. 973 ;
S. Schulz, *Die Stunde*, p. 267.

24. Cfr E. Dinkler, *Tradition*.

25. S. Schulz, *Die Stunde*, p. 269, 265.

prend la place de l'« enthousiasme », la *theologia gloriae* évince la *theologia crucis* selon la formule de Käsemann [26].

d) A cette interprétation fondamentale de la tradition chez Luc et à l'historicisation de la vie de Jésus s'ajoute encore un autre élément d'appréciation : d'après E. Käsemann, Luc « pense réellement qu'on dispose de garanties de la vérité et de la nécessité de la foi et, sans aucun doute, il veut de son côté transmettre à d'autres de telles garanties » [27]. G. Klein a interprété dans le même sens le prologue de l'évangile de Luc comme un « programme théologique » : Luc veut y montrer la continuité, semblable à une chaîne ininterrompue, de la tradition et de la succession depuis Jésus jusque dans le présent, à travers l'Église primitive, et, par la recherche historique, il désire assurer la crédibilité de la tradition qui remonte aux témoins oculaires [28]. Une dizaine d'années plus tôt, R. Bultmann avait déjà constaté dans sa « Théologie du Nouveau Testament » que, par cette tendance à chercher des garanties historiques et à historiciser, Luc aurait « abandonné le sens kérygmatique originel de la tradition de Jésus » [29] ; G. Klein ajoute que la confiance constitutive de la foi serait sacrifiée à l'effort humain si l'acribie historique avait à en fonder la certitude [30].

e) Cette méconnaissance du kérygme par Luc se révèle encore selon ces chercheurs en ce que Luc, après le récit de la vie, de l'œuvre et de la mort de Jésus, rapporte l'histoire de la première communauté chrétienne [31]. En conséquence, non seulement l'histoire de Jésus est assimilée à une période achevée du passé, mais il en résulte aussi la renonciation absolue à l'eschatologie apocalyptique et le rejet de la fin du monde dans un avenir indéterminé. D'après la formulation d'E. Dinkler, cela signifie : « La sécularisation de l'histoire commence avec Luc » ; ainsi, Luc a surmonté le problème du délai de la parousie sans déception apparente [32].

Ces cinq points n'épuisent nullement les objections contre la théologie lucanienne (on a voulu trouver chez Luc tout comme dans les Épîtres

---

26. E. Kaesemann, *Amt und Gemeinde*, p. 133 ; *Neutestamentliche Fragen*, p. 30.

27. E. Kaesemann, *Probleme der neutestamentlichen Arbeit*, p. 220 ; cfr aussi W. C. Robinson, *Der Weg des Herrn*, p. 37 ; U. Luck, *Kerygma, Tradition und Geschichte Jesu bei Lukas*, dans ZThK, 57 (1960), 51-66, voir p. 56.

28. G. Klein, *Lk 1, 1-4*, p. 193ss. ; cfr aussi S. Schulz, *Gottes Vorsehung*, p. 112s.

29. R. Bultmann, *Theologie*, 2e éd., 1953, p. 463 ; 5e éd., 1965, p. 469.

30. G. Klein, *Lk 1, 1-4*, p. 216.

31. P. Vielhauer, *Zum « Paulinismus »*, p. 24 ; R. Bultmann, *Theologie*, p. 469 ; H. Conzelmann, *Die Mitte*, p. 6 ; E. Kaesemann, *Das Problem des historischen Jesus*, p. 198 ; E. Graesser, *Das Problem der Parusieverzögerung*, p. 204 ; W. Marxsen, *Einleitung*, p. 138 ; S. Schulz, *Die Stunde*, p. 293.

32. E. Dinkler, *The Idea of History*, p. 334.

Pastorales une version chrétienne de la bienséance bourgeoise [33] ; avec la suppression de la *Naherwartung*, « on sacrifiait le présupposé nécessaire à la reprise des anciennes catégories apocalyptiques » [34] ; à la suite de la coupure entre le retour et la venue du Royaume de Dieu, « la *vie* chrétienne devient à côté de la *doctrine* véritable une chose en soi » [35] etc), mais dans ce résumé, on ne vise pas à être complet ; en effet, il ne s'agit ici que de relever les principales tendances de la critique actuelle de la théologie lucanienne.

II

Si nous voulons nous prononcer sur ces arguments critiques, nous devons d'abord tenir compte d'un point de vue qu'on a mis récemment en évidence à plusieurs reprises : à la tâche *historique* d'un examen de la théologie de Luc, on n'a pas le droit de mêler prématurément des jugements *dogmatiques* [36] ; on se demandera en particulier s'il est juste de regarder la théologie lucanienne « à travers les lunettes de la mentalité paulinienne », au lieu de la faire valoir dans son originalité propre [37]. C'est pourquoi nous avons d'abord à nous interroger si l'interprétation de la théologie lucanienne sous-jacente à la critique formulée plus haut se justifie du point de vue exégétique, avant de pouvoir éprouver le bien-fondé de cette critique elle-même. En conformité au but que nous nous assignons, nous nous en tiendrons aux cinq points mentionnés ci-dessus qu'on met surtout en avant pour critiquer la théologie lucanienne et nous concentrerons notre intérêt sur l'*évangile* de Luc.

a) Il est exact de dire que Luc renonce à l'attente de la fin prochaine dans la mesure où il met en garde explicitement contre l'opinion selon laquelle le Royaume de Dieu viendrait immédiatement (dans l'introduction de la parabole des mines, *Lc.*, XIX, 11) et où il a supprimé ou modifié plusieurs allusions de ses sources à la proximité de la fin [38]. Avant tout, en retravaillant l'apocalypse synoptique, Luc a visiblement opéré une césure temporelle entre l'événement historique pour lui passé de la destruction de Jérusalem et les événements attendus de la fin du

---

33. H. CONZELMANN, *Luke's Place in the Development of Early Christianity*, dans *Studies in Luke-Acts*, p. 298-316, voir p. 303 ; S. SCHULZ, *Die Stunde*, p. 271.

34. H. CONZELMANN, *Die Mitte*, p. 89 ; S. SCHULZ, *Die Stunde*, p. 294.

35. H. CONZELMANN, *Die Mitte*, p. 214s.

36. M. RESE, *Die alttestamentlichen Motive*, p. 22 ; U. WILCKENS, *Interpreting Acts*, p. 60.

37. H. FLENDER, *Heil und Geschichte*, p. 11, n. 10.

38. Cfr les exemples donnés chez W. G. KUEMMEL, *Einleitung in das Neue Testament* de P. FEINE et J. BEHM, Heidelberg, 12e éd., 1963 (= 14e éd., 1965), p. 88s.

monde ; il a montré par là qu'il comptait sur un plus long temps jusqu'à la parousie [39]. Malgré cela, Luc reprend à ses sources une série de textes qui accentuent la proximité du Royaume de Dieu et du jugement (Lc., III, 9, 17 dans la bouche du Baptiste ; X, 9 ; XXI, 32 dans la bouche de Jésus). Et de sa propre initiative, Luc a même visiblement ajouté des allusions à la proximité de la fin. On ne peut négliger ces textes en arguant qu'il s'agirait d'un donné traditionnel et que donc, « de préférence à un logion isolé, ce serait le sens général » qui prévaudrait [40] ; en effet, Luc aurait pu laisser tomber ces textes traditionnels tout aussi bien que plusieurs autres ; d'ailleurs, il en a lui-même ajouté de semblables. On devra donc au contraire affirmer que Luc « a conservé plusieurs logia sur l'imminence du jugement. C'est donc que cette question ne cause pas de scandale insurmontable » [41]. Autrement dit, Luc a reporté la *Naherwartung* à l'arrière-plan, sans l'abandonner complètement et, après comme avant, il voit sa situation présente en relation avec l'acte salvifique de Dieu à la fin des temps.

Mais c'est justement dans ce contexte qu'on adresse à Luc le reproche le plus fondamental : pour résoudre le problème du délai de la parousie, il aurait sacrifié la *Naherwartung* et *inventé* l'histoire du salut ; « milieu du temps », la vie de Jésus se trouvait ramenée à une époque du passé. Pourtant, non seulement il est « très douteux que sa conception (de Luc) de l'histoire provienne d'une réaction théologique devant le problème de la parousie » [42], mais il est tout simplement *faux* que Luc ait *inventé* l'histoire du salut. Déjà pour Jésus, la communauté primitive et Paul, le salut eschatologique vu comme accomplissement des promesses de Dieu dans l'Ancien Testament avait fait irruption en la personne de Jésus et, en même temps, l'action salvifique de Dieu, inaugurée avec Jésus, devait se consommer par son apparition glorieuse, même si cette vérité

---

39. Consulter là-dessus W. C. ROBINSON, *Der Weg des Herrn*, p. 46 ss., 56 ; A. GEORGE, *Tradition et rédaction chez Luc*, p. 113s. ; S. SCHULZ, *Die Stunde*, p. 295. L'affirmation de H. FLENDER, *Heil und Geschichte*, p. 102ss., que la destruction de Jérusalem serait pour Luc un événement « eschatologique » n'est pas fondée de façon convaincante.

40. Ainsi E. GRAESSER, *Das Problem der Parusieverzögerung*, p. 190 ; de même, H. CONZELMANN, *Die Mitte*, p. 98 ; U. WILCKENS, *Interpreting Acts*, p. 79, n. 38 (en référence aux Actes des Apôtres).

41. A. GEORGE, *Tradition et rédaction chez Luc*, p. 122 ; cfr C. H. TALBERT, *Luke and the Gnostics. An Examination of the Lucan Purpose*, New York, 1966, p. 107 ; E. SCHWEIZER, *Jesus Christus im vielfältigen Zeugnis des Neuen Testaments* (Siebensterntaschenbuch, 126), Munich-Hamburg, 1968, p. 150-152.

42. U. WILCKENS, *Interpreting Acts*, p. 66 ; O. BETZ, *The Kerygma of Luke*, p. 137, souligne à juste titre que „ Luke could write a church history not only because of the delay of the Parousia, but also because of the continuing force of evil ".

était actuellement combattue avec acharnement [43]. Et U. Wilckens a souligné à bon droit qu'« avec sa conception de l'histoire du salut, Luc se situait à l'intérieur d'une tradition primitive bien attestée » [44]. L'activité de Jésus étant conçue comme le début de l'action salvifique de Dieu à la fin des temps, la répartition de l'histoire du salut en périodes apparaît dès lors inévitable. Sans doute, nous l'avons vu, a-t-on largement repris la thèse de H. Conzelmann selon laquelle Luc séparait l'histoire de Jésus, « milieu du temps », de celles de l'ancienne alliance et de l'Église et assimilait l'histoire de Jésus à une période du passé [45]. Mais cette thèse se révèle très contestable. En fait, Luc attache visiblement peu d'importance à ce schéma de l'histoire du salut, *même au cas où* celui-ci existerait ; en effet, « on ne peut que déduire ce schéma, qui n'apparaît jamais sous la forme d'un thème explicite » [46]. Il importe surtout de mettre en évidence que le passage capital pour cette thèse, *Lc.*, XVI, 16 (« Jusqu'à Jean, ce furent la Loi et les Prophètes ; depuis lors, est annoncée la Bonne Nouvelle du Royaume de Dieu »), ne parle que de *deux* époques, jusqu'à Jean-Baptiste et depuis Jean-Baptiste ; d'après *Lc.*, XVI, 16 donc, c'est ce dernier événement qui constitue « le grand tournant » [47]. Certes, à l'intérieur du temps du salut inauguré par l'entrée en scène de Jésus et en correspondance avec la division en Évangile et Actes des Apôtres, Luc distingue entre le temps de Jésus et le temps de l'Église [48], et c'est pourquoi il raconte deux fois l'ascension,

---

43. Voir les indications dans mes travaux : *Verheissung und Erfüllung* (Abh. Th. A. N. T., 6), Zurich, 3e éd., 1956, et *Futurische und präsentische Eschatologie im ältesten Christentum*, dans NTS, 5 (1958-59), 113-126, ou dans *Heilsgeschehen und Geschichte* (Marb. Th. St., 3), Marbourg, 1965, p. 351-363. Cfi aussi U. WILCKENS, *Interpreting Acts*, p. 76 : " The question asked by Ernst Fuchs ' But does salvation have a history ? ' must be answered in the affirmative both for Paul and for Luke... For the thinking of both rests upon Old Testament and Jewish belief according to which God realizes his salvation in historical events ". Cfr encore la confrontation entre U. WILCKENS et G. KLEIN (les titres sont cités chez U. WILCKENS, *Interpreting Acts*, p. 83, n. 80) et L. GOPPELT, *Paulus und die Heilsgeschichte : Schlussfolgerungen aus Röm. IV und I. Kor. X. 1-13*, dans NTS, 13 (1966-67), 31-42, à côté de G. KLEIN, *Heil und Geschichte nach Römer IV*, *ib.*, p. 43-47.

44. U. WILCKENS, *Interpreting Acts*, p. 75 ; cfr O. BETZ, *The Kerygma of Luke*, p. 145.

45. Voir n. 16.

46. U. LUCK, *Kerygma, Tradition und Geschichte Jesu bei Lukas*, p. 53, n. 5.

47. O. BETZ, *The Kerygma of Luke*, p. 133. Cfr H. FLENDER, *Heil und Geschichte*, p. 113 ; W. C. ROBINSON, *Der Weg der Herrn*, p. 28 ; H. ZIMMERMANN, *Neutestamentliche Methodenlehre*, p. 217 ; E. SCHWEIZER, *Jesus Christus*, p. 142. Voir aussi ma contribution : « *Das Gesetz und die Propheten gehen bis Johannes* ». *Lukas, 16,16 im Zusammenhang der heilsgeschichtlichen Theologie der Lukasschriften*, dans *Verborum Veritas. Festschrift für G. Stählin*, Wuppertal, 1970, p. 89-102.

48. W. C. ROBINSON, *Der Weg des Herrn*, p. 24 ; H. FLENDER, *Heil und Geschichte*, p. 113.

comme fin de l'histoire de Jésus, puis comme début de l'histoire de l'Église [49]. Mais cette distinction ne signifie nullement que le temps de l'Église ne soit pas compris comme celui du salut. Au contraire, « en distinguant ces deux époques de l'histoire du salut, Luc souligne leur continuité profonde » [50], et le « milieu du temps » n'est pas pour Luc l'histoire de Jésus, mais le temps où, par l'Esprit, Dieu fait proclamer le message du salut eschatologique, d'abord par Jésus, ensuite par les apôtres : « Le kérygme ne s'achève pas avec la prédication de Jésus ; il ne se réduit pas à un passé historique, car, avec la prédication de l'Église, a commencé sa seconde phase » [51].

b) Il ne fait pas de doute que la portée salvifique de la mort de Jésus perd en importance chez Luc ; G. Voss l'a de nouveau souligné : « Chez Luc, la mort de Jésus ne revêt pas un caractère sacrificiel ni une signification expiatoire » [52]. Et pourtant c'est seulement chez Luc que la parole sur le pain lors de la dernière Cène se formule ainsi : « Ceci est mon corps qui est *donné* pour vous », et sa parole sur la coupe fonde la nouvelle alliance dans le sang versé par Jésus (*Lc.*, XXII, 19 s.) ; *Act.*, XX, 28 parle encore de « l'Église de Dieu qu'il s'est acquise par son propre sang ». Et *Act.*, III, 13-15 ; XIII, 27-29 décrivent nettement la mort de Jésus comme une souffrance voulue par Dieu. On doit en conclure que Luc n'a nullement évacué la portée expiatoire de la mort de Jésus ; il l'a seulement atténuée et il attache surtout de l'importance au fait que la mort de Jésus correspond à la volonté de Dieu [53] : « Le Fils de l'homme doit d'abord beaucoup souffrir et être rejeté par cette génération » (*Lc.*, XVII, 25). On peut donc dire carrément « que la croix de Jésus est pour Luc un événement eschatologique (au sens d'une eschatologie actualisée) » [54].

---

49. C. K. Barrett, *Luke the Historian*, p. 56 ; H. Flender, *Heil und Geschichte*, p. 16s., et la littérature citée à cet endroit.

50. A. George, *Tradition et rédaction chez Luc*, p. 119.

51. O. Betz, *The Kerygma of Luke*, p. 138 ; U. Luck, *Kerygma, Tradition und Geschichte*, p. 66.

52. G. Voss, *Die Christologie der Lukasschriften in Grundzügen* (St. Neot., Studia, II), Paris-Bruges, 1965, p. 150.

53. L'essai de W. Tannehill, *A Study in the Theology of Luke-Acts*, dans *Angl. Th. Rev.*, 43 (1961), 195-203, où il cherche, à partir de *Lc.*, XXII, 24-30, à découvrir la signification de la mort de Jésus pour l'Église dans la mentalité de Luc, n'a guère réussi. Du reste, pour la compréhension lucanienne de la mort de Jésus, cfr G. Voss, *Die Christologie*, p. 99ss. ; H. Flender, *Heil und Geschichte*, p. 140s. ; C. H. Talbert, *Luke and the Gnostics*, p. 71ss. (p. 73, Talbert considère à tort le « texte court » de *Lc.*, XXII, 15-19a comme primitif) ; E. Schweizer, *Jesus Christus*, p. 142-3 (qui toutefois, d'une manière trop sommaire, considère *Lc.*, XXII, 20 et *Act.*, XX, 28 comme « traditionnels »).

54. Ainsi H. Flender, *Heil und Geschichte*, p. 142.

c) Comme Marc et Matthieu, non seulement Luc reprend et interprète la tradition sur la vie et la résurrection de Jésus, mais il réfléchit sur la signification de la tradition en tant que fondement de la foi chrétienne ; aucun doute là-dessus, et on le constate aussi bien par exemple dans le prologue de l'évangile que dans le récit du choix de Matthias comme douzième apôtre. En aucune manière cependant, Luc ne regarde la tradition évangélique comme un *depositum fidei* à reproduire littéralement, mais il s'agit pour lui d'« un témoignage à rendre au Christ qu'il entend et qu'il proclame de façon nouvelle dans une situation nouvelle » [55]. De plus, du prologue de l'évangile se dégage clairement la conscience qu'a Luc d'appartenir à la deuxième génération des croyants et donc de dépendre nécessairement de celle des témoins oculaires [56]. Mais le « programme théologique » de Luc ne consiste certainement pas à remonter jusqu'aux *faits* eux-mêmes, au-delà de la tradition sur laquelle seule s'appuyaient ses devanciers, et de prétendre ainsi à une certitude [57]. En effet, *d'une part* rien ne permet de déduire du prologue de l'évangile que Luc entend procéder d'une façon *fondamentalement* autre que ses prédécesseurs déficients ; il dit clairement d'ailleurs qu'il veut établir pour des lecteurs cultivés la véracité des faits rapportés dans la doctrine chrétienne, mais « il n'est pas question que cette présentation destinée à confirmer les faits doive susciter la foi » [58] ; celle-ci, seul le *message* l'éveille : « Aujourd'hui s'accomplit ce passage de l'Écriture que vous venez d'entendre » (*Lc.*, IV, 21). Et l'« assurance » fournie par la présentation de Luc se limite à montrer que la foi ne repose pas sur un λῆρος, c'est-à-dire sur un bavardage sans fondement (*Lc.*, XXIV, 11).

D'autre part, le prologue de l'évangile l'indique aussi, Luc se sait un homme de la deuxième génération, mais ni dans ce prologue ni ailleurs dans l'œuvre lucanienne, on ne décèle la moindre trace d'une réflexion sur la *succession* apostolique (même l'investiture des presbytres et leur mandat de conserver pur le message en *Act.*, XIV, 23 ; XVI, 4 ; XX, 28-32 ne sont pas liés à l'idée de succession) [59]. C'est pourquoi il est douteux qu'on puisse qualifier la théologie lucanienne de *frühkatholisch*. Et si on définit de façon rigoureuse cette conception comme celle où l'Église s'identifie à une *institution* organisée de salut et où les sacrements

---

55. H. FLENDER, *ib.*, p. 10.
56. W. G. KUEMMEL, *Einleitung*, p. 76s.
57. Ainsi G. KLEIN, *Lk 1, 1-4*.
58. H. FLENDER, *Heil und Geschichte*, p. 63.
59. H. CONZELMANN, *Die Mitte*, p. 203s. ; *Grundriss der Theologie des Neuen Testaments*, Munich, 1967, p. 169 ; E. HAENCHEN, *Die Apostelgeschichte*, p. 84 ; J. ROLOFF, *Apostolat — Verkündigung — Kirche. Ursprung, Inhalt und Funktion des kirchlichen Apostelamtes nach Paulus, Lukas und den Pastoralbriefen*, Gütersloh, 1965, p. 234s. ; C. H. TALBERT, *Luke and the Gnostics*, p. 54, n. 12, et p. 67 ; E. SCHWEIZER, *Jesus Christus*, p. 146 et 148.

sont essentiels à l'obtention de ce salut, plusieurs théologiens, critiques à l'égard de Luc, ont contesté à juste titre que l'étiquette *frühkatholisch* s'applique à ses conceptions théologiques de base [60]. Dans sa position envers la tradition, l'Église et les sacrements, Luc ne rejoint nullement les Épîtres Pastorales, l'Épître de Jude et la seconde Épître de Pierre ; l'action de l'Esprit n'est pas liée pour lui à l'institution, mais l'Esprit opère bien plus par la parole [61].

d) Pour Luc, la foi est-elle vérifiable par l'histoire et ainsi le sens kérygmatique de la tradition de Jésus est-il sacrifié ? D'abord, nous l'avons déjà vu, Luc, malgré le prologue de son évangile, n'écrit pas l'histoire de Jésus avec l'intérêt d'un historien qui rapporte et interprète les faits, mais bien dans le but de servir de prédication ; « l'historicisation fondamentale à laquelle recourt Luc ne se fait pas pour elle-même, elle est proclamation, apostrophe dans le présent », comme S. Schulz doit en convenir [62]. Ainsi par exemple, dans la prédication inaugurale de Jésus à Nazareth, composée par Luc, où, en guise de programme, Jésus se rapporte à lui-même la citation d'*Is.*, LXI, 1ss. : « L'esprit du Seigneur est sur moi... pour annoncer une année de grâce de la part du Seigneur » (*Lc.*, IV, 18ss.). L'action de Jésus y est définie clairement comme l'événement *final* du salut qui correspond à la promesse divine [63], sans que cet énoncé de foi soit vérifiable. Et en se référant au témoignage des apôtres, Luc ne garantit pas le caractère *salvifique* de l'histoire de Jésus [64], mais il annonce à la communauté chrétienne où agit l'Esprit de Dieu « les événements qui se sont accomplis parmi nous » (*Lc.*, I, 1), c'est-à-dire les actes *de Dieu* dans l'œuvre de Jésus et dans l'histoire de la première communauté [65]. En cela, Luc ne diffère absolument pas des deux autres évangiles synoptiques.

---

60. Cfr H. Conzelmann, *Die Mitte*, p. 148 ; *Luke's Place*, p. 304 ; *Grundriss*, p. 169 ; C. K. Barrett, *Luke the Historian*, p. 70ss. ; P. Borgen, *Von Paulus zu Lukas. Beobachtungen zur Erhellung der Theologie der Lukasschriften*, dans *St. Th.*, 20 (1966), 140-157, voir p. 156 ; E. Haenchen, *Die Apostelgeschichte*, p. 84 ; H. Flender, *Heil und Geschichte*, p. 126 ; J. Roloff, *Apostolat* ; O. Betz, *The Kerygma of Luke*, p. 145.

61. C. K. Barrett, *Luke the Historian*, p. 68, 72s. ; E. Haenchen, *Die Apostelgeschichte*, p. 87s. ; H. Conzelmann, *Luke's Place*, p. 304.

62. S. Schulz, *Die Stunde*, p. 251. De même, H. Flender, *Heil und Geschichte*, p. 38, 64, 144 ; O. Betz, *The Kerygma of Luke*, p. 132. Comp. E. Schweizer, *Jesus Christus*, p. 139 : Luc « versteht das Heilsgeschehen als Wortgeschehen,... dem man nur als Glaubender begegnen kann ».

63. M. Rese, *Die alttestamentlichen Motive*, p. 322.

64. W. C. Robinson, *Der Weg des Herrn*, p. 30.

65. Cfr U. Luck, *Kerygma, Tradition und Geschichte Jesu*, p. 60 ; H. Flender, *Heil und Geschichte*, p. 64.

e) C'est pourquoi, il n'est pas exact de dire que Luc aurait sécularisé l'histoire, surtout en rapportant après l'évangile le début de l'histoire de la communauté chrétienne. Bien sûr, sur ce point, Luc n'a pas de devanciers, et un tel intérêt pour l'histoire de l'Église chrétienne ne fut possible que lorsque la *Naherwartung* recula à l'arrière-plan et que les chrétiens prirent conscience de l'éloignement temporel de l'histoire de Jésus. Mais autant cet *intérêt* pour l'histoire de l'Église ne s'explique que par le recul de la *Naherwartung*, autant, dès le début, la communauté chrétienne réalise que l'action salvifique de Dieu dans l'histoire se poursuit au-delà de la résurrection de Jésus [66]. P. Borgen l'a fait remarquer à bon droit : en *I Cor.*, XV, 1-11, Paul joint au kérygme repris par lui à la communauté primitive la mention de sa propre vocation et montre ainsi que pour lui, les « apparitions-vocations » des témoins de la résurrection faisaient corps avec le message que « moi et ceux-là, nous annonçons » (XV, 11) et sur la base duquel les Corinthiens sont venus à la foi [67]. Mais le kérygme repris par Paul suppose déjà également que les expériences de la résurrection vécues par les premiers témoins avaient *aussi* été rapportées, quand il fallait définir le fondement de la foi chrétienne ; la parole sur « les hauts-faits de Dieu » (*Act.*, II, 11) appartient donc sans aucun doute depuis le début au message chrétien. Et s'il est exact que, d'après Luc, la Bonne Nouvelle est annoncée depuis l'entrée en scène de Jésus [68], cette annonce va beaucoup plus loin après Pâques, parce que, « même sous un mode différent, la présence de l'Esprit caractérise tant l'action de Jésus que l'âge apostolique de l'Église » [69]. Donc, si Luc fait suivre son évangile des Actes des Apôtres, c'est qu'il écrit dans la situation de la chrétienté plus tardive, modifiée par l'allongement du temps, mais cela n'implique nullement qu'il a sécularisé l'histoire. Sans doute, la question se pose-t-elle maintenant de la justification théologique de cette conception lucanienne.

III

On doit le dire immédiatement : il est non seulement permis, mais obligatoire de soulever la question de la légitimité théologique de la

---

66. I. H. MARSHALL, *Recent Study of the Gospel According to St. Luke*, p. 6, qui souligne justement que « Luke should not be given the credit... of introducing history into Christian theology ».

67. P. BORGEN, *Von Paulus zu Lukas*, p. 154ss.

68. Voir note 47.

69. W. C. ROBINSON, *Der Weg des Herrn*, p. 29 ; A. GEORGE, *Israël dans l'œuvre de Luc*, dans RB, 75 (1968), p. 481-525, qui montre que d'après Luc l'activité de l'Esprit se distingue dans les temps suivants : « Avant Jésus, l'Esprit est donné aux prophètes ; au cours de sa mission, Jésus est seul à posséder l'Esprit ; à partir de Pâques, c'est tout le peuple de Dieu qui est investi de cet Esprit ».

position d'un écrit néotestamentaire ou d'une conception isolée dans le Nouveau Testament. En effet, la question du « milieu du Nouveau Testament », et donc de la norme par rapport à laquelle les écrits et les énoncés particuliers du Nouveau Testament doivent être appréciés, se rencontre inévitablement, du fait même de l'existence du Canon du Nouveau Testament [70]. Si nous ne lâchons pas la notion de Canon, si nous ne pouvons pas non plus nier l'existence de contradictions fondamentales dans le Nouveau Testament, nous sommes alors obligés de nous interroger sur le message *central* du Nouveau Testament comme critère d'appréciation pour les énoncés des écrits particuliers. Mais si le sens théologique du Canon est de conserver le témoignage du salut historique réalisé par Dieu en Jésus-Christ, alors nous ne rencontrerons ce témoignage sous sa forme la plus pure qu'auprès *des* témoins qui se trouvent le plus rapprochés dans le temps de l'événement historique, c'est-à-dire chez Jésus, dans la communauté primitive et chez Paul. Et ces trois témoins livrent un double message : en Jésus-Christ, Dieu a inauguré son salut eschatologique et il l'achèvera par l'apparition future du ressuscité ; l'essence de ce salut, à la fois présent et futur, réside en ce que Dieu s'est mis à la portée de l'homme pécheur et lui a offert son amour sauveur qui s'accomplit dans la croix et la résurrection de Jésus. La théologie johannique concorde pour l'essentiel avec ce « milieu du Nouveau Testament », et l'on n'a pas le droit de juger les autres témoins du Nouveau Testament, et donc aussi la théologie de Luc, unilatéralement en fonction du message critiquement reconstitué du Jésus historique, ni d'après la seule théologie de Paul, à moins de leur faire violence ; pour ce genre d'examen, on doit prendre comme critère le « milieu du Nouveau Testament » tel qu'il se dégage de l'accord de Jésus, Paul et Jean.

Si nous procédons de cette manière, il devient clair que la critique adressée à la théologie lucanienne de l'histoire du salut non seulement repose sur la négation exégétiquement fausse du caractère *heilsgeschichtlich* de la prédication de Jésus, du message de la communauté primitive et de la théologie de Paul, mais encore sur une méconnaissance du sens de *l'histoire* où s'enracine le kérygme chrétien. U. Wilckens a très justement attiré l'attention sur le point suivant : la « théologie de la parole », qui débute après la première guerre mondiale avec R. Bultmann, K. Barth et leurs élèves, du fait qu'elle conteste l'importance de l'histoire pour la foi de la chrétienté primitive, constitue une des racines de la dévalorisation de la théologie lucanienne de l'histoire du salut [71]. Dans la même

---

70. Dans la suite, j'emprunte des formulations à mon article : *Das Problem der « Mitte des Neuen Testaments »*, dans *L'Évangile hier et aujourd'hui. Mélanges offerts au Professeur Franz-J. Leenhardt*, Genève, 1968, p. 71-85.

71. U. WILCKENS, *Interpreting Acts*, p. 69ss.

ligne, G. Klein, de par sa manière de voir décrite plus haut, considère que la théologie de Luc se heurte à « l'aporie inhérente à toute théologie de l'histoire » [72]. Mais un tel jugement, *même s'il* portait au plan exégétique, est faux, car il néglige le fait que la plus ancienne prédication chrétienne voit se réaliser le salut eschatologique de Dieu dans une histoire *déterminée*. Certes, pour Luc, le Christ n'est pas la fin de toute histoire, mais le début d'une *nouvelle* histoire, celle de la fin des temps [73], mais ceci vaut aussi précisément pour Paul. Et c'est pourquoi la question décisive qui se pose au sujet de la théologie de Luc est de savoir si Luc a compris l'histoire de Jésus comme un événement *eschatologique*. Or, c'est le cas indiscutablement. Tout en considérant la date de la parousie comme indéterminée, il n'a pas laissé tomber, nous l'avons vu, la *Naherwartung*, il l'a seulement reportée à l'arrière-plan et il a vu dans l'histoire de Jésus l'irruption du salut eschatologique promis par Dieu. Dans le contexte du temps qui se prolongeait pour la chrétienté plus tardive, il a émis la thèse de l'importance justement de cette « époque intermédiaire » au plan de l'histoire du salut [74] ; il a reconnu ainsi que l'acte salvifique de Dieu en Jésus-Christ à la fin des temps n'était pas seulement passé mais qu'il restait présent pour son temps par la prédication de l'Évangile sous la motion de l'Esprit : « Pour Luc, le don de l'Esprit à l'Église est un fait qu'il a constaté et qui l'a frappé profondément. Il y voit le signe de l'intervention divine dans la prédication évangélique, et plus précisément la marque de l'action de Jésus ressuscité dans l'Église » [75]. Mais le temps où se continue la prédication de l'Évangile dans la force de l'Esprit est simultanément celui de la persécution de la communauté chrétienne, qui s'étendra jusqu'à l'échéance certaine de la fin (*Lc.*, XXI, 12, 28). Et comme G. Braumann l'a bien montré, Luc ne console pas la communauté par la perspective d'une fin prochaine des persécutions ; il affronte plutôt « le problème qui éprouvait la communauté en se servant du temps : la parousie amènera la fin de l'épreuve, non pas maintenant mais dans un avenir éloigné » [76].

Il n'est donc pas question de dire que le projet de Luc soit théologiquement illégitime ; il n'est pas non plus au sens strict *frühkatholisch*, et on ne peut parler déjà d'une sécularisation de l'histoire par Luc. Celui-ci cherche au contraire à résoudre *pour son temps* le problème de la chrétienté plus tardive en poursuivant l'élaboration des concepts théolo-

---

72. G. Klein, *Lk 1, 1-4*, p. 216.
73. C. K. Barrett, *Luke the Historian*, p. 57.
74. U. Wilckens, *Die Missionsreden*, p. 200s.
75. A. George, *Tradition et rédaction chez Luc*, p. 124.
76. G. Braumann, *Das Mittel der Zeit. Erwägungen zur Theologie des Lukasevangeliums*, dans ZNW, 54 (1963), 117-145, voir p. 145.

giques fondamentaux qui lui sont parvenus [77]. Ainsi, dans les traits essentiels de sa théologie, il reste en concordance avec le message central du Nouveau Testament. Ceci n'exclut pas évidemment qu'on puisse soulever contre la théologie de Luc des objections fondées ou que des textes isolés, comme le discours à l'Aréopage, soient en contradiction avec la teneur générale de sa doctrine. Mais la même remarque ne vaut pas moins pour *chaque* autre forme de la théologie néotestamentaire. Luc ne représente pas non plus la théologie *entière* ni *parfaite* du Nouveau Testament ; il faut cependant l'écouter en liaison avec les autres témoins de la théologie néotestamentaire et, à partir de là, le critiquer et le compléter. Mais cela ne signifie pas que, dans ses traits essentiels, la théologie de Luc prête le flanc à des objections théologiques, et Luc appartient certainement aux témoins principaux et pour nous normatifs du message du Nouveau Testament.

von Harnackstr. 23   W. G. KÜMMEL
355 Marburg/Lahn (B.R.D.)

---

77. W. MARXSEN, *Einleitung*, p. 142, relève cette vérité : Luc « steht... vor der Frage, wie die Kirche seiner Zeit, die die Naherwartung nicht mehr kennt und die die Jesus-Zeit als eine weit zurückliegende weiss, mit dieser Vergangenheit in Kontinuität bleiben kann... In einer Zeit..., in der eine geschichtslose Gnosis den Bezug der christlichen Botschaft zur Geschichte preisgibt, stellt die Konzeption dieses Werkes einen Protest dagegen dar. Dabei ist zu betonen, dass Lukas diese Lösung der Probleme seiner Zeit eben für seine Zeit gab, nicht jedoch für die gesamte weitere Kirchengeschichte ».

P⁷⁵ *(Pap. Bodmer XIV-XV)*
et les formes les plus anciennes
du texte de *Luc*

Dans l'histoire récente de la critique textuelle du Nouveau Testament, 1961 apparaît de plus en plus comme une date importante : c'est alors que fut publié P⁷⁵ qui contient plus de la moitié de *Luc* et une partie très appréciable de *Jean* [1]. Les éditeurs de ce papyrus le situaient fermement à « l'époque impériale » et considéraient « une date... entre 175 et 225 » comme « la supposition la plus probable » [2]. Quant au texte du papyrus, un examen rapide leur permettait d'y enregistrer la présence des *western non-interpolations* et de constater que P⁷⁵ était « rarement du côté de D là où ce manuscrit est seul » et semblait « avoir surtout de l'affinité avec B » [3]. C'était bien vu. Cette affinité entre les textes de P⁷⁵ et du *Vaticanus*, B(**03**) (Vat. gr. 1209), allait bientôt être confirmée de toute part et s'avérer considérable [4]. Étant donné la date avancée par les éditeurs, il fallait dès lors prévoir qu'il y aurait probablement à « reconsidérer un certain nombre de vues assez courantes sur l'histoire du texte au IIᵉ siècle » [5]. C'est maintenant chose faite ou presque. Mais les résultats proposés en ce domaine doivent être eux-mêmes reconsidérés,

---

1. Victor MARTIN-Rodolphe KASSER, *Papyrus Bodmer XIV-XV. Évangiles de Luc et de Jean*, 2 vol., Cologny-Genève (Bibliotheca Bodmeriana), 1961.
2. *Op. cit.*, I, p. 13.
3. *Op. cit.*, I, p. 29.
4. Cfr B. M. METZGER, *The Bodmer Papyrus of Luke and John*, dans *Exp. T.*, 73 (1961/62), 201-203 ; K. W. CLARK, *The Text of the Gospel of John in Third-Century Egypt*, dans *Nov. Test.*, 5 (1962), 17-24 (P⁶⁶ et P⁷⁵) ; J. DUPLACY, *Bulletin de critique textuelle du Nouveau Testament. I/1*, dans *Rech. Sc. Rel.*, 50 (1962), 255-260 ; J. A. FITZMYER, *Papyrus Bodmer XIV : Some Features of our Oldest Text of Luke*, dans *CBQ*, 24 (1962), 170-179 ; Ph. MENOUD, *Papyrus Bodmer XIV-XV et XVII*, dans *Rev. Th. Ph.*, 12 (1962), 107-116 ; J. T. MUELLER, *Papyrus XIV Some Features of our Oldest Text of Luke*, dans *Concordia Theol. M.*, 33 (1962), 497 ; Calvin L. PORTER, *Papyrus Bodmer XV (P75) and the Text of Codex Vaticanus*, dans *JBL*, 81 (1962), 363-376 ; K. ALAND, *Neue neutestamentliche Papyri. II*, dans *NTS*, 9 (1962/63), 304s.
5. J. DUPLACY, *Bulletin I/1* (*supra*, n. 4), p. 259.

d'autant plus qu'ils commencent, nous allons le voir, à influencer la
critique et l'édition du texte. Cette « reconsidération » critique sera
l'objet de notre étude.

Trois points retiendront successivement notre attention : la situation
à la veille de la publication de P[75] ; les conséquences de cet événement
en critique et en histoire du texte ; puis, pour terminer, quelques réflexions critiques et méthodologiques. Afin de demeurer dans le cadre
de ces Journées Bibliques [6] et aussi pour des raisons moins contingentes [7],
notre propos se bornera au texte de *Luc*. Une autre précision : le titre
de cet exposé parle des « formes les plus anciennes » de ce texte ; cette
formule est un raccourci qui veut désigner d'une part les formes les
plus anciennement attestées et, d'autre part, le texte original qui,
pour être hypothétique, n'en est pas moins la forme la plus ancienne du
texte.

I

1. A la veille de la publication de P[75], la situation en matière d'histoire
ancienne et de critique du texte des évangiles ne manquait pas d'être
quelque peu paradoxale. Les variantes que l'on a l'habitude de rassembler
sous l'étiquette de « texte occidental » [8] s'affirmaient plus que jamais,
dans l'ensemble, comme les variantes les plus anciennement et, du
point de vue géographique, les plus largement attestées [9]. Elles apparais-
saient donc comme les plus proches du texte primitif. Le texte de B, quand
à lui, comme le texte « neutre » dont il semblait bien le meilleur témoin,
faisait figure de texte local ou tout au plus régional, inconnu ou peu
s'en fallait [10] hors des frontières d'Égypte. Quant à la date d'apparition

---

6. Un premier état de cet exposé a été lu aux Journées Bibliques 1968 de Louvain
(21-23 août) consacrées à l'*Évangile de Luc*, sous le titre « Les formes les plus
anciennes du texte de Luc » (Octobre, 1968).

7. En critique textuelle du *N.T.*, il est toujours préférable de travailler d'abord
livre par livre ; dans P[75], *Luc* est plus longuement attesté que *Jean* et c'est à lui
qu'est consacrée la seule monographie publiée qui traite de P[75], celle de C. M. MAR-
TINI : *Il problema della recensionalità del codice B alla luce del papiro Bodmer XIV*
(Anal. Bibl., 26), Rome, 1966.

8. Il est connu et admis depuis longtemps que « ce » texte n'est pas uniquement
occidental. D'autre part il semble bien qu'il ne s'agit pas d'*un* texte, mais de plusieurs
formes de texte. Celle que caractérisent les *western interpolations* et *non-interpolations*
a sans doute été la plus répandue et la plus influente ; elle est aussi la plus facilement
isolable ; mais elle n'est pas la seule.

9. Cfr J. DUPLACY, *Où en est la critique textuelle du Nouveau Testament ?*, Paris,
1959, p. 53-56.

10. Quoiqu'il en soit du texte « césarien », il reste en effet, semble-t-il, le problème
posé par la présence en Palestine, à une époque ancienne (Origène), de variantes
« alexandrines », cfr DUPLACY, *Où en est* (n. 9), p. 54 s.

de ce texte, le témoignage de P[66] avait encore renforcé celui des citations de Clément d'Alexandrie et d'Origène : une partie appréciable de ses variantes existant déjà aux environ de 200, il plongeait au moins quelques racines dans le IIe siècle [11]. Néanmoins la forme achevée de ce texte, même si l'on renonçait à la mettre en relation avec Hésychius [12], ne pouvait guère prétendre à une date plus haute que le IIIe siècle. D'un côté, on se trouvait donc en face d'un « texte occidental » largement attesté à une époque très ancienne ; de l'autre, on avait affaire à un texte de diffusion limitée et, selon toute probabilité, sensiblement plus jeune. Néanmoins cette situation n'empêchait pas l'ensemble de la critique d'accorder beaucoup plus de crédit au second texte qu'au premier, quand il s'agissait de rétablir le texte du Nouveau Testament dans sa forme originelle. C'est là que se trouvait le paradoxe.

2. Raconter en détail comment s'était créé cet état de chose un peu étonnant — du moins pour le profane — déborderait le cadre de cet exposé [13]. Nous nous contenterons de noter l'essentiel.

La prédominance critique du plus jeune texte était certes dûe, pour une part, à des considérations venues de l'histoire du texte. Si Westcott et Hort par exemple ont abandonné le texte syrien et son avatar, le *textus receptus*, au bénéfice du texte « neutre », c'est, en partie du moins, parce que l'attestation de ce dernier s'avérait plus ancienne. Mais cette explication est évidemment insuffisante. L'influence de l'histoire du texte n'a pas été seule à jouer. Sinon le texte « neutre » aurait été abandonné à son tour au profit de son « aîné », le « texte occidental ». Or, dans l'ensemble, rien de tel ne s'est produit. D'autres facteurs sont donc intervenus, des facteurs purement critiques, qui relevaient de la critique interne. Le fait est clair chez Westcott et Hort — l'épithète « neutre » est au demeurant une épithète critique et non pas historique. Il est plus clair encore chez un Bernard Weiss ou chez un Lagrange, pour ne nommer que deux des plus grands.

---

11. Sur les résultats des premiers travaux consacrés à P[66] : Édouard MASSAUX, *Le* Papyrus Bodmer II *(P[66]) et la critique néotestamentaire*, dans *Sacra Pagina* (éd. J. COPPENS, A. DESCAMPS, Éd. MASSAUX), Paris-Gembloux, 1959, I, p. 194-207.

12. Sidney JELLICOE maintiendrait plutôt cette relation: *The Hesychian Recension Reconsidered*, dans *JBL*, 32 (1963), 409-418. Mais son article ignore encore P[75]. Alberto VACCARI n'en parle pas non plus : *The Hesychian Recension of the Septuagint*, dans *Biblica*, 46 (1965), 60-66. Même après P[75] d'ailleurs, le problème de la « recension d'Hésychius » n'est pas totalement et absolument clos (cfr *infra*, p. 127).

13. Il serait facile de le faire en utilisant le texte et les indications bibliographiques de A. F. J. KLIJN, *A Survey of the Researches into the Western Text of the Gospels and Acts*, Utrecht, s.d. (= 1949), et *A Survey of the Researches into the Western Text*, dans *Nov. Test.*, 3 (1959), 1-27, 161-173 ; MARTINI, *Il problema*, p. 1-39 (pour le texte « neutre »).

3. Cette double influence de l'histoire du texte et de la critique expliquait encore une autre position très répandue chez les spécialistes. La majorité d'entre eux alliaient cette estime générale pour la valeur critique du texte « neutre » à la conviction que ce texte ou, en tout cas, le texte de B, son meilleur représentant, était le résultat de la « recension » plus ou moins superficielle ou profonde d'un texte antérieur [14]. Le plus souvent, cela signifiait, dans l'esprit des spécialistes qu'entre le texte original et le texte attesté par B s'étaient immiscés un certain nombre de facteurs déformants dont on pouvait déceler au moins quelques tendances. L'autonomie de la critique vis-à-vis du texte « neutre » se trouvait ainsi sauvegardée. Il était permis de s'en réjouir.

II

1. L'équilibre délicat que nous venons d'évoquer court le risque de se modifier rapidement sous l'influence de P[75]. Un exemple suffira à le montrer, que nous emprunterons au domaine des éditions manuelles du Nouveau Testament. En *Lc.*, XXIV, le *Greek New Testament* des *United Bible Societies* a admis dans son texte — entre crochets, il est vrai — sept de ces variantes « neutres » de première grandeur que sont les *western non-interpolations*. Cinq d'entre elles sont encore reléguées à l'apparat de la 25e édition du « Nestle-Aland », mais K. Aland annonce qu'elles passeront purement et simplement dans le texte de la 26e édition [15].

La critique interne de ces variantes joue certainement un rôle appréciable dans cette évolution [16], mais il est néanmoins difficile de résister à l'impression que le témoignage et nommément la date de P[75] pèsent nettement sur la sensible balance critique [17]. A tort ou à raison, la liberté de la critique à l'égard du texte « neutre » est manifestement en cours de réduction.

---

14. Sur le type exact de ce texte (occidental, césaréen, proto-alexandrin, etc.), l'accord ne régnait pas, cfr MARTINI, *Il problema*, p. 88. Il n'existait pas non plus quant au type de « recension » auquel on pouvait songer (œuvre « instantanée » d'un homme ou résultat d'un processus graduel et collectif).

15. K. ALAND, *Die Bedeutung des* P[75] *für den Text des N.T.*, dans ses *Studien zur Überlieferung des N.T. und seines Textes* (Arbeiten zur nt. Textforschung, 2), Berlin, 1967, p. 155-172, voir p. 162.

16. C'est assez clair chez ALAND, *Die Bedeutung*, au niveau des principes (p. 156, 172) et de la pratique (p. 162-171). Ce le sera certainement aussi dans le volume qui justifiera les options textuelles du *Greek New Testament*.

17. Cfr ALAND, *Die Bedeutung*, p. 172 : « Aber man sollte P[75] doch dieselbe Aufmerksamkeit und dasselbe Vertrauen schenken wie früher der Kombination aus D, der Vetus Latina und der Vetus Syra. »

2. Personne jusqu'ici n'a mieux expliqué et fondé les raisons de cette influence de P[75] que le P. Martini dans le livre qu'il a récemment consacré au problème du caractère recensionnel du texte de *Luc* dans B, étudié à la lumière de ce papyrus [18]. C'est un travail remarquable : clair, méthodique, minutieux. Mais l'enquête est austère et plus d'un lecteur, globalement impressionné par ses qualités, risque de s'attacher surtout aux conclusions qui la couronnent, quitte à négliger telle ou telle de leurs nuances, à transformer leurs hypothèses en constatations ou encore à les majorer indûment sur quelque point [19]. Ces conclusions sont trop importantes et l'enquête qui les fonde est trop sérieuse pour ne pas mériter la plus grande attention.

Voici d'abord l'essentiel des résultats de l'enquête tels que les présente l'auteur [20] :

a) P[75] est textuellement plus proche de B que tout autre témoin ; une telle proximité entre deux manuscrits antiques du *Nouveau Testament* est un phénomène unique [21].

b) En particulier, la plupart des variantes, même orthographiques, propres à B se retrouvent dans P[75]. Presque toutes les différences qui séparent les deux textes sont minimes, peuvent s'expliquer comme des négligences de scribe et n'ont en tout cas aucun caractère systématique. Nous nous trouvons en présence d'une tradition strictement conservatrice.

c) Cette parenté textuelle des deux manuscrits rend « solidement probable » leur dépendance commune d'un ancêtre proche qui ne serait pourtant pas un ancêtre immédiat. La date de P[75] porte à situer cet archétype au plus tard à la fin du IIe siècle.

d) Il est dès lors impossible de considérer le texte de *Luc* dans B comme le résultat d'une recension effectuée au IIIe siècle ou *a fortiori* au début du IVe. D'autre part, reporter une telle recension au IIe siècle est une hypothèse peu probable, étant donné l'âge de l'archétype de P[75] et de B ainsi que le caractère strictement conservateur de la tradition textuelle où s'insèrent ces deux manuscrits.

---

18. MARTINI, *Il problema*.

19. Le P. Martini ne serait sans doute pas d'accord, par exemple, pour étendre sans plus aux *Actes* les résultats de ses recherches sur *Luc* dans P[75], comme le font E. HAENCHEN et P. WEIGANDT, dans *The Original Text of Acts*, dans *NTS*, 14 (1967-68), 469-481, spéc. p. 468 s.

20. Dans *Il problema*, p. 149-152, et *Problema recensionalitatis codicis B in luce papyri Bodmer XIV (P75)*, dans *Verb. Dom.*, 44 (1966), 192-196. J'ai essayé de condenser les conclusions exposées dans ces deux textes qu'ici ou là quelques nuances différencient. J'emploierai souvent, sans les indiquer par des guillemets, des formules empruntées à l'auteur.

21. On n'en trouve d'autres exemples, plus frappants encore à l'occasion, que parmi les manuscrits médiévaux.

e) Sans permettre de déductions directes concernant la valeur critique du texte « P[75] — B », ces conclusions historiques fournissent néanmoins divers indices favorables à cette valeur, spécialement dans le cas des *western non-interpolations* dont l'existence au IIe siècle est maintenant hors de doute.

f) Des recherches particulières seraient nécessaires pour savoir si et dans quelle mesure ces résultats, valables pour *Luc*, le seraient aussi pour d'autres livres du *Nouveau Testament*. Même pour *Jean*, il est indiqué d'être prudent.

Telle est donc la pensée du P. Martini, si j'en ai bien saisi les nuances et si je l'ai résumée sans la trahir. Nous y voyons clairement se dessiner le mouvement qui, de l'ancienneté de P[75] remonte à celle de l'archétype de P[75] et de B, puis à celle de la tradition dont cet archétype est le témoin, pour accroître enfin le poids critique du texte caractéristique de cette tradition. Que faut-il penser de ce mouvement, de ses étapes et de son terme ?

III

1. Nous commencerons par quelques remarques à propos de la datation de P[75] et de son archétype.

Les critiques auxquels nous avons fait allusion admettent que P[75] a été écrit au début du IIIe siècle. C'est la date « officielle », si l'on peut dire, celle qui est consignée dans la liste des manuscrits du *Nouveau Testament* [22]. En principe, pour les papyrus enregistrés par cette liste, les dates proposées ont été établies en tenant compte de l'avis de cinq papyrologues qualifiés [23]. Dans le cas de P[75], ils semblent en fait n'avoir été que trois [24], dont l'avis, il est juste de le noter, rejoint d'ailleurs à peu près celui des éditeurs du papyrus. D'autre part, à l'exception des éditeurs, ces papyrologues ne semblent pas avoir vu le papyrus lui-même et l'on ne sait pas si leur appréciation a été fondée sur l'examen d'une ou deux photos ou sur celui d'un fac-similé d'ensemble : ces détails ne sont pourtant pas sans quelque importance [25]. On sait aussi que la datation d'une écriture littéraire ancienne est une affaire délicate et varie souvent d'une époque ou d'un paléographe à l'autre [26]. Ajoutons

---

22. K. ALAND, *Kurzgefasste Liste der griechischen Handschriften des N.T.* (Arbeiten zur nt. Textforschung, 1), Berlin, 1963, p. 33.

23. ALAND, *Studien*, p. 103.

24. MARTINI, *Il problema*, p. 44, n. 7 (d'après une lettre de K. Aland). L'un des trois inclinait vers 175 environ.

25. Ainsi C. H. ROBERTS a eu tendance à rajeunir P[66] après avoir eu en main le fac-similé complet, cfr ALAND, *Studien*, p. 106, n. 1.

enfin une question de portée plus générale : même si *l'écriture* de P[75] date vraiment du début du IIIe siècle, qui peut dire si le papyrus a été écrit à cette époque par un jeune scribe qui venait de terminer son apprentissage ou bien 30, 40, 50 ans plus tard par un vieux scribe qui avait appris son métier vers le début du siècle [27] ? L'histoire ne s'écrit pas avec des possibilités, mais elle ne s'écrit pas non plus sans en tenir compte. Finalement, dans le cas qui nous occupe, mieux vaut donc ne pas oublier que la datation « début du IIIe siècle » n'est pas une « constatation » [28] sur laquelle on pourrait construire un édifice inébranlable, mais une hypothèse que son sérieux n'empêche pas de demeurer approximative et sujette à révision [29].

Nous arrivons maintenant à un autre problème délicat : la datation du modèle de P[75] ou peut-être même de l'ancêtre commun le plus proche de P[75] et de B.

S'il ne s'agit que du modèle de notre papyrus, il est tout à fait permis de le situer « une génération » plus tôt [30], mais à une condition : ne pas oublier que cette approximation peut pécher par excès ou par défaut. Et, comme cette possibilité vient s'ajouter à la marge d'incertitude qui affecte la datation de P[75], il serait plus prudent de dire par exemple que son modèle peut dater du IIe siècle ou des environs de 200 ou de la première moitié du IIIe.

---

26. On peut s'en rendre compte aisément en parcourant les datations indiquées par ALAND, *Studien*, p. 103-106 ou en comparant les dates de ALAND, *Kurzgefasste Liste*, avec celles de ALAND, *Studien*, p. 92 ou de G. CAVALLO, *Ricerche sulla maiuscola biblica*, vol. 1, Florence, 1967 ; cfr J. DUPLACY, *Bulletin de critique textuelle du N.T. III/1*, § 11, dans *Biblica*, 49 (1968), p. 524-529. Voir aussi le cas de P[66] où les dates extrêmes qui furent proposées étaient « avant 150 » et « IVe siècle », cfr DUPLACY, *Bulletin I/1 (supra*, n. 4), p. 251, et celui de P[4] ; cfr aussi *infra* n. 50.

27. Ces chiffres ne sont pas invraisemblables. Au moment de la Renaissance (qui est la seule époque à nous avoir légué des séries importantes de mss. signés et datés provenant d'un même copiste), si le cas d'Antoine Éparque qui écrivit au moins de 1506 à 1570 reste isolé, les carrières de copistes d'une durée de 30 à 50 ans ne semblent pas avoir été rarissimes : Jean Thettalos (52 ans), Jean Rhosos (50 ans), Constantin Lascaris (49 ans), Cyrille (40 ans), etc., d'après M. VOGEL-V. GARDTHAUSEN, *Die griechischen Schreiber des M.-A. und der Renaissance*, Leipzig, 1909 ; réimpr. Hildesheim, 1966 ; *passim*.

28. Ce mot a échappé au P. Martini (*Il problema*, 41).

29. L'importance de la date de P[75] m'avait fait écrire : « Souhaitons donc que plusieurs papyrologues nous fournissent une datation aussi précise que possible ou aussi vague que nécessaire et, autant que faire se peut, dûment motivée. » (*Bulletin I/1 [supra* n. 4], 259 s.). Mon vœu n'est pas entièrement comblé. Quant à l'origine du papyrus, aucun renseignement direct n'a filtré concernant sa provenance immédiate, mais il faut très probablement songer à l'Égypte. Dès lors, et étant donné aussi la forme du texte, on peut situer là aussi son lieu de copie, mais sans certitude.

30. ALAND, *Die Bedeutung (supra*, n. 15), p. 163.

S'il s'agit du « plus-proche-commun-ancêtre » [31], deux cas sont théoriquement possibles. Si cet ancêtre a été en même temps le modèle de P[75], nous retrouvons la situation précédente. Mais, si cet ancêtre a été en réalité un ancêtre du dit modèle, nous serions invités à vieillir quelque peu le texte de notre papyrus.

C'est le P. Martini qui a eu le mérite de poser ce problème difficile de « l'archétype » ou du « plus-proche-commun-ancêtre » de P[75] et de B. Pour suivre et apprécier comme il convient son enquête dans sa minutieuse complexité, quelques précisions méthodologiques préliminaires ne seront peut-être pas inutiles [32].

2. Comme toute autre critique textuelle, la critique du *Nouveau Testament* comporte des étapes successives ou, si l'on préfère, des aspects divers. Chacun d'eux constitue un monde ou du moins un secteur à part, avec ses problèmes et ses méthodes propres [33]. Il importe de respecter leur autonomie, en théorie et en pratique.

La première tâche de la critique est d'inventorier ses sources soit directes (manuscrits grecs), soit indirectes (citations grecques, versions et citations des versions). C'est un travail proprement documentaire que couronnent la datation et la localisation de tous ces témoins du texte. La datation de P[75] est par exemple un problème qui relève de cette première étape [34].

Dominer cette immense documentation est une tâche difficile. Pour le faire, il est dès lors indispensable, surtout lorsqu'il s'agit d'un livre ou de l'ensemble du *Nouveau Testament*, de classer les témoins, de les grouper selon la teneur de leur texte dans tous les passages où le texte originel a subi des variations. Poursuivi depuis le XVIIIe siècle, cet objectif peut être atteint par diverses voies, plus ou moins rigoureuses [35].

---

31. Cette formule, malheureusement un peu longue, serait probablement plus exacte que le terme d'archétype, si toutefois on donne à ce dernier le sens précis proposé par A. DAIN, *Les manuscrits*, 2e éd., Paris, 1964, p. 108 s., cfr p. 122 s.

32. A certains cet *excursus* apparaîtra comme une série de banalités : ils voudront bien m'en excuser. Mais les distinctions ainsi rappelées ne sont pas toujours clairement perçues ou énoncées.

33. Ce qui n'empêche évidemment pas et, en un sens, ne doit pas empêcher toutes sortes d'interférences et de corrélations.

34. Les aspects et les exigences actuelles de ce travail documentaire ont été récemment rappelés par J. DUPLACY, *Histoire des manuscrits et histoire du texte du N.T. Quelques réflexions méthodologiques*, dans *NTS*, 12 (1965-66), 124-139.

35. Le P. Martini a présenté, avant de les utiliser, celles qui sont le plus couramment employées aujourd'hui (*Il Problema*, p. 66-68) ; voir, depuis : Eldon Jay EPP, *The Claremont Profile-Method for Grouping New Testament Manuscripts*, dans *Studies in the History and Text of the N.T. in honor of K.W. Clark*, éd. B. L. DANIELS et M. J. SUGGS (Studies & Doc., 29), Salt Lake City, 1967, 27-38. Mais le P. Martini rassemble ici des problèmes méthodologiques qui relèvent les uns du groupement textuel des mss., les autres surtout de l'histoire (J. N. Birdsall) ou de la critique

En soi, ces groupements textuels de témoins sont formels et abstraits, extratemporels et extraspatiaux [36]. Il est parfaitement possible ici de dire que le texte de la famille 13 ou celui de P[66] sont intermédiaires entre le texte de D(05) et celui de B. Nous sommes dans un domaine purement formel, systématique où l'épithète « intermédiaire » n'a aucune portée chronologique ou *a fortiori* génétique.

Les problèmes de chronologie et de localisation des états du texte ainsi distingués consituent le secteur propre de l'histoire du texte. En utilisant les datations et les localisations des documents, en tenant compte des groupements textuels établis, l'histoire du texte a en effet pour premier objectif de distribuer dans le temps et dans l'espace les formes majeures ou les variétés mineures du texte [37]. C'est dire qu'elle ne connaît ni bonnes ni mauvaises formes du texte ou variantes, ni additions ni omissions, etc. Ces qualifications ne relèvent pas de sa compétence.

Restituer des formes disparues du texte à partir de celles qui sont attestées, c'est le rôle dernier de la critique textuelle, sa principale raison d'être. C'est cet aspect de son travail, le plus purement critique et aussi le plus hypothétique, que nous viserons en parlant de critique pure ou simplement de critique. Cette critique peut se situer à divers niveaux. Il y a par exemple ce qu'on peut appeler « la critique d'archétype ». Son ambition propre est de restituer le texte d'un manuscrit disparu à partir d'un groupe de manuscrits conservés qui sont tellement proches par leur texte ou, plus généralement, leur contenu [38] que cette parenté postule un ancêtre commun assez peu éloigné. C'est le cas par exemple de la famille 13 ou des manuscrits gréco-latins de *Paul* ou de P[75] et de B [39]. En un sens il s'agit ici encore d'histoire du texte. Mais

---

(G. D. KILPATRICK). Il ne respecte donc pas suffisamment les distinctions dont je plaide ici même l'importance ; nous verrons que ce n'est pas sans quelques dommages pour certains aspects et certains résultats de son enquête.

36. Cette abstraction se justifie par le fait que l'âge d'un texte et l'âge du ms. qui le porte sont deux réalités dissociables. On se trouve ici dans un domaine « quasi-mathématique » où les machines électroniques pourront rendre service, cfr J. FROGER, *La critique des textes et son automatisation* (Initiation aux nouveautés de la science, 7), Paris, 1968.

37. C'est une tâche qui n'est généralement pas simple, surtout lorsque l'histoire des textes s'enhardit jusqu'à affronter le domaine des relations génétiques entre les diverses formes du texte (cfr *infra*, n. 40).

38. Il n'est en effet guère possible ici de se dispenser d'inclure dans les enquêtes des données qui, pour ne pas être à proprement parler textuelles, peuvent néanmoins éclairer les interrelations éventuelles des mss. : accentuation, ponctuation, abréviations, petites et grandes divisions du texte, mise en page, titres, etc.

39. Nous sommes ici dans un domaine où une généalogie, au moins hypothétique, des mss. n'est pas déplacée. Ce qui la rend difficile, c'est la disparition plus ou moins large de mss. intermédiaires ainsi que les phénoménes de contamination, de transmission horizontale, c'est-à-dire d'importation dans la descendance d'un « arché-

les recherches se limitent à un secteur très réduit de la tradition textuelle ; elles recourent à des données et emploient des méthodes qui leur
sont propres ; elles comportent presque toujours une assez grande part
de critique pure. Mieux vaut dès lors, semble-t-il, parler ici d'histoire
des manuscrits. L'histoire des textes au sens propre peut d'ailleurs
comporter, elle aussi, une large part de critique pure [40]. Reste enfin
la dernière, mais non la moindre critique, celle qui tend à retrouver
la teneur originelle du texte, soit par le choix d'une des formes attestées,
soit par la restitution conjecturale d'une forme disparue, soit même
par la correction éventuelle d'une erreur de « l'original ». C'est ici et
ici seulement que des jugements de valeur critiques ont à être portés
sur les variantes du texte.

Ces précisions rappelées, nous pouvons revenir avec profit à l'examen
de l'enquête du P. Martini.

3. L'ensemble de cette enquête met bien en lumière l'étroite parenté
qui rapproche P[75] et B pour le texte de *Luc*. L'auteur est ainsi amené
à se demander si B n'aurait pas été copié sur P[75] ou si les deux manuscrits
n'auraient pas eu le même modèle [41]. Sa conclusion est alors « purement négative » : rien ne prouve une parenté aussi proche [42]. Un peu
plus loin, il estime « difficile de montrer qu'une telle affinité dérive
d'une source assez proche » [43]. Il semblerait donc qu'il considère encore
comme possible, à la limite, que P[75] soit le père ou le frère de B. Néanmoins il laisse de côté ces hypothèses [44] et se tourne vers celle « d'une
commune tradition textuelle plus antique dans une ambiance de conservation textuelle rigide » [45], autrement dit, vers l'hypothèse d'un « archè-
type » plus éloigné qu'il finira par situer « quelques décades » avant
P[75] [46]. Cette conclusion progressivement acquise appelle quelques
observations.

Tout d'abord, le P. Martini n'examine nulle part de front la possibilité
suivante : si B, comme il l'a pratiquement démontré, n'est pas une copie

---

type » de variantes qui proviennent de la descendance d'un autre « archétype » —
c'est un cas particulièrement fréquent dans une tradition manuscrite aussi dense
que celle du N.T.

40. Quand on essaie de résoudre les problèmes de genèse et d'interrelations des
grands types de texte, la part des hypothèses est encore plus grande que dans le
cas d'un groupe restreint de mss., car les intermédiaires disparus et les cas de
contamination sont plus nombreux.

41. *Il problema*, p. 62.

42. *Il problema*, p. 64 s.

44. En attendant de déclarer, à la fin de son livre (*Il problema*, 149) — sans
arguments nouveaux, si je ne m'abuse — que l'impossibilité d'une parenté aussi
proche est « solidement probable ».

45. *Il problema*, p. 82.

46. *Il problema*, p. 149.

de P⁷⁵, ne pourrait-il pas en être au moins un descendant indirect ? Cette possibilité n'est écartée que par la bande, lorsque l'auteur estime B plus proche de l'archétype que P⁷⁵ [47]. L'hypothèse méritait sans doute plus d'attention, car, tant qu'elle n'est pas fermement exclue, il n'y a pas à supposer un « archétype » plus ou moins ancien de P⁷⁵ et de B.

Il faut souligner, en second lieu, que nous nous trouvons ici devant un problème qui relève moins de l'histoire du texte que de l'histoire des manuscrits. Il doit donc être traité comme tel. D'une part, semble-t-il, l'enquête aurait éventuellement gagné à inclure non seulement le texte, mais d'autres aspects du contenu des deux manuscrits [48]. Elle avait sans doute aussi à tenir compte non seulement de deux manuscrits, mais de tous les manuscrits qui en étaient proches par le texte et la date. Je pense par exemple à P⁴ qui contient quelques passages de *Luc*, est signalé depuis longtemps comme très proche de B [49] et daterait du IIIᵉ siècle [50].

Il est possible que ces petites imperfections de l'enquête n'aient pas grande portée. Mais mieux vaudrait s'en assurer. Et, de toute manière, qui peut dire s'il a fallu « quelques décades » ou quelques années pour passer du texte de « l'archétype » supposé à celui de P⁷⁵ ? Tout dépend ici de facteurs que nous ignorons totalement : le nombre et la qualité des copies qui ont séparé les deux manuscrits. Habituellement, l'histoire des textes ou même des manuscrits peut se permettre quelques approximations. Dans le cas qui nous occupe, il semble que

---

47. Comme il le rappelle en terminant son livre (*Il problema*, p. 148).

48. Cfr *supra*, n. 38. A vrai dire, le P. Martini a songé à ces données « extra-textuelles » — mais en dehors du problème de la relation généalogique de P⁷⁵ et de B (*Il problema*, 44-46) et sans s'y arrêter, parce qu'il estimait son étude « consacrée à la teneur verbale du texte » (*ib.*, 45), alors qu'en fait, pensons-nous, elle concerne très largement un problème d'histoire des mss. Un détail, peu ou pas remarqué, à ce propos : le début de *Luc* manque dans notre papyrus, mais, à en juger par la *suscriptio* de *Luc* et l'*inscriptio* de *Jean*, l'*inscriptio* de *Luc* devait être ευαγγελιον κατα Λουκαν et non κατα Λουκαν comme dans B. Autrement dit, c'est le ms. le plus récent qui présente la formule habituellement considérée comme la plus archaïque. Qu'en était-il dans l'archétype ?

49. H. VON SODEN, *Die Schriften des N.T.*, I/2-3, Berlin, 1907, p. 908 (= ε 34) ; M.-J. LAGRANGE, *La critique rationnelle*, Paris, 1935, p. 118-124 ; J. MERELL, *Nouveaux fragments du Papyrus 4*, dans *Rev. Bibl.*, 47 (1938), 5-22, spéc. p. 7-8. Le P. Martini n'ignore évidemment pas P⁴ ; mais il ne l'utilise pas dans les perspectives dont nous parlons.

50. D'après ALAND, *Kurzgef. Liste*, 29. Les dates qui ont été avancées pour P⁴ sont assez diverses : VIᵉ (Scheil, von Soden), Vᵉ (Hedley), IVᵉ (Grenfell et Hunt, Kenyon, Collart, Dain), IIIᵉ et « autour de 200 » (s'il s'avérait que P⁴ provient bien du même codex que P⁶⁴ et P⁶⁷, cfr K. ALAND, *NTS*, 12 (1965-66), 193-195) ; cfr ALAND, *Studien* (*supra*, n. 15), p. 104 s. et *Kurzgef. Liste*, p. 32 s., ainsi que MERRELL, *Nouveaux fragments* (*supra*, n. 49), p. 3.

la datation très ancienne possible pour P⁷⁵ invite au maximum de rigueur et de réserve.

Dans l'esprit du P. Martini, l'âge de l'archétype est d'ailleurs, probablement, une question moins importante pour sa démonstration que le caractère strictement conservateur de la tradition textuelle représentée par ces deux manuscrits. Ce caractère l'invite à penser en effet que le texte de B, de P⁷⁵ et de leur « archétype » s'enfonce profondément dans le passé, c'est-à-dire dans le IIᵉ siècle, à une « époque où il était encore possible d'avoir accès à des manuscrits pas trop éloignés des originaux »[51].

Le terrain sur lequel nous sommes ainsi invités à nous engager est peut-être attirant, mais il paraît peu sûr. Remarquons d'abord que, si l'on considère P⁷⁵ et B, c'est toujours par rapport au texte de l'archétype que devraient être appréciés les caractères de la tradition qui en découle. Or, si le P. Martini se place assez souvent dans cette perspective, il compare plus souvent le texte de B à celui de P⁷⁵ — comme si B descendait de P⁷⁵, ce qu'il rejette. Ajoutons qu'ici encore non seulement P⁷⁵ et B, mais d'autres manuscrits relevant de la même tradition avaient à être pris en considération. En effet constater que deux manuscrits ont à très peu près le même texte ne prouve pas grand'chose quant aux traits distinctifs de toute une tradition. Il suffit qu'un tout petit nombre de scribes aient bien fait leur métier.

Nous pouvons mieux apprécier maintenant la valeur exacte du raisonnement qui ajoute à l'âge de P⁷⁵ l'âge de son modèle ou de son archétype et à l'âge de ce dernier l'âge de son texte pour remonter à une époque où miroite la proximité de l'original. Chacune des étapes de ce raisonnement comporte une marge d'incertitude plus ou moins large. Il est certes possible, peut-être vraisemblable, peut-être même probable, si l'on veut, que la plus ancienne attestation (hypothétique) du texte « P⁷⁵ — B » de *Luc* soit à situer vers la fin ou dans la seconde moitié du IIᵉ siècle. Mais, dans l'état actuel de nos connaissances, on ne voit aucun argument qui permette d'exclure une date un peu plus basse.

4. Admettons néanmoins la première hypothèse. Est-elle incompatible avec le caractère éventuellement recensionnel du texte « P⁷⁵ — B » ?

Le P. Martini a bien montré qu'entre le texte de P⁷⁵[52] et celui de B, il n'y avait pratiquement pas trace d'une véritable recension. Tout au plus peut-on songer à une révision assez superficielle. Mais que s'est-il passé entre le temps de la rédaction et de la diffusion du texte de *Luc*

---

51. MARTINI, *Il problema*, p. 150.
52. Il faudrait pouvoir dire, sans plus : « entre le texte de l'archétype de P⁷⁵ et de B ».

d'une part et, d'autre part, l'époque où l'on peut situer hypothétique-
ment la plus ancienne attestation du texte « P[75] — B » ?

Les premières attestations du « texte occidental », note le P. Martini [53],
apparaissent dans la seconde moitié du IIe siècle. Elles sont donc antérieures de peu à la date probable de « l'archétype » de P[75] et de B. Cette
proximité rend « peu probable » ou même « extrêmement difficile » une
« opération critique de grande portée » [54]. Bien des lecteurs, sinon le
P. Martini, seront tentés de conclure que le texte « P[75] — B » n'est donc
pas un texte recensé.

Une première remarque à ce propos. L'âge des premières attestations
du « texte occidental » est une chose, l'âge de ce texte en est une autre.
La diffusion géographique des variantes dites « occidentales » aux environs
de 150-200 invite au moins à penser que leur existence est sensiblement
plus ancienne. Une « opération critique de grande portée » aurait donc
pu disposer en réalité d'un peu plus de temps que ne l'envisage le P.
Martini. Une seconde remarque s'impose : pourquoi ne laisser seuls en
présence, dans l'arène de l'histoire du texte, que deux adversaires
irréconciliables ? Vers la fin du IIe siècle et en Égypte même, cette
arène était mieux garnie. Les citations gnostiques [55], celles de Clément
et d'Origène, le témoignage de P[66] et de P[45], entre autres, nous invitent
à le penser. Entre le « texte occidental » et le texte « P[75] — B », il existait
d'autres formes de texte. Comme le P. Martini l'a rappelé lui-même [56],
plus d'un historien du texte a pensé qu'un de ces textes « intermédiaires »
aurait pu servir de base à la recension dont serait issu le texte « neutre ».
L'opération critique n'aurait eu alors qu'une portée limitée. Ajoutons
enfin que, radicale ou non, une recension effectuée par un individu [57]
peut ne pas demander beaucoup de temps.

Quoiqu'il en soit du reste de ces considérations qui impliquent trop
de chronologie incertaine, un dilemme semble finalement inévitable.
Si le texte « P[75] — B » n'est pas le résultat « d'une opération critique
de grande portée », c'est le « texte occidental » qui est le fruit d'un traitement de ce genre, exécuté avant 150-200. Autrement dit, à une époque
ancienne, très ancienne peut-être, il y a certainement eu une recension
qui a produit soit le texte « P[75] — B », soit le « texte occidental ». Et

---

53. *Il problema*, p. 150.

54. *Il problema*, p. 150 ; cfr PORTER, *Papyrus Bodmer XV* (*supra*, n. 4), p. 375.

55. Cfr par exemple L. CERFAUX, *Remarques sur le texte des Évangiles à Alexandrie au IIe siècle*, dans *Eph. Theol. Lov.*, 16 (1939), 674-682, et *Recueil Lucien
Cerfaux*, I, Gembloux, 1954, p. 487-498 — à quoi il faudrait ajouter certaines
« citations » des écrits gnostiques de Nag-Hammadi (l'*Évangile de Thomas* par
exemple).

56. Cfr *supra*, p. 114 et n. 14.

57. C'est une des hypothèses rejetées par Martini (*Il problema*, 150), dans la
perspective d'une « mutation » brusque du « texte occidental » au texte « P[75]-B ».

il y a eu aussi d'autres opérations critiques qui ont abouti aux textes
« intermédiaires ». L'histoire du texte en tant que telle ne peut rien dire
de plus [58].

5. Partis d'un problème d'histoire des manuscrits, nous voici arrivés,
à la suite du P. Martini, en pleine histoire du texte. C'est normal, car
l'histoire des manuscrits, au moins par ses conclusions, rejoint l'histoire
du texte. Mais c'est un peu inquiétant : l'histoire des manuscrits et
l'histoire du texte en effet, comme nous l'avons rappelé, n'utilisent pas
les mêmes méthodes et nous risquons donc d'avoir pénétré, en compagnie
de notre guide, dans un domaine qui nous invite à changer d'équipe-
ment. En d'autres termes, nous avons encore une fois, la dernière,
à nous poser des questions de méthode. Il y en aura deux.

Un moment ou un aspect important de l'histoire du texte peut-il
être étudié sans tenir compte de tous les témoins de cette histoire ?
S'il fallait répondre par oui ou par non à cette première question, nous
choisirions sans grande hésitation la réponse négative. Seules en effet,
à notre avis, l'étendue et la complexité d'une telle documentation peut
préserver des hypothèses trop simples, même quand il s'agit d'un problème limité. Très légitimement, le P. Martini n'a pas voulu s'engager à
fond dans la voie d'un tel élargissement. Mais, par bonne fortune, nous
disposons d'un ouvrage récent qui a tenté cette aventure : le livre de
R. Kieffer, *Au-delà des recensions ? L'évolution de la tradition textuelle
dans Jean VI, 52-71* (Lund, 1968). Malheureusement pour nous, comme
ce titre l'indique, l'enquête ici ne concerne pas *Luc*, mais *Jean* et, dans
Jean, 19 versets seulement. Nous ne devrons pas oublier ces limites.
Mais le P. Kieffer, pour le passage en question, a collationné complètement tous les papyrus y compris P[75], 29 onciaux dont B, plus de 100 minus-
cules, une douzaine de lectionnaires, toutes les versions anciennes et
près de 700 citations grecques, latines, syriaques, coptes et arméniennes.
C'est dire que P[75] et B se trouvent ici entourés d'une documentation
très riche, la plus riche qui ait jamais été rassemblée pour un passage
du *Nouveau Testament* grec. A sa lumière, l'auteur étudie pour chaque
variation l'histoire et la critique du texte. Ses conclusions ont donc
quelque intérêt pour nous.

Les voici en ce qui concerne le texte « alexandrin » [59]. Ce texte, estime
le P. Kieffer, n'est pas homogène [60]. Il semble comporter deux stades

---

58. Ses conclusions rejoignent d'ailleurs quelques allusions que font les écrivains
chrétiens du IIe siècle et du début du IIIe aux « recensions » subies par le texte
du N.T. à ces hautes époques ; Marcion n'est qu'un cas extrême parmi d'autres,
cfr A. BLUDAU, *Die Schriftfälschungen der Häretiker* (Nt. Abh., XI/5), Münster
i.W., 1925.

59. *Op. cit.*, p. 214-223, 244 s.

60. Le P. Kieffer ne parlerait donc pas volontiers de « tradition strictement
conservatrice ».

ou deux formes. L'un des textes, plus « sauvage », « partiellement conservé en P⁶⁶ — ℵ » serait le « fruit de modifications plus ou moins arbitraires... opérées en Égypte, probablement à Alexandrie... au cours du IIᵉ siècle ». L'autre proviendrait d'une « recension qui, dès le IIᵉ siècle, a imposé en Égypte... un texte généralement meilleur... Cependant... cette recension a corrigé le texte primitif ». Et le P. Kieffer d'évoquer alors en note les témoignages que nous possédons sur les recensions du texte au IIᵉ siècle (cfr *supra*, n. 57). Remarquons au passage que, s'il situe à une date aussi haute la seconde recension, c'est-à-dire l'apparition du texte « P⁷⁵ — B », c'est sous l'influence du livre du P. Martini auquel il renvoie à ce propos. En dépit de cette influence, ses vues s'intégreraient, on le voit, plus aisément dans ce que nous avons dit de l'histoire du texte au IIᵉ siècle que dans les conclusions du P. Martini. Mais, encore une fois, il s'agit de *Jean* et non de *Luc* et d'un seul passage, très bref. Quand nous disposerons du grand apparat de *Luc* qui se prépare en Grande-Bretagne et en Amérique, nous pourrons voir ce qu'il en est pour cet évangile.

En attendant, nous pouvons néanmoins continuer de penser que la meilleure des enquêtes consacrées à l'histoire des manuscrits, fussent-ils très anciens, ne doit pas hésiter à élargir considérablement ses horizons, lorsqu'elle débouche dans l'histoire du texte.

5. En vérité, les horizons de l'enquête du P. Martini sont sensiblement plus larges que nous ne l'avons laissé supposer jusqu'ici. Lorsque cette enquête aborde l'étude de la parenté textuelle de P⁷⁵ et de B au moyen de la *Multiple Method*, elle prend en effet en considération d'autres témoins du texte que P⁷⁵ et B [61]. Et, quand elle se consacre longuement aux caractères dits « recensionnels » de B, ses horizons textuels s'élargissent encore, semble-t-il [62].

L'emploi de la *Multiple Method* n'appelle aucune remarque : le but ainsi visé est parfaitement atteint — il s'agit de mettre en lumière l'étroite parenté textuelle de P⁷⁵ et de B. Par contre l'étude de la *recensionalità* de B, qui constitue la partie essentielle de l'enquête, doit retenir notre attention. Sous l'influence d'une prise de position méthodologique de J. N. Birdsall [63], le P. Martini a décidé ici d'inclure dans ses recherches un examen de la valeur critique des variantes [64]. De fait, dans cette étape finale et capitale de son enquête, il examine non seulement le problème du caractère recensionnel du texte de B à la lumière de P⁷⁵ — un

---

61. MARTINI, *Il problema*, p. 66-85.
62. *Il problema*, p. 86-148.
63. Dans *The Bodmer Papyrus of the Gospel of John*, Londres, 1960 ; cfr J. DUPLACY, *Bulletin* I / 1 (*supra*, n. 4), p. 250 s. (où j'essayais de montrer, assez mal d'ailleurs, ce que les positions de Birdsall pouvaient avoir d'excessif).
64. *Il problema*, 67.

peu comme si B était un descendant de P[75] (cfr *supra*, p. 120) — mais il étudie aussi le caractère recensionnel du texte « P[75] — B » à la lumière du texte original critiquement restauré. Au fond, il s'agit ici d'apprécier la valeur critique du texte de l'archétype de nos deux manuscrits. Or ce texte est la dernière « donnée », en partie hypothétique d'ailleurs, que puisse nous fournir l'histoire de la tradition manuscrite et du texte. En suivant le P. Martini, nous franchissons donc une des « frontières » — et la plus importante — de celles dont nous avons rappelé plus haut l'existence (pp. 116-118) : nous entrons dans le domaine de la critique pure. En un sens, ce franchissement est parfaitement légitime et même, à la limite, inévitable. L'histoire du texte ne peut en effet s'achever, en dévoilant les tendances des variantes isolées et des divers types de texte, qu'une fois établie la teneur du texte original [65]. Mais il n'en reste pas moins que l'option méthodologique du P. Martini présente un certain danger au niveau des conclusions de son enquête : l'affirmation que le texte « P[75] — B » est issu d'une « ambiance de rigoureux respect de la lettre » [66] risque en effet de paraître au lecteur uniquement fondée sur « l'objectivité » de l'histoire de la tradition manuscrite et du texte [67], alors qu'en réalité elle repose aussi sur des jugements critiques qui, de soi, sont plus « subjectifs » [68] et, en tout cas, d'un autre ordre. Il aurait certainement été préférable d'attirer l'attention du lecteur sur ce point pour lui éviter de succomber à la tentation. Fallait-il aussi, dans le cours même de l'enquête, ne pas mêler le domaine de l'histoire et celui de la critique, mais les aborder successivement ? On peut en discuter. Mais cette manière de faire aurait au moins présenté l'avantage d'attirer l'attention du lecteur sur une frontière que, de toute manière, on lui faisait franchir.

Il est grand temps de conclure.

Nous ferons tout d'abord nôtre la mise en garde finale du P. Martini, quand il souligne qu'en toute rigueur ses conclusions ne sont valables que pour *Luc* [69]. Même s'il s'avérait que ses conclusions ou les nôtres

---

65. Cet établissement échappe d'ailleurs aux prises de la seule histoire du texte et demande l'intervention conjointe de la critique interne des variantes. Notons ici que c'est l'établissement du texte de *Jo.*, VI, 52-71 et non seulement son histoire qui permet au P. Kieffer d'arriver aux conclusions résumées ci-dessus.

66. *Il problema*, p. 150.

67. Le risque est d'autant plus grand que le P. Martini souligne alors vigoureusement que sa recherche ne concerne pas la valeur critique du texte de B (*Il problema*, p. 149).

68. Je dis bien « de soi », c'est-à-dire sur le plan des principes et de la méthodologie. Cela n'implique absolument pas une appréciation péjorative des jugements critiques portés *en fait* par le P. Martini — je serais même en général assez disposé à les adopter.

69. *Il problema*, p. 152, cfr 149.

doivent être étendues à *Jean* [70], on ne pourrait pas les considérer sans plus comme valables pour le reste du Nouveau Testament et encore bien moins pour le reste de la Bible. Cette remarque vaut en particulier pour le problème d'Hésychius. Savoir maintenant que le texte de *Luc*, tel qu'il se trouve dans le *Vaticanus*, existait déjà à quelques détails près, avant la fin du IIIe siècle est une chose. Considérer le problème d'Hésychius comme totalement et définitivement résolu [71] en est une autre. L'ἔκδοσις qu'on attribue à Hésychius contenait, comme le *Vaticanus*, la Bible entière et non seulement *Luc* ; d'autre part, une telle « édition » ne devait pas nécessairement comporter, surtout pour tous et chacun des livres intéressés, l'établissement d'un texte vraiment nouveau. L'apparition de P^{75} ne suffit donc certainement pas à régler une question aussi vaste et aussi complexe.

Cela dit, nous pouvons présenter l'essentiel de nos conclusions.

1. La date « officielle » de P^{75} — « début du IIIe siècle » — n'est pas une donnée, mais, en toute rigueur, une hypothèse paléographique qui comporte une part d'incertitude et d'approximation. Il faut d'autant moins l'oublier que nous sommes à une époque très haute et que, dans une large mesure, la valeur des autres conclusions dépend de ce point.

2. La proximité textuelle de P^{75} et de B est très grande, sans équivalent dans les premiers siècles. Le texte de B, à très peu près, existait donc déjà plus ou moins longtemps (selon la date admise pour P^{75}) avant la fin du IIIe siècle.

3. Les deux manuscrits sont si proches par leur texte qu'on peut et qu'on doit tenter, comme le fait le P. Martini, de préciser quel rapport génétique pourrait les unir.

4. Les recherches du P. Martini devraient être complétées pour que soit éventuellement mieux fondée l'hypothèse d'une dépendance des deux manuscrits vis-à-vis d'un ancêtre commun proche, mais non immédiat. Même après ces recherches, deux points resteraient très probablement fort incertains : le caractère strictement conservateur de la tradition à laquelle appartiennent les deux manuscrits ; l'ordre de grandeur du temps qui a séparé P^{75} de son modèle ou de « l'ancêtre commun ». Avancer une date pour la plus ancienne « attestation hypothé-

---

70. Comme le laisse prévoir l'étude de PORTER, *Papyrus Bodmer XV* (*supra*, n. 4), confirmée récemment par G. D. FEE, *Codex Sinaiticus in the Gospel of John*, dans *NTS*, 15 (1968-69), 23-44, spéc. p. 44.

71. Comme invitent à le penser PORTER, *Pap. Bodmer XV* (*supra*, n. 4), p. 376 ; MARTINI, *Il problema*, p. 137, 149 — en réalité ces deux auteurs ne visent peut-être que le texte de *Luc* ou de *Jean*. ALAND, *Die Bedeutung* (*supra*, n. 15), p. 155 s., n'exclut qu'une recension, mais non une révision.

tique » du texte « P⁷⁵ — B » est donc et restera très probablement une
opération pleine d'aléas.

5. Compte tenu de toutes les incertitudes, il faut évidemment
envisager, pour cette « apparition » du texte « P⁷⁵ — B », une date plus
ou moins antérieure à celle de P⁷⁵. Le IIᵉ siècle n'est pas exclu.

6. Du point de vue de l'histoire du texte, il n'y a actuellement aucune
raison valable de situer avec assurance cette « apparition » très haut
dans le IIᵉ siècle et, de ce point de vue, le « texte occidental » garde
l'avantage sur « P⁷⁵. — B ».

7. Il apparaît en tout cas que le texte a été encore plus diversifié
à une époque plus ancienne — peut-être le IIᵉ siècle — qu'on n'était
en droit de le penser jusqu'ici. Cette diversité a été dûe entre autre
à une « recension » assez radicale qui est à l'origine soit du « texte occidental », soit du texte « P⁷⁵ — B ».

Voilà, à notre avis, l'essentiel de ce que l'on peut dire sans faire appel
à la critique proprement dite. C'est à elle et à elle seule qu'il revient,
en tenant compte de l'histoire du texte — ce qui ne veut pas dire :
en étant esclave de l'ancienneté des manuscrits ou des variantes —
de tenter de percer le mur de ténèbres qui sépare toujours les états du
texte les plus anciens du texte original. Tout bien considéré, la découverte de P⁷⁵ est indubitablement importante. Elle améliore notre connaissance de l'histoire ancienne du texte et, du même coup, les conditions
de travail de la critique. Elle fera paraître moins paradoxales les options
de cette critique, quand elle continuera de préférer des variantes « neutres », désormais un peu plus âgées, aux vieilles variantes « occidentales ».
Mais il ne s'agit pas d'une révolution et, moins encore, d'une révolution qui changerait les principes de la critique en réduisant abusivement
la nécessaire autonomie de la critique interne [72]. Comme dit un proverbe
bourguignon : « Il faut ce qu'il faut, mais trop, c'est trop. »

9 bd. Voltaire
F-21 Dijon (France)   J. DUPLACY

---

72. Dois-je redire, en terminant toute l'estime que j'ai pour le travail du P. Martini ? Avec l'importance des problèmes qu'il a eu le courage d'affronter, c'est la
qualité et la rigueur même de ses recherches qui appelaient — et permettaient —
l'examen attentif et exigeant que je viens de proposer.

Éléments artistiques
dans l'évangile de Luc

Ce n'est pas un sujet bien neuf qui fait l'objet de cet article. Il y a vingt-deux ans R. Morgenthaler publia son livre : *Die lukanische Geschichtsschreibung als Zeugnis*, auquel il donna comme sous-titre : *Gestalt und Gehalt der Kunst des Lukas*. Il le commença avec ces paroles significatives pour notre propos : « Im Laufe der Lukas-Kritik ist das Wort ' Kunst ' so auffällig oft und von so auffällig verschiedener Seite gefallen, dass man die Frage nach der Kunst des Lukas einmal umfassend wird stellen dürfen und müssen » [1]. Cette affirmation, il l'illustra de quelques exemples. Ces échantillons choisis pour éclairer la forme artistique des écrits lucaniens, nous pourrions les multiplier sans peine. Carpenter par exemple consacre un chapitre de son livre : *Christianity according to St. Luke* à nous dépeindre « the artist », en particulier « the master of style » [2], et dans son *Histoire de la littérature grecque chrétienne* Aimé Puech insiste sur cet aspect de l'*Auctor ad Theophilum* : « Ce qui est bien plus intéressant, écrivait-il, c'est que Luc a de l'art, un art délicat, d'autant plus délicat qu'il est surtout... instinctif » [3]. Pour le prouver, on renvoie aux corrections verbales et grammaticales que Luc introduisit dans Marc, sa source [4], et on relève son art narratif, les détails souvent émouvants dont il parsème ses récits.

Bien que le thème ne soit donc ni ignoré ni neuf, il m'a paru qu'il convenait de l'aborder de nouveau, car dans les études lucaniennes récentes il me semble trop relégué à l'arrière-plan, voir même perdu de vue. Certes, depuis l'ouvrage de Morgenthaler l'intérêt pour l'œuvre de Luc augmenta considérablement. Luc est devenu une « key-figure », une figure de clef de la science néotestamentaire, un théologien « in his own right ». Non sans raison ai-je pu écrire, il y a quelques années, que l'Évangile et les Actes étaient devenus « a storm-center », un centre de

---

1. R. Morgenthaler, *Die lukanische Geschichtsschreibung als Zeugnis*, Zurich, t. I, 1948, p. 11.

2. Je dois cette donnée à A. T. Robertson, *Luke the Historian in the Light of Research*, Édimbourg, 1920, p. 58.

3. A. Puech, *Histoire de la littérature grecque chrétienne*, t. I, Paris, 1928, p. 115. On lira tout l'exposé de Puech. Il s'intéresse spécialement à l'aspect littéraire.

4. L'ouvrage de H. J. Cadbury, *The Style and Literary Method of Luke*, Cambridge (Mass.), 1919-1920, reste sous cet aspect indispensable.

discussions même orageuses, au cours des recherches contemporaines [5]. Mais, fait curieux, on n'accorda presque pas d'attention à l'aspect artistique de son activité littéraire. Dans le recueil où mon article parut : *Studies in Luke-Acts*, offert en 1966 en hommage à Paul Schubert et jugé caractéristique des études lucaniennes contemporaines, personne ne soulève le thème. Dans son étude de 1967, A. George touche en passant au problème quand il s'enquiert des motifs de la structure lucanienne de l'évangile. Il signale d'un seul mot le motif littéraire en se référant à Cadbury : *The Making of Luke-Acts* (1927), mais il ne l'envisage pas comme un élément formateur de l'évangile. Presque tout de suite George passe à la considération de l'évangéliste en tant que théologien : « Luc ne veut pas être qu'un historien profane. Les faits qu'il rapporte sont pour lui des actes divins » [7]. Et l'auteur de développer uniquement les aspects théologiques. Ce point de vue me paraît à l'heure actuelle caractériser les recherches lucaniennes. Ce que Luc a écrit est tout simplement considéré comme de la théologie. D'aucuns la rejettent comme une théologie gâtée ; d'autres l'exaltent comme une expression excellente de l'histoire du salut, mais en toute hypothèse tous ne l'apprécient qu'en tant qu'exposé théologique. Certes on ne néglige pas pour autant les données précises sur le vocabulaire et le style de Luc, mais on prête peu d'attention à son talent de créer une forme littéraire, et on se garde de le considérer comme un artiste.

En 1927, Martin Dibelius fit remarquer au cours d'une recension que ces omissions étaient regrettables et qu'une étude approfondie du caractère littéraire de l'œuvre de Luc faisait défaut. Lucien Cerfaux et J. Cambier rappelèrent ce jugement du maître de la *Formgeschichte*. Ils ajoutèrent avec regret, et sans doute non sans quelque ironie : « Nous en restons dépourvus » [8]. Depuis lors, 17 années sont révolues et la remarque conserve sa valeur. J'espère toutefois que dans l'entretemps on est convaincu qu'il y a lieu de comprendre autrement le logion louvaniste, à savoir : « Nous en sommes pour l'instant dépourvus mais nous ne le resterons pas à tout jamais ».

Il n'est pas facile de découvrir les motifs de l'omission signalée, car, à ce que je sache, personne ne s'explique à ce sujet. On pourrait conjecturer que nous sommes en présence d'une réaction contre une exégèse psychologisante, contre des réflexions telles que Puech en exprimait :

---

5. Cfr L. E. Keck-J. L. Martyn (éditeurs), *Studies in Luke-Acts. Essays presented in Honor of Paul Schubert*, Nashville-New York, 1966, p. 15-32.

6. A. George, *Tradition et rédaction chez Luc : la construction du troisième évangile*, dans I. de la Potterie (éd.), *De Jésus aux Évangiles. Tradition et rédaction dans les Évangiles synoptiques* (Donum natalicium Iosepho Coppens septuagesimum annum complenti dedic.), Gembloux-Paris, 1967, p. 100-120.

7. A. George, *art. cit.*, p. 120.

8. L. Cerfaux-J. Cambier, *Luc (Évangile de)*, dans *Dict. Bible. Supplément*, 1953, t. V, col. 577, avec référence à M. Dibelius, dans *Theol. Lit. Zeit.*, 1927, col. 148.

« Le caractère nouveau du véritable art chrétien… apparaît déjà distinctement chez lui ; c'est l'*âme*. Tout est chez lui naturel, vivant et touchant » [9].

Concédons volontiers que l'histoire de l'exégèse nous apprend qu'un
certain caquetage psychologique contribue parfois à subtiliser les problèmes, mais les dangers et les méfaits d'une logique théologique, dépourvue de toute compréhension psychologique, sont encore plus graves.
Ou faudrait-il chercher la raison dans une certaine étroitesse d'esprit
qui ne sait pas se représenter la synthèse heureuse des talents de prédicateur et d'artiste ? Quoiqu'il en soit, je pense pouvoir signaler en l'espèce
une lacune dans la phase actuelle de la recherche lucanienne.

Vous n'attendrez certes pas de cette étude qu'elle vous fournit le
travail réclamé depuis plus de quarante ans par Dibelius. J'espère
toutefois vous montrer dans quel sens il faudrait entreprendre les
recherches et poser le problème dans toute sa netteté.

* * *

Réjouissons-nous certes de ce qu'au cours de ces dernières décennies
on s'est de plus en plus occupé de Luc et de son œuvre. Il est mieux
apparu ainsi que l'évangéliste possède un naturel propre, qu'il est beaucoup plus qu'un simple rédacteur ayant plus ou moins fidèlement consigné
par écrit et rassemblé diverses traditions. Sans doute on ne manqua pas
dans le passé de souligner les traits particuliers de Luc, sa préférence
par exemple pour les pauvres, les pécheurs, les femmes. Mais aujourd'hui,
— ainsi que le professeur Kümmel l'a bien montré, — Luc nous est
présenté comme un *théologien* possédant des vues doctrinales bien profi-
lées. Mais cette manière nouvelle de se concentrer sur le troisième évangile peut donner lieu, comme dans le passé, à un danger, celui d'emprison-
ner son auteur dans un filet d'hypothèses complexes pareilles à celles
qui ont pris naissance autour du problème synoptique.

En ce qui concerne le premier livre de Luc, nous avons l'avantage de
connaître une des sources mais nous ne sommes pas si favorisés pour le
second. L'avenir nous réserve-t-il la découverte d'un texte qui puisse
servir de matériel comparatif à la description lucanienne de la période
apostolique [10] ? Une telle découverte serait une aubaine magnifique,
même si le nouveau document ne pouvait être considéré comme une
vraie « source » des Actes. Quoi qu'il en soit, le fait que la situation des
sources de Luc n'est pas la même pour les deux parties de son œuvre,
ne peut pas nous pousser à les examiner sous un angle différent. Nous
devons poser au contraire comme préliminaire que l'« Évangile » et les
« Actes » forment une unité littéraire ; c'est uniquement dans le cadre
d'une telle donnée prélable que l'on peut envisager séparément l'évangile.

---

9. A. Puech, *op. cit.*, p. 115.

10. Voir S. Pines, *The Jewish Christians of the Early Centuries of Christianity
according to a New Source*, Jérusalem, 1966.

Souvent on suggère que Luc a d'abord écrit un évangile, puisque l'idée lui serait venue d'y ajouter un ouvrage sur les Apôtres, puis encore que dans la composition du premier ouvrage il se serait senti lié par le modèle préétabli de l'« évangile », tandis que pour celle du second il aurait eu pleinement les mains libres. Mais le prologue des Actes : « *Mon premier ouvrage, Théophile, je l'ai composé sur tout ce que Jésus a entrepris de faire et d'enseigner* », montre clairement que nous avons affaire à une œuvre comprenant deux parties. Le fait qu'aussi bien *Lc.*, XXIV que *Actes*, I décrivent l'ascension de Jésus, ne le contredit pas. Dans l'antiquité, divers exemples nous indiquent que la fin d'un premier ouvrage fut reprise au début d'un second. Puis la pointe du récit est quelque peu différente dans les deux textes : en *Lc.*, XXIV, l'ascension entend terminer l'ouvrage ; dans *Act.*, I, au contraire, elle marque un nouveau début, fournissant une réponse à la demande des Apôtres : comment l'histoire continuera-t-elle ? Une unité de conception unit donc les Actes à l'Évangile. L'auteur lui-même ne s'en explique pas tellement, mais son plan correspond bien à ce que nous lisons en *Hebr.*, II, 3-4 : σωτηρία ἥτις ἀρχὴν λαβοῦσα λαλεῖσθαι διὰ τοῦ κυρίου, ὑπὸ τῶν ἀκουσάντων εἰς ἡμᾶς ἐβεβαιώθη, συνεπιμαρτυροῦντος τοῦ θεοῦ σημείοις τε καὶ τέρασιν καὶ ποικίλαις δυνάμεσιν καὶ πνεύματος ἁγίου μερισμοῖς[11].

Nous n'avons pas à nous étendre sur les mérites ou les défauts de cette conception, certainement pas après avoir entendu ou lu l'exposé du professeur Kümmel. Il suffit pour la fin que nous poursuivons ici, de ne pas perdre de vue l'unité de cette conception, car il est grandement important pour apprécier la place et la fonction de l'évangile de Luc de savoir que cet écrit ou bien fait partie d'un plus grand ensemble ou bien constitue une unité littéraire indépendante.

Vu que souvent on se représente Luc écrivant d'abord un évangile, puis songeant à composer une histoire du christianisme naissant, je tiens à souligner une fois de plus l'unité des deux ouvrages au seuil de mon étude. Ce point de départ admis, on s'oriente tout naturellement dans une autre direction que celle prise par Dibelius, quand, parlant du « erste christliche Historiker », il notait : « Immerhin schlägt er (Lukas) trotz dieser kleinen historisierenden Korrekturen im Evangelium keine Brücke zur 'grossen' Literatur. Wohl aber tat er das mit der Apostelgeschichte. Seine Fähigkeiten und seine Neigung können sich diesmal ganz anders betätigen »[12]. Abstraction faite de l'emploi du terme « grosse Literatur » qui me paraît de valeur douteuse, Dibelius ne tient pas suffisamment compte des affinités littéraires. La différence évidente entre l'Évangile et les Actes est ramenée à une simple différence de « Aufgabe », sans qu'il se demande si une différence en matière de sources disponibles, — comprises au sens antique, — n'entre pas

---

11. Voir mon article : « *The Book of Acts* », the *Confirmation of the Gospel*, dans *Novum Testamentum*, 4 (1960), 26-59.

12. M. DIBELIUS, *Der erste christliche Historiker*, dans *Aufsätze zur Apostelgeschichte* hrg. von H. GREEVEN, Goettingue, 1951, p. 109.

également en ligne de compte. En abordant le problème d'éléments artistiques dans l'Évangile de Luc, je souligne donc l'unité littéraire des deux écrits pour faire ressortir qu'à mon avis l'ensemble doit être pris en considération et qu'il ne doit pas être examiné uniquement en regard ou en fonction du problème synoptique.

* * *

Quand nous parlons d'« éléments artistiques » dans Luc, il importe bien entendu d'utiliser les critères qui étaient en usage dans le monde antique. L'évidence crève les yeux, mais il n'est pas si simple d'agir en conséquence. Les différences entre la culture de notre époque et celle de Luc, les appréciations esthétiques distinctes sont irrécusables, mais il n'est pas aisé de nous approprier les normes de l'antiquité.

Nous ignorons malheureusement comment Théophile et ses contemporains ont réagi à l'œuvre de Luc. Nous ne savons pas davantage comment Papias jugea l'évangile. Du fragment sur Marc qui nous est conservé il résulte que Papias tenait compte des normes littéraires que ses contemporains prisaient. Vu sous cet angle il n'est pas l'esprit étroit qu'Eusèbe nous décrit (*Hist. Eccl.*, III, 39, 13). Joseph Kürzinger n'a pas tort d'appeler notre attention sur le vocabulaire des rhéteurs et sur les matériaux qu'il versa en 1960 au dossier de la controverse pour justifier son interprétation nouvelle des mots οὐ μέντοι τάξει. Ces données peuvent aujourd'hui être augmentées notablement [13]. Pour une raison qui nous échappe, Eusèbe ne rapporte pas le jugement de Papias sur Luc. Peut-être la pièce sera-t-elle un jour retrouvée. Dans l'entretemps, nous devons travailler sans elle et nous documenter d'autant plus ailleurs sur ce qu'étaient en matière d'esthétique les normes anciennes.

Partant à la recherche de l'élément artistique, nous devons examiner, mais pas uniquement, l'expression linguistique que Luc donna à ses écrits. Sur ce problème beaucoup d'ouvrages ont déjà paru que je me permets de supposer connus [14]. Luc écrit une langue grecque littéraire. Mais l'évangéliste produisit aussi une œuvre vraiment historique. Or, selon les normes de l'antiquité en matière d'historiographie, une telle œuvre réclamait de l'attention et du soin pour l'élément artistique.

Certes on peut contester que Luc ait été réellement un historien. Mais ici également il importe de distinguer entre les exigences critiques que l'on pose aujourd'hui à l'historien et celles que réclamait l'antiquité classique. Cette différence, on peut l'entrevoir à lire par exemple la lettre de Denys d'Halicarnasse *ad Pompeium*. Denys y compare Hérodote

---

13. J. KÜRZINGER, *Das Papiaszeugnis und die Erstgestalt des Matthäusevangeliums*, dans *Bibl. Zeitschr.*, 4 (1960), p. 21 ss.

14. En dehors de l'étude déjà citée plus haut, note 4, de H. J. CADBURY, lire les réflexions de Lagrange, Creed, Grundmann, Ellis, dans les introductions de leurs commentaires.

et Thucydide et il affirme, nombreuses preuves à l'appui, qu'Hérodote l'emporte sur son émule.

Dans son livre bien connu sur Luc, Conzelmann reproche à Luc de nous donner un cadre géographique vague et imprécis [15]. La remarque est sans doute correcte, mais implique-t-elle que Luc n'est pas bon historien conformément aux normes anciennes ? Permettez-moi de citer quelques phrases de l'ouvrage de Laistner, *The Greater Roman Historians*. A propos de Salluste cet auteur écrit : « His chronology is careless and confused. His topographical data in the *Bellum Jugurthinum* are inadequate, although his official sojourn in Africa must have given him the opportunity to gather more accurate information had he desired to do so ». Et voici le jugement porté sur Tacite : « As in other Roman historians, so in Tacitus, the topographical information and the data provided about important campaigns are insufficient ». Et l'auteur d'apporter diverses preuves à l'appui de son assertion [16]. Quand on lit ces jugements sur des historiens réputés de l'antiquité, on constate que Luc ne s'en différencie pas tellement et que les reproches formulés par Conzelmann ne subsistent pas à juger l'œuvre lucanienne d'après les normes de l'historiographie ancienne. La part accordée par Luc aux prodiges, à l'intervention divine et à d'autres éléments du même ordre ne peut pas davantage ruiner la valeur de Luc, historien selon les normes anciennes. Y a-t-il un seul historien de l'antiquité qui n'en donne pas d'exemples ? [17] Si Luc met peut-être davantage l'accent sur cet élément, cela tient uniquement au caractère des événements qu'il eut à décrire.

Une autre objection, c'est que nos évangiles ne sont pas des biographies. On souligne en particulier qu'ils ne contiennent pas de développement psychologique. De nouveau, la même remarque peut s'appliquer aux historiens de l'antiquité classique. Laistner cite avec complaisance une observation de March sur Tacite : « He concieved of character as a wholly static and immutable thing » [18]. La même notation peut être faite à propos des *Vitae* de Plutarque. Manifestement les anciens concevaient autrement que nous une biographie. Au reste, un faux dilemme se trouve à la base de la conception si souvent répétée au cours de ces dernières décennies à l'adresse de la *Leben-Jesu-Forschung*, conception que moi-même j'ai parfois reprise, à savoir qu'il y a antithèse entre histoire et évangile. Si la coexistence de ces deux genres littéraires est devenue un problème pour les générations qui ont succédé à Lessing, cela n'est pas le cas pour les anciens. Pour eux une biographie et un message sur l'action salutaire divine pouvaient parfaitement aller ensemble.

---

15. H. CONZELMANN, *Die Mitte der Zeit*, 5e éd., Tubingue 1964.

16. M. L. W. LAISTNER, *The Greater Roman Historians*, Berkeley-Los Angeles, 1966, p. 58 s. et 130.

17. Cfr l'article W. DEN BOER, historien de l'antiquité : *Some Remarks on the Beginnings of Christian Historiography*, dans F. L. CROSS (ed.), *Studia Patristica*, Berlin, 1961, vol. IV, p. 348-362, en particulier p. 352 ss.

18. Voir M. L. W. LAISTNER, *op. cit.*, p. 52 sur Salluste et p. 138 sur Tacite.

D'ailleurs si nous parlons ici de « biographie » et d'« histoire » comme de deux genres littéraires, il ne faut pas en conclure que l'antiquité avait élaboré à ce sujet de schèmes rigoureusement fixes. Nous n'avons conservé de l'antiquité qu'un seul écrit sur l'historiographie, à savoir celui de Lucien, mais le commentaire d'Avenarius [19] laisse entendre qu'il y eut parmi les anciens pas mal de divergences théoriques en la matière, et que dans la pratique, chaque écrivain suivait ses propres voies, poursuivait sa propre fin, mettait en œuvre ses propres moyens. Le genre fut chaque fois déterminé par la matière, c'est-à-dire par les données historiques qu'il convenait de présenter dans un ensemble structuré.

On ne peut guère prétendre que Luc a suivi des exemples concrets, mais il est clair qu'il a voulu composer une œuvre historique : les dates fournies en *Lc.*, II, 1 et III, 1, et les motifs allégués par les juifs pour accuser Jésus, — pour me contenter de ces quelques indices, — le prouvent clairement. Et le prologue bien connu, *Lc.*, I, 1-4, témoigne abondamment des intentions de Luc. Même après le commentaire détaillé de Günther Klein (1964), je ne puis y découvrir un programme théologique, mais j'y trouve uniquement la déclaration de principe d'un historien qui veut garantir la valeur de son livre [20].

Dans les *Actes*, I, 1, Luc nous donne lui-même une description de son évangile : περὶ πάντων... ὧν ἤρξατο ὁ Ἰησοῦς ποιεῖν τε καὶ διδάσκειν. Il appelle donc son premier livre non un *bios*, mais un ouvrage consacré « à tout ce que Jésus entreprit de faire et d'enseigner ». Nous avons affaire en cette phrase non pas à une expression gauche, peu heureuse, mais à une variante d'un thème grec bien connu. L'emploi des deux verbes diffère manifestement de leur usage en *Mt.*, V, 19, où il est également question « de faire et d'enseigner », mais où les deux verbes sont employés de manière absolue. Dans la littérature grecque, les verbes « faire et parler », le plus souvent πράττειν et λέγειν, vont souvent ensemble pour exprimer la totalité de l'agir humain *ad extra* dans ses deux manifestations les plus typiques, le langage et l'action. Depuis Thucydide cette « bipartition » était reçue dans l'historiographie pour désigner les deux aspects de l'événement historique [21]. Je rappelle la notation de Polybe, II, 56, 10 sur l'histoire : τῶν δὲ πραχθέντων καὶ ῥηθέντων κατ' ἀλήθειαν αὐτῶν μνημονεύειν πάμπαν, et celle de Josèphe qui écrit à propos de son *Bellum judaicum* : ὅλως δὲ τῶν λεχθέντων ἢ πραχθέντων οὐδ' ὁτιοῦν ἀγνοήσας. Et renvoyons aussi à Papias qui rapporte de Marc qu'il

---

19. G. AVENARIUS, *Lukians Schrift zur Geschichtsschreibung*, Meisenheim-am-Glan, 1956.

20. G. KLEIN, *Lukas 1 : 1-4 als theologisches Programm*, dans E. DINKLER (éd.), *Zeit und Geschichte. Dankesgabe an Rudolf Bultmann*, Tubingue, 1964, p. 193-216. Je ne puis découvrir avec Klein dans la protase une critique de ses devanciers par Luc ; elle est exclue par la relation de ἐπειδήπερ avec κἀμοί. En outre, Klein n'évalue pas suffisamment la portée antique de αὐτόπται, vocable impliquant la sûreté des témoins.

21. Voir P. SCHELLER, *De hellenistica historiae conscribendae arte* (Dissertation), Leipzig, 1911, p. 15.

nota exactement τὰ ὑπὸ τοῦ Χρίστου ἢ λεχθέντα ἢ πραχθέντα (dans Eusèbe, *Hist. eccl.*, III, 39, 13). Cette bipartition, Luc la varie, remplaçant le simple λέγειν par διδάσκειν, verbe qui fait mieux ressortir le caractère impératif du parler de Jésus. L'activité du Sauveur est également soulignée. En toute hypothèse, il convient de comprendre l'expression dans son cadre, son *setting* grec, et il ne faut pas vouloir y découvrir en quelque sorte le total d'une addition tendant à exclure par exemple de l'horizon lucanien les récits de la naissance. L'évangile nous offre les « paroles et les œuvres » de Jésus, qui est désormais le Seigneur glorifié dont on attend le retour (*Act.*, I, 3, 11), telles qu'il les réalisa sur terre ; il nous donne vraiment ce que selon les normes anciennes une biographie devait comporter, non pas une prédication sur le Christ, mais une image historique.

Touchant la fin à laquelle l'histoire devait servir, les anciens divergeaient d'avis. Devait-elle servir à recréer ou à être utile, à glorifier ou à instruire, à passionner les lecteurs comme un drame ou à communiquer l'exacte vérité ? Luc vise à donner à ses lecteurs ἀσφάλεια sur ce qu'ils ont déjà appris [22] touchant Jésus. Pour atteindre ce but, une œuvre historique ne pouvait pas se contenter d'être une accumulation matérielle de « souvenirs » épars, mais requérait une structuration. On distinguait selon l'énoncé de Denys d'Halicarnasse le τὸ πραγματικόν et le τὸ λεκτικόν, nous dirions aujourd'hui « le contenu et la forme ». Pour Luc, on doit inclure dans le λεκτικόν tout ce que nous avons l'habitude d'envisager d'un point de vue linguistique.

Il serait intéressant d'examiner les récits de Luc quant aux qualités que Lucien énumère : clarté, concision, expressions bien choisies, voire figures et rythmes [23]. A ce que je sache, on ne l'a pas déjà entrepris, et pourtant on peut sans doute s'attendre à des résultats surprenants d'une pareille enquête. Il y a là un problème sur lequel pour l'instant je me contente d'attirer l'attention.

Dans les limites de cet article, je tiens à signaler surtout quelques faits qui démontrent que Luc se trouve en liaison avec les conceptions artistiques de son temps. Jadis j'ai montré que dans *Act.*, VII et XXII, il se sert d'un schème qui était courant dans la biographie ancienne pour décrire la jeunesse [24]. Il comprenait comme éléments : les circonstances de la naissance, de l'éducation et de l'instruction. Rien d'étonnant par conséquent que Luc ait inséré dans son évangile un récit de la naissance de Jésus et les circonstances qui l'ont amenée et accompagnée. Les données qui y figurent : le rôle du Saint-Esprit, les relations avec la maison de David, la mission de *Sôtèr*, sont d'une importance capitale pour la suite de l'histoire telle que Luc se la représente. Le récit sur

---

22. Voir mon article : *Opmerkingen over het doel van Lucas' geschiedwerk (Luc, 1 : 4)*, dans *Ned. Theol. Tijdschr.*, 9 (1955), 323-331.

23. Cfr G. Avenarius, *op. cit.*, p. 61 ss.

24. W. C. van Unnik, *Tarsus of Jeruzalem, de stad van Paulus' jeugd*, Amsterdam, 1952.

Jésus au temple à l'âge de douze ans, où le Sauveur étonne par son intelligence, tous ceux qui l'entendent, rentre parfaitement dans ce cadre. Que Luc accorde aussi de l'importance à la naissance de Jean-Baptiste, va de soi. Il n'est pas question ici d'un récit concurrent, mais du désir de faire connaître celui qui fut le plus grand des enfants des hommes (cfr Lc., VII, 28) et dont la venue, ainsi qu'il ressort des Actes, marqua un tournant dans l'histoire. De la ville où Jésus grandit, Luc nous informe (cfr IV, 16), mais non pas de sa *paideia*, car il était dans « les choses de son Père » (Lc., II, 49). La double mention du fait que Marie conserva tout cela dans son cœur (II, 19, 51), est un indice, comme on l'a souvent affirmé, de l'origine de ces traditions. Caractéristiques pour la relation avec l'historiographie grecque sont aussi des termes tels que ηὔξανεν (Lc., II, 40) et προέκοπτεν (Lc., II, 52). Surtout le dernier verbe est typique. Il ne dérive pas de la Septante ainsi que l'édition Nestle le suggère. Une telle description de la jeunesse du personnage principal, y compris les récits sur les circonstances extraordinaires qui ont accompagné la naissance, n'était pas une addition d'inspiration romantique, mais une pièce absolument requise par la biographie grecque.

D'autres éléments d'ordre artistique sont à signaler dans les récits de la passion. D'après l'historiographie antique, un certain *pathos* ne devait pas faire défaut ; chez certains écrivains, il était même exagéré. Cet aspect dramatique des événements ne peut être contesté chez Luc. Il est le seul à noter que le Sauveur pleure en contemplant Jérusalem, parce qu'elle n'a pas reconnu le temps de l'*episkopè*, de la visite (XIX, 41 ss.). On peut certes se demander si la description de l'agonie de Jésus est authentique, car du point de vue de la critique textuelle une réponse affirmative s'impose difficilement (XXII, 43-44). Quoiqu'il en soit, il est frappant que seul Luc ou du moins seul son évangile a conservé cet élément. Luc est aussi le seul à introduire dans la scène de la trahison la question : « Judas, trahis-tu le Fils de l'homme par un baiser » (XXII, 47), question qui a d'autant plus de poids et d'effet que l'évangéliste ne signale pas que ce fut un signe convenu. Le procès de Jésus devant Pilate est dramatique, en partie à cause même de sa sobriété. L'accusation est grave, à savoir que Jésus fomenta la révolte contre le pouvoir romain, — la sentence du procurateur déclare trois fois « pas de crime » alors que la scène aboutit aux paroles : « et Pilate le livra à leur vouloir » (XXIII, 25). Le développement dramatique du procès est de plus renforcé par l'épisode de l'entrevue de Jésus avec Hérode : d'une part le roi juif finit par rencontrer celui qu'il désirait voir depuis longtemps (XXIII, 8 ; cfr IX, 9) et, d'autre part, Pilate pense échapper ainsi à la nécessité de devoir prendre une décision devant laquelle il recule. Enfin dans le récit de la crucifixion se rencontre jusqu'à deux fois un épisode dramatique : d'abord la mention de la lamentation des femmes : ἐθρήνουν αὐτόν, XXIII, 27, accompagnée de la parole prophétique de Jésus sur le sort tragique qui les attend et puis l'insistance sur la douleur de ceux qui ont assisté au spectacle : οἱ συμπαραγενόμενοι ὄχλοι ἐπὶ τὴν θεωρίαν ταύτην (XXIII, 48) et qui se frappèrent la poitrine en signe de deuil.

L'origine et la valeur historique de ces données au sens où nous les comprenons, ne doit pas nous retenir en ce moment. Il nous suffit de constater que la structure lucanienne du récit de la passion est très dramatique. Pour qui le lit pour la première fois, — hélas ! nous le connaissons d'avance trop bien, — la narration se déroule comme une tragédie où la confession du criminel crucifié et la dernière parole de Jésus : « Père, en tes mains je remets mon esprit » (XXIII, 46) font éclater en quelque sorte l'identité de celui dont il s'agit dans le drame, non quelque héros tragique mais le propre Fils de Dieu.

C'est sur un troisième fait d'allure artistique que tombent nos yeux quand nous nous apercevons de l'existence de ce qu'on a appelé les « blocs » où Luc ramasse les matériaux. Généralement cet aspect du problème est étudié en rapport étroit avec celui des sources que Luc utilisa, mais on peut aussi se demander s'il n'a pas groupé les matériaux en vue d'un certain ordre artistique à réaliser. Dans l'historiographie ancienne le travail se faisait en deux étapes : il fallait d'abord réunir les matériaux, puis il y avait lieu d'y introduire une [συν]ταξις pour les grouper et ordonner [25]. Je songe en l'occurrence au fait plutôt singulier que Luc fait commencer très tôt le récit de la passion, à savoir en *Lc.*, IX, 51 : « Et il arriva, quand les jours de sa montée (τὰς ἡμέρας τῆς ἀναλήμψεως) s'accomplissaient, qu'il fixa ses regards pour marcher vers Jérusalem ». Cette phrase résonne comme un nouvel *incipit* qui introduit plus de la moitié de l'évangile.

Celui qui part à la recherche des moyens artistiques mis en œuvre par Luc est également frappé par les artifices très simples dont il dispose pour obtenir de grands effets. Un exemple, emprunté au récit des débuts de Jésus à Nazareth (*Lc.*, IV, 16-30), l'illustrera.

Il est clair que le récit est une composition de Luc ; les difficultés posées par la péricope, par exemple l'allusion à des miracles accomplis à Capharnaüm qui n'ont pas encore eu lieu, sont connues [26]. Mais si on laisse de côté cet aspect du récit, comment ne serait-on pas frappé par l'impression qui s'en dégage, par l'impressionnant tableau qu'il nous met devant les yeux ? D'abord la lecture de la parole prophétique isaïenne n'annonce pas simplement le nom *Christos* et son œuvre mais elle les proclame comme « accomplis » : « Aujourd'hui cette Écriture est réalisée dans vos oreilles ». Puis cette proclamation provoque la question : « Celui-ci, n'est-il pas le fils de Joseph ? » (IV, 22). Surviennent ensuite les sentiments du public : vive attente, admiration pour la *charis* des paroles de Jésus, ainsi que le brusque retournement de la situation, aboutissant à une tentative de meurtre, tout simplement parce que Jésus osa alléguer quelques textes vétérotestamentaires laissant entendre que les voies de Dieu peuvent conduire hors d'Israël (IV, 24-27).

---

25. Cfr G. Avenarius, *op. cit.*, p. 85 ss.

26. Voir une appréciation par exemple dans A. R. C. Leaney, *The Gospel according to St Luke*, Londres, 1958, p. 119-120.

Enfin, arrive une conclusion majestueuse : αὐτὸς δὲ διελθὼν διὰ μέσου αὐτῶν ἐπορεύετο (IV, 30). On ne peut s'exprimer plus simplement et plus fortement à la fois. C'est ainsi vraiment que devait se comporter Celui sur lequel repose l'Esprit du Seigneur et qui est son envoyé.

Le fait que la phrase : « Personne n'est prophète en son pays » (IV, 24), est devenue une locution proverbiale, ne peut pas nous faire oublier qu'elle exprime une vérité pénible. Déjà ici, au début du ministère de Jésus, se révèle entièrement un conflit dont le développement se poursuit à travers toute l'œuvre de Luc jusqu'au chapitre XXVIII des Actes. L'évangile, histoire de salut !, certes mais avec une contre-partie permanente, une ombre qui l'accompagne partout, l'histoire d'un salut manqué, celui d'Israël. C'est là un thème continu à travers toute l'œuvre, thème qui se met en travers de la fameuse division en trois parties suggérée par « Die Mitte der Zeit ».

Pour le travail de la *Formgeschichte* et de la *Redaktionsgeschichte* je ne puis professer que le plus grand respect critique, mais il faut aussi avoir le désir d'étudier les évangiles et leurs récits globalement et non en miettes écrasées. Alors ces récits, cette trame historique nous adressent leur parole avec une force toute nouvelle, capable de nous saisir.

* * *

A nous tenir au prologue, Luc ne fut pas le premier à rédiger une διήγησις, à travailler en historien. Qu'il ait entrepris quelque chose de neuf, il ne l'affirme pas. Dès lors, il ne convient pas de le lui attribuer. Il a réalisé son œuvre avec les formes de langage et de style qui étaient courants à son époque. A-t-il pour autant sécularisé la prédication ? Je ne le pense pas. Toute prédication qui aspire à être efficace, doit s'adapter à la mentalité de son auditoire. De ce point de vue j'ai toujours été frappé par la fidélité avec laquelle Luc rend les paroles et les œuvres de Jésus. Même s'il corrige l'expression, il ne fait pas des logia du Maître des discours qui lui seraient propres. Mais il lui a fallu tenir compte de l'aspect missionnaire. Je ne puis me défendre de penser que les recherches néotestamentaires de ce dernier demi-siècle se sont sans doute plus préoccupées des problèmes internes de l'Église que de la mission exprimée en *Act.*, IV, 20 : οὐ δυνάμεθα γὰρ ἡμεῖς ἃ εἴδαμεν καὶ ἠκούσαμεν μὴ λαλεῖν, car il ne nous a pas été donné pour être sauvés d'autre nom que celui de Jésus.

* * *

Notre intention ne fut pas d'offrir dans cet article une étude approfondie des talents littéraires de Luc. Nous l'avons surtout conçue comme une invitation à mieux le comprendre en tant qu'historien de l'antiquité, à le comparer aux auteurs de son époque dans un cadre il est vrai plus large que celui jadis retenu par H. J. Cadbury dans *The Book of Acts in History*. Mettons donc à l'avenir plus que dans le passé mieux à profit les données fournies par les spécialistes de l'antiquité classique, par exemple dans le recueil de E. Burck sur Tite Live [28], ou par l'ouvrage quelque peu oublié de Madame Antoniadis [29]. Elles nous aideront à mieux comprendre, selon le vœu de l'*Auctor ad Theophilum*, « tout ce que Jésus entreprit de faire et d'enseigner ».

Sweelincklaan, 4
Bilthoven-lez-Utrecht (Nederland)

W. C. VAN UNNIK

---

27. H. J. CADBURY, *The Book of Acts in History*, Londres, 1955.
28. Voir le recueil E. BURCK (éd.), *Wege zu Livius*, Darmstadt, 1967.
29. S. ANTONIADIS, *L'Évangile de Luc. Esquisse de grammaire et de style*, Paris, 1930.

La fonction de l'eschatologie dans l'évangile de Luc

Dans les dernières années, la fonction de l'eschatologie dans l'évangile de Luc a suscité un intérêt croissant pour plusieurs raisons. Elle fait partie d'un thème qui a guidé, sinon dominé, les études néotestamentaires depuis le début du siècle [1]. Et cela en correspondance avec la tendance à souligner que les évangélistes ne se limitaient pas à transmettre et à éditer les données traditionnelles, mais qu'ils étaient des théologiens à part entière. De façon plus spécifique, l'eschatologie de Luc joue un rôle significatif pour une école importante d'exégètes du Nouveau Testament dans leur interprétation de la théologie et de l'histoire du christianisme primitif [2].

Aussi ne se contente-t-on plus maintenant de poser la question des aspects de l'eschatologie de Jésus que Luc a rapportés. La fonction de l'eschatologie *chez Luc* est devenue la fonction de l'eschatologie *pour Luc*. Ceci soulève des problèmes immédiats et difficiles. Pour commencer, l'aire de l'enquête doit être élargie de façon à inclure le livre de Actes. Il n'y a pas d'accord sur la méthode permettant de découvrir ce qui, chez Luc, est « lucanien ». Certains voudraient définir ce caractère « lucanien » d'après les innovations propres à l'évangéliste. La plupart conviendraient de ce que les traditions de Marc et de Q donnent une pierre de touche qui permet la comparaison des passages parallèles de Luc. Mais il n'est pas toujours possible de savoir si une variation de Luc est une création personnelle, ou si elle provient de son utilisation d'une tradition parallèle à Marc [3], ou s'il retient le texte de

---

1. La littérature est considérable. Pour un sommaire, comparer W. G. Kuemmel, *Heilsgeschehen und Geschichte, Gesammelte Aufsätze 1933-1964* (Marb. Th. St., 3), Marbourg, 1965 ; A. L. Moore, *The Parousia in the New Testament* (Suppl. to Nov. Test., 13), Leyde, 1966.

2. Cfr H. Conzelmann, *The Theology of St. Luke*, Londres, 1960 ; L. E. Keck et J. L. Martyn (éd.), *Studies in Luke-Acts, Essays in honor of Paul Schubert*, New York, 1966 ; E. E. Ellis, *The Gospel of Luke*, Londres, 1966, p. 484.

3. Les accords de Matthieu et Luc contre Marc sont plus étendus que ne le réalisait B. H. Streeter, *The Four Gospels. A Study of Origins*, Londres, 1924. Cfr N. Turner, *The Minor Verbal Agreements of Mt. and Lk. against Mk.*, dans K. Aland (éd.), *Studia Evangelica* (TU, 73), Berlin, 1959, p. 223-234, voir p. 234 ;

Q (que Matthieu a changé). Même si un texte, un contexte ou une structure sont en style lucanien, on doit toujours tenir compte de la possibilité que Luc résume une source [4] ou qu'il reprend un contexte ou une
structure à une source [5].

La distinction radicale entre le commentaire personnel d'un écrivain
biblique et son utilisation d'une source repose donc sur plusieurs incertitudes. Elle apparaît aussi une simplification excessive du problème.
Du point de vue de la méthode, il est contestable d'identifier simplement
ce qui serait pré-lucanien et non-lucanien : le fait qu'un passage de
Luc, ou une lettre de Paul, dérive d'une tradition plus ancienne ne rend
pas en soi le passage moins lucanien ou moins paulinien. On doit poser
une question supplémentaire : dans son utilisation d'une source, dans
quelle mesure et de quelle manière l'écrivain la fait-il sienne ? S'interroger là-dessus ne résout aucun problème, mais présente une ligne
de conduite qui évite des réponses simplistes à une question complexe.
Tout le matériel chez Luc est en un certain sens « lucanien » du fait que
Luc l'intègre. Si le matériel traditionnel a acquis une forme lucanienne,
le matériel rédactionnel peut aussi avoir un caractère traditionnel.
Dans le choix des sources tout autant que dans leur élaboration, Luc
exprime ses intérêts et ses préférences. Le chercheur doit donc s'occuper
de l'ensemble et ne peut limiter son attention aux variations lucaniennes
par rapport à Marc et Matthieu, quelle que soit leur importance [6].
Même ainsi, la tâche — très subjective — demeure : en construisant
une hypothèse générale sur l'eschatologie de Luc, quelle importance
accorder à tel passage, telle interprétation ou telle modification ?

Un deuxième problème est de découvrir l'arrière-plan historique
sur lequel il faut voir l'enseignement de Luc. D'une certaine manière,
on se trouve en face du même type de cercle herméneutique que celui
rencontré dans la « recherche du Jésus historique ». A partir de passages

---

E. E. ELLIS, *Present and Future Eschatology in Luke*, dans NTS, 12 (1965-66),
27-41 ; E. P. SANDERS, *The Tendencies of the Synoptic Tradition* (SNTS, Mon. Ser.,
9), Cambridge, 1969, p. 290 ss.

4. Par exemple, le commentaire rédactionnel de Luc en *Lc.*, XIX, 11 est-il
une création de l'évangéliste ou un sommaire d'une matière conservée ou impliquée
dans sa (ses) tradition(s) sur les paraboles des mines et du prétendant royal
(*Lc.*, XIX,12-27) ?

5. Concernant la structure, cfr W. R. FARMER, *Note on a Literary and Form-
Critical Analysis of Some of the Synoptic Material Peculiar to Luke*, dans NTS, 8
(1961-62), 301-316 et C. H. TALBERT, *An Anti-Gnostic Tendency in Lucan Christology*, dans NTS, 14 (1967-68), 259-271.

6. Luc peut inclure davantage d'une source que l'aspect qu'il veut développer.
Mais puisqu'il se montre tout à fait capable de changer ses sources, il est douteux
qu'il reprenne quelque chose même de traditionnel avec quoi il se trouve en
désaccord explicite.

choisis dans les Synoptiques, on reconstruit une image de la mission (ou de la prédication) de Jésus avant la résurrection ; à partir de cette reconstruction, on identifie alors les passages synoptiques qui reflètent cette mission [7]. Même si dans le cas de Luc cette opération est plus contrôlable, le problème essentiel demeure. Une évaluation exacte dépend dans une grande mesure de la reconstitution de l'enseignement et du climat eschatologiques dans leur ensemble, ce qui veut dire non seulement l'Église au temps de Luc mais aussi l'Église la plus ancienne et la mission d'avant Pâques. La quantité limitée et le caractère littéraire particulier des données objectives dont nous disposons confèrent à cette évaluation une mesure considérable de subjectivité. En critiquant les reconstructions de certains collègues, je ne désire pas laisser l'impression que la thèse ci-dessous est dégagée de ces éléments subjectifs. La tâche consiste à peser les probabilités dans lesquelles interviennent des différences d'appréciation aussi bien que de philosophie et de vision du monde [8]. Et, sans aucun doute, chaque chercheur est enclin à lire le Nouveau Testament à travers le prisme de sa tradition théologique particulière et de ses inclinations personnelles.

I

Dans la recherche récente, deux hypothèses ont revêtu une importance considérable pour la reconstitution de l'eschatologie lucanienne. La thèse la plus vivement discutée est que Luc a introduit une théologie de l'histoire du salut pour expliquer le délai de la parousie. Une deuxième thèse est que l'eschatologie lucanienne implique un glissement de catégories apocalyptiques horizontales (l'âge présent, l'âge à-venir) à des catégories platoniciennes (terre/ciel, temps/éternité). Par ce glissement,

---

7. Cfr R. P. C. HANSON (*Vindications*, éd. A. HANSON, Londres, 1966, p. 38 s.) qui fait une observation similaire au sujet d'une certaine forme de critique : on utilise les évangiles pour reconstituer la situation de l'Église primitive ; à partir de cette reconstitution, on explique alors les différents passages comme trouvant leur origine dans cette situation.

8. Par exemple, on peut relever le contraste du rationalisme continental avec l'empirisme anglo-saxon depuis le temps de R. Descartes et de J. Locke. Même si ces courants de pensée se sont certainement recouverts et modifiés, il n'est pas impossible de les distinguer aujourd'hui encore (cfr J. F. MORA, *Philosophy Today*, New York, 1960, p. 89-98). Dans les études bibliques, on continue selon toute probabilité à influencer implicitement les priorités qu'un savant, dans la tradition « rationaliste » ou « empiriste », donne respectivement à une approche déductive ou inductive du problème. Une telle conclusion se dégage parfois de la critique que fait J. BARR du *Theologisches Wörterbuch* dans *The Semantics of Biblical Language*, Oxford, 1961, p. 211-213, 218-233, 257-260 ; cfr *Biblica*, 49 (1968), 378, 383 ss.

l'accomplissement du salut est transféré hors du temps dans une sphère intemporelle.

Il y a longtemps, J. Weiss notait une transformation très ancienne dans l'eschatologie de l'Église d'après laquelle, à sa mort, le juste était transporté dans le Royaume messianique, au paradis. Comme exemples de cette transformation, il signalait *Act.*, XIV, 22 et les traditions lucaniennes spéciales de l'homme riche et de Lazare et de la promesse au larron sur la croix (*Lc.*, XVI, 19-31 ; XXIII, 43) dont il situait l'origine dans la communauté de Jérusalem[9]. A ces textes on peut ajouter la vision d'Étienne en *Act.*, VII, 56, interprétée comme la bienvenue accordée par Jésus à son martyr dans la gloire céleste. Venant après Weiss, C. K. Barrett considère cette interprétation comme une relecture lucanienne de l'eschatologie chrétienne primitive : « Luc vit que pour le chrétien individuel, la mort était réellement *un ἔσχατον* (mais non *le ἔσχατον*)... caractérisé par ce que nous pouvons appeler une *parousie* privée et personnelle du Fils de l'homme. Ce qui arriverait en un sens universel au dernier jour se passait de façon individuelle à la mort »[10].

Dans une étude générale de la théologie de Luc, H. Flender aboutit essentiellement à la même conclusion par une voie différente[11]. Luc cherche à établir une relation entre l'histoire du monde qui continue et le « nouveau monde de Dieu » que le Christ a apporté (p. 164). En faisant de l'ascension de Jésus — à la différence de sa résurrection[12] —

---

9. J. WEISS, *Die Predigt Jesu vom Reich Gottes*, Goettingue, 1892, p. 37, n., p. 67, n. Weiss pense que c'est la seule forme de l'espoir de la parousie que les chrétiens peuvent affirmer aujourd'hui.

10. C. K. BARRETT, *Stephen and the Son of Man*, dans *Apophoreta, Festschrift für E. Haenchen* (BZNW, 30), Berlin, 1964, p. 32-38, voir p. 35 s. ; J. GNILKA, *Die biblische Jenseitserwartung : Unsterblichkeitshoffnung — Auferstehungsglaube ?*, dans *Bibel und Leben*, 5 (1964), 103-116. Cette interprétation d'*Act.*, VII pose des problèmes. D'abord, l'épisode se termine avec le commentaire non pas qu'Étienne « partit » ou « fut enlevé au ciel », mais qu'il « s'endormit ». Ceci correspond à la langue de l'Église primitive (*Act.*, XIII, 36 ; *I Thess.*, IV, 13 ss. ; V, 10 ; *I Cor.*, XI, 30 ; XV, 18) et de Jésus (*Lc.*, VIII, 52-54 ; cfr *Jo.*, XI, 11 ; *Lc.*, VII, 14). Chose plus importante, le contexte de la vision en *Act.*, VII est la scène du discours et non celle de la mort, la raison de l'attaque contre Étienne et non la réponse de Jésus à celle-ci. C'est dans le contexte du discours que la vision se comprend le mieux comme témoignage rendu à Étienne et confirmation de son jugement sur le culte du temple et la nation, jugement qui n'est pas le sien propre mais celui du Fils de l'homme, Jésus lui-même (*Act.*, VII, 55 s.). Il y a des similitudes verbales avec la prophétie de Jésus contre le temple en *Lc.*, XIII, 34 s. Cfr E. E. ELLIS, *Luke, ad locum* ; voir ci-dessous, note 30.

11. H. FLENDER, *St. Luke : Theologian of Redemptive History*, Londres, 1967. Ce titre qui induit quelque peu en erreur, se lit dans l'original allemand *Heil und Geschichte in der Theologie des Lukas*.

12. C'est exégétiquement contestable, comme H. FLENDER, *op. cit.*, p. 18, n., le remarque. Cfr C. H. TALBERT, *art. cit.*, p. 262, n. ; A. M. RAMSAY, *What was*

l'événement décisif, Luc situe l'achèvement du salut dans le ciel (pp. 91-106). Pour Paul, le tournant de l'histoire s'opère à la résurrection de Jésus ; pour Luc, « le changement se fait de ce monde dans le monde céleste qui existe concurremment » (p. 19). Bien que l'eschatologie soit (de façon cachée) rendue présente à l'intérieur de l'Église dans l'Esprit « descendu du ciel » et dans la parole de la prédication (pp. 140-152), leur origine céleste détermine leur caractère : « la présence divine ne peut être projetée indéfiniment dans le temps » (p. 151). Depuis que la mission de Jésus s'est achevée avec son ascension, celle-ci et la parousie sont essentiellement identiques (p. 94). C'est pourquoi les logia apocalyptiques en *Lc.*, XVII reçoivent de la part de Luc une application individuelle dérivée : « cette nuit » en *Lc.*, XVII, 34 (cf. XII, 20) comme « ce jour » dans la parole de Jésus au larron sur la croix (*Lc.*, XXIII, 43) se rapporte au jour de la mort individuelle où soit il perd sa vie, soit il « la gagne » (p. 15, 159).

Flender développe beaucoup de vues pertinentes et dirige l'attention sur des questions fondamentales de l'eschatologie du Nouveau Testament, en particulier la relation de l'horizontal et du vertical et la nature de la continuité et de la discontinuité entre l'âge présent et l'âge à-venir. Dans chaque cas cependant, ses réponses se basent sur des présupposés qu'on doit mettre eux aussi en question. La dimension verticale donnée à l'eschatologie chrétienne par l'ascension de Jésus entraîne-t-elle de la part de Luc le glissement du cadre temporel de l'histoire du salut aux catégories terre/ciel, temps/éternité du Platonisme et du Gnosticisme, comme Flender semble le prétendre ? [13]. Ou la dimension verticale est-elle une conséquence nécessaire de l'ascension de Jésus qui, depuis le début de l'Église, était incorporée dans l'eschatologie horizontale des deux âges ?

---

the *Ascension ?*, dans D. E. NINEHAM (éd.), *Historicity and Chronology in the New Testament*, Londres, 1965, p. 135-144. Le sens d'*Act.*, V,31 est incertain, mais aucune distinction ne s'impose en *Act.*, X, 39 s. ; XIII, 28.30 s. entre résurrection et glorification ; il semble là y avoir un jeu de mots entre « élever » et « suspendre ». Cfr M. BLACK, *The Son of Man Problem in Recent Research and Debate*, dans BJRL, 45 (1963), 305-318, voir p. 315 ss. L'identification de la résurrection et la glorification est favorisée par la grammaire en *Act.*, II, 32 s. et par la construction chiastique en *Act.*, III, 13-15, « glorifié, livré », « tué/ressuscité ». Cfr *Lc.*, XXIV, 26, 44 ; *Act.*, II, 34 ss.

13. Flender pense que, pour résoudre le problème théologique posé par la rédemption comme un événement passé, Luc « découvre une voie moyenne entre le refus gnostique et la canonisation catholique primitive de l'histoire » (p. 167). « Dans son humilité, Jésus appartient à la nouvelle période... ; dans sa divinité, il partage la contemporanéité de Dieu avec la totalité du temps humain » (p. 125). « Luc n'a aucune notion d'une histoire rédemptrice s'étendant dans le temps » (p. 162). Il y échappe en prolongeant « la réalité eschatologique de la résurrection à l'intérieur du temps terrestre » (p. 19). Flender ne paraît pas connaître le livre de O. CULLMANN, *Christ and Time*, Londres, 1950, et les solutions qui s'en dégagent.

Pour déterminer la *fonction* de l'eschatologie lucanienne, il est d'une importance vitale de préciser d'abord le contexte *conceptuel* du sujet traité. De ce point de vue, la nature de l'homme et la nature de la mort aussi bien que la relation de la rédemption au temps sont des questions fondamentales qu'on ne peut éluder. Pour autant qu'on puisse le dire, Luc, comme Jésus et Paul, voit l'homme dans les termes de l'Ancien Testament. L'homme est une totalité unifiée à considérer à partir de diverses perspectives mais qui n'est pas par exemple une dualité âme/corps [14]. Rien en l'homme d'intrinsèquement immortel ou divin et, par conséquent, l'homme entier est également soumis au pouvoir de la mort [15]. En outre, l'homme entier est l'objet de la puissance de la résurrection détenue par Dieu. Luc le souligne spécialement : seul des écrivains du Nouveau Testament, il identifie Jésus ressuscité comme σάρξ ; l'être glorifié et incorruptible, exalté au ciel, est un homme « en chair et en os » [16].

---

14. Cfr W. G. KUEMMEL, *Man in the New Testament*, Londres, 1963, p. 24, 31-34, 40-71 ; E. E. ELLIS, art. *Life*, dans J. D. DOUGLAS (éd.), *New Bible Dictionary*, Londres, 1962, p. 735-739 ; R. BULTMANN, *Theology of the New Testament*, Londres, 1952, t. I, p. 168, 202 s. ; A. T. NIKOLAINEN, *Der Auferstehungsglaube in der Bibel und ihrer Umwelt*, 2 vol., Helsinki, 1944-46, voir t. II, p. 33-40. Les passages significatifs sont avant tout empruntés aux écrits lucaniens. Ψυχή signifie habituellement « vie » ou « soi », ce qui se perd à la mort : cfr *Lc.*, IX, 24 ; XII, 19 s. ; *Act.*, II, 27 ; XX, 10 ; XXVII, 22 s. Dans le midrash d'*Act.*, II, 31, le parallélisme de soi-même et de σάρξ correspond à celui de ψυχή et soi-même dans la citation précédente (*Act.*, II, 27 ; cfr XIII, 37). Noter aussi le parallélisme de ψυχή et πνεῦμα (*Lc.*, I, 46 s.) et de ψυχή et σῶμα (*Lc.*, XII, 22 s.) et l'usage équivalent de πνεῦμα et ψυχή pour le principe de vie (*Lc.*, VIII, 55 ; *Act.*, XX, 10). *Lc.*, XII, 20 (ἀπό) et XXIII, 46 (cfr *Act.*, II, 27, 31) renforce l'impression qu'aucun dualisme anthropologique n'affecte le traitement que Luc applique à ses traditions.

15. Plusieurs exégètes regardent le discours sur l'Aréopage comme une exception : « la conception stoïcienne et panthéiste de l'homme en *Act.*, XVII, 28 ne peut s'harmoniser avec le reste du Nouveau Testament » (W. G. KUEMMEL, *Man*, p. 91 s. ; voir la littérature citée là) ni avec le reste de l'évangile de Luc et des Actes. C'est pourquoi on doit envisager la possibilité que Luc comprenne *Act.*, XVII, 38 différemment ou y voie un argument *ad hominem*. La citation d'Aratus s'expliquerait en fonction du contexte lucanien, incluant les allusions à l'Ancien Testament (*Act.*, XVII, 14-27 ; cfr XIV, 15). Comme Paul (*Col.*, III, 3), Luc (XX, 38) parle ailleurs de la vie du juste « en Dieu », sans que cela implique une conception panthéiste ; voir *infra*. Le langage utilisé à propos de l'âge à-venir (et de la vie présente dans l'Ancien Testament, par exemple *Gen.*, II, 7 ; *Deut.*, VIII, 3) est appliqué de façon similaire en *Act.*, XVII à la vie de l'âge présent. Cfr S. HANSON, *The Unity of the Church in the New Testament*, Uppsala, 1946, p. 101-105.

16. *Lc.*, XXIV, 26, 39 ; *Act.*, II, 31 ; cfr *Heb.*, X, 20. Luc est un précurseur de plusieurs écrivains patristiques et des credos qui soulignent la résurrection de la « chair ». Cfr IRÉNÉE, *Adv. Haer.*, I, 10, 1 ; TERTULLIEN, *De Virg.*, 1 ; le Symbole des apôtres ; P. SCHAFF, *The Creeds of the Greek and Latin Churches*, Londres, 1877, p. 14, 17 ; J. N. D. KELLY, *Early Christian Doctrines*, Londres, 3e éd., 1965, p. 413 ;

Il est exact que quelques groupes du judaïsme au premier siècle concevaient l'homme de façon dualiste, et Lc., XVI, 19-31 semble présupposer ce genre d'arrière-plan [17]. L'Église patristique également, influencée par la philosophie grecque et le Gnosticisme, a joint à son affirmation de l'intervention de Dieu dans l'histoire une croyance en le départ de l'âme à la mort pour un royaume éternel intemporel. En fait, ce point de vue continue de prévaloir aujourd'hui dans la théologie traditionnelle et populaire. Mais une telle synthèse dépend d'une conception de l'homme et de la mort tout à fait différente de celle qu'on trouve chez Luc [18].

Le contraste platonicien du temps et de l'éternité est également absent de l'eschatologie de Luc, comme en général du Nouveau Testament [19]. Le contraste chez Luc du ciel et de la terre n'est pas l'occasion d'une spéculation cosmologique. C'est un contraste entre le « vu » et le « non-vu » qui, comme son anthropologie, a des antécédents chez Paul et dans l'Ancien Testament [20]. Sur cette question, la thèse d'Oscar Cullmann, *Immortalité de l'âme ou résurrection des morts* (Londres, 1958), est importante. Ce n'est pas un thème isolé, mais un chaînon significatif dans l'ensemble de sa théologie. Comme il l'a remarqué avec justesse, une théologie qui inclut un départ de l'âme vers un séjour

---

JUSTIN, *Dial.*, 80. Paul ne parle pas de la résurrection de la chair, probablement à cause de la connotation théologique qu'il donne à la chair = « l'homme soumis au péché et à la mort ». Mais c'est une erreur d'opposer le « corps spirituel » de Paul à la « chair » ressuscitée de Luc ou de supposer avec C. K. BARRETT, dans *London Quarterly and Holborn Review*, 34 (1965), voir p. 99, que le phénomène du Gnosticisme (par exemple, l'Évangile de Philippe, 21 ss.) « semble faire droit davantage à l'enseignement de Paul... que certains des écrivains patristiques les plus réputés ». Voir ci-dessus note 33.

17. Cfr E. E. ELLIS, *Jesus, the Sadducees and Qumran*, dans NTS, 10 (1963-64), 274-279, voir p. 277, n. ; *Luke*, p. 206. *Lc.*, XVI, 19-31 ne fait pourtant pas jouer le contraste en usant des termes « corps » et « âme ».

18. Cfr J. PELIKAN, *The Shape of Death*, Nashville, 1961, *passim* ; R. SCHNACKENBURG, *God's Rule and Kingdom*, Londres, 1963, p. 320 s. ; J. N. D. KELLY, *op. cit.*, p. 466-474, 482 s.

19. Cfr O. CULLMANN, *Time*, p. 51-68 : « Le christianisme primitif ne connaît rien d'un Dieu intemporel » (p. 63). Cela provient de ce que « la question spéculative... si le futur est futur aux yeux de Dieu ne se pose absolument pas dans l'ensemble du Nouveau Testament, parce que son objet est uniquement l'activité de Dieu dans le temps » (O. CULLMANN, *Salvation in History*, Londres, 1967, p. 177).

20. Cfr W. C. VAN UNNIK, *Die geöffneten Himmel*, dans *Apophoreta*, p. 269-280 ; H. TRAUB, art. οὐρανός, dans ThWNT, V, Stuttgart, 1954, p. 496-536, voir p. 512-535 ; *Act.*, VII, 56 ; XII, 6-11 ; *II Reg.*, VI, 17. On peut comparer la conception lucanienne de « ciel » et « terre » à deux canaux de télévision montrant des prises de vue différentes de la même course d'autos. L'une et l'autre projection sont simultanées et reliées entre elles. Mais les spectateurs du canal I ne voient pas l'action filmée par le canal II.

intemporel ou l'anticipation de l'accomplissement de la parousie au moment de la mort contredit la conception que se fait le Nouveau Testament de la rédemption temporelle de tout l'homme [21].

II

A la lumière de ces considérations, on devrait chercher la fonction de l'eschatologie lucanienne à l'intérieur d'une eschatologie des deux âges et d'une anthropologie moniste, d'une rédemption temporelle qui sauve l'homme entier de la mort. Cette manière de penser se caractérise par le dessein de montrer la médiation exclusive de l'achèvement eschatologique réalisé par Jésus et par conséquent la relation de l'âge présent à l'âge à-venir.

Au cours de la mission avant la résurrection, le nouvel âge du Royaume de Dieu devient présent dans la parole efficace et les actes de Jésus [22]. « Si je chasse les démons par le doigt de Dieu, alors le Royaume de Dieu est arrivé pour vous ($\check{\epsilon}\phi\theta\alpha\sigma\epsilon\nu$ $\dot{\epsilon}\phi$' $\dot{\nu}\mu\hat{\alpha}\varsigma$) » (Lc., XI, 20). C'est aussi la portée probable de la « venue » ($\check{\eta}\gamma\gamma\iota\kappa\epsilon\nu$ $\dot{\epsilon}\phi$' $\dot{\nu}\mu\hat{\alpha}\varsigma$) du Royaume dans la mission des Septante [23]. Par là, Luc n'élargit pas la manifestation présente du Royaume en dehors de la personne de Jésus, il identifie plutôt les compagnons de Jésus avec la personne propre de ce dernier.

---

21. Cullmann ne pense pas que l'espérance de la résurrection ait surgi d'« un débat anthropologique » entre Platoniciens et Juifs, comme le prétend J. MOLT-MANN, Resurrection as Hope, dans HThR, 61 (1968), 129-148, voir p. 131, mais que l'espérance de la résurrection s'est élaborée sur des conceptions de l'homme et de la mort toutes différentes de celles du Platonisme. Aussi n'est-il pas question d'« immortalité ou résurrection » mais d'« immortalité par la résurrection ».

22. Ceci n'est pas une contribution ou une interprétation lucanienne, mais remonte à Jésus lui-même, comme l'a montré W. G. KUEMMEL, Promise and Fulfilment, Londres, 1957, p. 106-124, 138 ss. Apparemment, dans la présentation évangélique de la mission d'avant Pâques, la présence de l'âge à-venir ne s'identifie avec la personne de Jésus que dans le quatrième évangile. Cfr O. CULLMANN, Salvation, p. 270 s.

23. Lc., X, 9 ; cfr X, 11, 18 ; E. E. ELLIS, Present and Future Eschatology, p. 33. Le parfait $\check{\eta}\gamma\gamma\iota\kappa\epsilon\nu$ peut signifier « être là » (Lc., XXI, 20). Cependant, Luc (XXI, 8 s. ; cfr XIX, 11) nie que la consommation de la parousie ($\tau\dot{o}$ $\tau\dot{\epsilon}\lambda o\varsigma$) soit imminente ($\check{\eta}\gamma\gamma\iota\kappa\epsilon\nu$). Lc., X, 9, 11 et XXI, 8 appellent tous deux la traduction : « est arrivé », et le premier passage se réfère alors à un événement présent et non à la parousie manifeste du Royaume de Dieu. W. G. KUEMMEL, Promise, p. 113, refuse cette acception de $\check{\eta}\gamma\gamma\iota\kappa\epsilon\nu$, mais il admet que Lc., X, 18, en tant que logion isolé, vise une manifestation présente du Royaume. D'autre part, Luc (X, 17, 19) applique clairement le logion à la mission des Septante. Sur l'usage de $\check{\eta}\gamma\gamma\iota\kappa\epsilon\nu$ avec le sens de « être arrivé », cfr M. BLACK, The Kingdom of God has Come, dans ExpT, 63 (1951-52), 289 s., qui équipare le terme avec ceux utilisés par exemple en Dan., IV, 8 (פסא) et Ps. CXIX, 169 ; I Reg., VIII, 59 (קרב) ; cfr Jer., XXVIII, 9.

Cette explication s'appuie sur la manière dont Luc associe Jésus à ses compagnons. Jésus les envoie (ἀποστέλλω) et les autorise à parler et agir en son nom. Il leur dit : « Vous êtes demeurés *avec moi* dans mes épreuves (πειρασμοῖς) » et il dit la même chose au larron sur la croix à propos de sa glorification : « Tu seras *avec moi* dans le Paradis » (*Lc.*, XXII, 28 ; XXIII, 43) [24]. A la dernière Cène, il s'identifie lui-même au pain et au vin qu'il invite les apôtres à partager ; l'on est ainsi amené « à voir en l'union avec Jésus qui va les quitter comme l'accomplissement eschatologique dans le présent » [25].

La « mission » et l'usage du « nom » de Jésus doivent très probablement se comprendre dans les termes du *shaliah* où l'agent est considéré virtuellement comme l'extension de la personnalité de celui qui l'envoie [26]. Mais le sens des autres passages réside vraisemblablement dans un autre concept sémitique, la solidarité corporative du groupe dans son chef. Ceci s'exprime clairement dans la parole de Jésus ressuscité à Paul : « Pourquoi *me* persécutes-tu ? » (*Act.*, IX, 4). Mais la même idée est sans doute sous-jacente aux motifs du temple « non bâti de mains d'hommes » [27]. A la différence de Paul [28], Luc décrit l'unité corporative des

---

24. Sur *Lc.*, XXIII, 43, cfr E. E. ELLIS, *Present and Future Eschatology*, p. 35-40. En *Lc.*, XXII, 28, le temps parfait semble indiquer une identification corporative avec le Christ dans ses épreuves (πειρασμοῖς), puisque les disciples n'étaient pas personnellement engagés dans la Tentation et le témoignage final de Jésus. L'expression selon laquelle le Seigneur est « avec » le disciple a une connotation un peu différente dans les Actes (XI, 21 ; XVIII, 10). L'identification corporative est probablement signifiée en *Mt.*, XVIII, 20 ; XXV, 40 ; cfr XXVIII, 20.

25. W. G. KUEMMEL, *Promise*, p. 121 ; cfr *Lc.*, IX, 1 s. ; X, 1, 17 s. ; XXII, 19 s., 28 ; XXIII, 43.

26. Cfr *Lc.*, X, 16 ; E. E. ELLIS, *Luke*, p. 136 sur *Lc.*, IX, 1 ; K. H. RENGSTORF, art. ἀπόστολος, dans ThWNT, I, Stuttgart, 1933, p. 405-446, voir p. 424-431 ; H. BIETENHARD, art. ὄνομα, dans ThWNT, V, Stuttgart, 1954, p. 242-281, voir p. 276 s. Dans les guérisons d'*Act.*, III, 16 ; IX, 34, Jésus lui-même est actif dans le pouvoir efficace de son nom. De façon significative, ce pouvoir n'est pas limité aux Douze, et en *Lc.*, IX, 49, quelqu'un en use effectivement qui n'a pas été « envoyé ». Mais cfr *Act.*, XIX, 13-16.

27. Cfr *Lc.*, XX, 17 s. ; E. E. ELLIS, *Luke*, p. 230 s. ; *Act.*, VI, 14 ; VII, 48 ; XV, 16 ; XVII, 24 ; B. GAERTNER, *The Temple and the Community in Qumran and the New Testament* (SNTS, Mon. Ser., 1). Cambridge, 1965, p. 103, 122, 123-142. Une conception corporative du Fils de l'homme peut exister implicitement en *Lc.*, VI, 1-5, mais ce n'est pas un développement ou une insistance de Luc lui-même. Cfr *Dan.*, VII, 13, 27 ; *Lc.*, XXII, 27 ss. ; voir la discussion récente et pénétrante de Morna D. HOOKER, *The Son of Man in Mark. A Study of the Background of the Term « Son of Man » and its Use in St. Mark's Gospel*, Londres, 1967, p. 140, 142 s., 181 s., 192 ss. ; cfr *Mt.*, XXV, 31-30 (« Fils de l'homme », « frères », « moi »). *Lc.*, III, 38 suggérait aussi que Luc voyait la personne de Jésus de façon corporative. Cfr E. E. ELLIS, *Luke*, p. 93. Une vue différente chez C. F. D. MOULE, *The Phenomenon of the New Testament*, Cambridge, 1967, p. 36 ss.

28. L'expression paulinienne « en Christ » ou « corps du Christ » n'apparaît pas,

chrétiens avec Jésus à l'aide d'images diverses, liées dans une large mesure à des épisodes et des expressions traditionnelles. Mais ce n'est une raison pour sous-estimer l'importance que le concept a pour lui.

L'identification de l'accomplissement eschatologique avec Jésus fournit l'explication qui permet de comprendre la relation de l'âge présent et de l'âge à-venir. D'abord, la double eschatologie du judaïsme apocalyptique devient une *eschatologie à deux phases*. L'action de l'Esprit en, et à travers, Jésus inaugure les bénédictions eschatologiques, mais le jugement et la consommation du Royaume sont différés [29]. De même, Jésus, « le premier à ressusciter des morts » (*Act.*, XXVI, 23), est devenu littéralement « un fils de la résurrection » qui ne meurt plus jamais (*Lc.*, XX, 36) ; pour ses disciples, l'accomplissement de l'âge à-venir attend la consommation future [30]. Dans la vie ou dans la mort, il n'est présent qu'« avec Jésus » (*Lc.*, XXIII, 43) ou « en Dieu » (*Lc.*, XX, 38). C'est pourquoi la dimension verticale n'est pas une consommation dans le ciel manifestée sur la terre (Flender), mais une consommation sur la terre dans la résurrection et l'ascension de Jésus manifestée à présent dans le ciel. Il ne s'agit pas d'un glissement hors de l'histoire, mais de l'intégration à l'intérieur de celle-ci d'une dimension « céleste ». Pour les disciples de Jésus, l'eschatologie verticale n'est pas une carte de route de leur pèlerinage individuel mais plutôt une relation avec celui qui est au ciel « jusqu'au temps de l'ἀποκατάστασις universelle » [31].

En deuxième lieu, la personne et la mission de Jésus définissent pour Luc la nature *de la continuité et de la discontinuité* entre l'âge présent et l'âge à-venir. Les guérisons opérées par Jésus (cfr *Lc.*, V, 23s.), ses

---

bien que *Act.*, IV, 2 soit tout à fait semblable : « proclamant en (ἐν) Jésus la résurrection des morts ».

29. *Lc.*, IV, 18 s. = *Is.*, LXI, 1, mais en omettant « le jour de la vengeance de notre Dieu » ; *Lc.*, VII, 22 s. Concernant la juxtaposition des manifestations présente et future du Royaume de Dieu, cfr E. E. ELLIS, *Luke*, p. 12-15, 210 : *Present and Future Eschatology*, p. 27-41 ; *Lc.*, III, 16 s. ; IX, 26 b, 27 ; XI, 2 s. ; XVII, 20 ss. ; XXIII, 42 s. Luc insiste sur ce que l'Esprit vient de Jésus sur l'Église (cfr *Lc.*, III, 16 s. ; *Act.*, I, 5 ; II, 33 ; *Eph.*, IV, 8 ; *Act.*, XIX, 2-6). De façon assez étrange, contrairement à Paul, il ne semble donner aucun rôle au Saint-Esprit dans l'événement eschatologique par excellence, la résurrection de Jésus.

30. *Lc.*, XIV, 14 ; XVII, 30-35 ; XX, 36 ; XXI, 28 ; *Act.*, XVII, 18 ; XXIII, 6 ; cfr *Act.*, IV, 2. La succession ne doit pas se comprendre comme un accomplissement individuel à la mort et un accomplissement universel à la résurrection future (ainsi C. K. BARRETT, *Stephen*, p. 35 s. ; cfr C. F. D. MOULE, *St Paul and Dualism : The Pauline Conception of Ressurection*, dans NTS, 12 (1965-66), 106-123, voir p. 122 ; JÉROME, *In Joël* 2, 1 (PL 25, 965 B § 188) : « Ce qui est sur la pierre pour toujours au jour du jugement s'accomplit dans les individus au jour de leur mort » ; cité dans J. N. D. KELLY, *op. cit.*, p. 483).

31. *Act.*, III, 21. Pour Luc, il est tout à fait clair que la consommation du temps est un phénomène terrestre. Cfr *Lc.*, XVII, 34 s. ; XXI, 27 ; *Act.*, I, 11 ; XVII, 31.

miracles sur la nature et sa résurrection physique indiquent que le nouvel âge est un *accomplissement*, une délivrance pour la création matérielle actuelle des puissances de mort de l'âge présent. Une implication semblable se retrouve probablement dans la référence au Paradis (*Lc.*, XXIII, 43) et à Adam (*Lc.*, III, 38), dans la vision de la consommation comme une « restauration » (*Act.*, I, 6 ; III, 21) et le parallélisme entre les « fils de la résurrection » et ceux de la création présente qui « vivent en Dieu » (*Lc.*, XX, 38 ; *Act.*, XVII, 28). Pourtant le Royaume de Dieu constitue aussi une *grandeur nouvelle* dont la discontinuité avec l'âge présent est aussi radicale qu'entre la mort et la résurrection. Le sort de Jésus est le sort du disciple qui doit aussi passer « par beaucoup d'épreuves » et « perdre sa vie », si, comme Jésus, il veut devenir un « fils de la résurrection » [32].

En se demandant si cette sorte d'eschatologie a une fonction polémique, on doit résister à la tendance à voir un antagoniste derrière chaque buisson dans le jardin théologique du Nouveau Testament. Néanmoins, dans son prologue (I, 4), Luc suggère sans doute qu'il corrige une information erronée de provenance hérétique. La forte insistance sur la nature physique de la résurrection de Jésus et la distinction soigneuse entre la résurrection et l'ascension visent probablement à préserver la résurrection d'une interprétation céleste et « spirituelle » [33]. Ce point de vue docétique, s'il n'existait pas déjà au temps de Luc, apparaît certainement dans l'Église peu de temps après. Cependant, l'usage de l'eschatologie verticale comme un pont vers le monde de pensée de la philosophie grecque que certains attribuent à l'évangile de Jean semble avoir peu de sens pour Luc [34].

De plus, la discontinuité qu'il pose entre l'âge présent et le Royaume de Dieu prévient le lecteur de Luc du danger de tomber dans un messianisme politique. Et son insistance sur la présence de l'Esprit et sur l'unité des disciples avec le Seigneur glorifié (*Lc.*, XXIII, 43 ; *Act.*, VII, 56) ouvre une perspective particulière sur la consommation anticipée de la parousie. Nous pouvons maintenant aborder cette question.

---

32. *Act.*, XIV, 22 ; *Lc.*, XVII, 33 ; cfr *Lc.*, XX, 36 ; XXII, 28-30. La ressemblance avec la théologie de Paul est notable ; cfr *Rom.*, VI, 4, 12 ss. ; *Col.*, III, 1-5, 12 ; E. E. ELLIS, *II Corinthians V, 1-10 in Pauline Eschatology*, dans NTS, 6 (1959-60), 211-224, voir p. 212-216.

33. Cfr E. E. ELLIS, *Luke*, p. 273-275. Luc apparaît également tout à fait ignorant des possibilités d'une interprétation platonicienne ou gnostique en *Lc.*, XVI, 19-31 ; XXIII, 43 ; probablement une influence gnostique existait-elle déjà en germe.

34. Dans le quatrième évangile aussi, la terminologie de la philosophie hellénistique est adaptée à un plan sémitique de l'histoire du salut. Cfr O. CULLMANN, *Salvation*, p. 100, 289 ss.

III

La prédication de Jean-Baptiste et la mission de Jésus prennent toutes deux leur origine dans le contexte de la venue prochaine du Royaume de Dieu. Le judaïsme apocalyptique, et sans doute le Baptiste n'en différait-il guère, identifie cet événement avec la catastrophe qui met fin à l'histoire et avec l'avènement de l'âge messianique de la justice et de la paix. La communauté chrétienne primitive partageait cette attente avec deux modifications significatives. Elle associait cette consommation avec le retour glorieux de Jésus et elle proclamait que le Royaume de Dieu était une réalité cachée présente au milieu d'elle [35]. Dans la tradition synoptique, la même compréhension du Royaume de Dieu comme une réalité présente et future est attribuée à Jésus, et W. G. Kümmel a montré que les deux perspectives remontaient à la mission d'avant Pâques : « Que ton règne vienne » et « Si je chasse les démons par l'Esprit de Dieu, le Royaume de Dieu est arrivé pour vous » (*Mt.*, VI, 10 ; XII, 28) [36].

Cependant, depuis l'œuvre de J. Weiss, beaucoup de savants ont tenu que pour Jésus ainsi que pour le judaïsme apocalyptique, la venue du Royaume de Dieu était seulement un événement futur imminent. Comme il ne se produisait pas, l'Église se vit devant un problème embarrassant à résoudre. R. Bultmann a accepté le Jésus apocalyptique de Weiss et discerné dans le christianisme primitif une double réponse à ce message. Paul a démythologisé l'élément apocalyptique par une interprétation existentialiste ; Luc, affronté au problème du délai de la parousie, lui a substitué une théologie de l'histoire du salut [37]. Ce schème, appliqué à l'eschatologie de Luc, a reçu un développement systématique dans *Die Mitte der Zeit* de H. Conzelmann [38]. O. Cullmann a vu en cet ouvrage un complément à son *Christ et le temps*, compliment auquel Conzelmann ne s'attendait guère. La critique majeure de Cullmann (et d'autres) [39] est que dans la reconstitution historique de

---

35. Par exemple, *I Thess.*, IV, 13-18 ; *Phil.*, I, 23 ; III, 20 s. ; *Col.*, I, 13 ; *Gal.*, I, 4.

36. W. G. KUEMMEL, *Promise* and *Futurische und präsentische Eschatologie im ältesten Urchristentum*, dans NTS, 4 (1958-59), 113-126 ; = JR, 43 (1963), 303-314 en traduction anglaise.

37. R. BULTMANN, *Existence and Faith*, Londres, 1964, p. 124, 196 ss., 238, 255 ss.

38. H. CONZELMANN, *The Theology of Luke*, en traduction anglaise.

39. O. CULLMANN, *Salvation*, p. 46 s., 181-185, 202, 240 s. Si « l'eschatologie de Jésus repose sur la tension entre « déjà » et « pas encore », la même tension n'est pas une solution toute faite au problème du délai de la fin... » (p. 181). « Ce qui est neuf chez Luc, c'est sa réflexion sur les périodes de l'histoire du salut » (p. 240). Cfr R. SCHNACKENBURG, *God's Rule and Kingdom*, p. 275.

Conzelmann, l'histoire du salut est regardée comme un développement secondaire [40].

Pourtant, la conception de Bultmann et Conzelmann est contestable sur plusieurs points. Une objection fondamentale est la dialectique hégélienne sous-jacente. Elle fournit une clef, de même que pour F. C. Baur, pour reconstruire l'histoire chrétienne primitive : l'espéiance apocalyptique primitive (thèse) rencontre le prcblème de l'abscene de Jésus qui se prolonge (antithèse) et le résout — dans le cas de Luc — par une théologie de l'histoire du salut (synthèse) [41]. Mais est-il si évident que le retard de la paiousie posait un problème crucial qui devait être « résclu » ? Le motif du délai chez Luc n'a certainement pas cette fonction. Au contraire, à la différence de *II Petr.*, Luc l'emplcie couramment pour dénoncer une attente trop empressée ou fausse de la parousie [42]. En tout cas, le thème pourrait difficilement s'expliquer à l'origine comme une solution inspirée par la déception ou l'embairas causé par l'absence prolongée de Jésus, puisqu'on le décèle avant qu'un temps suffisant se fût écoulé pour provoquer l'embarras [43].

Nous pouvons nous demander aussi sur quoi s'appuie la conception du « Jésus apocalyptique » de J. Weiss et d'A. Schweitzer. Sans aucun doute, leur thèse était en avance sur le « Jésus libéral » du dix-neuvième siècle. Mais à la lumière de l'ouvrage de W. G. Kümmel et d'autres, le « Jésus apocalyptique » apparaît aussi une figure unilatérale et plutôt artificielle.

C'est pourquoi le motif du délai chez Luc doit être cherché ailleurs. On notera tout d'abord que c'est seulement une insistance à l'intérieur d'un motif double incluant « l'imminence et le délai » que Luc trouve

---

40. Même si Conzelmann reconnaît lui-même que Luc fait seulement de façon complète ce que les écrits plus anciens du Nouveau Testament esquissaient déjà ; cfr H. Conzelmann, *Gegenwart und Zukunft in der synoptischen Eschatologie*, dans ZThK, 54 (1957), 277-296, voir p. 289 s., 296.

41. Cfr H. Conzelmann, *Luke's Place in the Development of Early Christianity*, dans *Studies in Luke-Acts*, p. 298-316, voir p. 302 ; *Gegenwart und Zukunft*, p. 290 : bien qu'il ne s'agisse pas d'un développement en droite ligne, les différentes théologies du Nouveau Testament se trouvent dans une relation historique, c'est-à-dire de succession chronologique. Cependant E. R. Goodenough, *The Perspective of Acts*, dans *Studies in Luke-Acts*, p. 51-59, voir p. 57, met en garde contre « la supposition que le christianisme avançait comme un bloc d'étape en étape ».

42. Par exemple, *Lc.*, XVII, 20 s., 23 ; XIX, 11 s., 15 ; XXI, 8 ; *Act.*, 1, 6-8 ; cfr *Lc.*, XII, 39 s., 45, où le délai n'est plus un problème de « temps » mais une occasion d'infidélité.

43. Par exemple, *Mt.*, XXIV, 26 = *Lc.*, XVII, 23 ; *Mc.*, XIII, 5-8 parr. ; *II Thess.*, II, 1. Les « temps des Gentils » qui s'intercalent avant la fin et que H. Conzelmann, *Luke*, p. 134 s., cite comme exemple de la perspective lucanienne qui allonge l'histoire, se trouvent déjà en *Rom.*, XI, 25 ss. Cfr P. Borgen, *Von Paulus zu Lukas. Beobachtungen zur Erhellung der Theologie der Lukasschriften*, dans STh, 20 (1966), 140-157.

dans sa tradition [44]. Probablement cette insistance sert-elle à la fois
les intentions théologiques propres de Luc et fournit-elle une réponse
à un problème de l'Église. Cependant le problème n'est pas le délai
de la parousie, mais une fausse spéculation apocalyptique qui déforme
les enseignements de Jésus et menace de pervertir la mission de l'Église.

Cette vision des choses correspond à la situation historique. La présence de la fièvre apocalyptique durant la dernière moitié du premier
siècle est attestée à la fois dans les sources chrétiennes et dans les écrits
profanes [45]. Elle est aussi appuyée par le contexte lucanien. Le logion
d'*Act.*, I, 6-8 est tout à fait significatif du point de vue de Luc : « Ce
n'est pas à vous de connaître les temps, mais (ἀλλά) vous recevrez la
force... et vous serez mes témoins » [46]. Son second volume le montre
clairement, Luc conçoit la tâche de l'Église comme la mission, et cette
tâche n'est pas servie par des préoccupations sur le « moment » de la
consommation. Théologiquement, le motif du délai est mis en relation
avec l'eschatologie à deux phases mentionnée plus haut. Parce que la
réalité eschatologique est présente, la durée de l'intervalle jusqu'à la
consommation ne revêt pas une signification cruciale [47].

L'ensemble de l'eschatologie lucanienne se situe à l'intérieur du
contexte de la manifestation en deux phases du Royaume de Dieu,
présent et futur. Mais *comment* l'âge à-venir est-il présent ? On a observé
que Matthieu joint l'eschatologie future et l'Église [48]. De son côté,
Luc combine l'eschatologie et l'Esprit [49] ou Jésus [50]. Dans sa résurrection,
Jésus qui donne l'Esprit représente un accomplissement individuel
de l'âge à-venir. Ses disciples non seulement font montre des mêmes
pouvoirs eschatologiques de l'Esprit que lui, mais ils bénéficient d'une
identification corporative avec le Seigneur ressuscité. Ce sont là deux
façons pour Luc de mettre en évidence la réalité présente du nouvel âge.

---

44. Voir *supra*, note 42.

45. Cfr Flavius Josèphe, *Bell.*, VI, 5, 4 ; Tacite, *Hist.*, 5, 13 ; Suétone, *Vesp.*,
4 ; *II Thess.*, II, 2.

46. Cfr *Lc.*, XVII, 20.

47. O. Cullmann, *Salvation*, p. 290. A. L. Moore, *The Parousia*, p. 199 s., 206,
pense que le motif du délai servait comme une expression de la patience de Dieu
et faisant partie d'un thème jumeau dans la conception qu'avait Jésus de l'avenir,
de l'eschatologie et de la grâce.

48. Cfr G. Bornkamm, *End-Expectation and Church in Matthew*, dans G. Bornkamm, G. Barth et H. J. Held, *Tradition and Interpretation in Matthew*, Londres,
1963, p. 15-24. La conception corporative de l'Église est même plus marquée chez
Matthieu que dans l'évangile de Luc. Il se peut que là aussi l'unité corporative
avec Jésus ait le caractère d'une eschatologie présente. En ce cas, sous une imagerie
différente, il y a une association d'idée tout à fait semblable.

49. C'est-à-dire l'activité présente de l'Esprit associée au jugement futur : *Lc.*, III,
16 s. ; XI, 31 s. ; XVII, 21 ss.

50. Être « avec Jésus » dans la souffrance présente ou la gloire garantit la participation au Royaume futur de Dieu : *Lc.*, XXII, 28 ss. ; XXIII, 43.

Plusieurs travaux de langue anglaise, récemment *The Son of Man in Mark* de M. Hooker, continuent à interpréter *Dan.*, VII, 13 en *Mc.*, XIV, 62 comme l'anticipation par Jésus de sa glorification. Il se peut que cette discussion se poursuive de façon plus profitable dans le cadre d'une eschatologie dont la consommation *future* se réalise en deux phases, l'une individuelle dans la résurrection et l'ascension de Jésus, l'autre universelle à sa parousie [51]. Mais nous ne pouvons entrer ici dans cette discussion.

17 Seminary Place   E. E. ELLIS
New Brunswick, N.J. (U.S.A.)

---

51. La tradition sur l'ascension en *Act.*, I fait un raccord explicite entre la « nuée » de l'ascension et le retour de Jésus « de la même manière ».

La matière marcienne
dans l'évangile de Luc

I. Marc : source de Luc

Il est assez exceptionnel que l'on puisse parler d'un consensus universellement accepté parmi les exégètes du Nouveau Testament, mais sur le fait que le troisième évangéliste a connu et a utilisé un évangile antérieur [1], l'accord est pratiquement unanime. Rarissimes sont les tenants d'une théorie de la tradition orale qui n'ont pas admis une telle exception à leur hypothèse [2], et dans l'optique de la théorie de Griesbach, Luc succède à Matthieu et l'a largement utilisé [3]. Mais la thèse à laquelle l'immense majorité des exégètes s'est ralliée est indubitablement celle d'une certaine dépendance envers Marc. Formulée d'une manière aussi générale, on peut la retrouver dans presque tous les systèmes en cours. En effet, la priorité de Marc (par rapport à Luc) n'est pas l'apanage exclusif de la théorie des deux sources. Ceux qui, comme B. C. Butler et A. Farrer, ont contesté l'existence de la source Q, ne nient pas pour autant la dépendance de Luc envers Marc [4]. De même, dans l'hypothèse

---

1. Un des évangiles canoniques ou un évangile primitif : évangile apostolique, proto-Matthieu, proto-Marc ou proto-Luc.

2. Voir, par exemple, A. G. DA FONSECA, *Quaestio synoptica*, Rome, 3ᵉ éd., 1952 : « Ipse Lucas qui scripta evangelica esse noverat, et haec a traditione orali orta esse asserit, et suum eodem modo ortum videtur innuere. ... Ipsae sectiones « marcanae » in multis ita differunt ut alium fontem, si minus a Mco, certe praeter Mcum supponant ; in his ipsis sectionibus, et magis in illis, non pauca sunt quae Lcs logice vix scriberet, si Mcm fontem prae oculis haberet » (p. 220).

3. Cfr W. R. FARMER, *The Synoptic Problem*, New York /Londres, 1964, p. 220-225. Sur les rapports Marc-Luc, voir la critique de J. A. FITZMYER, *The Priority of Mark and the « Q » Source in Luke*, in *Jesus and Man's Hope* (Perspective 11, 1-2), Pittsburgh, 1970, p. 131-170.

4. B. C. BUTLER, *The Originality of St Matthew*, Cambridge, 1951, p. 70 : « I agree, in fact, with the adherents of Marcan priority that Luke is dependent on Mark, and if it emerges from our study of the Matthew-Mark pair that Mark is dependent on Matthew, Luke's dependence on Mark follows automatically. » A. M. FARRER, *On Dispensing with Q*, in *Studies in the Gospels. Essays in Memory of R. H. Lightfoot* (éd. D. E. NINEHAM), Oxford, 1955, p. 55-86, spéc. p. 65 : « To follow two sources with equal regularity is difficult. Anyone who holds that St. Luke

d'un évangile primitif, source commune des trois synoptiques, il n'est pas exclu de voir en Marc la source principale de Luc [5]. On peut dire, il est vrai, que les rapports entre les deux évangiles ne seront plus les mêmes dès qu'on admet, pour la matière marcienne, une source supplémentaire (Matthieu, un évangile primitif, la tradition orale), mais c'est là une discussion qui se situe tout aussi bien à l'intérieur de la théorie des deux sources. Marc est-il la source unique des sections de triple tradition ou faut-il admettre que Luc avait accès à des traditions parallèles ? On ne peut séparer cette question du problème connexe du texte de Marc. Luc a-t-il connu un texte de Marc identique à celui du Marc canonique que nous connaissons, ou bien témoigne-t-il d'une recension postérieure (deutéro-Marc) ou remonte-t-il à un stade antérieur (proto-Marc) ? En critique littéraire, les théories sont tenaces, et il apparaît maintenant que le *Requiescat Urmarcus* a été prononcé quelque peu prématurément [6]. C'est du moins l'avis de M.-É. Boismard qui, dans son récent *Commentaire*, a fait un gros effort pour le ranimer [7].

---

knew St. Matthew is bound to say that he threw over St. Matthew's order (where it diverged) in favour of St. Mark's. He made a Marcan, not a Matthaean, skeleton for his book ». Sur les accords mineurs Matthieu /Luc contre Marc : « Now this is just what one would expect, on the supposition that St. Luke had read St. Matthew, but decided to work direct upon the more ancient narrative of St. Mark for himself. He does his own work of adaptation, but small Matthaean echoes keep appearing, because St. Luke is after all acquainted with St. Matthew » (p. 61).

5. L. VAGANAY, *Le problème synoptique*, Tournai, 1952, p. 312-313 : « Bien loin que les éléments marciens soient superficiels chez Lc., c'est la triple tradition, assez bien représentée par Mc., qui constitue la trame de son évangile. ... A notre avis Lc devait avoir pour source principale Mc., pour source secondaire Mg, pour source complémentaire Sg. » Comp. p. 281 : « En somme, il est certain que Lc. dépend de Mc : plusieurs transpositions, additions, omissions, retouches opérées par Mc. sur Mg se retrouvent chez Lc. C'est seulement l'étendue de cette dépendance qui reste imprécise par suite de la perte de Mg. » — Sur les réserves de L. Cerfaux, voir n. 12.

6. X. LÉON-DUFOUR, *Les évangiles synoptiques*, dans *Introduction à la Bible*, t. 2, 1959, p. 143-334, spéc. p. 281. Cf. N. P. WILLIAMS, *A Recent Theory of the Origin of St. Mark's Gospel*, dans *Studies in the Synoptic Problem* (éd. W. SANDAY), Oxford, 1911, p. 389-421, p. 421 (la conclusion d'une présentation critique du livre de E. Wendling) ; C. H. TURNER, *Marcan Usage. VI. The Use of Numbers in St Mark's Gospel*, JTS, 26 (1925), 337-346, p. 346 : « One more nail has been driven into the coffin of that old acquaintance of our youth, *Ur-Marcus*. He did enough harm in his time, but he is dead and gone : let no attempts be made to disinter his skeleton. » Voir, cependant, la remarque de V. TAYLOR, *The Gospel according to St. Mark*, Londres, 1952, p. 76. — X. Léon-Dufour, qui préfère renoncer à une dépendance littéraire immédiate, se rapproche lui-même de la théorie du proto-Marc en maintenant des contacts littéraires partiels entre Luc et les sources de Marc, notamment des groupements de péricopes comme II, 1-III, 6 ; IV, 1-34 ; IV, 35-V, 43 ; VI, 6-44 ; VIII, 27-IX, 29 ; IX, 30-X, 52 ; XI, 27-XII, 14 ; XIII, 1-31. Voir p. 283.

7. M.-É. BOISMARD, *Commentaire*, dans *Synopse des quatre évangiles en français* (éd. P. BENOIT et M.-É. BOISMARD), t. 2, Paris, 1972.

Puisque Luc reproduit les matériaux de Marc dans un ordre foncièrement identique, il est permis de voir dans l'évangile de Marc l'écrit fondamental qui est à la base de la composition lucanienne. Certains, toutefois, font valoir que *Lc.*, VI, 20-VIII, 3 et IX, 51-XVIII, 14 contiennent une documentation importante de matériaux non-marciens, textes de la double tradition aussi bien que passages propres à Luc, et que les sections du « début » et de la passion (*Lc.*, III, 1-IV, 30 et XXII, 14-XXIV, 53) présentent des divergences notables vis-à-vis de Marc. Cette constatation est à l'origine de l'hypothèse du proto-Luc : Luc remonte à un évangile Q + S, constitué déjà avant l'insertion de la matière marcienne. B. H. Streeter en proposa la reconstitution suivante : III, 1-IV, 30 ; V, 1-11 ; VI, 14-16 ; VI, 20-VIII, 3 ; IX, 51-XVIII, 14 ; XIX, 1-27 ; XIX, 37-44 ; XXI, 18.34-36 ; XXII, 14-XXIV, 53 [8]. L'hypothèse a rencontré des sceptiques, mais V. Taylor n'a cessé de la défendre et, même dans la contestation, le proto-Luc a gardé l'auréole des deux grands de l'exégèse britannique [9]. J. Jeremias l'a introduit en Allemagne [10] et son élève F. Rehkopf s'est essayé à lui fournir une base linguistique [11]. Ces auteurs ne nient nullement la dépendance de Luc envers Marc, mais ce n'est qu'au second stade de

---

8. B. H. STREETER, *The Four Gospels*, Londres, 1924, p. 199-222, spéc. p. 222. Le récit de la passion contient les passages marciens suivants : XXII, 18.22.42. 46-47.52-62.(69).71 ; XXIII, 3.22.25-26.33-34b.(35).44-46.(49).(51).(52-53) ; XXIV, (1-3).6.(9-10). (Entre parenthèses : probablement marcien, ou proto-lucanien partiellement assimilé au parallèle marcien).

9. Dans des commentaires de vulgarisation, elle est encore présentée comme l'hypothèse la plus probable : voir G. B. CAIRD, *The Gospel of St Luke* (The Pelican Gospel Commentaries), Harmondsworth, 1963, p. 27 : « As a working hypothesis for our present study, then, we shall assume that Luke began his literary undertaking by collecting information about Jesus from eyewitnesses and others, probably during the years when Paul was imprisoned at Caesarea. At the same time, or shortly afterwards, he combined the material he had accumulated with the teaching tradition of Q, so as to form the first draft of a gospel. Subsequently, when a copy of Mark came into his hands, he augmented his original document with Markan insertions. He then added the infancy stories and the prologue to bring his work into its final form. »

10. J. JEREMIAS, *Die Abendmahlsworte Jesu*, Goettingue, 3e éd., 1960, p. 91-93 ; comp. *Perikopen-Umstellungen bei Lukas ?*, dans NTS, 4 (1957-1958), 115-119 ; = *Abba*, p. 93-97.

11. F. REHKOPF, *Die lukanische Sonderquelle. Ihr Umfang und Sprachgebrauch* (WUNTS 5), Tubingue, 1959, spéc. p. 86-99 (« Der vorlukanische Sprachgebrauch im Lukas-Evangelium »). Voir p. 85 : « Ferner vermag dieser (der Sprachgebrauch) in der Passionsgeschichte) die Zugehörigkeit des lukanischen Passionsberichts zu der lukanischen Sonderquelle sicherzustellen. » Titre original de la dissertation : *Zwei Perikopen der lukanischen Passionsberichte. Ein Beitrag zum Problem der lukanischen Sonderquelle*, Goettingue, 1956 (examen de *Lc.*, XXII, 21-23 et 47-53).

la rédaction, pensent-ils, que des blocs marciens ont été interpolés dans l'évangile (proto-) lucanien [12].

Ainsi, un large accord sur la dépendance envers Marc n'empêche pas les exégètes de se poser des questions sur l'importance, l'étendue et la pureté de la *traditio marciana* dans l'évangile de Luc. On aurait tort de négliger ces problèmes de critique littéraire. La dissertation de T. Schramm l'a justement souligné : ils touchent directement à l'étude de la rédaction lucanienne [13]. Un presupposé tacite de l'exégèse lucanienne donne à la matière marcienne une valeur d'exemple. Puisque la source de Luc nous est conservée dans l'évangile de Marc, la rédaction lucanienne y est strictement contrôlable et l'examen de la matière marcienne nous procure les critères pour l'interprétation des autres parties de Luc et Actes [14]. Cette méthode, qui apparaît surtout dans les études sur les caractéristiques linguistiques et stylistiques, n'est pas rejetée par Schramm, mais il la veut plus rigoureuse : il propose de se limiter à la matière marcienne au sens strict (les blocs marciens) et aux seules péricopes qui ne trahissent pas l'influence de traditions parallèles. Après analyse, la liste suivante est retenue : IV, 31-44 ; V, 27-32 ; VI, (1-5).6-11 ; VIII, 11-15.19-21.26-39.40-56 ; IX, 7-9.46-50 ; XVIII, 15-17.18-30.35*b*-43 ; XIX, 45-48 ; XX, 1*b*-8.20-26.41-47 ; XXI, 1-4.37-38 ; XXII, 1-13. Dans les autres textes, il faudrait tenir compte que les divergences envers Marc pourraient s'expliquer comme des éléments non-marciens, repris à la tradition [15].

L'auteur nous recommande donc une nouvelle précision de la méthode. Au début, l'argument tiré de la statistique du vocabulaire était basé sur le nombre global des emplois dans l'évangile de Luc. C'est le critère statistique de J. C. Hawkins, quoique sa subdivision en « Chaps. i, ii ; Other Peculiar Parts » et « Common Parts » dirige déjà la recherche

---

12. *Lc.*, IV, 31-VI, 11 ; VIII, 4-IX, 50 ; XVIII, 15-43 ; XIX, 29-XXII, 13 (J. Jeremias). — Comparer la réaction de L. Cerfaux : « Le proto-Matthieu que nous avons essayé de décrire possède déjà les notes que l'école anglaise attribue à son proto-Luc. ... Pour nous comme pour Streeter, *Lc.* serait bâti sur un évangile antérieur, dans lequel il aurait intercalé les trois sections marciennes. » Cfr *A propos des sources du troisième Évangile : proto-Luc ou proto-Matthieu ?*, dans *Eph. Theol. Lov.*, 12 (1935), 5-27 ; = *Recueil Lucien Cerfaux*, t. I, Gembloux, 1954, p. 389-414, spéc. p. 413-414.

13. T. SCHRAMM, *Der Markus-Stoff bei Lukas. Eine literarkritische und redaktions-geschichtliche Untersuchung* (SNTS Mon. Ser., 14), Cambridge, 1971. Il s'agit d'une dissertation doctorale préparée sous la direction de C.-H. Hunzinger (Hamburg, 1966).

14. *Ibid.*, p. 6-8. Voir le titre de la section . « Die exemplarische Bedeutung des Mk-Stoffes bei Lk » (dissertation, p. 4 ; le titre n'est pas repris dans l'édition). Voir n. 17.

15. *Ibid.*, p. 186 (conclusion).

vers une argumentation plus nuancée [16]. Plus tard, H. J. Cadbury
étudie les divergences vis-à-vis des sources (« Common Parts ») et fait
soigneusement la distinction entre les passages parallèles à Marc et
ceux qui sont parallèles à Matthieu [17]. Puis, dans l'utilisation des « parallèles à Marc », H. Schürmann se montre particulièrement prudent quand
il s'agit de *Lc.*, III, 1-IV, 30 et XXII, 15-XXIV, 9 [18]. La récente discus-

---

16. J. C. HAWKINS, *Horae Synopticae. Contributions to the Study of the Synoptic
Problem*, Oxford, 1898 ; 2ᵉ éd., 1909 (= 1968). Sont considérés comme caractéristiques de Luc les 151 mots et expressions qui sont attestés en Luc au moins quatre
fois et qui sont ou bien absents de Matthieu et Marc ou bien deux fois plus fréquents
en Luc qu'en Matthieu-Marc (p. 15-23 et 35-51). Ajouter la liste de caractéristiques
moins strictes (p. 24) et deux listes complémentaires qui tiennent compte du livre
des Actes (p. 27-29). — Hawkins note qu'il ne parvint pas à trouver des expressions
caractéristiques d'un source (lucanienne, par exemple) (p. 26). Sur ce point, voir
B. S. EASTON, *Linguistic Evidence for the Lucan Source*, dans JBL, 29 (1910),
139-189 (vocabulaire L, la *Sonderquelle* de Luc, à partir des études de B. Weiss),
et, plus tard, l'essai de F. Rehkopf sur le vocabulaire « L » = Q + S (n. 11 et 19).
Sur le vocabulaire de Q, voir A. HARNACK, *Sprüche und Reden Jesu*, Leipzig, 1907.

17. H. J. CADBURY, *The Style and Literary Method of Luke. Part II. The Treatment of Sources in the Gospel* (Harvard Theol. Studies, 6), Cambridge (Mass.),
1920, p. 73-205. Son introduction : « The starting point for any study of Luke's
method of using sources is a comparison of Luke and Mark. In the second Gospel
is preserved to us, substantially as it was in the hands of our Evangelist, one of
those " accounts concerning the things fulfilled among us, " to which he refers,
and the one which he used as his chief single source. The survival of this source
gives us an unusually secure basis for the study of editorial method. In most other
cases the source is known only through the derivate work, and the editorial method
can be inferred only from the finished product. In the Gospel of Luke we can
confront the author's work with his source, so that the changes, rearrangements,
and additions which he has made can be certainly known. » Comp. F. C. BURKITT,
The Use of Mark in the Gospel according to Luke, dans F. J. FOAKES JACKSON et
K. LAKE (éd.), *The Beginnings of Christianity. Part I, The Acts of the Apostles*,
Londres, 1922, p. 106-120, voir p. 106 : « In the following pages it is assumed that
the author of the third Gospel used the Gospel of Mark practically in its extant
form, and also that where he does thus follow Mark he had no other source available.
The differences between ' Luke ' and Mark in these parallel narratives are conse-
quently regarded as due to the literary manner of the later writer, in a word, to
his style and methods of writing history, not to fresh, independent information. »

18. Comp. H. SCHÜRMANN, *Der Paschamahlbericht. Lk 22, (7-14). 15-18* (Neut.
Abhandl., XIX, 5), Münster, 1953 ; *Der Einsetzungsbericht. Lk 22, 19-20* (Neut.
Abhandl., XX, 4), Münster, 1955 ; *Jesu Abschiedsrede. Lk 22, 21-38* (Neut. Abhandl.,
XX, 5), Münster, 1957. Voir *Einsetzungsbericht*, p. 1-2, n. 1 (1, c, fin) : « Der
literarkritische Vergleich arbeitet mit der hier nicht zu beweisenden (vgl. jedoch
den Nachweis bei Schmid, Mt und Lk 84-182 ; anders verschiedentlich Vertreter
einer « Synoptischen Grundschrift » wie teilweise die der Protolukas-Hypothese)
Voraussetzung, dass in Lk 4, 31-22, 14 dort, wo die Mk-Akoluthie eingehalten
wird (dazu noch Lk 6, 17-19 ; 8, 19-21), *luk Mk-R* (vgl. Mk 1, 21-14, 18a) vorliegt. »
Comp. *Die Dubletten im Lukasevangelium*, dans ZKTh, 75 (1953), 333-345 ; =
Traditionsgeschichtliche Untersuchungen zu den synoptischen Evangelien, Düsseldorf,
1968, p. 272-278, spéc. p. 273 : « Ganz offensichtlich lässt Lukas die Mk-Vorlage

sion F. Rehkopf-H. Schürmann semble avoir suggéré un raffinement ultérieur [19] : seuls les textes de tradition marcienne pure offrent une base suffisamment sûre pour l'étude de la rédaction lucanienne. L'observation est valable, mais la question se pose s'il y a vraiment lieu de se cantonner dans les 137 versets déclarés « purs » par T. Schramm.

II. « Traditio marciana pura » dans Lc., IV, 31-IX, 50

En ce qui concerne *Lc.*, IV, 31-IX, 50, le commentaire de H. Schürmann confirme généralement les conclusions de T. Schramm sur les péricopes dites de tradition marcienne pure (IV, 31-44 ; V, 27-32 ; VI, 1-5.6-11 ; VIII, 11-15.19-21.26-39.40-56 ; IX, 7-9.46-50) [20]. Une seule exception : *Lc.*, IV, 31-44. H. Schürmann maintient son hypothèse à propos de la tradition parallèle à *Mc.*, I, 21-28.32-39 [21]. L'argument

---

insofern seine Hauptvorlage sein, als er sie im eigentlichen Korpus seines Evangeliums Lk 4, 31-22, 14 (= Mk 1, 21-14, 18a) bei einiger Kürzungen, aber ohne jede Umstellungen von Perikopen zum tragenden Skelett macht. »

19. Rehkopf, étudiant le vocabulaire de la source L (Q + S), compte parmi les 78 cas de vocabulaire proto-lucanien des mots qui, d'après Hawkins, sont caractéristiques de Luc : ἀδικία, ἄνθρωπός τις, βαλλάντιον, δικαιόω, εὐφραίνω, ἰδοὺ γάρ, καὶ αὐτός, κεῖμαι, κλαίω, ὁ κύριος, μιμνήσκομαι, νομικός, ὁμοίως, πλήν, στραφείς, φίλος, φοβέομαι, χαίρω (p. 92-98). H. Schürmann a soumis la tentative de Rehkopf à une critique serrée : d'une part le récit de la passion, l'évangile de l'enfance et les *Sonderverse* de Q ne peuvent être considérés comme matière « L », et, d'autre part, pour qu'un mot soit caractéristique de « L », il est nécessaire que (1) il apparaît en Q et S, (2) il n'est pas typique de Luc, (3) il ne s'explique pas par recours à l'araméen (*vox ipsissima Jesu*). Cfr *Protolukanische Spracheigentümlichkeiten ?*, in BZ, 5 (1961), 266-286 ; = *Traditionsgeschichtliche Untersuchungen*, p. 209-226. T. Schramm se réfère à Schürmann et à son plaidoyer pour « eine verfeinerte quellenkritische Methodik » (*ibid.*, p. 209) ; cfr *Markus-Stoff*, p. 63-66.

20. H. SCHÜRMANN, *Das Lukasevangelium. Erster Teil. Kommentar zu Kap. 1, 1-9, 50* (Herders Theol. Kommentar zum N.T., 3), Fribourg, 1969. A plusieurs reprises il marque explicitement son accord avec T. Schramm : p. 305, n. 35 (*Lc.*, VI, 1-5) ; p. 465, n. 156 (*Lc.*, VIII, 11-15 ; contre Spitta) ; p. 471, n. 203 (*Lc.*, VIII, 19-21 ; contre B. Weiss) ; p. 487, n. 110 (*Lc.*, VIII, 26-39 ; contre Spitta et Bussmann) ; p. 497, n. 184 (*Lc.*, VIII, 40-56 ; contre Bussmann) ; p. 508, n. 82 (*Lc.*, IX, 7-9 ; contre Rengstorf, Bundy, Dausch, Bussmann, Grundmann) ; p. 579, n. 35 (*Lc.*, IX, 49-50 ; sur IX, 46-48, voir p. 577, n. 19 : contre Spitta, Bussmann, Lohmeyer, Rengstorf). — A noter, cependant, que d'après Schürmann la *traditio marciana pura* s'étend largement en dehors des limites que Schramm lui impose (cfr *infra*).

21. *Ibid.*, p. 245, 246-247, 250 (*Lc.*, IV, 31-37) ; 254, 256 (*Lc.*, IV, 42-43). Cfr « *Der Bericht vom Anfang* ». *Ein Rekonstruktionsversuch auf Grund von Lk 4, 14-16*, dans *Studia Evangelica* II (TU 87), Berlin, 1964, p. 242-258 ; = *Traditionsgeschichtliche Untersuchungen*, p. 69-79 (avec *Nachtrag*, p. 79-80) spéc. p. 71 (I, 2b) ; p. 73 (II, 2bc) ; 74-75 (III, 2a). — Comp. T. SCHRAMM, *Markus-Stoff*, p. 90, n. 1 (= dis-

repose principalement sur quelques accords mineurs Matthieu-Luc. *Lc.*, IV, 31 : καὶ κατῆλθεν εἰς Καφαρναούμ (cfr *Mt.*, IV, 13a) ; πόλιν τῆς Γαλιλαίας (cfr *Mt.*, IV, 13b + 14-16 : *Is.*, IX, 1-2) ; IV, 36 : ἐν... δυνάμει (anticipé au v. 14) ; IV, 37 : l'absence du nom de la Galilée (ajouté en *Mc.*, I, 28) ; IV, 40 : ἀσθενοῦντας νόσοις (cfr *Mt.*, VIII, 17 : *Is.*, LIII, 4) ; IV, 41 : un texte plus complet que *Mc.*, I, 34 ; IV, 42 : οἱ ὄχλοι (cfr *Mt.*, IV, 25) ; IV, 43 : εὐαγγελίσασθαι... τὴν βασιλείαν (cfr *Mt.*, IV, 23) [22]. Pour une plus ample information, et la discussion de ces « traces », nous renvoyons à l'article de J. Delobel [23].

Il peut être utile de confronter encore les conclusions de Schramm à celles d'un autre critique. M.-É. Boismard signale *Lc.*, IV, 31-44 ; V, 27-32 ; IX, 7-9 comme « sections où l'ultime rédaction lucanienne ne dépend, semble-t-il, que du Mc-intermédiaire » [24]. Toutefois, on ne peut perdre de vue que, d'après Boismard, le « Marc intermédiaire » est un proto-Marc qui, également dans ces passages, a été remanié par l'ultime rédacteur. Ainsi, en *Mc.*, I, 21-39 : v. 28a : ἐξῆλθεν (*loco* ἐξεπορεύετο) ; 28b : πανταχοῦ (add.) ; 28c : τὴν περίχωρον (add.) [25] ; v. 29 : καὶ Ἀνδρέου μετὰ Ἰακώβου καὶ Ἰωάννου (add.) ; v. 31 : ἤγειρεν αὐτήν (*loco* ἠγέρθη /ἀναστᾶσα après ἀφῆκεν) [26] ; v. 32 : ὀψίας δὲ γενομένης, πάντας (*loco* πολλούς), ποικίλαις νόσοις (om., cfr v. 34), καὶ τοὺς δαιμονιζομένους (add. Mt-int.) ; v. 33 : add. ; v. 34 : πολλούς (*loco* πάντας), κακῶς ἔχοντας ποικίλαις νόσοις (add., cfr v. 32) [27] ; v. 39 : καὶ τὰ δαιμόνια ἐκβάλλων (add.) [28]. — *Mc.*, II, 13-17 : v. 15b : ἦσαν γὰρ πολλοί καὶ ἠκολούθουν αὐτῷ (add.) ; v. 16a : ἰδόντες ὅτι ἐσθίει μετὰ τῶν ἁμαρτωλῶν καὶ τελωνῶν [29]. — *Mc.*, VI, 14-16 : v. 14a : φανερὸν γὰρ ἐγένετο τὸ ὄνομα αὐτοῦ (add.) ;

---

sertation, note 327) : toutes les divergences vis-à-vis de Marc peuvent être rédactionnelles.

22. L'affirmation de Schürmann est plus nette dans le commentaire (1969) que dans l'article (1964 ; Conférence d'Oxford de 1961). Voir, par exemple, sa remarque : « Auch ist es erstaunlich, dass Luk das Beten Jesu Mk 1,35 gegen seine sonstige Gewohnheit nicht erwähnt » (p. 250) ; à comparer à la note 34 de l'article : « So wird man das auffällige Fehlen des bei Lukas sonst so beliebten Betens Jesu 4, 42 diff. Mk nicht zum Anlass nehmen können, auch hinter Lk 4, 42 schon die Nicht-Mk-Vorlage zu vermuten » (p. 75). Comp. également la note 32 sur *Lc.*, IV, 43.

23. Dans ce volume, p. 203-223. Sur *Lc.*, IV, 42-43, comp. F. NEIRYNCK, *The Gospel of Matthew and Literary Criticism. A Critical Analysis of A. Gaboury's Hypothesis*, dans M. DIDIER (éd.), *L'Évangile selon Matthieu. Rédaction et Théologie* (Bibl. Eph. Theol. Lov., 29), Gembloux, 1972, p. 37-69, spéc. p. 61, n. 39.

24. *Commentaire*, p. 44. En outre : *Lc.*, VI, 17-19 et IX, 37-43a (Schramm : « unter dem Einfluss von Traditionsvarianten »). — Pour *Lc.*, IV, 31-44 : voir p. 44 (§§ 32 à 36 : « Lc *4* 31 à *6* 19 » est à corriger) et la Note § 37 sur *Lc.*, IV, 44 (p. 99).

25. *Ibid.*, p. 94 (Note § 33).

26. *Ibid.*, p. 96-97 (Note § 34).

27. *Ibid.*, p. 97-99 (Note § 35).

28. *Ibid.*, p. 99-100 (Note § 37).

29. *Ibid.*, p. 112 (Note § 42).

v. 14b : ὁ βαπτίζων ; v. 14c : καὶ διὰ τοῦτο ἐνεργοῦσιν αἱ δυνάμεις ἐν αὐτῷ [30]. Il résulte de cette liste que l'évangile de Luc est considéré comme un témoin valable du Marc intermédiaire, car ce sont les « omissions » en Luc (et l'accord négatif avec Matthieu pour I, 29.33.39 ; II, 15.16) qui font apparaître les ajouts rédactionnels en Marc. De plus, Luc peut rester plus proche de la formulation « marcienne » que l'ultime rédacteur de Marc (par exemple, ἐξεπορεύετο en *Lc.*, IV, 37). Par contre, il n'est pas exclu que la rédaction marcienne soit plus « lucanienne » que la version de Luc lui-même : πανταχοῦ, qui est absent du parallèle en *Lc.*, IV, 37, est attribué au « rédacteur marco-lucanien » précisément en vertu de son caractère lucanien.

Mais pareille pureté marcienne de Luc n'est-elle pas trop paradoxale pour être réellement convaincante ? Il est vrai que πανταχοῦ est employé une fois ailleurs en Luc et trois fois en Actes [31], plus spécialement dans des formules paronymiques : πάντας πανταχοῦ (XVII, 30), πάντῃ τε καὶ πανταχοῦ (XXIV, 3 ; comp. XXI, 28 : πάντας πανταχῇ) [32], mais ce n'est pas une raison pour le retirer du vocabulaire de Marc. L'emploi de I, 28 est unique dans l'évangile, mais d'autres hapaxlegomena dans le même contexte rendent πανταχοῦ εἰς... [33] un peu moins exceptionnel : ἀλλαχοῦ εἰς... (I, 38) et πάντοθεν (I, 45). D'ailleurs, l'expression parallèle de Luc pourrait en garder une vague réminiscence : εἰς πάντα τόπον τῆς περιχώρου, comp. πανταχοῦ εἰς ὅλην τὴν περίχωρον τῆς Γαλιλαίας [34].

Est-il exclu que la rédaction lucanienne ait remplacé un ἐξῆλθεν par ἐξεπορεύετο ? Dans les deux autres emplois de ἐκπορεύεσθαι, Luc est tributaire de ses sources (*Lc.*, III, 7 = *Mc.*, I, 5 ; *Lc.*, IV, 22 = *Deut.*, VIII, 3 LXX, cf. *Mt.*, IV, 4). En IX, 5 il modifie ἐκπορευόμενοι en ἐξερχόμενοι, mais ce verbe lui est suggéré par le contexte de Marc lui-même (VI, 10 : ἐξέλθητε ἐκεῖθεν) et par le parallèle de Q (*Lc.*, X, 10 : ἐξελθόντες, cf. *Mt.*, X, 14 : ἐξερχόμενοι), auquel le complément ἀπὸ τῆς πόλεως ἐκείνης (*loco* ἐκεῖθεν) semble renvoyer [35]. Il est moins exact de dire qu'en *Lc.*, XXI, 37 ἐξερχόμενος est substitué au verbe ἐκπορεύεσθαι [36], car le double motif de *Mc.*, XI, 11 et 19 (ἐξῆλθεν/ἐξεπορεύοντο), plus que *Mc.*, XIII, 1, est à l'arrière-plan du sommaire lucanien. *Mc.*, X, 17

---

30. *Ibid.*, p. 217-218 (Note § 146).

31. *Lc.*, IX, 6 diff. *Mc.* ; *Act.*, XVII, 30 ; XXIV, 3 ; XXVIII, 22.

32. Pour les allitérations rhétoriques πανταχοῦ avec πᾶς : comp. Flavius Josèphe, *Bell.* 5, 310 ; *Ant.* 17, 143 ; *Contra Apionem* II, 41, 294.

33. À noter que l'emploi de *Mc.*, I, 28 diffère de celui de Luc et Actes en tant qu'il exprime une nuance de mouvement ; de même, ἀλλαχοῦ au v. 38.

34. Comme en plusieurs autres cas, Luc peut avoir éliminé l'expression double de Marc. Cfr F. NEIRYNCK, *Duplicate Expressions in the Gospel of Mark*, dans *Eph. Theol. Lov.*, 48 (1972), 150-209.

35. Sur l'influence de Q, voir le commentaire de H. Schürmann.

36. T. SCHRAMM, *Markus-Stoff*, p. 35, n. 4.

et 46 sont sans parallèles en Luc, mais c'est le motif même, plus que le verbe employé, qui est omis (*Lc.*, XVIII, 18) ou transformé (*Lc.*, XVIII, 35, cfr XIX, 1). Ajoutons à cela que cinq des onze emplois en Marc se trouvent en *Mc.*, VII, 15-23, sans parallèle en Luc. Un tel dossier ne permet guère de conclusion bien ferme, surtout si l'on n'oublie pas les trois emplois en Actes. Boismard suppose que le rédacteur de *Mc.*, I, 28 a emprunté ἐξῆλθεν à la variante de *Lc.*, IV, 14b/*Mt.*, IX, 26, mais l'inverse reste plus probable : ἐξῆλθεν, ἐξεπορεύετο, διήρχετο, ἐξῆλθεν sont plutôt des variations lucaniennes sur la formule de *Mc.*, I, 28 (*Lc.*, IV, 14.37 ; V, 15 ; VII, 17) [37].

Encore moins acceptable est le raisonnement de l'auteur à propos de τὴν περίχωρον : terme lucanien (cinq fois en Luc et une fois en Actes) introduit des deux côtés, par le rédacteur lucanien et par le rédacteur marco-lucanien. Il est assez curieux de constater que le type d'explication que l'auteur refuse quand il s'agit des accords mineurs Matthieu/Luc, ne semble pas le gêner ici. En effet, les accords mineurs Matthieu/Luc contre Marc régissent la théorie synoptique de Boismard : les accords négatifs sont à la base de l'hypothèse du Marc intermédiaire (un proto-Marc synoptique) et les accords positifs lui font supposer un contact direct entre Matthieu et Luc [38], plus exactement, entre le Matthieu intermédiaire (ce qui permet d'échapper à l'objection que les parties rédactionnelles de Matthieu n'ont pas laissé de trace en Luc) et le Luc intermédiaire. [L'appellation de proto-Luc [39] prête à confusion, en raison de l'usage consacré de désigner ainsi le soi-disant proto-Luc des Anglais : Q + L (ou S) ; le Luc intermédiaire de Boismard n'est pas cet évangile non-marcien, ou plutôt il n'est pas seulement cela : il est aussi un évangile « para-marcien », basé sur une tradition matthéenne parallèle aux récits de Marc.] L'hypothèse du Matthieu intermédiaire, source de Luc (proto-Lc) et de Marc (l'ultime rédacteur) et remanié par l'ultime rédacteur matthéen en fonction de Marc (Mc-intermédiaire), reste dans la ligne de la théorie proto-matthéenne : le Mg de Cerfaux-Vaganay-Benoit, source commune de Matthieu, Marc et Luc et à l'origine des accords Matthieu/Luc. Seulement l'hypothèse est doublée de celle d'un proto-Marc qui doit expliquer les accords mineurs négatifs.

---

37. Voir la discussion dans l'article de J. Delobel.

38. *Commentaire*, p. 30-32 (II C lc), 41-42 (II E ld) : « Sauf pour les récits de la résurrection, la source principale du proto-Lc fut le Mt-intermédiaire. On en a pour preuve les nombreux accords Mt/Lc contre Mc qui ne peuvent s'expliquer par des retouches marciennes » (II E 2a ; p. 42).

39. Boismard parle de Matthieu intermédiaire, de Marc intermédiaire et de Proto-Luc. Proto-Matthieu, Proto-Marc et « Luc intermédiaire » seraient des appellations plus aptes à exprimer la place que l'auteur attribue aux évangiles « intermédiaires ».

L'accord mineur entre Marc et Luc (τὴν περίχωρον) reçoit donc une explication rédactionnelle. Ici encore, la question se pose : pourquoi retirer l'expression à l'évangile de Marc, source de Luc ? Les cinq emplois de Luc demandent un examen plus précis : *Lc.*, IV, 37 est le parallèle direct de *Mc.*, I, 28 et *Lc.*, IV, 14 et VII, 17 sont des réemplois du même sommaire ; l'expression de *Lc.*, III, 3 περίχωρος τοῦ Ἰορδάνου (cfr *Mt.*, III, 5), empruntée peut-être à la LXX [40], fut suggérée par *Mc.*, I, 5 (πᾶσα ἡ Ἰουδαία χώρα) et celle de *Lc.*, VIII, 37 (περίχωρος τῶν Γερασηνῶν) est une variante de ἡ χώρα τῶν Γερασηνῶν de *Mc.*, V, 1 (= *Lc.*, VIII, 26).

D'après Boismard, l'ultime rédacteur de *Lc.*, IV, 31-44 ; V, 27-32 ; (VI, 17-19) ; IX, 7-9 ; (IX, 37-43a) dépend du seul Marc intermédiaire. On ne peut songer ici à une discussion détaillée de l'hypothèse du proto-Marc. D'ailleurs, puisque ce sont surtout les additions rédactionnelles, absentes de Luc, qui distinguent le Marc canonique du proto-Marc, l'hypothèse ne contredit pas formellement la conclusion de Schramm (et Schürmann). Elle augmenterait encore la fidélité marcienne de Luc, en ce sens qu'il ne serait plus nécessaire de supposer un nombre important d'omissions et d'abréviations. Pour les péricopes de *Lc.*, VI, 1-5.6-11 ; VIII, 11-15. 19-21. 26-39. 40-56 ; IX, 46-50 aussi, Boismard admet une influence du proto-Marc, mais non exclusive et fort inégale. Ainsi, en *Lc.*, VI, 1-5, les accords Matthieu/Luc font supposer que le rédacteur lucanien se base sur un récit proto-lucanien, dépendant du Matthieu intermédiaire, tandis que, pour *Lc.*, VI, 6-11, l'emprunt (proto-lucanien) à Matthieu semble se limiter au v. 11. Parfois, le proto-Luc dépend d'une source plus primitive que (proto-) Marc, le document B (*Lc.*, VIII, 19-21 et VIII, 40-56), mais, en général, c'est la dépendance envers Matthieu qui caractérise le récit proto-lucanien.

Les accords mineurs entre Matthieu et Luc contre Marc sont pour T. Schramm aussi un premier critère dans la recherche de traditions non-marciennes. Les deux autres « indicateurs » sont les éléments propres à Luc *(Sonderelemente)* et les sémitismes. Sous une quatrième rubrique, il examine toutes les autres divergences de Luc vis-à-vis de Marc. Après la description des critères, l'auteur fait une analyse systématique de chaque péricope de la matière marcienne (*Lc.*, IV, 31-44 ; V, 12-VI, 19 ; VIII, 4-IX, 50 ; XVIII, 15-43 ; XIX, 28-XXII, 13). C'est la partie essentielle de son livre [41]. Sa conclusion : l'influence de traditions variantes (non-marciennes) apparaît en V, 12-16.17-26.33-39 ; VI, 12-19 ; VIII, 4-8.(9-10).16-18.22-25 ; IX, 1-6.10-17.18-22.(23-27).28-36.37-43a.

---

40. Cfr F. NEIRYNCK, *Une nouvelle théorie synoptique. (À propos de Mc., I, 2-6 et par.)*, dans *Eph. Theol. Lov.*, 44 (1968), 141-153, spéc. p. 150-151 (cfr *Gen.*, XIII, 10).

41. T. SCHRAMM, *Markus-Stoff*, p. 70-184.

43b-45 ; XVIII, 31-34.(35a) ; XIX, 28-38 ; XX, (1a).9-19.27-40.(46) ; XXI, 5-36 ; (XXII, 3) [42].

III. Les éléments propres de Luc

S'il est vrai que des traditions parallèles ont influencé l'évangéliste, il n'est guère pensable que les traditions étaient strictement identiques et n'ont pas laissé de traces dans la rédaction lucanienne : d'où l'importance qui, en critique littéraire, revient aux *Sonderelemente* [43]. Mais la question est de savoir si, comme le propose T. Schramm, les éléments propres à Luc sont tels qu'ils permettent de faire la distinction entre des péricopes de tradition marcienne pure et des péricopes de tradition mixte.

La liste de Hawkins [44] comporte sept passages qui, d'après Schramm, appartiennent à la tradition marcienne pure :

VI, 11a : αὐτοὶ δὲ ἐπλήσθησαν ἀνοίας [45].
VIII, 12b : ἵνα μὴ πιστεύσαντες σωθῶσιν [46].

---

42. *Ibid.*, p. 186.

43. *Ibid.*, p. 78.

44. J. C. HAWKINS, *Horae Synopticae*, p. 194-197 (« The Smaller Additions in St. Luke's Gospel »). Hawkins en propose une classification. Les passages de la matière marcienne se retrouvent surtout dans les catégories suivantes : « (*e*) Among the additions which may be editorial, some bring out the prayerfulness which is assumed to be the constant habit of Jesus... (*f*) Others emphasize the right use of wealth, the duty of liberality, etc. ... (*g*) Other such additions may be described as merely heightening the effect of the narrative... (*h*) Pauline expressions, introduced by Luke because so familar to himself... (*i*) Other additions, of various kinds, which may be regarded as probably editorial. »

45. Hawkins : catégorie (*g*). Schramm (p. 112) : « Typisch luk ist auch der Abschluss V 11 als Ersatz für die verfrühte Notiz Mk 3,6. » Et encore : « πλήθειν in NT überhaupt nur bei Mt 2 x und Lk 13 x, Act 9 x ; von Personen nur bei Lk » (note 3) ; on ajoutera, avec Boismard : « spécialement au passif, suivi d'un génitif pour marquer un sentiment, cf. Lc *4* 28 ; *5* 26 ; Ac *3* 10 ; *5* 17 ; *13* 45 » (p. 118). D'après Boismard, *Lc.*, VI, 11 ne dépend pas littérairement de Marc (« Lc semble ignorer Mc *3* 6 dans l'exemplaire marcien qu'il suit », p. 118), mais : « on peut se demander seulement si son v. 11 ne serait pas un écho du proto-Lc, et donc du Mt-intermédiaire », (p. 119). Sans discuter ici cette hypothèse proto-matthéenne, on peut observer que l'emploi de εὐθύς et la mention des Hérodiens sont les seuls éléments de quelque importance qui différencient le texte de Marc de celui de Matthieu (encore : δέ *loco* καί ; ἔλαβον *loco* ἐδίδουν). Sur l'omission lucanienne des Hérodiens, voir la remarque de Schürmann (*Lukasevangelium*, p. 309).

46. Hawkins : Pauline expression (*h*). Schramm (p. 122, n. 2) : « πιστεύειν : spezifisch luk » ; (comp. p. 117 : « Nachtrag aus Mk 4, 12 »). Voir les commentaires et surtout J. DUPONT, *La parabole du semeur dans la version de Luc*, dans *Apophoreta. Festschrift für E. Haenchen* (BZNW, 30), Tubingue, 1964, p. 97-108, spéc. 101-102.

IX, 9b : καὶ ἐζήτει ἰδεῖν αὐτόν [47].

XVIII, 43b : δοξάζων τὸν θεόν. καὶ πᾶς ὁ λαὸς ἰδὼν ἔδωκεν αἶνον τῷ θεῷ [48].

XX, 20b : ὥστε παραδοῦναι αὐτὸν τῇ ἀρχῇ καὶ τῇ ἐξουσίᾳ τοῦ ἡγεμόνος.

XX, 26a : καὶ οὐκ ἴσχυσαν ἐπιλαβέσθαι αὐτοῦ ῥήματος ἐναντίον τοῦ λαοῦ [49].

XXI, 37-38 : ἦν δὲ τὰς ἡμέρας ἐν τῷ ἱερῷ διδάσκων, τὰς δὲ νύκτας ἐξερχόμενος ηὐλίζετο εἰς τὸ ὄρος τὸ καλούμενον ἐλαιῶν. καὶ πᾶς ὁ λαὸς ὤρθριζεν
πρὸς αὐτὸν ἐν τῷ ἱερῷ ἀκούειν αὐτοῦ [50].

En accord avec la plupart des commentaires, T. Schramm admet en
Lc., IV, 41b une anticipation lucanienne de *Mc.*, III, 11b.(12) : κρ[αυγ]-
άζοντα καὶ λέγοντα ὅτι σὺ εἶ ὁ υἱὸς τοῦ θεοῦ [51]. Par contre, il pense qu'en
Lc., VI, 1 et XXII, 3, il pourrait s'agir d'une tradition parallèle.

Lc., VI, 1 : (καὶ ἤσθιον τοὺς στάχυας) ψώχοντες ταῖς χερσίν serait une
remarque qui n'apporte rien à l'intelligence de la scène [52]. Toutefois,
l'avis de A. Schlatter, auquel l'auteur fait appel, s'oppose à une opinion
commune beaucoup plus vraisemblable : « Luc est ici plus circonstancié
que Mc., mais c'est pour que l'épisode soit plus clair » [53]. Finalement,

---

47. Hawkins : catégorie (*i*). Sur la préparation de *Lc.*, XXIII, 7-12, voir les
commentaires. H. Schürmann (*Lukasevangelium*, p. 508-509) attire l'attention
sur les réminiscences de *Mc.*, VI, 17-29 en *Lc.*, IX, 7-9 (comme en *Lc.*, III, 19-20)
spécialement *Mc.*, VI, 20 : ἠπόρει, comp. διηπόρει, (v. 7) ; ἀκούσας αὐτοῦ πολλά,
comp. περὶ οὗ ἀκούω τοιαῦτα (v. 9b) ; καὶ ἡδέως αὐτοῦ ἤκουεν, comp. καὶ ἐζήτει
ἰδεῖν αὐτόν (v. 9c). (Sur les contacts de *Lc.*, XIII, 31 avec *Mc.*, VI, voir l'article
de A. Denaux, p. 265-268).

48. Hawkins : catégorie (*g*). Schramm (p. 143, n. 3) : « typisch luk Abschlussbildung in 43b, vgl. nur Lk 5, 25f. ; 7, 29 ; 9, 43a. » D'autres renvoient à *Lc.*, V,
25 ; VII, 16-17 ; XVII, 15 (les personnes guéries glorifient Dieu) et V, 26 ; XIII, 17
(les autres joignent leurs louanges).

49. Hawkins : catégorie (*i*). Schramm (p. 170) : « Nur in den Rahmenversen,
besonders in der Einleitung (Lk 20,20f) zeigen sich gewichtigere Abweichungen
von Mk. Daraus ist allerdings nicht zu schliessen, dass Lk die ganze Perikope aus
einer Sonderquelle entnommen hat (*contre B. Weiss*), denn sprachliche Form und
inhaltliche Ausrichtung des Rahmens sind wo nicht spezifisch luk, so doch luk
gut möglich. »

50. Hawkins : catégorie (*i*). Schramm (p. 182) : « Die Abschlussbildung Lk 21,
37f. gilt allgemein und sicher zu recht als luk redaktionell, eine ' aus der Feder des
Lk stammende Sammelnotiz ' als ' Klammer, die Jesu Tätigkeit vor seiner Verhaft-
ung ausleitend überblickt und zugleich die Situation der folgenden Ereignisse ein-
leitend vorbereitet ».

51. T. SCHRAMM, *Markus-Stoff*, p. 88 : « Lk ist dabei deutlich an Mk 3, 11 b
orientiert ». Comp. les commentaires, e.a. H. Schürmann et M.-É. Boismard (p. 98).
D'après Schürmann (p. 254, n. 243), l'influence de *Mc.*, III, 12 sur ἐπιτιμῶν
n'est pas certaine : voir IV, 35.39.

52. *Markus-Stoff*, p. 111 : « Was auf zusätzliche Information hinweist » (cfr
Schlatter).

53. M.-J. LAGRANGE, *Luc*, p. 176. Cfr W. GRUNDMANN, *Lukas*, p. 135 : « das
Ahrenausraufen der Jünger..., das durch den Zusatz ψώχοντες ταῖς χερσίν aus-

Schramm lui-même admet que la base est trop étroite pour permettre une conclusion certaine sur la péricope de *Lc.*, VI, 1-6 [54].

Lc., XXII, 3 : εἰσῆλθεν δὲ σατανᾶς εἰς Ἰούδαν. Il est sans doute trop simpliste de dire que le caractère traditionnel est prouvé par le parallèle de *Jo.*, XIII, 27 [55]. Boismard apporte déjà la précision que « Satan entra en Judas » est un détail qui se lit en *Jo.*, XIII, 27 « par influence lucanienne » et que, d'autre part, la tradition attestée par son équivalent en *Jo.*, XIII, 2 aurait influencé Luc [56]. Mais la question se pose : n'est-il pas également « par influence lucanienne » que le motif est exprimé en *Jo.*, XIII, 2, en préparation du v. 27 ? [57] Quoiqu'il en soit, le parallèle johannique ne nous dispense pas de lire *Lc.*, XXII, 3 dans le contexte de l'évangile de Luc. D'après Schramm, σατανᾶς relève du vocabulaire non pas lucanien, mais prélucanien : il s'agit d'un mot que Luc n'utiliserait pas s'il rédige librement [58]. Mais il faut s'entendre sur ce qu'on appelle rédactionnel. On ne peut pas réduire le vocabulaire du rédacteur aux mots dits caractéristiques et exclure de l'activité rédactionnelle un certain réemploi du vocabulaire des sources. Concrètement, le problème posé est celui-ci : si on admet, comme le fait Schramm, que *Lc.*, XXII, 1-13 n'a d'autre *Vorlage* que Marc, faut-il avoir recours à une *Sondertradition* pour expliquer le motif du v. 3a ? Εἰσέρχεσθαι εἰς, employé en Marc pour désigner la possession démoniaque (V, 12.13), est repris

---

drücklich als verbotene Erntearbeit bezeichnet wird. » Comp. J. Weiss, E. Klostermann, T. Zahn, J. Schmid, H. Schürmann et autres.

54. *Markus-Stoff*, p. 112 : « Ein sicherer Nachweis ist bei der relativ schmalen Argumentationsgrundlage nicht zu führen ».

55. *Ibid.*, p. 182 : « Durch Joh 13, 27 als traditionell erwiesen ».

56. *Commentaire*, p. 374. Sous l'influence de cette tradition, Luc aurait précisé le nom propre « Iskariôth » de Marc (alors qu'il ne le fait pas *Lc.*, VI. 16, où il garde la forme sémitique de Marc). Matthieu a la forme grécisée aux deux endroits (X, 4 ; XXVI, 14) : pourquoi Luc, après avoir suivi Marc en VI, 16, n'aurait-il pas pu préférer la forme grecque en XXII, 3 sans être influencé pour cela par la tradition johannique ?

57. Voir, après H. J. Holtzmann, W. Bauer et autres, J. A. BAILEY, *The Traditions Common to the Gospels of Luke and John* (Supplements to Novum Testamentum, 7), Leyde, 1963, p. 3-31 : « As far as the Jn. 13.27 statement is concerned, there is no question that John derived it from Luke. As we have seen, John knew Luke's gospel ; that he drew on it here is ensured by its use of the Lucan σατανᾶς, a use which indicates that he was so struck by Luke's statement that the wording of it remained in his mind. ... Nevertheless, he was also impressed by the location of Luke's statement, providing as it does part of the framework for the account of the last supper. He therefore inserted at the corresponding point in his gospel (i.e. at 13.2) a statement which he composed on the basis of his indication to Lk. 22.3 and which, in that it prepared the reader of the gospel for 13.25, he used to reinforce that statement. » L'auteur remarque encore que *Lc.*, XXII, 3a pourrait provenir « possibly from his own theological reflection. »

58. *Markus-Stoff*, p. 183, et note 1.

par Luc dans le texte parallèle (VIII, 32.33) et appliqué à l'homme
possédé (VIII, 30 diff. *Mc.*)[59]. En *Lc.*, XI, 26 (par. *Mt.*) εἰσελθόντα
(sans la préposition) est dit également des démons. Il est vrai que le
mot σατανᾶς est remplacé par διάβολος en *Lc.*, VIII, 12 (diff. *Mc.*, IV,
15). La même substitution se constate en parallèle de *Mc.*, I, 13, mais
ici l'accord avec Matthieu (*Mt.*, IV, 1 /*Lc.*, IV, 2), la répétition de διάβολος
en *Mt.*, IV, 5.8 (add. *Lc.*) et en *Lc.*, IV, 3 (diff. *Mt.* : πειράζων) et encore
l'accord en conclusion de la péricope (*Mt.*, IV, 11 /*Lc.*, IV, 13) semblent
suggérer une influence de la source commune. La péricope de *Mc.*,
VIII, 32-33 (avec σατανᾶ au v. 33) est absente de Luc et *Mc.*, III, 23
est sans parallèle, mais l'emploi en *Mc.*, III, 26 a son écho en *Lc.*, XI,
18 (par. *Mt.*, XII, 26). En outre, Luc emploie encore trois fois σατανᾶς
dans des passages propres (*Lc.*, X, 18 ; XIII, 16 ; XXII, 31) et deux fois
en Actes (V, 3 ; XXVI, 18). On comprend dès lors les réserves exprimées
par H. Schürmann concernant le caractère proto-lucanien prôné par
F. Rehkopf [60] : d'une part, l'emploi en Actes défend de l'appeler « non
lucanien » et d'autre part le terme est attesté dans différentes traditions
(Marc, Q et *Sondergut* lucanien) [61]. En *Lc.*, XIII, 16, les traits lucaniens
dans la péricope (*Lc.*, XIII, 10-17) ne permettent pas d'exclure un emploi
rédactionnel. Quant à *Lc.*, XXII, 3, une certaine analogie avec *Act.*,
V, 3 [62] et surtout le rapport avec *Lc.*, IV, 13 (où le diable quitte Jésus
ἄχρι καιροῦ) [63] recommandent une exégèse qui ne sort pas du cadre
habituel de la rédaction lucanienne sur Marc.

---

59. Ce langage trouve sa confirmation dans l'emploi de ἐξέρχεσθαι ἀπό dans les
récits d'exorcisme chez Luc : IV, 35 (bis) (par. *Mc.*, I, 25-26 : ἐκ) ; IV, 36 (comp.
Mc., I, 27 : ὑπακούουσιν) ; IV, 41 (comp. *Mc.*, I, 34 : ἐξέβαλεν) ; VIII, 2 ; VIII, 29
(par. *Mc.*, V, 8 : ἐκ) ; VIII, 33 (par *Mc.*, V, 13) ; VIII, 35 (comp. *Mc.*, V, 15 : τὸν
δαιμονιζόμενον) ; VIII, 38 (comp. *Mc.*, V, 18 : ὁ δαιμονισθείς) ; XI, 14 (diff.
Mt., IX, 33 : ἐκβληθέντος) ; XI, 24 (bis) (par *Mt.*, XII, 43-44).

60. F. REHKOPF, *Sonderquelle*, p. 96.

61. H. SCHÜRMANN, *Protolukanische Spracheigentümlichkeiten* ?, p. 216-219.

62. H. SCHÜRMANN, *Jesu Abschiedsrede* (voir n. 18), p. 102-103 : « An allen
Stellen, wo Luk die Satan-Bezeichnung von sich aus schreibt, ist die Rede von
Menschen, die ihm auf Grund einer Fehlentscheidung verfallen sind, so dass der
Satan Gewalt über sie und ihr Herz hat (Lk 22,3 diff Mk ; vgl. Apg 5,3 ; 26, 18). »

63. H. SCHÜRMANN, *Lukasevangelium*, p. 217 : « Die Abwehr des Teufels war
eine grundlegende Tat, da sie den von Versuchungen und Nachstellungen freien
Raum des « Heute » (4, 21) aus dem « Machtbereich des Satans » (vgl. Apg 26, 18)
ausgespart hat (vgl. 4,13 ; 22, 3.31.53) : die Messiaszeit, in der es kein Bussfasten
geben kann (5, 33ff), in der Gottes Vorsorge sich in unerhörter Weise auswirkte
(22, 35), der Geist wirksam war (12, 10) und Dämonenaustreibungen (so pointiert
als erste Tat Jesu 4, 33-37 ; vgl ferner 4, 41 ; 11, 14. 19f) und damit Schädigungen
der Macht des Teufels (vgl. 10, 17f ; 11, 17f) möglich wurden. » L'auteur est délibérément plus nuancé que H. Conzelmann. Comp. *Die Mitte der Zeit*, Tubingue, 5ᵉ éd.,
1964, p. 22 : « Der Ausdruck συντελέσας πάντα πειρασμόν kann kaum scharf genug
interpretiert werden. Er besagt wirklich, dass fortan im Leben Jesu keine Versu-

Passons maintenant aux péricopes dans lesquelles l'influence d'une tradition non-marcienne est admise par T. Schramm. Tout d'abord, il est à noter que l'auteur ne s'oppose pas au caractère rédactionnel de certains éléments propres de Luc :

V, 15-16 : διήρχετο δὲ μᾶλλον ὁ λόγος περὶ αὐτοῦ, καὶ συνήρχοντο ὄχλοι πολλοὶ ἀκούειν καὶ θεραπεύεσθαι ἀπὸ τῶν ἀσθενειῶν αὐτῶν· αὐτὸς δὲ ἦν ὑποχωρῶν ἐν ταῖς ἐρήμοις καὶ προσευχόμενος [64].

V, 17b-d : καὶ ἦσαν καθήμενοι Φαρισαῖοι καὶ νομοδιδάσκαλοι, οἳ ἦσαν ἐληλυθότες ἐκ πάσης κώμης τῆς Γαλιλαίας καὶ Ἰουδαίας καὶ Ἰερουσαλήμ, καὶ δύναμις κυρίου ἦν εἰς τὸ ἰᾶσθαι αὐτόν [65].

VI, 12-13a : ἐγένετο δὲ ἐν ταῖς ἡμέραις ταύταις ... προσεύξασθαι, καὶ ἦν διανυκτερεύων ἐν τῇ προσευχῇ τοῦ θεοῦ. καὶ ὅτε ἐγένετο ἡμέρα [66].

VI, 17a : καὶ καταβὰς μετ'αὐτῶν ἔστη ἐπὶ τόπου πεδινοῦ [67].

XIX, 28 : καὶ εἰπὼν ταῦτα ἐπορεύετο ἔμπροσθεν ἀναβαίνων εἰς Ἱεροσόλυμα [68].

---

chungen vorkommen. » Voir la réaction de F. Schütz : « Hätte Lukas hier eine Vollendung schlechthin aller Versuchungen gemeint, wäre eine präzisere Formulierung zu erwarten. Gewiss wird durch « ἀπέστη ἀπ'αὐτοῦ ἄχρι καιροῦ» die Verbindung mit der Passion hergestellt (22, 3). Aber das entspricht der lukanischen Konzeption, in dem Leiden den Hintergrund des Wirkens Jesu zu sehen. So geht es hier um die positive Verknüpfung von Versuchung und Passion, « Anfang » und « Ende » (Vgl. RENGSTORF, Lukas, 65f ; SCHLATTER, Lukas, 481 ; HAUCK, Lukas, 61), aber nicht um eine Aussage darüber, ob die Zwischenzeit nun von Satan und Versuchungen frei sei oder nicht ». Cfr Der leidende Christus. Die angefochtene Gemeinde und das Christuskerygma der lukanischen Schriften (BWANT, 89), Stuttgart, 1969, p. 85. — Voir n. 169.

64. Markus-Stoff, p. 93 (sur le vocabulaire lucanien, cfr n. 5) ; comp. BOISMARD, Commentaire, p. 105 ; SCHÜRMANN, Lukasevangelium, p. 277-278. Le sommaire qui remplace Mc., I, 45 (« an die Stelle von Mk I, 45 », Schramm) garde des contacts réels avec Marc : v. 15a : Mc., I, 45a (ὁ λόγος), comp. I, 28 ; v. 15b :Mc., I, 45d, comp. II, 2a (cfr Lc., IV, 42 = Mc., I, 37) ; v. 15c : cfr Lc., VI, 17d (diff. Mc., III, 8b) ; Mc., I, 45c ; v. 16b : cfr Mc., I, 35.

65. Markus-Stoff, p. 100-101. L'auteur ne renonce pas à l'idée d'une tradition parallèle pour v. 17d (p. 101, n. 2 : cfr A. Schlatter). Cependant, v. 17b : Mc., II, 6a ; v. 17c : Mc., III, 7b-8a et 22a (cfr VII, 1) ; v. 17d : cfr Lc., VI, 19b ; VIII, 46 = Mc., V, (29-)30. Boismard note l'inspiration commune de Lc., VI, 17-19 en V, 15 et 17 (p. 105). Par cette association de Mc., I, 45 et II, 1-2, Luc n'avait qu'à suivre son modèle (τὸν λόγον, ὥστε μηκέτι + inf., l'affluence de la multitude). Sur l'influence de Mc., II, 13, voir l'observation de H. Denaux (cfr infra, p. 247, n. 8).

66. Ibid., p. 113. Parallèle à Mc., III, 13a. Pour la prière nocturne sur la montagne, voir Mc., VI, 46 et la rédaction lucanienne des récits de la transfiguration et de l'agonie de Gethsémani.

67. Ibid., p. 114 : « luk Verknüpfung mit der vorangehenden Bergszene ». Comp. Mc., IX, 9a, par. Lc., IX, 37.

68. Ibid., p. 146 : « luk redaktionell, wobei die Formulierung von Mk 10, 32 mitbestimmt sein dürfte. »

Par contre, les *Sonderelemente* de *Lc.*, V, 33.36a.39 ; VIII, 5 ; IX, 28b. 29a.30-32.36 ; IX, 43-45 ; XVIII, 31b.34 ; XIX, 37-38 ; XX, 17-18 ; XX, 34-36. 38b et plusieurs versets de XXI, 8-36 seraient des traces de traditions parallèles.

V, 33.36a.39 : *La question sur le jeûne* [69].

Le v. 33 comporte plusieurs éléments propres à Luc : (οἱ δέ), πυκνά, καὶ δεήσεις ποιοῦνται, ὁμοίως, (ἐσθίουσιν καὶ πίνουσιν). La mention de la prière des disciples de Jean correspond à l'information fournie ailleurs dans l'évangile (XI, 1). L'emploi du vocabulaire n'exclut nullement la main de Luc [70]. Son intervention principale fut de faire un lien intime entre la question sur le jeûne et le repas dans la maison de Lévi. Il change le pluriel impersonnel de *Mc.*, II, 18 et attribue la réflexion aux Pharisiens et scribes du v. 30 (οἱ δέ). Après avoir complété, dans le même verset 30, le ἐσθίει de Marc en ἐσθίετε καὶ πίνετε appliqué aux disciples, il substitue ἐσθίουσιν καὶ πίνουσιν à οὐ νηστεύουσιν de *Mc.*, II, 18. Cette insertion de la question sur le jeûne dans la situation du repas transforme l'ensemble de *Lc.*, V, 29-39 en scène symposiaque. La parabole et l'introduction lucanienne au v. 36 (ἔλεγεν δὲ καὶ παραβολὴν πρὸς αὐτούς) [71] y sont bien en place. Luc complète le petit discours de Jésus par un logion final ; cette règle du vin qui nous rappelle la situation du repas (πίνετε — πίνουσιν — πιών), et qui pourrait refléter l'expérience personnelle de l'évangéliste [72].

---

69. *Ibid.*, p. 105-110.

70. οἱ δέ : H. SCHÜRMANN, *Der Paschamahlbericht*, p. 87 (dossier), 92 (« luk Sprachgebrauch conform ») ; *Jesu Abschiedsrede*, p. 22 : « Luk bringt ὁ (οἱ) δέ (Mk ca. 44 x ; Mt ca. 70 x) ca. Lk 71 x, ferner in Apg ca. 18/12 x » ; — εἶπαν πρὸς αὐτόν : H. SCHÜRMANN, *Der Paschamahlbericht*, p. 4 ; — πυκνά : comp. *Act.*, XXIV, 26 (πυκνότερον) ; — δέησις : comp. *Lc.*, I, 13 ; II, 37 (νηστείαις καὶ δεήσεσιν) ; — δέησιν ποιεῖν : cfr *Phil.*, I, 4 ; 1 *Tim.*, II, 1 ; aussi 3 *Macc.*, II, 1 ; — ὁμοίως : *Lc.*, III, 11 ; V, 10 (καί) ; VI, 31 (diff. Mt) ; X, 32 (καί) ; X, 37 ; XIII, 3 ; XVI, 25 ; XVII, 28 (diff. Mt). 31 ; XXII, 36 (καί) ; — ἐσθίειν καὶ πίνειν et φαγεῖν καὶ πιεῖν, cfr H. SCHÜRMANN, *Jesu Abschiedsrede*, p. 49.

71. *Lc.*, XII, 41 (πρός) ; XIII, 6 ; XIV, 7 (πρός) ; XVIII, 1 (πρός) ; XX, 9 (πρός ; diff. *Mc.*). Sur la parabole dans le cadre du symposium, voir J. DELOBEL, *L'onction de Jésus par la pécheresse*, dans *Ephem. Theol. Lov.*, 42 (1966), 415-475, spéc. p. 461, Cfr *Lc.*, V, 30-39 ; VII, 40-47 ; XIV, 7-24 ; XV, 3-32 ; XIX, 11-27.

72. Comp. M.-É. BOISMARD, *Commentaire*, p. 115 : « C'est probablement à l'ultime Rédacteur lucanien qu'il faut attribuer le logion final du v. 39, qui répond moins à la situation des disciples de Jean mais reflète une expérience personnelle : celle du missionaire, compagnon de Paul, qui voit les Juifs refuser le vin nouveau de l'évangile sous prétexte que le vin ancien de la loi mosaïque est bon, voire meilleur ». Comp. H. SCHÜRMANN, *Lukasevangelium*, p. 300 : « Schweılich ist auszumachen, ob Luk diese Weinregel einer urchristlichen Tradition entnommen hat. Der aufgewiesene radikale Aussagewille des Luk erlaubt es ebensowenig wie die von Luk abhängige Komposition Ev Thom 48, sie als sicheren Bestandteil einer Variante zu 5, 33-39 zu verstehen ». Comp. *Das Thomasevangelium und das lukanische*

VIII, 5 : καὶ κατεπατήθη [73].

Est-ce un doublet du motif des oiseaux qui mangèrent le grain tombé le long du chemin ? J. Dupont se demande si ce trait n'a pas une portée allégorique (la négligence coupable des Juifs), [74] mais finalement il s'en tient à la remarque de Lagrange : « Luc a pensé que le chemin appelait logiquement des passants » [75].

IX, (28-29).30-32.36 : La transfiguration [76].

L'hypothèse d'un récit prélucanien de la transfiguration a trouvé beaucoup d'adhérents. Boismard la propose aussi dans son récent commentaire : Lc., IX, 28a.c.29.30a.31.32-33a.36b serait la forme la plus archaïque du récit, harmonisée d'abord avec un récit proto-matthéen (les ajouts des v. 28b.33-35 et la suture du v. 36a) et remaniée ensuite en fonction du récit marcien [77]. Schramm n'entre pas dans de telles précisions, mais ne doute pas de l'influence d'une tradition variante. La réponse est donnée par Schürmann : les vv. 30-33a s'expliquent intégralement comme rédaction lucanienne. Nous renvoyons à son commentaire pour le dossier des parallèles [78]. Boismard élimine du récit primitif l'emprunt à Marc : συνελάλουν αὐτῷ, οἵτινες ἦσαν Μωϋσῆς καὶ Ἠλίας, οἳ (v. 30-31a). On y ajoutera ὀφθέντες qui, dans un second mouvement, reprend Mc., IX, 4 pour expliciter l'objet de l'entretien :

Sondergut, dans BZ, 7 (1963), 236-260 ; = Traditionsgeschichtliche Untersuchungen, p. 228-247, spéc. 230-231.

73. Markus-Stoff, p. 116.

74. Ibid., p. 100. H. Schürmann se montre sensible à la suggestion (p. 453). Cfr W. C. Robinson, On Preaching the Word of God (Luke 8 : 4-21), dans Studies in Luke-Acts (ed. L. E. Keck-J. L. Martyn), Nashville, 1966, 131-138, p. 134 : « ' to be trodden under foot ' is a biblical term indicating utter destruction, and as such may correspond with the emphasis upon destruction which Luke has added to the interpretation by means of the clause ἵνα μὴ πιστεύσαντες σωθῶσιν ».

75. J. Dupont, La parabole du semeur, p. 100 : « un enjolivement, malencontreux, mais que la mention du chemin suggérait assez naturellement ». L'auteur insiste sur le fait que le trait « n'est pas repris dans l'explication de la parabole et que dans la suite du récit parabolique on ne découvre aucune intention allégorique dans les retouches de l'évangéliste. » Cfr καταπατεῖν en Lc., XII, 1 (introduction rédactionelle) et πατεῖν en Lc., X, 19 ; XXI, 24.

76. Markus-Stoff, p. 137-139.

77. M.-É. Boismard, Commentaire, p. 252. — Comp. F. Spitta, Die evangelische Geschichte von der Verklärung Jesu, dans Zeitschr. für wiss. Theologie, 53 (1911), 96-167, spéc. p. 121-122 ; E. Hirsch, Frühgeschichte des Evangeliums, t. 2, Tubingue, 1941, p. 94-96 ; J. Blinzler, Die neutestamentlichen Berichte über die Verklärung Jesu, Münster, 1937. Références bibliographiques, ibid., p. 41-42 ; pour les auteurs plus récents, voir H. Schürmann, Lukasevangelium, p. 563, n. 72 (B. Weiss, V. Taylor, M.-J. Lagrange, K. H. Rengstorf, A. Schlatter, F. Hauck, W. E. Bundy, W. Grundmann, W. Dignath, X. Léon-Dufour).

78. H. Schürmann, Lukasevangelium, p. 559.

καὶ ὤφθη   καὶ ἰδοὺ   ὄφθεντες
συλλαλοῦντες   συνελάλουν   ἔλεγον…

Le contexte subséquent du récit, *Mc.*, IX, 11-12, peut avoir suggéré le thème (la mort de Jésus) et le motif de la δόξα est annoncé déjà en *Lc.*, IX, 26, par. *Mc.*, VIII, 38. « Pierre et ses compagnons » et « (Jésus) et les deux hommes » sont des expressions qui s'harmonisent bien avec *Mc.*, IX, 4 et 5 (l'intervention de Pierre). La remarque de *Mc.*, IX, 6 doit évoquer *Mc.*, XIX, 40 et c'est précisément le rapprochement avec le récit de Gethsémani qui explique ἦσαν βεβαρημένοι ὕπνῳ (*Mc.*, XIV, 40 : καθεύδοντας, ἦσαν… καταβαρυνόμενοι) et διαγρηγορήσαντες (*Mc.*, XIV, 34.37.38 : γρηγορεῖν). C'est encore le motif de la prière de Jésus, séparé des disciples, en *Mc.*, XIV, 32 (dans l'interprétation lucanienne : sur le mont des Oliviers, *Lc.*, XXII, 39ss.), auquel Luc se rapproche en IX, 28-29 (voir aussi *Mc.*, VI, 46) [79].

IX, 43b-45 et XVIII, 31b-34 : *Prédictions de la passion* [80].

IX, 45 : (οἱ δὲ ἠγνόουν τὸ ῥῆμα) τοῦτο,
      καὶ ἦν παρακεκαλυμμένον ἀπ' αὐτῶν ἵνα μὴ αἴσθωνται αὐτό,
      (καὶ ἐφοβοῦντο ἐρωτῆσαι αὐτὸν) περὶ τοῦ ῥήματος τούτου.

XVIII, 34 : καὶ αὐτοὶ οὐδὲν τούτων συνῆκαν,
      καὶ ἦν τὸ ῥῆμα τοῦτο κεκρυμμένον ἀπ' αὐτῶν,
      καὶ οὐκ ἐγίνωσκον τὰ λεγόμενα.

Le parallélisme des deux notices sur l'incompréhension des disciples est évident. Luc semble vouloir rapprocher ainsi les deux prédictions qui se trouvent fort éloignées l'une de l'autre suite à l'insertion de la section centrale de *Lc.*, IX, 51-XVIII, 14. *Lc.*, XVIII, 34 n'a pas de parallèle immédiat en Marc, mais *Lc.*, IX, 45 est une amplification de *Mc.*, IX, 32. En Marc, l'inintelligence semble se porter sur l'annonce de la (mort et) résurrection (comp. IX, 10), tandis que Luc, après la forme brève de IX, 44, vise le mystère de la passion. La réinterprétation lucanienne reste donc dans la ligne de sa rédaction du récit de la transfiguration, où l'entretien sur la mort de Jésus avait lieu devant des disciples endormis (IX, 31-32). Il est difficile de voir en *Lc.*, IX, 45 autre chose qu'un remaniement du texte de *Mc.*, IX, 32 par l'addition d'un troisième membre : καὶ ἦν παρακεκαλυμμένον ἀπ' αὐτῶν ἵνα μὴ αἴσθωνται

---

79. Cfr F. NEIRYNCK, *Minor Agreements Matthew-Luke in the Transfiguration Story*, dans *Festschrift J. Schmid* (à paraître). Sur les huit jours en *Lc.*, IX, 28 : « Wie Joh 20, 26 meinen die « 8 Tage » wohl den « Oktavtag ». … Vielleicht halten die « 6 Tage » (des Mk) für Palästinenser den gleichen Sinn ; vgl. DALMAN, *Orte und Wege*, 216 » (H. SCHÜRMANN, *Lukasevangelium*, p. 555, n. 7). Sur les « sémitismes » en IX, 28.29 et 36, cfr *infra*.

80. *Markus-Stoff*, p. 132-136. Sur les sémitismes dans ces versets, cfr *infra*.

αὐτό. Le contraste avec la révélation des mystères du royaume (Lc., VIII, 10) saute aux yeux. En XVIII, 34, les trois membres deviennent οὐ- συνῆκαν, κεκρυμμένον, οὐκ ἐγίνωσκον. Variation stylistique sans doute, mais qui rend également encore plus étroit le rapprochement avec la section des paraboles : ἵνα ... μὴ συνιῶσιν (VIII, 10), κρυπτὸν / ἀπόκρυφον, γνωσθῇ (VIII, 17 ; comp. le doublet en XII, 2). En XVIII, 34, Luc reprend l'expression τὸ ῥῆμα τοῦτο, mais en parallèle à τούτων et τὰ λεγόμενα. Lc., IX, 45 ne présente pas la même variation, sinon dans l'introduction du v. 44a : τοὺς λόγους τούτους.

XIX, 38b : ἐν οὐρανῷ εἰρήνη καὶ δόξα ἐν ὑψίστοις [81].

Le texte propre à Luc (comp. II, 14) appartiendrait à une tradition variante de l'entrée à Jérusalem : XIX, 29a (καὶ ἐγένετο ὡς ἤγγισεν). 37-38 (πρὸς τῇ καταβάσει...). 39-44. Luc aurait combiné le récit prélucanien avec la matière marcienne (XIX, 28.29b-36) [82].

L'argument repose sur une analyse du vocabulaire du v. 37 [83]. Mais est-il exact que Luc aurait dû écrire τὸ ὄρος τὸ καλούμενον ἐλαιῶν ? Il le fait en XIX, 29 (diff. Mc.), mais c'est la première mention et on comprend qu'il ne répète pas τὸ καλούμενον dans la même péricope (v. 37). Il le fera plus loin en XXI, 37. Ce sommaire précède immédiatement le récit de la passion et décrit une situation à laquelle renvoie la parole de Jésus de XXII, 53a, mais également la remarque de l'évangéliste en XXII, 39 (κατὰ τὸ ἔθος !) : on comprend dès lors que, comme en XIX, 37, il peut se passer de τὸ καλούμενον (par. Mc.). Par contre, dans un contexte nouveau, il écrira encore τὸ καλούμενον (Act., I, 12). Πρός c. dat. est unique en Luc-Actes (en Lc., VIII, 32, il remplace ἐκεῖ πρὸς τῷ ὄρει de Mc., V, 11 par ἐκεῖ ... ἐν τῷ ὄρει), mais ἐγγίζειν πρός ne peut étonner après le v. 29 : ἤγγισεν εἰς ... πρὸς τὸ ὄρος ... (par. Mc.) ; le datif est un emploi lucanien plus normal [84], qui explique peut-être πρός c. dat. en XIX, 37. Ἅπαν (πᾶν) τὸ πλῆθος : est propre à Luc [85] (comp. ὄχλος πολὺς μαθητῶν αὐτοῦ, Lc., VI, 17 diff. Mc.). Nous reviendrons encore sur ἄρχεσθαι c. inf. [86]. Il est plus important de noter que le motif du v. 37b peut être rapproché de Lc., IX, 43b (add. Mc.) et XIII, 17b. L'emploi (prélucanien ?) de αἰνεῖν τὸν θεόν en Lc., II, 13.20 [87] (et le parallèle de XIX, 38b en II, 14) n'est pas un argument suffisant pour conclure au caractère prélucanien de Lc., XIX, 37-38.

---

81. Ibid., p. 145.
82. Ibid., p. 148.
83. Ibid., p. 147.
84. Cfr Lc., VII, 12 ; XV, 1.25 ; XXII, 47 diff. Mc. ; Act., IX, 3 ; X, 9 ; XXII, 6.
85. Cfr Lc., I, 10 ; VIII, 37 diff. Mc. ; XIX, 37 add. ; XXIII, 1 diff. Mc. ; Act., VI, 5 ; XV, 12 ; XXV, 24 ; πλῆθος : Lc. 8 x ; Act. 17 x ; Mc., III, 7.8.
86. Cfr infra.
87. Cfr Act., II, 7 ; III, 7-8.

XX, 18 : πᾶς ὁ πεσὼν ἐπ' ἐκεῖνον τὸν λίθον συνθλασθήσεται·
ἐφ' ὃν δ' ἂν πέσῃ, λικμήσει αὐτόν [88].

Luc qui abrège la citation de *Mc.*, XII, 10b-11 (= *Ps*. CXVIII, 22-23) serait influencé par une tradition variante, ou bien il aurait simplement remplacé le texte de Marc par *Lc.*, XX, 17b et 18, associés déjà dans cette tradition (*ad vocem* λίθος). L'Évangile de Thomas confirme cette hypothèse : la parabole y est également suivie par le seul verset *Ps*. CXVIII, 22. La citation s'y trouve encore relativement isolée, reliée simplement par un « Jésus disait » (ET 65 et 66). C'est l'état dans lequel la tradition serait parvenue à Luc et, d'après le modèle du texte de Marc, Luc aurait voulu réaliser une plus grande intégration de la citation par la composition des vv. 16b-17a [89].

Nous ne discuterons pas ici la valeur du témoignage de l'Évangile de Thomas [90]. Le texte de Marc est tel qu'il peut avoir provoqué une double correction de la part de Luc : d'une part, un rattachement plus soigné à la parabole (v. 16b-17a) et d'autre part le remplacement du v. 23 du Psaume par *Lc.*, XX, 18 [91].

XX, 34b-36.38b : *La question des Sadducéens* [92].

Luc a donné à la réponse de Jésus un élargissement personnel qui, entre autres, remplace la double allusion à l'erreur des adversaires (*Mc.*, XII, 24b et 27b). Le rapprochement avec l'exposé sur l'immortalité de *IV Macc.* est particulièrement éclairant pour la pensée de Luc : πιστεύοντες ὅτι θεῷ οὐκ ἀποθνήσκουσιν, ὥσπερ οὐδὲ οἱ πατριάρχαι ἡμῶν Ἀβρααμ καὶ Ισαακ καὶ Ιακωβ, ἀλλὰ ζῶσιν τῷ θεῷ (VII, 19) [93]. *Lc.*, XX, 38b (πάντες γὰρ αὐτῷ ζῶσιν) donne l'impression d'être un commentaire ajouté au texte de Marc et *Lc.*, XX, 34b-36 semblent supposer *Mc.*, XII, 25 [94].

---

88. *Markus-Stoff*, p. 150-151.

89. *Ibid.*, p. 165.

90. Cfr la contribution de B. Dehandschutter, p. 297.

91. Voir A. SUHL, *Die Funktion der alttestamentlichen Zitate und Anspielungen im Markusevangelium*, Gutersloh, 1965, p. 141 : « Lukas redet wirklich über den Stein. *Darum* fehlt bei ihm ebenso wie Apg 4, 11 (und I Petr 2, 7) Ps 118, 23, die zweite Hälfte des Zitats. » M. RESE, *Alttestamentliche Motive in der Christologie des Lukas* (StNT, 1), Gütersloh, 1969, p. 173 : « In der markinischen Form des Zitats fehlt jeder Bezug auf das Gericht, das diejenigen trifft, die sich gegen den Sohn gewendet haben. Mit v 18 hat Lk diesen Bezug geliefert. »

92. *Markus-Stoff*, p. 170.

93. Encore XVI, 25 : ἔτι δὲ καὶ ταῦτα εἰδότες ὅτι οἱ διὰ τὸν θεὸν ἀποθνήσκοντες ζῶσιν τῷ θεῷ ὥσπερ Ἀβρααμ καὶ Ισαακ καὶ Ιακωβ καὶ πάντες οἱ πατριάρχαι. Cfr E. KLOSTERMANN, *Die Synoptiker*, Tubinge, 1919, p. 560 ; J. M. CREED, *Luke*, Londres, 1930, p. 250 ; et surtout M.-É. BOISMARD, *Commentaire*, p. 349. Boismard signale aussi l'emploi de καταξιοῦσθαι en *Lc.*, XX, 35 et *IV Macc.*, XVIII, 3 (θείας μερίδος κατηξιώθησαν).

94. J. SCHMID, *Lukas*, p. 298 : « Der Gedanke von Mk 12, 25 aber wird in V. 34-36

Pour conclure dans le style de Schramm : une tradition variante est peu probable.

XXI, 8-36 : *Le discours apocalyptique*[95].

T. Schramm admet une source non-marcienne pour *Lc.*, XXI, 10-11. 12-15.18-19.20.21b-22.23b-26a.28.29-31.34-36. On peut comparer cette position à celle de l'étude de L. Gaston[96]. Celui-ci réduit la source proto-lucanienne originale à XXI, 20.21b-22.23-24.10-11.25-26a.28 ; les versets 12-15.18-19 seraient une insertion dans la source de Luc, tandis que la finale (v. 29-36) dépendrait de Marc. Schramm ne signale pas encore le travail de A. Salas, qui défend une hypothèse semblable mais retient les v. 10-19 et 29-33 comme dépendant de Marc[97]. Dans la même ligne, M.-É. Boismard admet une source propre à Luc. Il est en accord avec les autres auteurs sur les v. 20.21b-22.23b-26a.28, auxquels il ajoute encore les v. 10-11 et 29-30.34-36 ; le proto-Luc aurait ajouté à cette source les v. 12a.14-15. 18[98]. D'après cette hypothèse, la matière marcienne pure ne comprend que quelques insertions : les v. 8-9.16-17.21a.23a. 26b-27.32-33 (Schramm) ; en plus : 12b.13.31 (Boismard).

A première vue, l'hypothèse paraît vraisemblable : l'élimination de ces quelques versets de Marc permettrait de reconstruire une source homogène. Toutefois, la question se pose : pourquoi Luc aurait-il détruit cette belle homogénéité par quelques emprunts à Marc, laissant de côté des motifs comme *Mc.*, XIII, 10 (εἰς πάντα τὰ ἔθνη) et 11b (τὸ πνεῦμα τὸ ἅγιον). Un nombre important d'exégètes se déclarent ici pour une explication rédactionnelle, sans recours à une source prélucanienne[99]. Luc semble avoir adapté et restructuré le discours apocalyptique par une distinction entre l'événement historique et la perspective eschato-logique. Sous cet aspect, le v. 12a comporte une modification importante : πρὸ δὲ τούτων πάντων. De ce fait, ce que décrivent les v. 10-11 est mis à part et replacé dans un temps ultérieur[100]. Par l'introduction du v. 10a (τότε ἔλεγεν αὐτοῖς), les versets sont séparés du contexte précédent et l'addition du v. 11b (φόβητρα ... ἔσται) montre clairement qu'ils se

---

... deutlicher formuliert und erläutert ». Dans le même sens, J.-M. LAGRANGE, *Luc*, p. 517 et J. M. CREED, *Luke*, p. 250.

95. *Markus-Stoff*, p. 171-182.

96. L. GASTON, *Sondergut und Markusstoff in Luk. 21*, dans *Theologische Zeitschrift*, 16 (1960), 161-172.

97. A. SALAS, *Discurso Escatologico Prelucano. Estudio de Lc. XXI, 20-36* (Biblioteca la Ciudad de Dios 16), El Escorial, 1967.

98. M.-É. BOISMARD, *Commentaire*, p. 361.

99. Cfr E. GRÄSSER, *Das Problem der Parusieverzögerung* (BZNW 22), Berlin, 1957, p. 152-170. Voir aussi J. Wellhausen, R. Bultmann, H. Conzelmann, J. Schmid, E. Haenchen.

100. E. GRÄSSER, *Parusieverzögerung*, p. 158 ; H. CONZELMANN, *Mitte der Zeit*, p. 118-119 ; E. HAENCHEN, *Der Weg Jesu*, p. 455 ; J. SCHMID, *Lukas*, p. 302.

rapportent aux événements de la fin (cfr v. 25ss.) [101]. Luc reprend le passage sur les persécutions de *Mc.*, XIII, 9-13 [102], mais l'orientation eschatologique que Marc lui avait donnée au v. 13b (ὁ δὲ ὑπομείνας εἰς τέλος, οὗτος σωθήσεται) reçoit une accentuation différente en *Lc.*, XXI, 19 (ἐν τῇ ὑπομονῇ ὑμῶν...) [103], précédé par l'expression proverbiale au v. 18 [104]. En parallèle de *Mc.*, XIII, 14-20, la tendance historicisante de Luc apparaît clairement : κυκλουμένην ὑπὸ στρατοπέδων... [105]. Les allusions daniéliques (*Mc.*, XIII, 14-19) sont remplacées par une description historique et par le motif explicite de l'accomplissement des Écritures (v. 22 : cfr *Deut.*, XXXII, 35). Au v. 24 (cfr *Zach.*, XII, 3) il n'est pas exclu de voir une réminiscence verbale de *Mc.*, XIII, 10, omis en XXI, 13 (εἰς τὰ ἔθνη πάντα), qui permet à Luc de conclure le passage par une ouverture sur ce qui est pour lui le temps présent (καιροὶ ἐθνῶν). Personne ne conteste la dépendance envers Marc pour *Lc.*, XXI, 26b-27. Mais l'influence de Marc peut être observée également aux v. 25-26a (ἡλίῳ, σελήνῃ, ἄστροις : cfr *Mc.*, XIII, 24-25a). *Lc.*, XXI, 25b-26a qui s'insère entre *Mc.*, XIII, 25a et b, reprend les v. 10-11. Au v. 28, Luc s'oriente vers la parabole de *Mc.*, XIII, 28-29 et s'en inspire : διότι ἐγγίζει ἡ ἀπολύτρωσις ὑμῶν — ὅτι ἐγγύς ἐστιν ἡ βασιλεία τοῦ θεοῦ [106].

---

101. Selon L. GASTON, *Sondergut*, p. 161-172, les v. 10-11 auraient précédé immédiatement le v. 25 dans la *Sonderquelle* et Luc lui-même serait responsable d'un déplacement maladroit. Notons cependant la remarque de l'auteur : « The weakest part of the reconstruction lies in the transposition of Vs 10f before Vs 25 » ; cfr *No Stone upon Another. Studies in the Significance of the Fall of Jerusalem in the Synoptic Gospels* (Suppl. N.T. 23), Leyde, 1970, p. 357.

102. Pour Luc, la prédication universelle de l'évangile n'est plus un des signes avant-coureurs de la fin. On comprend donc l'omission de *Mc.*, XIII, 10. Le remplacement de τὸ πνεῦμα τὸ ἅγιον (*Mc.*, XIII, 11) par ἐγὼ γὰρ δώσω ὑμῖν στόμα καὶ σοφίαν... correspond bien à la présentation de Pierre, Paul, Étienne et autres devant les tribunaux (cfr *Act.*). Voir aussi E. GRÄSSER, *Parusieverzögerung*, p. 160 ; H. CONZELMANN, p. 119 ; J. M. CREED, *Luke*, p. 255.

103. E. GRÄSSER, *Parusieverzögerung*, p. 161 ; H. CONZELMANN, *Die Mitte der Zeit*, p. 119. E. Haenchen est peut-être trop explicite quand il interprète le v. 19 : « Lk will zeigen, dass die Seelen beim Sterben gerettet werden » (cfr *Der Weg Jesu*, p. 455). J. Schmid voit dans ce verset l'influence des expériences des apôtres décrites dans les Actes. Pour l'insistance de Luc sur ὑπομονή comp. VIII, 5.

104. H. J. Cadbury note ce verset comme un des exemples de répétition (« repetition with variation ») dans des contextes éloignés. Voir aussi *Lc.*, XXI, 34 μερίμναις βιωτικαῖς, cfr *Lc.* VIII, 14 ; *Lc.*, XXI, 35 (ἐπὶ πρόσωπον πάσης τῆς γῆς), cfr *Act.*, XXVII, 26 (voir *Four Features of Lucan Style*, dans *Studies in Luke-Acts* (ed. L. E. KECK-J. L. MARTYN), Nashville, 1966, p. 87-102, spéc. p. 95-97.

105. Cfr Lagrange, Hauck, Grundmann, Schmid, Grässer, etc.

106. Pour l'association des versets 28b (ἡ ἀπολύτρωσις ὑμῶν) et 31b (ἡ βασιλεία τοῦ θεοῦ), cfr *Lc.*, XXIV, 21 : ἠλπίζομεν ὅτι αὐτός ἐστιν ὁ μέλλων λυτροῦσθαι τὸν Ἰσραήλ ; II, 38 : τοῖς προσδεχομένοις λύτρωσιν Ἱερουσαλήμ ; XXIII, 51 : ὃς προσεδέχετο τὴν βασιλείαν τοῦ θεοῦ.

On peut donc conclure [107] que les éléments propres à Luc en XXI, 5-36 ne semblent pas constituer un « discours » que Luc aurait combiné avec celui de *Mc.*, XIII. C'est l'impression que nous retenons de l'ensemble des *Sonderelemente* dans la matière marcienne. Ils font partie du remaniement du texte de Marc. Certains éléments sont des amplifications, des petites compositions rédactionnelles à partir de Marc ; d'autres ont une origine étrangère à Marc mais on les appelle justement rédactionnels parce que le même rédacteur semble responsable de leur formulation et de la place qui leur est donnée dans le récit marcien. Je pense ici plus particulièrement à *Lc.*, V, 39 et XX, 18, dont l'origine restera sans doute obscure. Tous deux ont un certain caractère de *Sprichwort* [108] et sont rattachés au texte de Marc par le moyen d'un mot-crochet. Pareilles additions sont une des manières lucaniennes de réinterpréter le texte de sa source. En *Lc.*, V, 36a il insère l'introduction ἔλεγεν δὲ καὶ παραβολὴν πρὸς αὐτοὺς ὅτι et en *Lc.*, XX, 17 la citation est précédée par ὁ δὲ ἐμβλέψας αὐτοῖς εἶπεν· τί οὖν ἐστιν τὸ γεγραμμένον τοῦτο. On a voulu y voir la trace d'une tradition parallèle à *Mc.*, II, 21-22 et XII, 10-11 [109]. N'est-ce pas plutôt un trait lucanien qui sert à introduire des logia auxquels les additions de V, 39 et XX, 18 ont donné une interprétation nouvelle ? [110]

IV. Les sémitismes

T. Schramm veut justifier son étude des sémitismes en Luc par une observation méthodologique. La *Redaktionsgeschichte* lucanienne qui considère les sémitismes comme des « septantismes » provenant de la main de Luc [111], serait basée sur un à priori. On prend comme point de référence les divergences vis-à-vis de Marc, dont, au contraire, le caractère purement rédactionnel serait à prouver. L'étude du style lucanien doit se référer plutôt à des textes où Luc rédige plus librement et où l'influence des sources semble exclue : *Act.*, XVI-XXVIII, et plus spécialement les sections « nous » et les discours. Le style de Luc y

---

107. Même A. Salas et L. Gaston admettent que dans les v. 29-36 Luc n'a d'autre source que Marc.

108. Voir *supra*, sur *Lc.*, XXI, 18.

109. T. SCHRAMM, *Markus-Stoff*, p. 175 (cfr 108. 165).

110. Comp. aussi *Lc.*, XXI, 10-11 : l'insertion de τότε ἔλεγεν αὐτοῖς (v. 10a) et l'addition du v. 11b.

111. H. F. D. SPARKS, *The Semitisms of St. Luke's Gospel*, dans JTS, 44 (1943), 129-138 ; *The Semitisms of the Acts*, dans JTS, 1 (1950), 16-28. T. Schramm (p. 81, n. 2) ajoute : « So durchweg die redaktionsgeschichtliche Forschung, vgl. etwa Conzelmann, *Mitte*, S. 30 Anm. ; ders., *Apgsch.* S. 3f. ; Haenchen, *Apgsch.* S. 66 ; Wilckens, *Missionsreden* S. 11 ; auch Kümmel, *Einleitung* S. 26 und 82 ff. »

apparaît comme un style littéraire et grécisant, dépourvu de la coloration sémitisante de certains passages de l'évangile [112]. A la suite de J. V. Bartlet [113] et E. Schweizer [114], T. Schramm concentre alors son étude sur sept sémitismes ou hébraïsmes caractérisés, qui sont pratiquement absents du livre des Actes et ne relèvent donc pas du style personnel de Luc. L'emploi isolé d'une telle expression ne prouve rien [115], mais la présence de plusieurs sémitismes dans un même passage, surtout s'ils sont accompagnés d'accords avec Matthieu et d'éléments propres à Luc, devient un argument de convergence particulièrement sûr en faveur d'une tradition non-marcienne [116]. Dans un tableau (p. 181) nous avons réparti les sémitismes relevés par Schramm d'après la division des péricopes : V, 12-16 ; V, 17-26 ; VIII, 22-25 ; IX, 18-22 ; IX, 28-36 ; IX, 37-43a ; IX, 43b-45 ; XVIII, 31-34 ; (XVIII, 35a ; XIX, 29a ; XX, 1a).

Le tableau montre clairement que les sémitismes sont attestés surtout dans les ouvertures de péricopes : V, 12a *(1, 3, 4, 5, 6)* ; V, 17-18a *(1, 2, 3, 4, 6, 7)* ; VIII, 22 *(1, 3, 4, 7)* ; IX, 18 *(2, 3, 5)* ; IX, 28 *(3)* ; IX, 37-38a *(1, 3, 6)* ; XVIII, 35 *(3, 6)* ; XIX, 29 *(3)* ; XX, 1 *(3, 5)*. Les huit versets d'introduction mis à part, le dossier se réduit à quelques sémitismes isolés et à une certaine concentration dans le récit de la transfiguration en IX, 28-36 *(1, 2, 3, 5, 6, 7)* et dans les notices sur l'incompréhension des disciples en IX, 45 *(1, 2)* et XVIII, 34 *(1, 2, 7)*.

C'est ici que les limites d'un travail comme celui de T. Schramm se font sentir. L'auteur a fait un effort honnête d'énumérer, par péricope et dans l'ordre, accords mineurs, éléments propres, sémitismes et autres divergences vis-à-vis de Marc, mais il ne prend guère en considération leur place dans la péricope ou dans l'ensemble de la composition lucanienne. En particulier, les introductions des péricopes avaient droit à un examen spécial. On se rappelle la constatation de K. Grobel : « Die « Form » der lukanischen Einleitungen besteht aus ganz bestimmten Lieblingswörtern und -konstruktionen » [117]. Son examen portait sur les 21 « lucanismes » marqués par un astérisque dans la liste de Haw-

---

112. *Markus-Stoff*, p. 81.

113. J. V. BARTLET, *The Sources of St. Luke's Gospel*, dans *Oxford Studies*, Oxford, 1911, p. 313-363.

114. E. SCHWEIZER, *Eine hebraisierende Sonderquelle des Lukas ?*, dans *Theologische Zeitschrift*, 6 (1951), 161-185.

115. *Markus-Stoff*, p. 127 (à propos de *Lc.*, VIII, 40-42 ; contre E. Schweizer). La *coniugatio periphrastica* serait rédactionnelle en *Lc.*, IV, 31.38.44 ; V, 17.29 ; VIII, 40 ; XIX, 40 ; XXI, 37 (p. 101-102, 104, 149 n. 1). Cfr *infra*, n. 137.

116. « Der literarkritischen Analyse ist damit eine wichtige Hilfe verschafft : Vorlukanischer und luk Sprachgebrauch lassen sich bis zu einem gewissen Grade präzise trennen » (p. 80).

117. K. GROBEL, *Formgeschichte und synoptische Quellenanalyse* (FRLANT 53), Goettingue, 1937, p. 74.

Sémitismes

1. parataxe	V, 12	V, 17 / 21 / 24 / 26	VIII, 22		IX, 34 / 36	IX, 38 ss.	IX, 45	XVIII, 34	XX, 34 / 36
2. coniugatio periphrastica	V, 16	V, 17 (3x)		IX, 18	IX, 32		IX, 45	XVIII, 34	
3. ἐγένετο + (καί) verbum fin.	V, 12	V, 17	VIII, 22	IX, 18	IX, 28 / 29 / 33	IX, 37			XVIII, 35 / XIX, 29 / XX, 1
4. ἐν μιᾷ τῶν	V, 12	V, 17	VIII, 22						
5. ἐν τῷ + inf.	V, 12			IX, 18	IX, 29 / 33 / 34 / 36				XX, 1
6. καὶ ἰδού	V 12	V, 18			IX, 30	IX, 38 / 39			XVIII, 35
7. καὶ αὐτός	V, 14	V, 17	VIII, 22		IX, 36			XVIII, 34	
Autres sémitismes		V, 21					IX, 44a / 45	XVIII, 34	XIX, 37 / XX, 11 / 12

kins (« the most distinctive and important instances ») [118]. Dix-sept mots
ou expressions se trouvent dans les versets d'introduction (180 versets
sur les 1149 de l'évangile : 15 %) [119], avec une fréquence qui dépasse
largement la fréquence moyenne (143 sur 484 : 29 %). Une autre approche
statistique, dont les données sont moins faciles à vérifier, arrive à un
résultat parallèle. T. R. Rosché étudie les péricopes marciennes en Luc
qui contiennent des paroles de Jésus [120]. La proportion des mots en
Luc qui ont un parallèle en Marc est la suivante : l'introduction : 25 %,
le corps du récit : 45 %, la conclusion : 35 %, les paroles de Jésus :
78 % [121]. Ce sont donc les versets d'introduction qui s'éloignent le
plus du texte de Marc. N'est-ce pas une indication que Luc rédige plus
librement les introductions ? [122] La présence des mots et expressions
caractéristiques de Luc semble le suggérer. La plupart des dix-sept

118. *Horae Synopticae*, p. 2. Cfr p. 16-23 : δὲ καί, ἐγένετο + καί + verb. fin.,
ἐγένετο + verb. fin., ἐγένετο + infin., εἶπεν δέ, ἐν τῷ + infin., (ἐνώπιον), (ἐπιστάτης),
Ἰερουσαλήμ, καλούμενος, ὁ κύριος in narrative, λίμνη, παραχρῆμα, πρός used of
speaking to, τις *with nouns*, τοῦ + infin., ὑπάρχω, ὑποστρέφω, (φίλος), (χάρις),
ὡς = « when ». Quatre mots seulement, mis ici entre parenthèses, ne sont pas
attestés dans les versets d'introduction.

119. Pour les chiffres : 1149 est donné d'après Streeter et 180 est un chiffre
approximatif : 163 péricopes dans la synopse de Huck, dont certaines n'ont pas
d'introduction et d'autres ont une introduction de deux ou plusieurs versets.

120. T. R. Rosché, *The Words of Jesus and the Future of the « Q » Hypothesis*,
dans JBL, 79 (1960), 210-220, spéc. p. 212. La liste des péricopes : IV, 31-37 ;
V, 12-16. 17-26. 27-32 ; VI, 1-5. 6-11 ; VIII, 19-21. 22-25. 26-39. 40-56 ; IX, 1-6.
10-17. 18-22. 37-43a. 43b-44. 46-48. 49-50 ; XVIII, 15-17. 18-30. 31-34. 35-43.

121. L'auteur s'intéresse plus directement à la différence entre récits et paroles.
Cfr *ibid.* : « The dichotomy in Luke's treatment between Markan sayings and
narratives is substantiated by the distribution of « characteristically Lukan words
and phrases » in Luke. Since the works of H. J. Holtzmann, Wernle, Cadbury,
Hawkins, and others, it has been reasonable to assume that these words are a valid
indication of Luke's editorial presence (or absence). However, the assumption
that these words are scattered uniformly among Luke's narratives and sayings
alike has never been tested. He used about 413 verses taken from Mark of which
184 contain words of Jesus and 229 do not. Using the test of John Hawkins, 82 %
of Luke's characteristic words and phrases are found in narrative verses while
only 18 % are found in Markan sayings of Jesus. Luke's editorial hand is less
evident in sayings of Jesus taken from Mark than is the case in narrative sections
taken from the same source. »

122. Comp. J. Jeremias, *Tradition und Redaktion in Lukas 15*, dans ZNW, 62
(1971), 172-189, spéc. p. 188 (à propos de XV, 1-3) : « Die Annahme, dass Lukas
eine von ihm vorgefundene Situationsangabe durch eine von ihm selbst formulierte
ersetzte, bereitet keine Schwierigkeit, da seine Markusbearbeitung eine ganze
Reihe von Belegen für dieses Verfahren bietet. » En note 52 il donne les exemples
suivants : *Lc.*, V, 17, comp. *Mc.*, II, 2-3 ; *Lc.*, VI, 12-13a, comp. *Mc.*, III, 13 ;
Lc., IX, 18a, comp. *Mc.*, VIII, 27a ; *Lc.*, IX, 43b, comp. *Mc.*, IX, 30 ; *Lc.*, XIX, 28,
comp. *Mc.*, XI, 1 ; *Lc.*, XX, 20, comp. *Mc.*, XII, 13 ; *Lc.*, XXII, 3, comp. *Mc.*,
XIV, 10.

lucanismes [123] sur lesquels K. Grobel s'est basé, sont expressément reconnus comme tels par T. Schramm : δὲ καί [124], ἐγένετο + infin. [125], (εἶπεν δέ) [126], Ἰερουσαλήμ [127], καλούμενος [128], (λίμνη) [129], παραχρῆμα [130], πρός avec verba dicendi [131], τις with nouns [132], τοῦ + infin. [133], ὑπάρχω [134],

123. Cfr n. 118, ὁ κύριος (narratif) n'apparaît pas dans la matière marcienne examinée par Schramm.

124. *Markus-Stoff*, p. 38 (V, 10) ; p. 88 : « spezifisch luk » (IV, 41) ; p. 107, n. 2 : « Typisch luk ist δὲ καί (vgl. Plummer, *Lk* S. 90 ; Hawkins, *Horae*, S. 17) » (V, 36). Comp. J. JEREMIAS, *Tradition und Redaktion*, p. 174.

125. *Ibid.*, p. 95 : « eine im Ev relativ seltene (5 x), in den Act. aber häufige (13 x) und somit wahrscheinlich luk Wendung » ; p. 112 (VI, 1. 6).

126. εἶπεν δέ n'est pas discuté par Schramm, mais il apparaît dans plusieurs versets qui, d'après l'auteur, sont de tradition marcienne pure : VI, 8.9 ; IX, 9.50 ; XVIII, 19. 26. 28 ; XX, 41. Comp. J. JEREMIAS, *Tradition und Redaktion*, p. 180.

127. A la p. 41, n. 1, Schramm exprime son accord avec Cadbury : « Darin wird man dem Verfasser weithin zustimmen, etwa wenn er sich gegen eine Quellenscheidung mit Hilfe des wechselnden Ἰερουσαλήμ und Ἱεροσόλυμα wendet ». Toutefois, à la p. 135, n. 2, quand il reconstruit la tradition prélucanienne de *Lc.*, XVIII, 31, il semble avoir oublié ce bon principe : « Ἰερουσαλήμ (!, MtMk : Ἱεροσόλυμα). »

128. *Ibid.*, p. 130, n. 1 (IX, 10) ; p. 146, n. 4 (XIX, 19) ; p. 147 (XXI, 37 ; *Act.*, I, 12) ; p. 183, n. 3 : « typisch luk » (XXII, 3).

129. L'auteur ne se prononce pas, mais il admet une influence de Marc dans les versets en question (*Lc.*, V, 1. 2 : p. 38-39 ; VIII, 22. 23 : p. 124-125 ; VIII, 33, dans une péricope de tradition marcienne pure : p. 126).

130. *Ibid.*, p. 88 (IV, 39) ; p. 103 (V, 25) ; p. 127, n. 3 (VII, 44. 47. 55) ; p. 143, n. 3 (XVIII, 43).

131. *Ibid.*, p. 107, n. 2 (V, 36) ; p. 112, n. 3 (VI, 11) ; p. 175, n. 2. Comp. J. JEREMIAS, *Tradition und Redaktion*, p. 181.

132. *Ibid.*, p. 126, n. 3 (VIII, 27 : ἀνήρ τις) ; p. 128 (IX, 9. 19 : προφήτης τις τῶν ἀρχαίων) ; comp. XVIII, 18. 35b ; XXI, 2 (tradition marcienne pure). Par contre, ἄνθρωπός τις serait caractéristique du *Sondergut* lucanien (X, 30 ; XII, 16 ; XV, 11 ; XVI, 1.19) et du milieu qui l'a transmis (XIV, 16 ; XIX, 12 diff. *Mt.*) (p. 155-156). Ajouter *Lc.*, XIV, 2. L'auteur y ajoute encore XX, 9 : Luc pourrait avoir éliminé le τις sous l'influence de *Mc.* (p. 155, n. 2). Voir aussi J. JEREMIAS, *Tradition und Redaktion*, p. 174. Cfr F. REHKOPF, *Sonderquelle*, p. 91. Contra : H. SCHÜRMANN, *Protolukanische Spracheigentümlichkeiten ?*, p. 220-221 : « Für eine protolukanische Redaktion spricht höchstens eine schwache Vermutung ; sie bleibt nicht erweisbar, ja ist weniger wahrscheinlich, solange Lk 14, 16 ; 19, 12 in dem gut begründeten Verdacht stehen, dem lukanischen Sondergut anzugehören ». H. Schürmann ne veut y voir de la rédaction lucanienne (malgré *Act.*, IX, 33 et *Lc.*, XIV, 16 ; XIX, 12 diff. *Mt.*), mais il n'est toujours pas démontré, me semble-t-il, qu'on peut isoler ἄνθρωπός τις d'autres expressions comme ἀνήρ τις dont le caractère rédactionnel n'est pas mis en doute. Dans *Jesu Abschiedsrede*, H. Schürmann citait encore de manière non différenciée les chiffres de Hawkins pour les cas de « τις with nouns » : *Act.* 63 x et *Lc.* 38 (le texte imprimé « Lk 30 x » est sans doute à corriger). Comp. G. SCHNEIDER, *Verleugnung, Verspottung und Verhör Jesu nach Lukas 22, 54-71. Studien zur lukanischen Theologie* (StANT, 22), Munich, 1969, p. 79 : « das dem Substantivum nachgestellte τις (ist) dem Luk eigentümlich ; Mt o, Mk 1, Lk 26, Jh 1, Apg 25. »

133. *Ibid.*, p. 89 (IV, 42).

134. *Ibid.*, p. 127 (VIII, 41) ; p. 140, n. 5 (IX, 48).

ὑποστρέφω [135], ὡς temporel [136] ; en plus, ἐν τῷ + infin. est « possible pour Luc » [137]. Dans ces conditions, il lui serait difficile de refuser la conclusion de Grobel.

T. Schramm ne refuse qu'un seul des lucanismes de Hawkins-Grobel : ἐγένετο + (καί) verbum finitum. Le tableau de Grobel [138] ne permet pas de douter : il s'agit d'une formule typique d'introduction :

(*1*) ἐγένετο + καί + verb. fin. : 12 sur 12 en Lc. (100 %)
V, 1.12.17 ; VIII, 1.22 ; IX, 28 [?].51 ; [X, 38] ; XIV, 1 ; XVII, 11 ;
[XVIII, 35] ; XXIV, 15

(*2*) ἐγένετο + verb. fin. : 13 sur 22 en Lc. (54 %)
I, 41 ; II, 1 ; VII, 11 ; [VIII, 40] ; IX, 18.37 ; XI, 1.14.27 ; XVII,
35 ; XIX, 29 ; XX, 1 ; XXIV, 51

(*3*) ἐγένετο + infin. : 4 sur 5 en·Lc. (80 %)
III, 21 (cfr Mc.) ; VI, 1 (= Mc.) ; VI, 6.12.

Quelques corrections s'imposent : (*1*) X, 38 v. l. est à éliminer [139] et XVIII, 35 rentre dans la deuxième catégorie (sans καί) ; par contre, il y a deux autres emplois : XIX, 15 et XXIV, 4 (donc : 10 sur 12) ; — (*2*) VIII, 40 v. l. est à éliminer [140] ; les neuf autres emplois en Lc. sont : I, 8.23.59 ; II, 6.15.46 ; IX, 33 ; XVII, 14 ; XXIV, 30 (donc : 12 sur 21) [141] ; — (*3*) le cinquième emploi en Lc. : XVI, 22 (donc : 4 sur 5).

Vingt-six emplois (sur un total de 38) se trouvent au début d'une péricope. Mais cette constatation de K. Grobel ne donne qu'une faible idée de la signification rédactionnelle de la construction ἐγένετο dans l'évangile de Luc. Son importance pour la structure de Lc. mérite d'être

---

135. *Ibid.*, p. 126 (VIII, 40) ; p. 130, n. 1 (IX, 10).

136. *Ibid.*, p. 127 (VIII, 47). Par contre ἐγένετο ὡς en XIX, 29 (et dans le *Sondergut* en I, 23. 41 ; II, 15) serait un hébraïsme qui remonte à la tradition non-marcienne. Sur ὡς *temporis*, voir les réserves de J. JEREMIAS (*Tradition und Redaktion*, p. 172-173).

137. *Ibid.*, p. 96 : « ἐν τῷ c. inf. ist luk möglich, sicher nicht charakteristisch lukanisch » (contre H. SCHÜRMANN, *Jesu Abschiedsrede*, p. 10, n. 40) ; p. 127 : « Bei der coniugatio periphastica und bei ἐν τῷ c. inf. handelt es sich… um Semitismen, die sich wiederholt als luk möglich erwiesen haben » (VIII, 40, 42).

138. *Formgeschichte*, p. 73. Comp. J. C. HAWKINS, *Horae Synopticae*, p. 37. K. Grobel ajoute deux cas : *Lc.*, X, 38 v. l. (+ καί) et VIII, 40 v. l. (sans καί) ; voir n. 139 et 140 ; sont catalogués par Hawkins dans la deuxième catégorie (sans καί) : IX, 28 (voir n. 141) et XVIII, 35.

139. Sans ἐγένετο : P⁴⁵·⁷⁵ 𝕳 pc ; ἐγένετο + καί + verb. fin. : C 𝕽 A W Θ pl lat ; ἐγένετο + verb. fin. λ φ it ; ἐγένετο + infin. : D.

140. Sans ἐγένετο : P⁷⁵ B λ pc ; ἐγένετο + verb. fin. : ℵ* 𝕽 A D W Θ λ φ pl. latt.

141. Hawkins compte IX, 28 dans cette catégorie (d'où le total de 22 cas) : le καί devant παραλαβών est omis dans l'édition de Westcott-Hort (leçon marginale) ; il est mis entre parenthèses par von Soden et *Greek New Testament* (om. P⁴⁵Bℵ* 𝕳 pc it syᵖ sa bo).

soulignée. Il me semble que, mis à part les récits du début, on peut distinguer trois périodes dans l'évangile [142] :

I, 1-4 ; I, 5-II, 52 ; III, 1-20 ;
III, 21-IX, 50 : Jésus en Galilée ;
IX, 51-XIX, 28 : la montée à Jérusalem ;
XIX, 29-XXIV, 53 : Jésus à Jérusalem.

L'on notera que chaque période s'ouvre par la formule : $\dot{\epsilon}\gamma\dot{\epsilon}\nu\epsilon\tau o$ $\delta\dot{\epsilon}$ + $\dot{\epsilon}\nu$ $\tau\hat{\omega}$... + *infin.* (III, 21) ; $\dot{\epsilon}\gamma\dot{\epsilon}\nu\epsilon\tau o$ $\delta\dot{\epsilon}$ + $\dot{\epsilon}\nu$ $\tau\hat{\omega}$... + $\kappa a\dot{\iota}$ + *verbum finitum* (IX, 51) ; $\kappa a\dot{\iota}$ $\dot{\epsilon}\gamma\dot{\epsilon}\nu\epsilon\tau o$ + $\dot{\omega}s$... *verbum finitum* (XIX, 29). Le fait que les trois types différents sont employés ne saurait mettre en question le rapprochement. L'importance se confirme quand on délimite les sections de III, 21-IX, 50 : les grandes unités littéraires s'ouvrent presque toutes par $\dot{\epsilon}\gamma\dot{\epsilon}\nu\epsilon\tau o$ (les versets sont soulignés) : III, 21-IV, 44 ; V, 1-VI, 11 ; VI, 12-49 ; VII, 1-50 ; VIII, 1-21 ; VIII, 22-56 ; IX, 1-17 ; XI, 18-27 ; IX, 28-36 ; IX, 37-45.46-50. La formule est absente en VII, 1, où Luc semble avoir conservé la transition traditionnelle du discours au récit du centurion (VII, 1-10), mais au début de la péricope suivante on retrouve la formule (dans l'introduction du récit de miracle : VII, 11-17). La section de V, 1-VI, 11 est particulièrement éclairante. Elle contient une péricope propre à *Lc.* (V, 1-11), suivie d'un bloc marcien (*Mc.*, I, 40-III, 6). Dans le texte de *Mc.*, la guérison du lépreux et chacune des cinq controverses ont gardé une indépendance propre. Luc relie la vocation de Lévi à la péricope précédente par une formule de transition (V, 27 : $\mu\epsilon\tau\dot{a}$ $\tau a\hat{\upsilon}\tau a$) et il rattache la controverse sur le jeûne au repas chez Lévi (V, 33 : $o\dot{\iota}$ $\delta\dot{\epsilon}$ $\epsilon\dot{\iota}\pi a\nu$). Dans l'unité de *Lc.*, V, 17-26.27-39, ainsi constituée, il n'y a pas de place pour un emploi parallèle de la formule en *Mc.*, II, 15 ; par contre, là où l'indépendance des péricopes

---

142. Sur la structure de l'évangile de Luc, voir A. GEORGE, *Tradition et rédaction chez Luc. La construction du troisième évangile*, dans *De Jésus aux Évangiles*, p. 100-129. Nous adoptons la division proposée par l'auteur. Il suit l'opinion commune (XIX, 28), pour la fin de la section centrale. — Dans son étude *Het lucaanse reisverhaal (Lc 9, 51-19, 44)*, A. Denaux a proposé de voir la fin de la section en XIX, 44 ; cfr *Coll. Brug. et Gand.*, 14 (1968), 214-242 ; 15 (1969), 464-501 ; spéc. p. 467-475. — Il y a hésitation parmi les auteurs devant XIX, 27/28 ou 28/29. Il me semble qu'on peut dire que le $\dot{\epsilon}\gamma\gamma\dot{\iota}\zeta o\upsilon\sigma\iota\nu$ $\epsilon\dot{\iota}s$ $\dot{\iota}\epsilon\rho o\sigma\dot{o}\lambda\upsilon\mu a$ de *Mc.*, XI, 1 a été anticipé en *Lc.*, XIX, 11 et 28 (le cadre de la parabole) et se prépare déjà dès XVIII, 35 (approche de Jéricho ; cfr XIX, 1 : à Jéricho). *Lc.*, XVIII, 35-XIX, 28 forme ainsi une unité littéraire et c'est le verset allégé de *Mc.*, XI, 1 qui sert de parallèle à *Lc.*, XIX, 29. — Pour l'opinion 28/29, cfr J. A. Bengel, A. Plummer et A. George ; pour les autres opinions, voir l'article de A. Denaux, sur 27/28, p. 468, n. 8 ; on y ajoutera H. SCHÜRMANN, *Lukasevangelium*, p. VIII ; B. RIGAUX, *Témoignage de l'Évangile de Luc*, Bruges, 1970, p. 268 ; et, semble-t-il, J. JEREMIAS, *Tradition und Redaktion*, p. 188, n. 52, où le v. 28 est cité comme introduction (!) basée sur *Mc.*, XI, 1.

est observée, Luc emprunte la formule à *Mc.* (II, 23) ou il l'introduit :
V, 1-11 ; V, 12-16 ; V, 17-26.27-39 ; VI, 1-5 ; VI, 6-11 [143]. Dans la
partie centrale de l'évangile (IX, 51ss.), l'emploi de la formule est moins
systématique, mais elle sert toujours à ouvrir des unités littéraires
bien définies : XI, 1-13 ; XI, 14-36 (et XI, 27-28) ; XIV, 1-35 ; XVII,
11-19. Une division tripartite (IX, 51ss. ; XIII, 22ss., XVII, 11ss.) [144]
donne encore plus de relief à ce dernier emploi en XVII, 11. En *Lc.*,
XVIII, 35, le début du récit marcien de la guérison de l'aveugle (*Mc.*,
X, 46-52) devient l'ouverture d'une section plus large (XVIII, 35-
XIX, 28) : la formule y est bien en place. Et encore, dans la troisième
partie : XIX, 29-48 ; XX, 1-XXI, 38 ; XXII, 1-XXIV, 53. Au chap.
XXIV, les articulations des récits sont marquées par καὶ ἐγένετο : au
v. 4 pour XXIV, 1-12 ; au v. 15 et 30 pour XXIV, 13-35 ; et au v. 51
pour XXIV, 36-53. On reconnaîtra une même fonction littéraire de
la formule dans le récit de la transfiguration (IX, 33) et dans celui de la
guérison des dix lépreux (XVII, 14b), dans la parabole des mines (XIX,
15, add. *Mt.*) et, à plusieurs endroits, dans les récits de l'enfance : au
v. 8, 23, 41 et 59 dans le premier chapitre et, après II, 1 (!), au v. 6, 15
et 46 [145].

En plus, il est important de ne pas se borner à distinguer entre formule
« hébraïque » et formule « grecque » (ἐγένετο + *infin.*), mais de relever
les variations multiples de l'emploi lucanien.

1) *L'introduction :*

— καὶ ἐγένετο : I, 23.41.59 ; II, 15.46 ; V, 12 ; VII, 11 ; VIII, 1 ; IX,
18.33 ; XI, 1 ; XIV, 1 ; XVII, 11.14 ; XIX, 15.29 ; XX, 1 ; XXIV,
4.15.30.51 ;
— ἐγένετο δέ : I, 8 ; II, 1.6 ; III, 21 ; V, 1 ; VI, 1.6.12 ; VIII, 22 ; IX,
28.37.51 ; XI, 14.27 ; XVI. 22 ; XVIII, 35.

2) *L'expression de temps* [146] :

(*a*) — ἐν τῷ + infinitif : I, 8 ; II, 6 ; III, 21 ; V, 1 (deux verbes). 12 ;
IX, 18.33.51 ; XI.1.27 ; XIV, 1 ; XVII, 11.14 ; XVIII, 35 ; XIX,
15 ; XXIV, 4.15.30.51.

---

143. Voir R. PESCH, *Der reiche Fischfang, Lk 5, 1-11/Jo 21, 1-14*, Dusseldorf,
1969, p. 66, sur la « Gliederungsfunktion » de la construction καὶ ἐγένετο dans ce
contexte. La présentation de *Lc.*, VI.1.6.12 comme une deuxième série après V,1.
12. 17 néglige un peu le caractère propre de VI, 1. 6 (un sabbat, un autre sabbat)
et VI. 12 (début plus solennel d'une section).

144. Sur XIII, 22 et XVII, 11, comme césures dans le récit, voir A. DENAUX,
Het lucaanse reisverhaal, et sa contribution dans ce volume.

145. Un seul emploi n'a pas été mentionné : XVI, 22. A l'intérieur de la parabole
(comp. XIX, 15), il a la même fonction (v. 19-21. 22 ss.).

146. Absente en XVI, 22.

Le verbe est suivi du sujet, normalement un pronom personnel, et en III, 21 et IX, 51 un substantif ; il est précédé d'un substantif en V, 1 et il est sans sujet en XVII, 11 [147].

— génitif absolu : III, 21 (deux participes) ; IX, 37 ; XI, 14 ; XX, 1 (deux participes) ;

— ὡς temporel : I, 23.41 ; II, 15 ; XI, 1 ; XIX, 29 ;

(b) — préposition ἐν : I, 59 ; II, 1 ; V, 17 ; VI, 1.6.12 ; VII, 11 ; VIII, 1 ; VIII, 22 ; XX, 1 ; μετά : II, 46 ; IX, 28 ;

— datif : IX, 37 ;

— nominatif : IX, 28.

On associera aisément VI, 1 et 6 (sabbat) ; VII, 11 et VIII, 1 (comp. IX, 37) ; V, 17 ; VIII, 22 et XX, 1 (ἐν μιᾷ τῶν ἡμερῶν) ; II, 1 et VI, 12 (pluriel) ; I, 59 ; II, 46 ; IX, 28 et IX, 37 (chronologie relative).

3) *L'apodose :*

Il semble que A. Plummer a été le premier à distinguer les trois formes de la construction : (a) ἐγένετο suivi de καί (et verbe fini), (b) suivi d'un temps fini, (c) suivi de l'infinitif [148]. La troisième forme, employée cinq fois dans *Lc.*, est surtout attestée dans le livre des Actes [149], et, d'après Schramm, elle serait caractéristique de la langue grécisante de l'évangéliste. Cette position a peut-être l'avantage de grouper ensemble les formes très proches (a) et (b), mais on voit mal comment on peut les soustraire à la rédaction lucanienne. M. Johannessohn a suffisamment montré comment l'usage évangélique est apparenté à celui de la Septante et comment on peut expliquer l'emploi des Actes « als eine Fortentwicklung der dort erreichten Stufe in der Entwicklungsgeschichte der alttestamentlichen Formel..., nicht aber als ein einfaches Seitenstück » [150]. Ce texte même est cité par Schramm qui

---

147. P⁷⁵ B ℵ L pc ; αὐτόν est attesté par ℜ A D W Θ λ φ pl.

148. D'après M.-J. LAGRANGE, *Luc*, p. XCVII. Voir A. PLUMMER, *Luke* (1898), p. 45. Il est suivi par J. C. HAWKINS, *Horae Synopticae*, p. 38 et J. H. MOULTON, *A Grammar of New Testament Greek*. Vol. I. *Prolegomena*, 3ᵉ éd., Édimbourg, 1908, p. 16. G. Dalman (*Die Worte Jesu*, I, Leipzig, 1898, p. 25-26) ne fait pas encore la distinction. Dans la grammaire de G. B. Winer la construction est mentionnée dans une note comme un ἐγένετο pléonastique, qui précède le verbe principal, avec ou, plus fréquemment, sans copule : « Lucas hat diese Wendung im Evangelium am öftersten ». La construction ἐγένετο + inf. n'y est pas considérée. Voir *Grammatik des neutestamentlichen Sprachidioms*, 6ᵉ éd., Leipzig, 1855, p. 536, n. 1.

149. *Act.*, IV, 5 ; IX, 3. 32. 37. 43 ; XI. 26 ; XIV, 1 ; XVI, 16 ; XIX, 1 ; XXI, 1. 5 ; XXII, 6. 17 ; XXVII, 44 ; XXVIII, 8. 17. T. Schramm fait une 4ᵉ catégorie pour les cas où ἐγένετο ne se trouve pas au début de la phrase (IX, 3) ou est précédé par ὡς ou ὅτε (XXI, 1. 5 ; encore X, 25, non repris dans la liste de Hawkins : ὡς δὲ ἐγένετο τοῦ εἰσελθεῖν τὸν Πέτρον) ; cfr *Markus-Stoff*, p. 95.

150. *Das biblische KAI ΕΓΕΝΕΤΟ und seine Geschichte*, dans *Zeitschrift für vergleichende Sprachforschung*, 53 (1925), 161-212, spéc. p. 211. Voir aussi K. BEYER,

(à l'exemple de P. Winter ?) [151] semble en conclure : « Nicht Lk hat seinen Stil entwickelt, sondern : hier spricht er selbst, da gibt er den Wortlaut von ' Quellen ' wieder » [152]. Il est sans doute utile de rappeler les faits suivants : 1. la construction qui est, dans l'Ancien Testament, utilisée comme expression temporelle aussi bien à l'intérieur qu'au début des récits, apparaît en *Lc.* comme une formule d'introduction ; 2. elle s'y trouve fréquemment accompagnée de locutions comme ἐν τῷ ou καὶ αὐτός, qui lui donnent un caractère encore plus stéréotypé ; 3. la transformation grécisante se manifeste déjà dans certains emplois de la construction « hébraïque » (en *Lc.*, VIII, 1, par exemple, le sens duratif du verbe διώδευεν serait impossible en hébreu) [153] ; 4. la fonction littéraire de ἐγένετο + infin. ne diffère en rien de celle de ἐγένετο suivi d'un temps fini (avec ou sans καί) (III, 21 ; VI, 1.6.12) ; 5. dans des cas où elle est dépourvue d'une expression temporelle, elle semble avoir repris elle-même ce caractère d'un complément temporel qui précède l'action principale (*Act.*, X, 25 ; XXI, 1.5) [154]. A ce propos, K. Beyer se plaît à paraphraser la phrase de Johannessohn : « Ausserdem entwickelt sich unsere Konstruktion im NT so stetig über Zeitbestimmung + Inf. zu blossem Inf., dass man sicher nur von immer mehr gräzisierender Fortentwicklung der atl. Konstruktion im griech. Sprachbereich reden darf (LXXismus) » [155].

Semitische Syntax im Neuen Testament. I (Studien zur Umwelt des Neuen Testaments, 1), Goettingue, 1962, p. 29-62 : « Satzeinleitendes καὶ ἐγένετο mit Zeitbestimmung ».

151. P. Winter, *On Luke and Lucan Sources*, dans ZNW, 47 (1956), 217-242, spéc. p. 233 : « The tendency to be less ' literal ' in rendering a ' biblicism ' gradually prevailed over the use of turns borrowed from sources or based on models. This does not support the view of the Third Evangelist's " imitating the Septuagint ", but on the contrary indicates that his solecisms were introduced from his sources ». Pourquoi le « modèle » ne serait-il pas le grec de la Septante ?

152. *Markus-Stoff*, p. 95, n. 3 (p. 96).

153. Comparer l'examen de K. Beyer. Citons ici sa conclusion (en ordre inverse) : les septuagintismes certains sont *Lc.*, VIII, 1 (!) ; XVI, 22 (+ inf., sans expression de temps) ; *Act.*, IX, 43 ; XI, 26 ; XIV, 1 ; XVII, 44 ; XXVIII, 8 ; septuagintismes très probables : *Lc.*, III, 21 ; VI, 1 ; IX, 18 ; XI, 1 ; XVII, 11 ; XIX, 15 ; *Act.*, IX, 3 ; X, 25 ; XXI, 1.5 (p. 60, comp. p. 62, n. 1). Les autres sont suffisamment proches de l'hébreu pour qu'on puisse les concevoir comme des traductions : *Lc.*, I, 23. 41. 59 ; II, 1. 6. 46 ; V, 12. 17 ; VI, 6. 12 ; VII, 11 ; IX, 33. 37 ; XI, 14. 27 ; XVII, 14 ; XIX, 29 ; XX, 1 ; XXIV, 4. 30. 51 ; *Act.*, IV, 5 ; IX. 32. 37 ; XXII, 17 ; XXVIII, 17 (à noter que la construction ἐγένετο + inf. n'est pas exclue, cfr VI, 6. 12 et *Act.* : « soweit der Infinitiv voransteht und sie nicht eine Dauer ausdrücken oder die Zeitbestimmung fehlt ») ; avec certaines libertés qui seraient encore tolérables de la part d'un traducteur : *Lc.*, I, 8 ; II, 15 ; V, 1 ; VIII, 22 ; IX, 28. 51 ; XIV, 1 ; XVIII, 35 ; XXIV, 15 ; *Act.*, V, 7 ; XVI, 16 ; XIX, 1 ; XXII, 6 (p. 60).

154. Comp. M. Johannessohn, *Das biblische KAI ΕΓΕΝΕΤΟ*, p. 197 (à propos de *Mc.*, II, 23).

155. K. Beyer, *Semitische Syntax*, p. 51, n. 2.

A. Plummer qui, pour ἐγένετο suivi d'un temps fini, donne une double liste d'exemples, sans ou avec καί, a fait l'observation que dans cette dernière catégorie καί est presque toujours suivi par αὐτός ou αὐτοί [156]. L'auteur semble vouloir apporter une nuance quand il dit que καί peut introduire l'apodose de ἐγένετο, mais qu'il peut aussi introduire une proposition coordonnée ou une phrase epexégétique. M.-J. Lagrange comprend καὶ αὐτός... en *Lc.*, V, 1 comme une sorte de parenthèse et, d'après lui, l'apodose de ἐγένετο est seulement à καὶ εἶδεν : « La péripétie se produit lorsque Jésus voit les deux barques » [157]. Telle est aussi l'exégèse du commentaire plus récent de H. Schürmann [158]. D'après K. Beyer, auquel l'auteur renvoie, la phrase καὶ αὐτός... fait partie de la *Zeitbestimmung* qui précède l'apodose en V, 1.17 ; XIV, 1 ; XVII, 11 [159]. Cet emploi caractéristique de καὶ αὐτός [160] rentre dans une tendance lucanienne plus générale. La locution temporelle devient en *Lc.* une description de la situation qui comporte plusieurs éléments. L'infinitif de la phrase ἐν τῷ + inf. est redoublé (V, 1) ou accompagné d'un participe (IX, 18 ; XI, 1 ; XIX, 15). Le génitif absolu se construit à deux participes en III, 21 et XX, 1 ; dans les deux cas la construction s'ajoute à une expression temporelle précédente (de même, IX, 37 ; d'autres combinaisons en IX, 28 et XI, 1). En V, 17, καὶ αὐτὸς ἦν διδάσκων est suivi de καὶ ἦσαν... et καὶ δύναμις... et on peut considérer καὶ ἰδού... du v. 18 comme l'apodose réelle de la construction καὶ ἐγένετο. Après καὶ αὐτοί de XIV, 1 c'est encore avec καὶ ἰδού que commence la péripétie (voir aussi V, 12 et XXIV, 4). En XVII, 11 nous rencontrons une situation analogue, comparable à καὶ ἰδού (ἀνήρ) : καὶ αὐτός... est suivi d'un génitif absolu (l'entrée dans le village : élément descriptif ?) et de ἀπήντησαν... ἄνδρες. Dans certains cas toutefois c'est bien καὶ αὐτός que semble introduire l'apodose : VIII, 22 (καὶ αὐτὸς ἀνέβη... ou est-ce καὶ εἶπεν ?) et IX, 51 (καὶ αὐτὸς... ἐστήρισεν ; ou est-ce encore ici καὶ ἀπέστειλεν ?). En VIII, 1, on ne peut guère en douter (καὶ αὐτὸς διώδευεν...), mais le cas est exceptionnel à d'autres égards (sens duratif du verbe) et la question peut être posée si ce n'est pas l'ensemble de VIII, 1-3 qui doit s'entendre comme une *Zeitbestimmung* plus développée, suivie du génitif absolu de VIII, 4. Dans cette optique, il convient d'ajouter encore un mot

---

156. A. PLUMMER, *Luke*, p. 45.

157. M.-J. LAGRANGE, *Luc.*, p. 156.

158. *Lukasevangelium*, p. 267, n. 30.

159. K. BEYER, *Semitische Syntax*, p. 49-51. Comp. M. JOHANNESSOHN, *Das biblische KAI ΕΓΕΝΕΤΟ*, p. 204-206.

160. Dans *Lc.*, καὶ αὐτός ne se rapporte pas seulement à un sujet précédemment mentionné (comme dans la LXX) mais aussi à un sujet différent (LXX : καὶ οὗτος). Cfr M. JOHANNESSOHN, *Das biblische KAI ΕΓΕΝΕΤΟ*, p. 190-204 ; K. BEYER, *Semitische Syntax*, p. 55, n. 1. Notons d'ailleurs que dans la LXX ce double usage n'est attesté que rarement.

sur ἐγένετο avec infinitif. La remarque de M. Johannessohn à propos de *Mc.*, II, 23 [161] peut s'appliquer à certains passages lucaniens. En VI, 6, l'entrée dans la synagogue et l'enseignement (le double infinitif) font partie d'une description qui doit situer l'action qui commence avec καὶ ἦν... (ou avec le v. 7). En VI, 12, la mention de la prière sur la montagne (l'infinitif final après ἐξελθεῖν) est complétée par καὶ ἦν διανυκτερεύων... et l'introduction ne s'achève qu'avec καὶ ὅτε ἐγένετο ἡμέρα (comp. ὡς ἐπαύσατο en XI, 1). La définition que S. R. Driver a donnée à la construction biblique ויהי comme « a clause specifying the circumstances under which an action takes place » [162], exprime parfaitement la manière dont Luc l'a comprise et lui a donné une amplification très personnelle. C'est sans doute la Bible grecque qui lui a prêté le modèle et il n'y a pas besoin de sources écrites dans un grec hébraïsant pour expliquer un usage artistique qui est des plus rédactionnels en *Lc.* Une même observation peut s'appliquer aux autres « hébraïsmes » qui normalement accompagnent la construction. Ils sont soulignés dans le texte imprimé ci-dessous [163].

---

161. Voir n. 154.

162. S. R. DRIVER, *A Treatise on the Use of the Tenses in Hebrew and some other Syntactical Questions*, 3ᵉ éd., Oxford, 1892, § 78.

163. Dans le Codex Bezae la construction ἐγένετο est attestée aussi en VII, 12 ; VIII, 40. 42 ; IX, 29. 57 ; X, 38 et XIX, 5 (sur VIII. 40 et X, 38 voir les n. 140 et 139). Par contre, quatre omissions (II, 6 ; VII, 11 ; XI, 14) et un nombre de variantes qui affectent la construction sont à signaler :

I, 23 τοτε add ante απηλθεν. I, 59 εν om. II,6 ως δε παρεγινοντο ετελεσθησαν pro εγενετο — επλησθησαν. II, 15 και οι ανθρωποι add ante οι ποιμενες, ειπον pro ελαλουν. V, 1 του ακουειν pro και ακουειν, εστωτος αυτου pro αυτος ην εστως. V, 17 αυτου διδασκοντος συνελθειν τους φαρισαιους... · ησαν δε συν- pro και αυτος — ησαν. VI, 1 και εγενετο pro εγενετο δε, δευτεροπρωτω add post σαββατω. VI, 6 και εισελθοντος αυτου παλιν εις την συναγωγην σαββατω, εν η ην pro εγενετο — ην. VI, 12 εκειναις pro ταυταις. VII, 11 εγενετο om, τη pro εν τω. VII, 12 εγενετο δε ως ηγγισεν τη πυλη της πολεως εξεκομιζετο. VIII, 22 αναβηναι αυτον pro και αυτος ενεβη. VIII, 40 εγενετο δε εν τω υποστρεψαι τον Ιησουν απεδεξατο αυτον ο οχλος. VIII, 42b και εγενετο εν τω πορευεσθαι αυτον οι οχλοι συνεπνιγον αυτον. IX, 18 αυτους pro αυτον προσευχομενον. IX, 29 και εγενετο εν τω προσευχεσθαι αυτον η ιδεα του προσωπου αυτου ηλλοιωθη. IX, 33 διαχωρισθηναι pro διαχωριζεσθαι. IX, 37 δια της ημερας pro τη εξης ημερα, κατελθοντα αυτον συνελθειν αυτω οχλον πολυν pro κατελθοντων — πολυς. IX, 57 και εγενετο πορευομενων αυτων εν τη οδω ειπεν τις προς αυτον. X, 38 εγενετο δε εν τω πορευεσθαι αυτον εισελθειν. XI, 1 και add ante ως. XI, 14b και εκβαλοντος αυτου pro εγενετο — κωφος (cfr 14a). XI, 27 γυνη τις επαρασα φωνην pro επαρασα τις φωνην γυνη. XIV, 1 εισελθειν pro ελθειν. XVII, 11 αυτον add post πορευεσθαι. XVII, 14b εγενετο δε pro και εγενετο. XIX, 5 και εγενετο εν τω διερχεσθαι αυτον ειδεν και ειπεν. XIX, 15 εν τω om. XX, 1 εγενετο δε pro και εγενετο. XXIV, 4 αυτου ιδου δυο ανδρες pro τουτου και ιδου ανδρες δυο. XXIV, 15 και ο Ιησους pro και αυτος Ιησους. XXIV, 30 μετ αυτων om. XXIV, 51 απεστη pro διεστη απ αυτων.

La construction ἐγένετο en Lc.

I, 8   ἐγένετο δὲ
ἐν τῷ ἱερατεύειν αὐτὸν ἐν ... θεοῦ,
κατὰ ... ἔλαχε...

I, 23   καὶ ἐγένετο
ὡς ἐπλήσθησαν αἱ ἡμέραι τῆς λειτουργίας αὐτοῦ,
ἀπῆλθεν...

I, 41   καὶ ἐγένετο
ὡς ἤκουσεν τὸν ἀσπασμὸν τῆς Μαρίας ἡ Ἐλισάβετ,
ἐσκίρτησεν τὸ βρέφος ... αὐτῆς

I, 59   καὶ ἐγένετο
ἐν τῇ ἡμέρᾳ τῇ ὀγδόῃ
ἦλθον περιτεμεῖν ... καὶ ἐκάλουν...

II, 1   ἐγένετο δὲ
ἐν ταῖς ἡμέραις ἐκείναις
ἐξῆλθεν...

II, 6   ἐγένετο δὲ
ἐν τῷ εἶναι αὐτοὺς ἐκεῖ
ἐπλήσθησαν αἱ ἡμέραι τοῦ τεκεῖν αὐτήν,

II, 15 καὶ ἐγένετο
ὡς ἀπῆλθον ἀπ' αὐτῶν ... οἱ ἄγγελοι,
οἱ ποιμένες ἐλάλουν...

II, 46 καὶ ἐγένετο
μετὰ ἡμέρας τρεῖς
εὗρον...

III, 21 ἐγένετο δὲ
ἐν τῷ βαπτισθῆναι ἅπαντα τὸν λαὸν
καὶ Ἰησοῦ βαπτισθέντος καὶ προσευχομένου
ἀνεῳχθῆναι τὸν οὐρανόν,
καὶ καταβῆναι τὸ πνεῦμα...,
καὶ φωνὴν ἐξ οὐρανοῦ γενέσθαι...

V, 1   ἐγένετο δὲ
ἐν τῷ τὸν ὄχλον ἐπικεῖσθαι αὐτῷ
καὶ ἀκούειν τὸν λόγον τοῦ θεοῦ,
καὶ αὐτὸς ἦν ἑστὼς παρὰ τ.λ.Γ.,
καὶ εἶδεν...

V, 12   καὶ ἐγένετο
ἐν τῷ εἶναι αὐτὸν ἐν μιᾷ τῶν πόλεων
καὶ ἰδοὺ ἀνὴρ...

V, 17   καὶ ἐγένετο
ἐν μιᾷ τῶν ἡμερῶν
καὶ αὐτὸς ἦν διδάσκων,
καὶ ἦσαν καθήμενοι Φαρισαῖοι... οἳ ἦσαν...
καὶ δύναμις κυρίου ἦν εἰς τὸ ἰᾶσθαι αὐτόν.
καὶ ἰδοὺ ἄνδρες...

VI, 1   ἐγένετο δὲ
ἐν σαββάτῳ
διαπορεύεσθαι αὐτόν...

VI, 6   ἐγένετο δὲ
ἐν ἑτέρῳ σαββάτῳ
εἰσελθεῖν αὐτὸν εἰς τὴν συναγωγὴν
καὶ διδάσκειν.
καὶ ἦν...

VI, 12   ἐγένετο δὲ
          ἐν ταῖς ἡμέραις ταύταις
          ἐξελθεῖν εἰς τὸ ὄρος προσεύξασθαι,...

VII, 11   καὶ ἐγένετο
          ἐν τῷ ἑξῆς
          ἐπορεύθη...

VIII, 1   καὶ ἐγένετο
          ἐν τῷ καθεξῆς
          καὶ αὐτὸς διώδευεν...

VIII, 22 ἐγένετο δὲ
          ἐν μιᾷ τῶν ἡμερῶν
          καὶ αὐτὸς ἐνέβη...

IX, 18   καὶ ἐγένετο
          ἐν τῷ εἶναι αὐτὸν προσευχόμενον κατὰ μόνας
          συνῆσαν αὐτῷ οἱ μαθηταί,...

IX, 28   ἐγένετο δὲ
          μετὰ τοὺς λόγους τούτους
          ὡσεὶ ἡμέραι ὀκτώ,
          καὶ παραλαβὼν... ἀνέβη...

IX, 33   καὶ ἐγένετο
          ἐν τῷ διαχωρίζεσθαι αὐτοὺς ἀπ᾿ αὐτοῦ
          εἶπεν ὁ Πέτρος...

IX, 37   ἐγένετο δὲ
          τῇ ἑξῆς ἡμέρᾳ
          κατελθόντων αὐτῶν ἀπὸ τοῦ ὄρους
          συνήντησεν αὐτῷ ὄχλος πολύς.

IX, 51   ἐγένετο δὲ
          ἐν τῷ συμπληροῦσθαι τὰς ἡμέρας τῆς ἀναλήμψεως αὐτοῦ,
          καὶ αὐτὸς τὸ πρόσωπον ἐστήρισεν...

XI, 1   καὶ ἐγένετο
          ἐν τῷ εἶναι αὐτὸν ἐν τόπῳ τινὶ <u>προσευχόμενον</u>,
          ὡς ἐπαύσατο,
          εἶπέν τις...

XI, 14b   ἐγένετο δὲ
          τοῦ δαιμονίου ἐξελθόντος
          ἐλάλησεν ὁ κωφός...

XI, 27   ἐγένετο δὲ
          ἐν τῷ λέγειν αὐτὸν ταῦτα
          ἐπάρασά τις φωνὴν γυνὴ... εἶπεν αὐτῷ...

XIV, 1   καὶ ἐγένετο
          ἐν τῷ ἐλθεῖν αὐτὸν εἰς... τῶν Φαρισαίων σαββάτῳ φαγεῖν ἄρτον,
          <u>καὶ αὐτοὶ ἦσαν παρατηρούμενοι αὐτόν.</u>
          <u>καὶ ἰδοὺ ἄνθρωπός τις ἦν...</u>

XVI, 22   ἐγένετο δὲ
          ἀποθανεῖν τὸν πτωχὸν
          καὶ ἀπενεχθῆναι αὐτόν...

XVII, 11 καὶ ἐγένετο
          ἐν τῷ πορεύεσθαι εἰς Ἰερουσαλήμ,
          <u>καὶ αὐτὸς διήρχετο...</u>
          καὶ εἰσερχομένου αὐτοῦ... ἀπήντησαν

XVII, 14b   καὶ ἐγένετο
  ἐν τῷ ὑπάγειν αὐτοὺς
  ἐκαθαρίσθησαν.

XVIII, 35   ἐγένετο δὲ
  ἐν τῷ ἐγγίζειν αὐτὸν εἰς Ἰεριχὼ
  τυφλός τις ἐκάθητο...

XIX, 15   καὶ ἐγένετο
  ἐν τῷ ἐπανελθεῖν αὐτὸν λαβόντα τὴν βασιλείαν
  καὶ εἶπεν...

XIX, 29   καὶ ἐγένετο
  ὡς ἤγγισεν εἰς Βηθφαγὴ καὶ Βηθανίαν πρὸς...,
  ἀπέστειλεν...

XX, 1   καὶ ἐγένετο
  ἐν μιᾷ τῶν ἡμερῶν
  διδάσκοντος αὐτοῦ ... καὶ εὐαγγελιζομένου
  ἐπέστησαν οἱ ἀρχιερεῖς... καὶ εἶπαν...

XXIV, 4   καὶ ἐγένετο
  ἐν τῷ ἀπορεῖσθαι αὐτὰς περὶ τούτου
  καὶ ἰδοὺ ἄνδρες δύο ἐπέστησαν αὐταῖς...

XXIV, 15   καὶ ἐγένετο
  ἐν τῷ ὁμιλεῖν αὐτοὺς καὶ συζητεῖν,
  καὶ αὐτὸς Ἰησοῦς ἐγγίσας συνεπορεύετο αὐτοῖς.

XXIV, 30   καὶ ἐγένετο
  ἐν τῷ κατακλιθῆναι αὐτὸν μετ' αὐτῶν
  λαβὼν τὸν ἄρτον εὐλόγησεν...

XXIV, 51   καὶ ἐγένετο
  ἐν τῷ εὐλογεῖν αὐτὸν αὐτοὺς
  διέστη ἀπ' αὐτῶν.

V. Les accords mineurs Matthieu-Luc contre Marc

Dans son exposé général sur les accords mineurs entre Matthieu et Luc contre Marc [164], T. Schramm fait preuve d'un jugement sage et pondéré. Il veut les évaluer à l'intérieur d'une position qui lui semble le résultat acquis de la critique littéraire, — utilisation indépendante de Marc et Q par Matthieu et Luc, — refusant l'hypothèse d'une dépendance commune envers un *Ur-Marcus*. Il n'est pas prêt à suivre Streeter dans un recours trop facile à la critique textuelle (harmonisation des copistes). D'autre part, il se déclare d'accord sur le fait que nombre des accords s'expliquent par un souci commun de correction stilistique : des substitutions de parataxes, de présents historiques, de sémitismes, etc., des omissions d'éléments pléonastiques ou des abréviations du récit de Marc. Du point de vue de la critique littéraire, on ne peut que souscrire à cette distinction entre les accords non-significatifs et les accords significatifs [165].

---

164. T. SCHRAMM, *Markus-Stoff*, p. 72-77.

165. S. McLOUGHLIN, *Les accords mineurs Mt-Lc contre Mc et le problème synoptique. Vers la théorie des deux sources*, dans *De Jésus aux Évangiles*, p. 17-40.

D'après l'auteur, la possibilité d'une explication de critique littéraire (une source commune) doit être envisagée si les accords mineurs ne se laissent pas éliminer par un examen de critique textuelle, et s'ils se trouvent groupés (p.e. dans les péricopes *Lc.*, V, 33-39 ; IX, 1-6.10-17).

Sans doute, une solution *literarkritisch* ne peut être repoussée sans examen sérieux, mais on peut se poser la question si la priorité méthodologique ne revient pas à l'explication rédactionnelle, c.-à-d. l'intelligence des modifications du texte de Marc à la lumière des tendances littéraires et théologiques de chacun des évangélistes. C'est d'ailleurs le point de vue adopté par l'auteur dans les péricopes de la *traditio marciana pura*. En plus, le lecteur se trouve un peu mal à l'aise quand il constate que accords mineurs Matthieu-Luc, *Sonderelemente* lucaniens et sémitismes sont rassemblés pour former un argument de convergence en faveur d'une tradition parallèle à Marc. On se demande s'il n'y a pas lieu de mieux apprécier le caractère spécifique de chacun de ces phénomènes. S'il faut recourir, pour les accords mineurs, à une explication de type *literarkritisch*, ne serait-il pas une dépendance subsidiaire de Luc envers Matthieu qui semble se recommander plutôt que l'idée très vague de traditions parallèles à Marc ? On comprend que des auteurs qui, comme T. Schramm, admettent une dépendance fondamentale de Luc envers Marc ne s'opposent pas à la possibilité de certains contacts avec Matthieu. L'opinion est actuellement partagée par des auteurs qui admettent Q (R. Morgenthaler, dans la ligne de E. Simons et W. Larfeld) et par d'autres qui s'en « dispensent » (dans la ligne de A. Farrer). L'hypothèse ne semble pas tenter T. Schramm qui englobe les accords mineurs dans un faisceau d'indicateurs en faveur de *Nebentraditionen*, sans donner un relief spécial au fait que sur ces points Luc s'accorde avec Matthieu.

C'est surtout la fréquence des accords dans certains passages qui l'impressionne. Il est vrai que l'auteur, parlant de la fréquence des accords, ne se reprend pas sur la concession initiale, c.-à-d. qu'il y a une distinction à faire entre accords significatifs et non-significatifs. S'il évite ainsi le défaut commun des anti-Streeter, il reste que ce n'est pas en comptant les accords qu'on les explique, mais en replaçant chaque cas individuel dans le contexte général de l'évangile. Nous avons montré ailleurs ce que, dans ce domaine, un travail comme celui de J. Schmid a encore de valable [166].

---

166. F. NEIRYNCK, *Minor Agreements Matthew-Luke in the Transfiguration Story*, dans *Festschrift J. Schmid* (voir n. 79). Une liste exhaustive des accords mineurs (positifs et négatifs) est donnée dans la dissertation de T. HANSEN, *De overeenkomsten Mt-Lc tegen Mc in de drievoudige traditie* (Diss. Doct.), Louvain, 1969.

VI. Marc dans les « blocs non-marciens »

Il est important de noter que T. Schramm lui-même n'a nullement l'intention de limiter l'influence marcienne aux textes de tradition marcienne pure, ni même aux soi-disant blocs marciens. La combinaison des sources est en effet le thème majeur de son livre. Dans la deuxième partie, il traite explicitement l'influence de la matière marcienne sur des « péricopes non-marciennes » [167]. Les passages se situent dans des contextes différents : d'une part, dans des sections où des textes Q et S sont combinés (III, 1-IV, 30 ; VI, 20-VIII, 3 ; IX, 51-XVIII, 14), et d'autre part, dans le récit de la passion.

L'auteur est partisan de l'hypothèse d'une source écrite particulière du récit de la passion, expliquant ainsi les douze cas de divergence par rapport à l'ordre de Marc, signalés déjà par J. C. Hawkins [168]. Comme, dans les blocs marciens, le texte de Marc a été influencé et enrichi par des traditions parallèles, c'est ici la source particulière de la passion qui aurait été complété par des insertions marciennes. On s'étonne un peu que, dans un ouvrage sur la matière marcienne dans l'évangile de Luc, l'auteur ne consacre que vingt-cinq lignes au récit de la passion [169]. Même dans l'hypothèse d'un évangile proto-lucanien (Streeter) ou d'un récit de la passion propre à Luc (Schürmann), les insertions marciennes gardent une certaine importance. On peut s'en convaincre à partir du tableau suivant [170].

---

167. *Markus-Stoff*, p. 32-51.

168. J. C. HAWKINS, *Luke's Passion-Narrative and the Synoptic Problem*, dans *Exp. T.*, 15 (1903-04), 122-126. 273-276 ; repris dans *Three Limitations to St. Luke's Use of St. Mark's Gospel. 3. St. Luke's Passion-Narrative Considered with Reference to the Synoptic Problem*, dans *Studies in the Synoptic Problem* (n. 6), p. 76-94.

169. *Markus-Stoff*, p. 50-51. Signalons toutefois qu'il compte XXII, 1-13 parmi les passages de tradition marcienne pure, à l'exception de la tradition particulière au v. 3 (p. 182-184). Cfr *supra*, p. 167-168.

170. Les huit auteurs signalés nous semblent être représentatifs. — L'article de J. C. HAWKINS sur le récit lucanien de la passion (1903) fut le point de départ de beaucoup d'études ultérieures ; voir dans *Oxford Studies*, p. 77 (la liste des « smaller structural and verbal similarities to Mark »).

B. H. STREETER, *The Four Gospels* (n. 8), p. 214-222 : « The Reconstruction of Proto-Luke », spéc. p. 222. L'auteur fait une distinction entre les passages provenant probablement de Marc (indiqués dans notre liste par M) et d'autres qui « may be derive from Mark, or represent Proto-Luke partially assimilated to the Marcan parallel » (sigle m). A la p. 216, il signale les cas mentionnés par Hawkins et en ajoute d'autres, dont seul XXII, 33-34a (entre parenthèses dans notre liste) n'est pas repris dans sa conclusion (p. 222).

V. TAYLOR est sans doute le défenseur le plus assidu de l'hypothèse proto-lucanienne. Un livre posthume vient encore d'être publié : *The Passion Narrative of Luke. A Critical and Historical Investigation* (éd. O. E. EVANS) (SNTS Mon. Ser., 19), Cambridge, 1972. Dans la conclusion, p. 119, les éléments marciens en

	Hawkins	Streeter	Taylor	Schür-mann	Jere-mias	Rehkopf	Schnei-der	Grund-mann
XXII, 1-2	M	M	M	M	M	M	m	M
3-6	M	M	M	M	M	M	m	M
7-13	M	M	M	M	M	M	m	M
14				M				
18	M	M						
19a			m					
20ob				m		M		
21				M			M	M
22	M	M	M	M			M	M
23				M			M	M
33		(m)		M			M	M
34a		(m)	M	M			M	M
34b			M	M			M	M
39			(m)					
42	M	M						
46a	M	M						
46b	M	M	M					
47	M	M	m	m				m
50b			M					
52a	M	M						
52b	M	M	M	m		M	M	M
53a	M	M	M			M	M	M
53b	M	M						
54b	M	M	M	m			M	
55		M	M				M	
56		M	M				M	
57		M	M				M	
58		M	M				M	
59		M	M				M	
60		M	M				M	
61	M	M	M				M	
62		[m]						
66			(m)					
69		m	m				M	m
70							M	
71	M	M	m				M	

Lc., XXII-XXIV, notamment XXII, 1-13 ; XXII, 54b-61 (le reniement) ; XXIII, 50-54 (l'ensevelissement) et d'autres ' insertions ' et ' additions ' sont énumérées (sigle M dans notre liste). Il y signale aussi quelques passages qui « appear to reflect the influence of Mark » (sigle m). Cette énumération correspond *grosso modo* à sa prise de position initiale, dans *Behind the Third Gospel. A Study of The Proto-Luke Hypothesis*, Oxford, 1926 ; voir aussi *The Formation of the Gospel Tradition*, Londres, 1933 ; 2e éd., 1935, p. 51. On constate un glissement à propos de XXII, 19a : dans *Behind*, p. 37, il présente le v. 19a comme une insertion dont l'origine marcienne est indubitable, mais dans *The Passion Narrative*, p. 52, il donne raison à Schürmann concernant l'origine non-marcienne de 19a et le verset n'est pas repris dans la liste de la p. 119 ; toutefois ils se reprend à la p. 124 et associe le verset aux passages qui reflètent l'influence linguistique de Marc (m). Aux insertions marciennes dans le récit de la mort de Jésus (XXIII, 44-49 : les v. 34b. 38. 44-45) il ajoute maintenant

	Hawkins	Steeter	Taylor	Schür-mann	Jere-mias	Rehkopf	Schnei-der	Grund-mann
XXIII, 3		M	M					M
22	M	M						
25		M	m					
26a	M	M	M					m
26b	M	M	M			M		m
33		M	(m)					
34b	M	M	M					M
35		m						M(b)
38		M	M					M
44	M	M	M					M
45	M	M	M					M
46	M	M						
47								M
49		m	M					
50			M					
51		m	M					M(b)
52	M	M	M					M
53	M	M	M					M(a)
54			M					
XXIV, 1		m	m				m	
2		m	m	m			M	M
3		m	m				m	
4							m	
5							m	
6a	M	[M]					M	M
6b		M					M	m
7							m	
8							m	
9		m [ ]					m	
10a		m	M				M	M
10b		m					M	M

le v. 49 (p. 96, voir aussi, p. 119 et 124). A la p. 124, XXIII, 25 est signalé pour la première fois comme « marcien » ; dans la discussion du passage il est dit seulement qu'il y a des indices de composition lucanienne et que le v. est ajouté au stade final de la rédaction (p. 89). Les passages XXII, 39. 66 ; XXIII, 33 (entre parenthèses dans notre liste), signalés comme « marciens » dans *Modern Issues in Biblical Studies : Methods of Gospel Criticism*, dans *Exp. T.*, 71 (1959-60), 68-72, p. 69, ne sont plus retenus dans *The Passion Narrative* (p. 119, n. 1).

H. Schürmann : sur XXII, 14 voir *Paschamahlbericht* (n. 18), p. 104-110 ; sur XXII, 20b : *Einsetzungsbericht*, p. 78-79 ; sur XXII, 21-23 : *Jesu Abschiedsrede*, p. 3-21 ; sur XXII, 33-34 : *ib.* p. 21-35. En outre, l'auteur signale des réminiscences de *Mc.* en XXII, 47. 52. 54 (sigle m) et XXIII, 1. 2. 4a. 9. 10 ; 19 ; XXIV, 2 : cfr *Sprachliche Reminiszenzen* (voir n. 19), p. 114.

J. Jeremias, *Die Abendmahlsworte* (n. 10), p. 92-93 (sur XXII, 14, voir, p. 93, n. 3). Voir cependant *Neutestamentliche Theologie. I. Die Verkündigung Jesu*, Gütersloh, 1971, p. 48 (sur les blocs non-marciens) : « Lediglich bei dem letzten,

Les éléments marciens jouent un rôle tout particulier dans la théorie de la source prélucanienne. V. Taylor y voit un triple argument en faveur du caractère écrit du document [171] : les éléments marciens apparaissent comme « insertions » et « additions » dans un récit continu (a), ils présentent des exemples d'inversions de l'ordre, suite à leur introduction dans un document préexistant (b), et ils se suivent dans l'ordre de la source marcienne : *Mc.*, XIV, 1-2.10-11.12-16.21.30.38.47b.48b-49.54. 66-72 ; XV, 2.15.21.24b.26.33.38.40.42-47 ; XVI, 1 (c) [172]. Évidemment, cette dernière observation (assez paradoxale comme argument en faveur du proto-Luc) n'a rien de surprenant en dehors de cette hypothèse. Par contre, on ne saurait éviter le problème classique des transpositions en *Lc.*, XXII-XXIV. Nous l'examinons plus en détail dans une autre étude [173]. Il suffit de reproduire ici la liste des éléments marciens d'après Taylor et d'indiquer les péricopes dont ces versets font partie, pour constater qu'il n'y a que deux endroits où Luc abandonne l'ordonnance marcienne des péricopes : XIV, *1-2.10-11.12-16.17.18-21.*[ ].*29-31. 32-42.43-52.54.*[ ]. *66-72* ; XV, *1-5.6-15.21.23-32.33-41.42-47* ; XVI, *1-8*. Le récit de l'institution eucharistique (*Lc.*, XXII, 18.19-20 = *Mc.*, XIV, 25.22-24) est suivi de l'annonce de la trahison de Judas (XXII, 21-23), qui, en *Mc.*, XIV, 18-21, le précède. L'ordre du procès de Jésus devant le Sanhédrin (a), de la scène des outrages (b) et du reniement de Pierre (c) de *Mc.*, XV, (55-61a).61b-64.65.66-72 est inverti en *Lc.*, XXII, 55-62 (c). 63-65 (b). 66-71 (a). Ainsi Luc fait suivre les récits du reniement de Pierre et du procès devant le Sanhédrin (XXII, 54b-62. 63-65 et 66-71) qui, dans le texte de Marc, sont imbriqués l'un dans l'autre : *Mc.*, XIV, 54.66-72 et XIV, 55-64.(65) et XV.1. Quant à la première transposition, M.-É. Boismard formule bien l'intention rédactionnelle de Luc : « A l'inverse de Mt /Mc, Lc place l'annonce de la trahison de Judas, non pas avant, mais après le récit de l'institution eucharistique. Son intention est de constituer une sorte de « discours après la Cène » (cf. Jn 13-17) comprenant : l'annonce de la trahison de Judas [*Mc.*, XIV, 18-21], un enseignement sur l'obligation pour tous de « servir » [*Mc.*, X, 42-45], un logion sur la récompense eschato-

der Passionsgeschichte (22, 14-24, 53), kann man an einigen Stellen fragen, ob gemein-urchristliche Tradition vorliegt oder Markuseinfluss ».

F. REHKOPF, *Sonderquelle* (n. 11), p. 84, n. 3.

G. SCHNEIDER, *Verleugnung* (n. 130), p. 152-156.

W. GRUNDMANN, *Lukas*, p. 388 ss. (*passim*).

171. *The Passion Narrative*, p. 122-125, comp. *Behind the Third Gospel*, p. 72.

172. La liste (p. 124) correspond aux références M du tableau ci-dessus ; sur XXIII, 25 (m), voir n. 168. Les passages qui seulement reflètent une influence linguistique de *Mc.* (m), se présentent dans un ordre différent, en raison du contexte non-marcien (XXII, 19a. 47. 69. 71 ; XXIV, 1-3).

173. Cfr F. NEIRYNCK, *Les transpositions dans l'évangile de Luc et l'acolouthie marcienne*, à paraître dans *Eph. Theol. Lov.*

logique promise aux Douze [*Mt.*, XIX, 28], l'annonce du reniement de Pierre [*Mc.*, XIV, 29-31], enfin un logion sur les difficultés qui attendent les missionnaires de l'évangile... La plupart de ces péricopes se lisent dans Mt /Mc en d'autres contextes : Lc a voulu les rassembler afin de constituer un ensemble dominé par deux thèmes théologiques découlant du repas eucharistique : l'un christologique et l'autre ecclésiastique » [174].

C'est sur l'argument des transpositions que beaucoup d'auteurs se décident pour une source non-marcienne en *Lc.*, XXII-XXIV. Je ne puis me défaire de l'impression que, sur ce point, on a exagéré le contraste avec *Lc.*, IV, 31-XXI et que l'argument des transpositions a orienté certaines analyses du récit de la passion. Il me semble plutôt que l'évangile de Marc n'est pas abandonné en *Lc.*, XXII, 14 (ou 15), mais qu'il continue de guider l'évangéliste jusqu'en XXIV, 12. Je le sais, je ne puis me contenter d'exprimer cette opinion : elle est contestée et doit donc devenir un programme d'études ultérieures [174a].

Un problème analogue est posé à propos de *Lc.*, III, 1-IV, 30, autre section à laquelle la théorie du proto-Luc a donné une importance capitale. H. Schürmann défend une position moyenne : l'utilisation d'une source non-marcienne dans cette section ne permet pas de conclure que les blocs marciens de IV, 31 à XXII, 14 ne sont que des insertions dans un évangile proto-lucanien, mais il semble bien que Luc dépend ici d'un récit parallèle à *Mc.* : III, 3-17 (21-22) ; IV, 1-13.14-15.16-30 (31-44) [175]. Pour T. Schramm aussi, *Mc.*, I, 1-20 n'est pas la source principale de Luc. Il signale comme influences marciennes : *Lc.*, III, 3b-4.16 (*Mc.*, I, 46.2a.3.7) ; IV, 1b-2a (*Mc.*, I, 12-13a) ; V, 2-3.10.11 (*Mc.*, III, 9 ; IV, 1 ; I, 18.19.20) [176]. L'auteur a sans doute raison de parler de « combinaison », car il est évident que *Lc.*, III, 7b-9.16-18 ; IV, 3-12 (par. *Mt.*) et III, (10-14 ?).23-38 viennent d'une source non-marcienne, mais il n'est pas prouvé que les textes de Q faisaient partie d'un véritable récit évangélique parallèle à *Mc.* T. Schramm note lui-même que le « début » de *Mc.*, I, 1 semble avoir suggéré à Luc la composition de la notice chronologique de III, 1-2a [177], et la transformation de *Mc.*, I, 1-6 en *Lc.*, III, 2b-6 peut très bien être rédactionnelle, en

---

174. M.-É. BOISMARD, *Commentaire*, p. 385.

174a. Sur *Lc.*, XXIV, 12, voir J. MUDDIMAN, *Note on Reading Lk xxiv. 12*, et F. NEIRYNCK, *Additional Note : The Uncorrected Historic Present in Lk xxiv.12*, dans *Eph. Theol. Lov.*, 48 (1972), 542-548 et 548-553.

175. Voir les conclusions de l'auteur dans *Lukasevangelium*, p. 319 et 449. Le récit aurait sa continuation dans le texte de Q en VI, 12-16 (17). 20-49 ; VII, 1-10. 18-35 ; VIII, 1 (avec des insertions dans le récit prélucanien en VII, 11-17. 36-50 ; VIII, 2-3).

176. *Markus-Stoff*, p. 34-40.

177. *Ibid.*, p. 34. Sur la rédaction de Luc en III, 1-2, voir aussi H. SCHÜRMANN, *Lukasevangelium*, p. 153.

accord partiel avec *Mt* [178]. L'introduction de *Lc.*, III, 7a contient une
réminiscence de *Mc.*, I, 5 (cfr aussi *Lc.*, III, 21a) et *Lc.*, III, 19-20 (où
se révèle la main de Luc, voir aussi III, 16 et 18) doit se comprendre à
partir de *Mc.*, I, 14a et VI, 17-18. Quant au récit du baptême (*Lc.*,
III, 21-22), il ne contient aucun élément qui ne s'explique pas comme
rédaction lucanienne basée sur *Mc.*, I, 9-11 [179], et ce n'est que par manière
de conjecture, à partir de la christologie du Fils dans le texte des tenta-
tions, que l'appartenance du baptême à la source Q semble se défendre [180].
Pour *Lc.*, IV, 14-15, je me permets de renvoyer à une contribution de
J. Delobel [181] et les données sur V, 1-11 peuvent être complétées par
les études de R. Pesch [182]. Nous ne pouvons entrer ici dans une analyse
détaillée de la péricope de Nazaret (IV, 16-30 ; comp. *Mc.*, VI, 1-6a),
mais on peut difficilement nier que la scène de Jésus dans la synagogue
de Capharnaüm (*Mc.*, I, 21 ss.), qui constitue le contexte subséquent en
Lc., IV, 31 ss., peut avoir suggéré le rapprochement des deux scènes
d'enseignement dans une synagogue. L'exégète qui étudie la matière
marcienne en *Lc.*, III, 1-IV, 30 ; V, 1-11 devra tenir compte de certaines
transpositions (III, 2b-3.19-20 ; IV, 14b.15.16-30 ; V, 1-11), mais il y
retrouvera l'acolouthie de *Mc.*, I, 1-6.7-8.9-11.12-13.14-15.(21-39).
16-20. Si l'on veut reconstruire un « récit du début » non-marcien, ce
sera une source nécessairement « parallèle à *Mc.* » dans un sens littéral
du mot. Dans ces conditions, est-il encore justifié de ne pas vouloir
qualifier *Mc.* comme source principale ?

A partir de *Lc.*, IV, 31 ss., le fait n'est guère contesté. On est d'accord
que le bloc marcien s'étend jusqu'à VI, 11, mais là encore il est plus
exact de dire : jusqu'à VI, 12-20 (*Mc.*, III, 13-19.7-12) [183]. Seule la section
de *Mc.*, III, 20-21.22-30 (comp. *Lc.*, XI, 14-15.17-22) a été omise et
remplacée par *Lc.*, VI, 20 ss. Les réminiscences marciennes ne sont pas
absentes dans les récits du chap. VII, en *Lc.*, VII, 1-10 mais surtout
en *Lc.*, VII, 36-50 (cfr *Mc.*, XIV, 3-9), plus spécialement dans les vv. 48-
50 (cfr *Mc.*, II, 5-7 ; V, 34) [184]. *Mc.*, III, 31-35, qui est déjà à l'horizon
de *Lc.*, VIII, 1-3 (voir aussi *Mc.*, III, 14 ; XV, 41), servira de conclusion
de la section des paraboles (VIII, 19-21), première partie d'un nouveau
« bloc marcien ».

---

178. Cfr F. NEIRYNCK, *Une nouvelle théorie synoptique* (voir n. 40).
179. Voir aussi F. LENTZEN-DEIS, *Die Taufe Jesu nach den Synoptikern*, Francfort, 1970, p. 31-53. Sur les accords *Mt.-Lc.*, voir G. O. WILLIAMS, *The Baptism
in Luke's Gospel*, dans JTS, 45 (1944), 31-38.
180. H. SCHÜRMANN, *Lukasevangelium*, p. 197, 218-219.
181. Dans ce volume, p. 203-223.
182. Dans ce volume, p. 225-244. Cfr *Der reiche Fischfang* (voir n. 141).
183. Voir l'étude sur les transpositions (n. 173).
184. *Markus-Stoff*, p. 40-45.

Conclusion

Revenons au livre de T. Schramm. Il ne semble pas que les trois indicateurs de sources parallèles (les éléments propres de Luc, les sémitismes et les accords mineurs Matthieu-Luc) soient un critère valable qui permettrait de circonscrire la tradition marcienne. La recherche de la tradition marcienne *pure* risque d'ailleurs d'imposer une vue un peu courte de l'activité rédactionnelle de l'évangéliste. C'est une orientation fort semblable à celle des exégètes du proto-Luc. En effet, la théorie des « blocs marciens » n'est-elle pas basée sur une certaine conception du travail de l'évangéliste qui se tiendrait servilement à l'ordre de sa source ? Il me paraît difficile d'exclure *Lc.*, III, 1-IV, 30 (V, 1-11), VI, 12-19 et XXII, 14-XXIV, 12 de la matière marcienne et de renoncer à l'idée que l'évangéliste s'est basé sur *Mc.* comme le récit évangélique fondamental. Les « insertions » en *Lc.* sont VI, 20-VII, 50 et IX, 51-XVIII, 14. Et si certains doublets des logia ont exercé une influence sur la version lucanienne des paroles de Jésus dans la « tradition marcienne » [185], il n'est pas moins vrai que les éléments narratifs en IX, 51-XVIII, 14 ont reçu une coloration marcienne. T. Schramm donne quelques exemples de réminiscences : X, 1 (τόπος : *Mc.*, VI, 11) ; X, 25b (*Mc.*, X, 17).27 (*Mc.*, XII, 30) ; XI, 16 (*Mc.*, VIII, 11) ; XI, 17.18.22 (*Mc.*, III, 24-25.30.27) ; XII, 10 (*Mc.*, III, 28-29) ; XIII, 18 (*Mc.*, IV, 30) [186]. On peut allonger cette liste par une étude des versets d'introduction qui forment le cadre rédactionnel des complexes de logia [187]. La tradition marcienne pure (les 137 versets) n'est donc qu'une fraction de la tradition marcienne et une *Redaktionsgeschichte* qui la prend comme base risque de devenir une *Redaktionsgeschichte* partielle.

Tiensevest 27
3200 Kessel-Lo

F. NEIRYNCK

---

185. *Ibid.*, p. 23-32.
186. *Ibid.*, p. 45-49.
187. On trouve un bon exemple, à propos de *Lc.*, XV, 1-3, dans un récent article de J. JEREMIAS, *Tradition und Redaktion* (voir n. 122).

La rédaction de Lc., IV, 14-16a
et le « Bericht vom Anfang »

Après le récit de la tentation, nous lisons chez les trois synoptiques quelques versets (*Mc.*, I, 14-15 ; *Mt.*, IV, 12-17 ; *Lc.*, IV, 14-15) que les auteurs des différentes synopses réunissent dans un paragraphe séparé. Les distinguant ainsi de leurs contextes respectifs, ils semblent leur attribuer une fonction particulière.

Les versets 14 et 15 du chapitre IV de *Lc.* ont été examinés d'une façon originale par H. Schürmann au congrès néotestamentaire d'Oxford en 1961 [1]. Schürmann croit y trouver les vestiges d'une source particulière, propre à *Lc.* et *Mt.*, qui aurait été une variante parallèle à *Mc.*, I, 14-39 (VI, 1-6a). Lorsqu'on combine cette source hypothétique avec un document parallèle à *Mc.*, I, 1-13, prôné par certains défenseurs de la *Quelle*, on comprend l'importance de ces quelques versets pour la critique des sources du troisième évangile. C'est en effet un ensemble prélucanien de ce genre que Schürmann a suggéré dans sa conférence. Son commentaire sur *Lc.* lui donnait l'occasion d'élaborer l'hypothèse plus en détail dans le contexte de *Lc.*, III-IV. Après un examen rapide de *Mc.*, I, 14-15 et de *Mt.*, IV, 12-17, nous nous occuperons plus longuement de *Lc.*, IV, 14-16a.

1. Les parallèles synoptiques

A. Mc., I, 14-15

Les vv. 14-15 du premier chapitre de *Mc.* nous donnent tout de suite l'impression d'un sommaire rédactionnel. Le v. 14 esquisse en quelques

---

1. H. SCHÜRMANN, *Der ' Bericht vom Anfang '. Ein Rekonstruktionsversuch auf Grund von Lk. 4, 14-16*, in *Studia Evangelica*, vol. 2 (Texte und Untersuchungen, 87 ; éd. F. L. CROSS), Berlin, 1964, p. 242-258 ; repris dans *Traditionsgeschichtliche Untersuchungen zu den synoptischen Evangelien*, Düsseldorf, 1968, p. 69-80. L'hypothèse est encore défendue dans le grand commentaire plus récent, *Das Lukasevangelium* (Herders Theologischer Kommentar zum Neuen Testament, III, 1), Erster Teil, Fribourg, 1969, p. 221-224, et c'est toujours sur la base de cette construction hypothétique que l'auteur proposait récemment une exégèse analogue de la péricope *Lc.*, IV, 16-30 : *Zur Traditionsgeschichte der Nazareth-Perikope Lk 4, 16-30*, dans *Mélanges Bibliques en hommage au R.P. Béda Rigaux*, Gembloux, 1970, p. 187-205.

traits la situation : Jean est en prison, Jésus vient en Galilée, il y prêche l'évangile. Le v. 15 contient un condensé du message : le temps est accompli, le royaume de Dieu est proche, repentez-vous et croyez à l'évangile. L'examen stylistique confirme cette impression du caractère rédactionnel, à base bien sûr de matériaux traditionnels [2]. Déjà E. Wendling écrivait : « in Wirklichkeit spricht hier nicht Jesus sondern der Evangelist » [3]. D'après l'opinion générale, défendue explicitement par

---

2. La fréquence de καί dans les introductions de péricopes chez Mc pourrait avoir inspiré les copistes à remplacer un μετὰ δέ original (אAWΘλφ ; von Soden, Tischendorf) qui marquerait plus clairement un tournant dans le récit (cfr V. TAYLOR, *The Gospel according to St. Mark*, Londres, 1952, p. 165 : « a turning-point in the story as at VII. 24, X. 32, XIV. 1 »). En XIV, 28, Mc emploie encore μετά avec infinitif et article, une expression plutôt rare dans les synoptiques (*Mt.*, XXVI, 32 par. Mc ; *Lc.*, XII, 5 diff. Mt). L'infinitif avec article se trouve 15 fois chez Mc. Puisque Mc présente la vie de Jésus comme un voyage permanant, le verbe ἔρχεσθαι εἰς y est extrêmement fréquent. Κηρύσσειν se retrouve successivement pour la prédication de Jean-Baptiste (I, 4. 7), de Jésus (I, 14. 38. 39), des douze (III, 14 ; VI, 12) et de la communauté (XIII, 10 ; XIV, 9). Il y a de bonnes raisons à croire que c'est Mc qui a introduit le terme εὐαγγέλιον dans la tradition synoptique ; un exposé des arguments nous mènerait trop loin ici ; cfr W. MARXSEN, *Der Evangelist Markus. Studien zur Redaktionsgeschichte des Evangeliums*, 2e éd., Goettingue, 1959, p. 77-100 ; p. 83 : « Markus hat also das Substantiv εὐαγγέλιον in die synoptische Tradition hineingebracht ». Le participe λέγων (quelque peu pléonastique et absent dans certains mss.) et surtout le ὅτι-recitativum introduisant le régime direct, sont eux aussi des indices du style marcien (cfr M. ZERWICK, *Untersuchungen zum Markus-Stil*, Rome, 1937, p. 33-38 : le verbe λέγειν introduisant le régime direct ; p. 39-48 : le ὅτι-recitativum ; Blass-Debrunner-Funk, § 470 (1) ; Turner cite 38 cas de λέγων ὅτι en Mc : cfr C. H. TURNER, *Marcan Usage*, dans JTS, 28 (1927), 9-15). Le v. 15, la parole de Jésus, est moins conforme au vocabulaire marcien. Πληροῦν se retrouve uniquement en XIV, 49. Hormis XI, 13, le terme καιρός ne se retrouve que dans des logia. Ἐγγίζειν est employé en XIV, 1 (verset narratif) et XIV, 42 (logion). L'expression ἡ βασιλεία τοῦ θεοῦ figure déjà dans l'Ancien Testament et dans la littérature rabbinique, et elle est devenue le motif central de la prédication de Jésus, sans doute dès avant la rédaction marcienne. Le seul parallèle pour μετανοεῖν se trouve en *Mc.*, VI, 12 (ἐκήρυξαν ἵνα μετανοῶσιν). Πιστεύειν ἐν, qui rappelle le ב sémitique, est un *hapax* dans le Nouveau Testament. Malgré ce choix de vocables peu marciens, on croit tout de même reconnaître la main du rédacteur dans ce verset. Voir note 3. Pour l'ensemble de nos versets : F. MUSSNER, *Gottesherrschaft und Sendung Jesu nach Mk 1, 14f.*, in TThZ, 66 (1957), 257-275 ; retravaillé dans F. MUSSNER, *Praesentia Salutis. Gesammelte Studien zu Fragen und Themen des Neuen Testaments*, Dusseldorf, 1967, p. 81-98. L'auteur souligne la part du rédacteur dans la composition de nos versets et il les caractérise comme un « prophetisch-apokalyptischen Heroldsruf » qui aurait la fonction d'un « Eröffnungslogion das programmatischen Charakter besitzt ».

3. E. WENDLING, *Die Entstehung des Marcus-Evangeliums. Philologische Untersuchungen*, Tubingue, 1908, p. 3. Wendling voit dans l'introduction au v. 15 (κηρύσσων τὸ εὐαγγέλιον τοῦ θεοῦ) une « Nachbildung » du v. 4 à propos du Baptiste (κηρύσσων βάπτισμα μετανοίας), d'autant plus que μετάνοια du v. 4 se retrouve dans μετανοεῖτε du v. 15. D'après Wendling, cette allusion à la pénitence

R. H. Lightfoot [4], J. M. Robinson [5] et E. Schweizer [6], ces versets servent d'introduction à la section galiléenne. Les vv. 14-15 marquent donc un nouveau début après la section *Mc.*, I, 1-13 qu'on peut considérer comme le « prologue » de Mc.

L'opinion contraire, présentée récemment par L. E. Keck [7], qui relie les vv. 14-15 à ce prologue, contient pourtant une part de vérité : les termes εὐαγγέλιον et κηρύσσειν, le parallèle Jean - Jésus, le schéma « Verheissung-Erfüllung » (v. 7 ἔρχεται ; v. 9.14 ἦλθεν), empêchent en effet de trop accentuer la césure après le v. 13. Mais d'autre part, le caractère de sommaire (après les récits plus concrets), la césure marquée par μετὰ δέ, le déplacement de la scène vers la Galilée qui dominera les chapitres suivants et le rôle de ce passage dans la structure du deuxième évangile, ne permettent pas non plus de couper ces versets de la suite. Nous parlerions donc volontiers d'un sommaire de transition, semblable à *Mc.*, III, 7-12 et VI, 6b. Nous pouvons conclure avec Ernst Haenchen qu'il s'agit d'un « Verbindungsstück aus der Hand des Evangelisten » [8].

---

paraît secondaire au v. 15 parce qu'on y cherche en vain une localisation concrète et une audience déterminée, deux éléments qui sont présents dans le récit concernant le Baptiste. Cfr J. WELLHAUSEN, *Das Evangelium Marci*, 2e éd., Berlin, 1909, p. 7 : « Mehr als eine Wiedergabe des allgemeinen Inhalts der Predigt Jesu durch Mc hat man in 1, 15 nicht zu sehen ». Lohmeyer croit au contraire que la terminologie archaïque oblige à attribuer ce logion à la tradition primitive prémarcienne, cfr E. LOHMEYER, *Das Evangelium des Markus* (Kritisch-exegetischer Kommentar über das Neue Testament, I, 2) 15e éd., Goettingue, 1963, p. 30 : « alles das sind Anzeichen dass hier eine Tradition, nicht Mk spricht ».

4. R. H. LIGHTFOOT, *History and Interpretation in the Gospels*, Londres, 1935, p. 62 ss. ; IDEM, *Locality and Doctrine in the Gospels*, Londres, 1938, p. 113-114 ; IDEM, *The Gospel Message of Mark*, Oxford, 1950, p. 26 ss.

5. J. M. ROBINSON, *Das Geschichtsverständnis des Markus-Evangeliums* (Abh. Th. ANT, 30), Zurich, 1956, p. 12.

6. E. SCHWEIZER, *Mark's Contribution to the Quest of the Historical Jesus*, dans NTS, 10 (1963-64), 421-432 ; pour l'étude de la terminologie : IDEM, *Anmerkungen zur Theologie des Markus*, dans *Neotestamentica et Patristica Fs. O. Cullmann*, Londres, 1962, p. 35-46 ; repris dans E. SCHWEIZER, *Neotestamentica*, Zurich, 1963, p. 93-104.

7. L. E. KECK, *The Introduction to Mark's Gospel*, in NTS, 12 (1965-66), 352-370.

8. E. HAENCHEN, *Der Weg Jesu. Eine Erklärung des Markusevangeliums und der kanonischen Parallelen*, Berlin, 1966, p. 79. Le caractère rédactionnel de nos versets est remis en question par R. PESCH, *Anfang des Evangeliums Jesu Christi. Eine Studie zum Prolog des Markusevangeliums (Mk 1, 1-15)*, dans *Die Zeit Jesu* (Fs. H. Schlier ; éd. G. BORNKAMM et K. RAHNER), Fribourg, 1970, p. 108-144. Pesch estime que les vv. 14-15 appartiennent au prologue de *Mc*, qui nous présente, après l'introduction des vv. 1-4, le Baptiste aux vv. 5-8 et Jésus aux vv. 9-15. Dans cette dernière partie, les vv. 14-15 forment sans doute un sommaire plus ou moins autonome (Bericht über Jesu Auftreten mit seiner Gottesreichpredigt), mais, comme dans l'ensemble du prologue, la part du rédacteur Marc y serait minime : « Ausser der Nennung von Galiläa und der doppelten Hervorhebung des Evangeliums

B. Mt., IV, 12-17

Le texte de *Mc.*, que nous venons de commenter, nous semble être la source unique du texte parallèle de *Mt.* Il l'a enrichi d'un *Reflexionszitat*, une technique bien connue de son style, et les quelques autres changements vis-à-vis de *Mc.*, s'expliquent suffisamment par l'intervention rédactionnelle. Les vv. 12-14 rappellent *Mt.*, II, 22-23 [9] et la formule du v. 12 sera reprise en XIV, 13 [10]. Signalons dès maintenant que les parallèles cités soutiennent la traduction du terme matthéen ἀναχωρεῖν par « se réfugier ». Faut-il, après II,23, une explication spéciale pour le passage de Jésus à Nazareth avant son installation à Capharnaüm qui, d'après *Mt.*, IX 1, devient « sa propre ville » [11] ? Le v. 17a répond assez fidèlement au parallèle marcien : le ἤρξατο moins souvent pléonastique chez *Mt.*, marque sans doute le début de la prédication, le logion au v. 17b, identique au message de Jean-Baptiste en *Mt.*, III, 2, doit être inspiré par *Mc.*, I, 15. Il va de soi que Mt préfère βασιλεία τῶν οὐρανῶν. Pour ce qui est de la fonction de ces versets dans l'ensemble de l'évangile, nous croyons que *Mt.*, IV, 12-17 servent d'introduction à toute une section qui se termine avec le chapitre XIII, *Mt.*, XIV, 1vv. marquant

---

weist nichts auf die Hand des Markus, die hier höchstens für die Überformung ihm zugekommener Tradition haftbar zu machen wäre » (p. 115). Nous croyons que les indices rédactionnels sont plus importants que Pesch n'accepte (voir n. 2; Il faut tenir compte aussi du phénomène de la « dualité », cfr F. NEIRYNCK, *Duality in Mark*, dans *Eph. Theol. Lov.*, 47 (1971), 394-463 ; les références à ce phénomène dans le prologue et dans les vv. 14-15 se trouvent à la p. 456) ; IDEM, *Duplicate Expressions in the Gospel of Mark*, dans *Eph. Theol. Lov.*, 48 (1972), 150-209. Puis l'incorporation pure et simple des vv. 14-15 dans le prologue, ne méconnaît-elle pas un peu les rapports spécifiques de ce sommaire avec la suite de l'évangile ? Pesch écrit pourtant : « Der Evangelist hat im ganzen Evangelium im Grunde die beiden Verse 1, 14f entfaltet, die freilich vom ganzen Evangelienprolog (als dem Anfang des Evangeliums Jesu Christi) mitgetragen werden » (p. 139).

9. *Mt.*, IV, 12 ἀκούσας δὲ ὅτι   II, 22 ἀκούσας δὲ ὅτι
      Ἰωάννης παρεδόθη   Ἀρχέλαος βασιλεύει ...
      ἀνεχώρησεν   ἀνεχώρησεν
      εἰς τὴν Γαλιλαίαν   εἰς τὰ μέρη τῆς Γαλιλαίας
   13 καὶ καταλιπὼν τὴν Ναζαρὰ   23 καὶ
      ἐλθὼν κατῴκησεν   ἐλθὼν κατῴκησεν
      εἰς Καφαρναοὺμ τὴν παρα-   εἰς πόλιν λεγομένην Ναζαρέθ
      θαλασσίαν...
   14 ἵνα πληρωθῇ τὸ ῥηθὲν   ὅπως πληρωθῇ τὸ ῥηθὲν
      διὰ Ἡσαΐου τοῦ προφήτου   διὰ τῶν προφητῶν
      λέγοντος   ὅτι

10. *Mt.*, IV, 12 ἀκούσας δὲ ὅτι...   XIV, 13 ἀκούσας δὲ ὁ Ἰησοῦς
      ἀνεχώρησεν   ἀνεχώρησεν ἐκεῖθεν ἐν πλοίῳ
      εἰς τὴν Γαλιλαίαν   εἰς ἔρημον τόπον κατ' ἰδίαν

11. Nous revenons plus loin sur la forme inhabituelle Ναζαρά dans le *Vaticanus*.

selon plusieurs auteurs un nouveau début [12]. Il s'agit encore du sort tragique de Jean-Baptiste et du danger de la part d'Hérode qui oblige Jésus à se réfugier.

Concluons cet aperçu rapide de *Mc.* et *Mt.* Nous avons trouvé chez *Mc.*, un sommaire de transition dû au rédacteur qui se sert d'éléments précieux de la prédication traditionnelle. Mt a retravaillé ce texte dans son propre style, et d'après sa théologie, pour introduire la première partie de la vie publique de Jésus qui se terminera, au chapitre XIII, par l'ἀπιστία de ses compatriotes à Nazareth. Il est superflu de supposer une source subsidiaire pour Mt.

2. Les opinions à propos de Lc., IV, 14-15

Cette même fonction d'introduction à la section galiléenne est attribuée aussi aux versets 14-15 de *Lc.*, IV, par la plupart des auteurs. Parmi les exceptions, qui confirment la règle, il faut signaler Friedrich Schleiermacher [13] qui croyait que nos versets terminaient une « diégèse » contenant baptême, généalogie et tentation. Si l'auteur de cette « diégèse » avait connu la suite du récit, dit-il, il aurait mentionné des faits concrets comme fondement de la renommée dans le v. 15. Plus tard, Julius Wellhausen [14] distingue aussi une section de III, 1 à IV, 15 et il note le rapport avec le motif de l'esprit en IV, 1. Walter Grundmann [15] ne termine cette première partie qu'au verset 30, et il traite de nos versets comme d'une « Zwischenbemerkung ». Dans son commentaire récent, E. Earle Ellis [16] propose une division assez personnelle. Il distingue entre autres la section II, 41-IV, 30 sous le titre « The inauguration of messiah's mission ». Toutefois, il considère *Lc.*, IV, 14-15 comme un sommaire qui assure la transition à la scène de la mission galiléenne. Ellis rejoint ainsi en quelque sorte l'opinion générale qui considère notre texte, à juste titre, comme versets d'introduction [17].

---

12. Cfr les introductions de X. Léon-Dufour, W. G. Kümmel, A. Wikenhauser ; les commentaires de J. Weiss, M.-J. Lagrange, J. Schmid, A. H. M'Neile, P. Gaechter. Pour l'ensemble du problème : F. NEIRYNCK, *La rédaction matthéenne et la structure du premier évangile*, dans *Eph. Theol. Lov.*, 43 (1967), 41-73.

13. F. SCHLEIERMACHER, *Über die Schriften des Lukas. Ein kritischer Versuch* (1917) dans *Sammtliche Schriften*, I, 2, Berlin, 1836, p. 37-38.

14. J. WELLHAUSEN, *Das Evangelium Lucae*, Berlin, 1904, p. 3 ss.

15. W. GRUNDMANN, *Das Evangelium nach Lukas* (Theologischer Handkommentar zum Neuen Testament, 3), 2ᵉ éd., Berlin, 1963, p. 98.

16. E. E. ELLIS, *The Gospel of Luke* (The Century Bible), Londres, 1966, p. 33. 96.

17. Cfr H. A. W. Meyer, F. Godet, J. Weiss, A. Plummer, Th. Zahn, P. Dausch, E. Klostermann, M.-J. Lagrange, A. Loisy, J.-M. Creed, W. Manson, A. Schlatter, F. Hauck, K. H. Rengstorf, J. Keulers, F. Geldenhuys, A. R. C. Leaney, A. Wikenhauser, W. Michaelis, É. Osty, D. Guthrie, W. Grundmann, C. B. Caird, W. G. Kümmel.

Il y a moins d'unanimité lorsqu'il s'agit de déterminer la source que Lc aurait employée. Le point de vue *quellenkritisch* qu'on adopte pour l'ensemble de l'évangile est sans doute déterminant. Les partisans de la théorie des deux sources supposent [18] ou défendent même explicitement [19] la dépendance exclusive vis-à-vis de *Mc*. Pour d'autres, tels William Manson [20] et Walter Grundmann [21], les vv. 14-15 font partie d'une section reprise à une source particulière « L ». Cette dernière peut alors être englobée dans la théorie plus vaste d'un évangile protolucanien, le ' Protoluke ' de Burnett Streeter et Vincent Taylor [22].

C'est aussi dans l'optique d'une source prélucanienne que Schürmann a traité de nos versets, sans se rallier à l'hypothèse ' classique ' du Protoluc que nous venons de mentionner. Luc, dit-il, a connu *Mc*., mais à cause de l'importance de l'$\dot{a}\rho\chi\dot{\eta}$ de Jésus dans l'Église primitive, les chrétiens ont dû essayer très tôt de raconter comment Jésus a commencé sa mission. Comme on suppose que déjà très tôt il y eut une tradition relativement fixée sur la passion, on peut supposer aussi l'existence d'un « Bericht vom Anfang » primitif. Luc a dû connaître un tel document à côté de *Mc*.

Déjà dans son article de 1964, l'auteur estime que ce document fût composé de deux parties : la première correspondait pour l'essentiel à *Mc*., I, 1-13, la deuxième était une variante de *Mc*., I, 14-39 (VI, 1-6 ?). Dans son commentaire sur *Lc*., Schürmann essaie de prouver en détail l'existence d'un « Bericht vom Anfang » appartenant à la *Quelle*, dont

18. Ainsi J. H. HOLTZMANN, *Die synoptischen Evangelien. Ihr Ursprung und geschichtlicher Charakter*, Leipzig, 1863, p. 213 ; J. WEISS, *Die drei älteren Evangelien* (Die Schriften des Neuen Testaments, 1), 2e éd., Goettingue, 1907, p. 437 ; E. KLOSTERMANN, *Die Evangelien* (Handbuch zum Neuen Testament, 2) Tubingue, 1919, p. 424.

19. Ainsi F. HAUCK, *Das Evangelium des Lukas* (Theologischer Handkommentar zum Neuen Testament, 3), Leipzig, 1934, p. 61 ; J. M. CREED, *The Gospel According to St. Luke*, Londres, 1930, p. 64 : « an editorial summary » ; A. R. C. Leaney, *A Commentary on the Gospel According to St. Luke*, Londres, 1958, p. 51 : « verses 14-15 then appear te be due to Luke's freely rewriting Mark I, 14-15... ».

20. W. MANSON, *The Gospel of Luke* (The Moffatt New Testament Commentary), 9e éd., Londres, 1963, p. 39-40.

21. W. GRUNDMANN, *Das Evangelium nach Lukas* (Theologischer Handkommentar zum Neuen Testament, 3), 2e éd., Berlin, 1963, p. 118 : « ... ein Einfluss des Markus auf Lukas in der Gestaltung dieser Zwischenbemerkung wird nicht sichtbar... wenn Lukas die Zwischenbemerkung nicht selbst gebildet hat, müsste er sie seinem Sondergut entnommen haben ».

22. B. H. STREETER, *The Four Gospels. A Study of Origins*, Londres, 1924 (Chapter VIII : Proto-Luke) ; V. TAYLOR, *Behind the Third Gospel. A Study of the Proto-Luke Hypothesis*, Oxford, 1926. A part certaines modifications, Taylor a maintenu la thèse du *Protoluke* tout au long de sa vie, jusque dans sa dernière publication, dont la *Cambridge University Press* vient de présenter l'édition posthume : *The Passion Narrative of St Luke* (SNTS, Mon. Ser., 19), éd. O. E. EVANS, Cambridge, 1972.

nous retrouvons les traces dans *Lc.*, III, 3-17.(21-22) ; IV, 1-13.14-15.16-30 (et des allusions dans IV, 31-37.40-41.42-43). Notre analyse nous permettra de relever et d'évaluer ces traces. En combinant cette source avec *Mc.*, I, 1-39 (VI, 1-6), Lc aurait réalisé, grâce à plusieurs interventions rédactionnelles, la première section de son évangile : III, 1-IV, 44 « Der Anfang von Galiläa aus ».

Que Luc s'est servi dans cette partie de son évangile de traditions empruntées à la *Quelle*, est assez généralement accepté, mais il est plus difficile de délimiter ces passages et de déterminer de quel ensemble ils faisaient partie. Le « Bericht vom Anfang », suggéré par Schürmann pour expliquer *Lc.*, III, 1-IV, 44, est à première vue une hypothèse attrayante, puisqu'elle semble résoudre tous les problèmes des divergences vis-à-vis de *Mc.*, des accords mineurs avec *Mt.*, et de l'origine de la matière propre à *Lc.* Toutefois, deux questions s'imposent. D'abord, pour le premier volet du document hypothétique qui expliquerait en partie l'origine de *Lc.*, III, 1-IV, 13 : le recours à une source supplémentaire, en occurence une version ' maximale ' de la *Quelle*, n'est-il pas en quelque sorte une solution de facilité, et ne faudrait-il pas avant-tout aller jusqu'au bout de l'hypothèse marcienne ? Puis, en ce qui concerne le deuxième volet de l'hypothèse, le document derrière *Lc.*, IV, 14-44 : est-ce que cette construction n'est pas trop audacieuse ? Voici en effet comment l'auteur s'imagine l'origine de *Lc.*, IV, 14-15. Luc aurait connu un document parallèle à *Mc.*, I, 14-39, mais il ne l'aurait pas repris comme tel : « Er sucht sich aus dem Bauwerk jenes zweiten Berichtes die ' Tragbalken ' heraus, welche (wie analog Mk 1, 14.28.39 ; 6, 1-6) die einzelnen ' Stockwerke ' jenes Gebäude trugen, und verwendet sie — als Lk 4, 14a.14b.15.16 schön säuberlich geschichtet — als Eingangstor seines eigenen Bauwerkes Lk 4, 14-44 ». La preuve de cette thèse, à première vue étonnante, — Schürmann le reconnaît, — peut être apportée à son avis en remarquant que les différents éléments de *Lc.*, IV, 14-16a remontent à une source non-marcienne dont on retrouve les traces chez *Mt.*

Même s'il est possible qu'il y ait eu plusieurs « Berichte vom Anfang » dans l'église primitive, il n'est pas pour autant prouvé que Luc se serait servi d'un document assez large à côté de *Mc.*, et partiellement parallèle au deuxième évangile. Le fait qu'il s'agirait dans cette source supplémentaire de matière qui se retrouve en *Mc.* et que, d'après Schürmann, *Mc.* aussi a pu connaître cette source, ne facilite pas la discussion. Nous voudrions surtout examiner la partie la plus étonnante de la thèse, concernant l'origine non-marcienne et prélucanienne de *Lc.*, IV, 14-16a. Ces deux versets sont en effet d'une importance capitale pour l'ensemble de la construction, comme Schürmann le reconnaît lui-même. La preuve de l'existence de la dite variante de *Mc.*, I, 14-39, dit-il, doit commencer à partir de *Lc.*, IV, 14-16a, puisque c'est ici que ses éléments structuraux (« ihre strukturgebenden Aufbauelemente »), qui correspondent à *Mc.*, I, 14.28.39 (VI, 1), semblent être conservés [23].

Regardons donc de plus près s'il s'agit en *Lc.*, IV, 14-16a vraiment de matière non-marcienne, et si les parallèles que notre auteur repère chez *Mt.*, confirment sa thèse. Nous suivons les différentes étapes de son exposé.

3. La rédaction de Lc., IV, 14-16a

A. VERSET 14a

Schürmann souligne un premier parallèle entre Mt et Lc dans le ὑπέστρεψεν de *Lc.*, IV, 14 et le ἀνεχώρησεν de *Mt.*, IV, 12 [24]. Il traduit les deux verbes par « retourner ». Mc exprime la même idée par ἦλθεν, dit-il, mais seulement de façon implicite. Nous croyons également que l'idée implicite de Mc a été explicitée par Mt et Lc, chacun à sa façon, par un terme propre. Mais nous avons déjà remarqué que ἀναχωρεῖν, terme typique du vocabulaire matthéen, signifie « se réfugier » [25], tandis que ὑποστρέφειν de Luc signifie simplement « retourner ». C'est un « lucanisme » comme Schürmann reconnaît lui-même : le verbe appartient à ce qu'on pourrait appeler sa terminologie du voyage [26]. Dès lors, il ne reste rien d'un *minor agreement* entre *Lc.* et *Mt.* [27]. Notre auteur croit trouver un deuxième argument dans le fait que le v. 14a est en même temps conclusion et introduction [28]. Cela s'explique, dit-il, s'il s'agit en partie d'une formule de conclusion d'un document qui contenait baptême et tentation, et en partie d'une formule d'introduction d'un document qui contenait une variante de l'exorcisme de Capharnaüm

---

23. Cfr *Der Bericht*, p. 243.

24. Cfr *Der Bericht*, p. 244.

25. Ἀναχωρεῖν : *Mt.* 10 fois ; *Mc.* 1 ; *Jean* 1 ; *Act.* 2. Quelques traductions pour *Mt.*, IV, 12 : E. Klostermann : « zog sich zurück » ; P. Gaechter : « wich er aus » ; RSV : « he withdrew to » ; NEB : « withdrew to » ; P. Bonnard laisse le choix entre « regagner, se réfugier » et « s'en retourner ». Le sens de « se réfugier, se retirer » se retrouve dans *Mt.*, II, 14. 22 ; XII, 15 ; XIV, 13 ; XV, 21 ; XXVII, 5. Le sens de « retourner » est possible, sans être nécessaire, en *Mt.*, II, 12. 13 (cfr W. BAUER, *Wörterbuch*, col. 126).

26. Ὑποστρέφειν : *Lc.* 21 fois ; *Act.* 11 ; reste du N.T. 3. Que le terme appartient à la « terminologie de voyage » du rédacteur Luc, s'avère aussi bien dans le *Sondergut* (I, 56 ; II, 20. 43. 45 ; XVII, 15. 18 ; XXIII, 48 ; XXIV, 33. 52) que dans la rédaction de matière marcienne (*Lc.*, IV, 1 ; VIII, 37. 40 ; IX, 10 à comparer à X, 17) et en *Act.* (VIII, 25. 28 ; XII, 25 ; XIII, 13 ; XIV, 21 ; XIX, 1 ; XX, 3 ; XXII, 17).

27. Même si les deux nuances — retourner et se réfugier — étaient combinées dans *Mt.*, IV, 12, l'idée de fuite reste toujours complètement absente dans le parallèle lucanien (IV, 14).

28. Cfr *Der Bericht*, p. 244-45.

d'où la mention de δύναμις au v. 14 et en *Lc.*, IV, 36). Nous n'allons pas contredire Schürmann lorsqu'il voit dans nos versets une formule de transition, mais est-il nécessaire de faire appel à une source disparue ? Il est évident que le v. 14 renvoit au v. 1 (par le verbe ὑποστρέφειν et surtout par le motif du πνεῦμα) mais il s'agit là d'un motif éminemment lucanien qui domine *Lc. - Act.*, en occurrence dans les récits du baptême, de la tentation au désert et de la prédication à Nazareth. On ne s'étonne pas que le rédacteur l'ait glissé dans les versets qui assurent la liaison entre ces récits. Que le terme δύναμις suggère déjà les miracles et plus spécialement les exorcismes est fort probable [29], mais la présence de δύναμις dans ce sens s'explique suffisamment par une anticipation de ce motif du récit de Capharnaüm, où Luc ajoute intentionnellement δύναμις au terme ἐξουσία de Mc. Le récit marcien de Capharnaüm — nous le verrons encore — a exercé une influence déterminante sur toute la section *Lc.*, IV, 14-44, et une anticipation rédactionnelle de δύναμις dans le « titre » de la section n'est pas étonnante.

Qu'on ne s'étonne pas non plus que Jean ne soit pas mentionné. Puisque Luc a déjà raconté l'arrestation de Jean et puisqu'il s'efforce de séparer sa mission de celle de Jésus, on comprend qu'il ne parle plus du Baptiste dans ce verset qui introduit la vie publique de Jésus. Le parallèle de Mc et l'intention rédactionnelle de Lc nous semblent donc suffire à expliquer le v. 14a.

B. Verset 14b

D'après H. Schürmann [30], le motif du v. 14b pourrait paraître à première vue une anticipation de *Mc.*, I, 28, mais la terminologie n'est pas suffisamment lucanienne, et puisque les autres parallèles du *hapax* φήμη dans *Lc.*, IV, 37 et VII, 17 se trouvent en conclusion d'un récit, il lui semble plus simple d'y voir un résidu d'une variante d'un récit de Capharnaüm, résidu qui est resté à sa place originale. En plus, dit-il, *Mt.*, IX, 26 donne la même notice καὶ ἐξῆλθεν ἡ φήμη αὕτη εἰς ὅλην τὴν γῆν ἐκείνην, une ajoute vis-à-vis de *Mc.*, et exactement à l'endroit où Mt trouve dans *Mc.* le récit de Nazareth. Et Schürmann de conclure : « Anscheinend hat Matthäus, als er in seiner Mk-Vorlage Mk. 6,1-6 las und beschloss, diese Fassung (gekürzt als Mt 13,54-58) zu bringen, doch noch einmal in seiner anderen (Lk 4,14-15.16ff. bezeugten) Vorlage nachgeschaut » [31]. Un procédé assez remarquable ! Mais reprenons les arguments en bon ordre. D'abord, nous ne dirions pas que la terminologie de *Lc.*, IV, 14b ne soit pas lucanienne. Si on considère le verset comme inspiré par *Mc.*, I, 28, on comprend très bien les menus changements :

---

29. Cfr *Lc.*, VIII, 46 ; VI, 1 ; V, 17.
30. Cfr *Der Bericht*, p. 245 s.
31. Cfr *Der Bericht*, p. 247.

l'omission de εὐθύς [32], l'addition de περί [33], le remplacement de la tautologie πανταχοῦ εἰς ὅλην par la formule plus lucanienne καθ' ὅλης [34]. Reste
bien sûr le *hapax* φήμη. Ne pourrait-on pas chercher l'inspiration, autant
pour Lc que pour Mt, dans *Mc.*, I, 45 : ὁ δὲ ἐξελθὼν ἤρξατο κηρύσσειν
πολλὰ καὶ διαφημίζειν τὸν λόγον, verset que Lc a changé et que Mt n'a pas
repris *in loco*, mais qu'il a dû connaître, comme nous verrons.

Que Luc place ici un « verset de conclusion » en tête d'une section,
pourrait très bien trouver son explication dans le terme δύναμις de 14a :
celui-ci nous a renvoyé à la conclusion du récit de Capharnaüm et nous
y trouvons en effet les motifs de la δύναμις et de la renommée combiné
dans *Mc.*, I, 27-28 et dans le parallèle lucanien. Nous ne voyons pas
pourquoi il faudrait supposer quelque source disparue, puisque celle-ci
ne fournirait au fond qu'une explication analogue, mais beaucoup plus
hypothétique.

Le parallèle de *Mt.*, IX, 26, prouve-t-il quelque chose ? A notre avis,
le verset s'explique entièrement à partir de *Mc.* : *Mc.*, I, 45 a vraisemblablement influencé *Mt.*, IX, 31. Alors le διεφήμισαν a très bien pu
inspirer le terme φήμη du v. 26 par souci de variation stylistique. *Mt.*,
IX, 26 serait donc inspiré par *Mc.*, I, 28 et *Mc.*, I, 45. Que le verset
se trouve au même endroit où, dans *Mc.*, le récit de Nazareth commence,
voilà un argument un peu trop subtil. En fait, aux chapitres VIII et
IX, le rédacteur rassemble plusieurs récits de miracles pour en faire
une section sur les actes de Seigneur, après la longue composition du
sermon sur la montagne où il a rapporté les paroles de Jésus. N'est-il
pas très vraisemblable que Mt, cherchant à conclure le récit de Jaïre,
se sert d'une réminiscence d'un récit de miracle de Mc, qu'il n'a pas
employé jusqu'ici. Ce n'est vraiment pas l'histoire de Nazareth qui
l'intéresse à ce moment.

---

32. L'adverbe εὐθύς qui figure 42 fois dans Mc, est omis de façon systématique
dans Lc dans les sections marciennes : Lc a seulement le terme en VI, 49 (diff. Mt)
et en *Act.*, X, 16.

33. Περί suivi du génitif est très fréquent en Lc-Act (Mt 20 fois ; Mc 13 ; Lc 40 ;
Act 65). Notons surtout que cette expression se retrouve dans chacun des parallèles
de notre verset : IV, 37 (ἦχος περὶ αὐτοῦ) ; V, 15 (λόγος περὶ αὐτοῦ) ; VII, 17
(ὁ λόγος... περὶ αὐτοῦ).

34. Καθ'ὅλης dans le N.T., ne se trouve que dans les écrits lucaniens. Il y a
encore *Lc.*, XXIII, 5b, un verset propre à Luc (diff. Mc) qui est un parallèle important : διδάσκων καθ'ὅλης τῆς Ἰουδαίας, καὶ ἀρξάμενος ἀπὸ τῆς Γαλιλαίας ἕως ὧδε ;
le caractère rédactionnel de ce sommaire de l'activité de Jésus est manifeste
losqu'on le compare à *Act.*, X, 37 : ὑμεῖς οἴδατε τὸ γενόμενον ῥῆμα καθ'ὅλης τῆς
Ἰουδαίας, ἀρξάμενος ἀπὸ τῆς Γαλιλαίας. Ces deux sommaires renvoient vraisemblablement à notre verset (*Lc.*, IV, 14) : il s'agit donc du même auteur dans chaque
cas. Citons encore les parallèles de *Act.*, IX, 31. 42 ; XIII, 49 pour conclure que
καθ' ὅλης est une indication très convaincante de rédaction lucanienne, ce que
Schürmann ne manque pas de noter (*Der Bericht*, p. 246).

Notre conclusion doit être encore une fois que *Lc.*, IV, 14b s'explique entièrement comme rédaction de Lc sur le texte de *Mc.*, et qu'il n'y a aucun rapport avec *Mt.* qui exigerait une source particulière [35].

---

35. Les vestiges ultérieurs que l'auteur croit dépister pour renforcer la thèse d'une « Überlieferungsvariante » ne sont pas de nature à influencer notre conclusion (Cfr *Der Bericht*, p. 247-249). *a.* « Galilée » (v. 14a) et « toute la région » (v. 14b) recouvrent la même surface, tandis qu'on s'y attend que la renommée dépasse les limites de la région où Jésus exerce son activité (comme en *Mt.*, IX, 26 ; *Mc.*, I, 28 par. Lc ; *Lc.*, VII, 17). Ἐξῆλθεν conviendrait donc mieux, dit Schürmann, si un point de départ concret était indiqué : n'est-ce pas un indice que Capharnaüm fut mentionné ici à l'origine ? Nous croyons plutôt que ce sommaire général d'introduction à l'activité galiléenne évite toute indication concrète d'un centre d'activité, puisque Jésus sera présenté comme un docteur ambulant ce qui est déjà suggéré par le v. 15. On pourrait expliciter le v. 14b : « et de chaque lieu, où il se présentait, sa renommée se répandit à travers toute la région », ce qui sera illustré de façon concrète en IV, 39 ; VII, 17 ; VIII, 37. Il est vrai que le v. 14b est le seul cas en Lc où περίχωρος se trouve sans détermination. Nous le considérons comme une anticipation généralisante d'un motif qui est plusieurs fois répété dans la période galiléenne. *b.* Dans *Lc.*, IV, 14a l'expression ἐν τῇ δυνάμει τοῦ πνεύματος réfère à des miracles qui ont eu lieu, sinon, dit Schürmann, la φήμη du 14b et la mention de « ce qui s'est passé à Capharnaüm » (v. 23) ne seraient pas fondées. Et l'auteur de répéter l'argument de ἐν δυνάμει de *Lc.*, IV, 36 diff. Mc pour prouver qu'il s'agirait plus spécialement d'exorcismes. L'auteur concède lui-même que la signification du terme δύναμις ne peut pas être limitée à celle de « miracles » (cfr *Der Bericht*, p. 248, n. 4 : « zwar kann Lukas auch im allgemeinen Sinn von der pneumatischen δύναμις reden »). Nous croyons toutefois que le terme renferme ici entre autres une allusion aux miracles, mais nous avons déjà expliqué sa présence au v. 14 par une simple anticipation du motif de Capharnaüm. L'inspiration du récit marcien nous semble suffire. L'allusion à « ce qui s'est passé à Capharnaüm » en *Lc.*, IV, 23 s'expliquerait alors de la même façon. Cette remarque n'implique pas nécessairement qu'une histoire à propos de Capharnaüm précédait la péricope de Nazareth dans une source hypothétique de Lc. La péricope de Capharnaüm précède en effet celle de Nazareth dans la source connue de Luc : l'évangile de Mc. Et IV, 23 témoigne que Luc a anticipé *Mc.*, VI, 1-6 tandis qu'il avait déjà *Mc.*, I, 21-28 en tête. La petite incohérence de IV, 23 est donc simplement un indice du travail rédactionnel assez libre de Luc. Certes, il y a une certaine maladresse de la part du rédacteur, mais celle-ci subsiste toujours si on suppose l'existence d'une source particulière. *c.* Si Mt lisait à cet endroit dans l'« Überlieferungsvariante » l'histoire de Capharnaüm, nous comprenons mieux, selon Schürmann, qu'il laisse déménager Jésus à Capharnaüm en IV, 13. Que ceci ne s'explique pas à partir de *Mc.*, I, 28 devrait être prouvé par deux accords avec Lc : d'abord *Mt.*, IV, 13 ἐλθὼν κατῴκησεν, cfr *Lc.*, IV, 31 κατῆλθεν (diff. Mc : εἰσπορεύονται), et puis l'ajoute d'une détermination au nom de Capharnaüm (Lc : πόλιν τῆς Γαλιλαίας ; Mt : τὴν παραθαλασσίαν ἐν ὁρίοις Ζαβουλῶν καὶ Νεφθαλίμ). Nous avons déjà traité de la mention de Capharnaüm à cet endroit. Elle nous semble être une anticipation de *Mc.*, I, 21 plutôt qu'un résidu d'une autre source inconnue. Le prétendu parallèle *Mt.*, IV, 13 : ἐλθὼν κατῴκησεν et Lc, IV, 31 : καθῆλθεν, ne prouve rien. Que κατέρχεσθαι appartient à la terminologie lucanienne est reconnu par Schürmann. Il s'agit en Act d'un élément de sa terminologie de voyage qu'il emploie chaque fois qu'il s'agit de visiter une ville (cfr *Act.*, VIII, 5 ; IX, 32 ; XI, 27 ; XII, 19, etc).

C. VERSET 15

Dans le v. 15, Lc quitte entièrement le parallèle immédiat de Mc et, d'après Schürmann [36], le rédacteur se sert d'un fragment d'une variante pour *Mc.*, I, 32-39. Ἐδίδασκεν ἐν ταῖς συναγωγαῖς αὐτῶν, dit-il, manque d'un point de repère concret : qui sont ces αὐτῶν ? L'auteur nous réfère à *Mc.*, I, 39 : καὶ ἦλθεν εἰς τὰς συναγωγὰς αὐτῶν, mais, ajoute-t-il, dans notre v. 15 il ne s'agit pas d'une anticipation de ce texte de *Mc.*, puisque Lc le donne au v. 44. *Lc.*, IV, 15 provient donc d'une autre source et pour preuve, Schürmann indique un vestige de cette même source dans *Mt.*, XIII, 54b au début du récit de Nazareth : ἐδίδασκεν αὐτοὺς ἐν τῇ συναγωγῇ αὐτῶν : ce dernier αὐτῶν indique vraisemblablement les gens de Nazareth, mais puisqu'il est assez vague, dit l'auteur, Mt n'aurait pas introduit « diese Unebenheit » qu'il n'a pas trouvé dans *Mc.* (VI,2).

Cette construction de Schürmann n'implique-t-elle pas un procédé invraisemblable : Mt lirait donc dans sa source particulière (qu'il aurait en commun avec Lc) une histoire parallèle à *Lc.*, IV, 16-30, et bien qu'il préfère le récit bref de *Mc.*, VI, 1-6, il y glisse un αὐτῶν, qu'il a lu dans le texte de sa source non-marcienne précédant le récit de Nazareth. La réponse peut être brève : Schürmann a très bien vu le parallèle entre *Lc.*, IV, 15 et *Mc.*, I, 39 où Mc reprend et généralise le motif de I, 21. Lc s'est inspiré de ce motif et du récit concret de l'activité dans la synagogue de Capharnaüm pour construire une section sur l'activité de Jésus dans les synagogues en introduisant ici la prédication à Nazareth et en englobant l'ensemble dans l'inclusion des vv. 15 et 44. Αὐτῶν, assez vague en effet, est simplement repris de *Mc.* (I, 39). Le prétendu parallèle chez *Mt.*, XIII, 54b avec un αὐτῶν ajouté au texte de *Mc.*, pourrait être influencé par le même verset marcien (I, 39), mais s'explique déjà suffisamment en faisant appel au style de Mt qui répète plusieurs fois un αὐτῶν après συναγωγή [37]. Ce n'est donc pas à cause des indices cités qu'il faudrait postuler une source particulière pour le v. 15 [38]. La phrase

---

Lc préfère en IV, 31 κατέρχεσθαι à ἐκπορεύεσθαι de Mc (I, 21) par souci de variation stylistique après ἐπορεύετο de *Lc.*, IV, 30. D'autre part, chez Mt, l'expression est aussi rédactionnelle, cfr *Mt.*, II, 23. La détermination plus concrète du nom de la ville n'exige pas non plus une source commune. Mt prépare vraisemblablement son *Reflexionszitat* de IV, 15-16 et Lc a l'habitude de situer une ville plus en détail, surtout à l'occasion de sa première mention (cfr *Lc.*, I, 26 ; II, 4 ; IV, 31 ; VII, 11 ; IX, 10 ; XXIII, 51).

36. *Der Bericht*, p. 249 ss.

37. Cfr *Mt.*, IV, 23 ; IX, 35 (par. *Mc.*, I, 39) ; X, 17 (SMt) ; XII, 9 (add. Mc).

38. Les arguments supplémentaires ne sont pas convaincants non plus (cfr *Der Bericht*, p. 250-252). L'auteur cherche d'autres vestiges pour une « Überlieferungsvariante » de *Mc.*, I, 32-38 dans Lc et Mt. *a.* Il y aurait d'abord des vestiges d'une variante de *Mc.*, I, 35-38, notamment en *Lc.*, IV, 43 (diff. Mc) εὐαγγελίσασθαι...

nous semble au contraire une composition rédactionnelle inspirée par le contexte marcien [39].

τὴν βασιλείαν τοῦ θεοῦ, et *Mt.*, IV, 23b κηρύσσων τὸ εὐαγγέλιον τῆς βασιλείας. Schürmann se demande pourquoi Mt et Lc auraient rendu ce motif presque au même endroit s'ils étaient tous les deux dépendants de *Mc.*, I, 15. Que ce n'est pas exactement au même endroit affaiblit déjà quelque peu l'argumentation de l'auteur, qui reconnaît par ailleurs qu'il y a des caractéristiques rédactionnelles des deux côtés. Il nous semble bien possible que *Mc.*, I, 14-15 ait influencé *Lc.*, IV, 43 car il arrive plusieurs fois que Luc se sert plus tard d'un motif qu'il a omis *in loco*. L'expression, κηρύσσων τὸ εὐαγγέλιον τοῦ θεοῦ (*Mc.*, I, 14 ; XIII, 10 ; XIV, 9), que Luc peut avoir évité entre autres à cause du terme εὐαγγέλιον, a vraisemblablement inspiré son usage parallèle de κηρύσσειν et εὐαγγελίζεσθαι (*Lc.*, IV, 43.44 ; VIII, 1 ; IX, 2. 6). Le rapport entre ces deux termes est devenu si intime pour lui que le verbe κηρύσσειν en *Mc.*, I, 38 suffirait à lui seul à expliquer la variation en *Lc.*, IV, 43. D'autre part, *Mt.*, IV, 23-25 est une composition très compliquée où l'on retrouve des éléments de plusieurs textes marciens réunis dans un sommaire rédactionnel introduisant le sermon sur la montagne (cfr F. NEIRYNCK, *La rédaction matthéenne*, p. 67). On y retrouve sans doute des motifs de la section sur Carphanaüm, mais ici encore le texte de Mc suffit comme source d'inspiration. Dans un passage si composé, on acceptera facilement une réminiscence de *Mc.*, I, 14-15 ; *b*. Dans les ὄχλοι de *Lc.*, IV, 42 (diff. Mc Σίμων καὶ οἱ μετ' αὐτοῦ) Schürmann croit trouver un parallèle des ὄχλοι de *Mt.*, IV, 25. Mais ce dernier ὄχλοι peut être inspiré par le contexte de *Mc.*, III, 7-9 qui a certainement influencé ce passage de Mt. Pour sa part, Lc ne saurait pas encore mentionner Simon puisqu'il a réservé le récit de sa vocation pour le chapitre V. En outre, le motif du peuple qui s'amène à Jésus est très lucanien (entre autres : *Lc.*, IV, 42 ; V, 1. 15 ; VI, 19 ; VII, 9 ; VIII, 4. 19. 40. 42. 45 ; IX, 11. 37 ; XI, 29 ; XII, 1 ; XIV, 25 ; XIX, 3 ; XXIII, 48). *c*. L'auteur a encore plus de peine à prouver l'existence d'une « Überlieferungsvariante » de *Mc.*, I, 32-34. Le pluriel, γενόμενα εἰς τὴν Καφαρναούμ (*Lc.*, IV, 23b), prouverait que la dite variante racontait plusieurs miracles. Sans doute, la tradition évangélique rapporte plus que le seul exorcisme à Capharnaüm, mais c'est encore Mc qui suffit à expliquer ce pluriel. Le dernier argument est très subtil : le choix de la citation d'Isaïe en *Mt.*, IV, 15-16, avec la mention du « peuple qui se trouvait dans les ténèbres » serait inspiré par la variante de *Mc.*, I, 32-34 puisque cette scène se déroule dans le crépuscule… Citons notre auteur (*Der Bericht*, p. 253) : « Freilich lässt sich nicht beweisen, dass es nicht Mk 1, 32ff., sondern die postulierte Überlieferungsvariante jenes Berichtes war, die dazu Anlass gab ». En effet, et nous sommes porté à appliquer cette remarque à presque tous les arguments que nous venons d'examiner.

39. Le verset rappelle immédiatement l'enseignement de Jésus dans la synagogue de Capharnaüm. *Mc.*, I, 21 et 39 contiennent tous les éléments qui ont inspiré notre verset, tant pour le contenu que pour la forme. Καὶ αὐτός est extrêmement fréquent en Lc (cfr J. C. HAWKINS, *Horae Synopticae*, 2ᵉ éd., Oxford, 1909, p. 18 : Mt 4 fois ; Mc 5 ; Lc 41 ; Act 8). Les cas où cette expression est non emphatique appartiendraient selon Rehkopf au vocabulaire « protolucanien » (cfr H. REHKOPF, *Die lukanische Sonderquelle. Ihr Umfang und Sprachgebrauch* (Wissenschaftliche Untersuchungen zum Neuen Testament, 5), Tubingue, 1959, p. 14 et p. 22, n. 3-6). Sans entrer ici dans la discussion de ce prétendu vocabulaire protolucanien (cfr H. SCHÜRMANN, *Protolukanische Spracheigentümlichkeiten ?* dans BZ, 5 (1961), 266-286, repris dans *Traditionsgeschichtliche Untersuchungen*, p. 209-227 ; et notre article : *L'onction de Jésus par la pécheresse*, dans *Ephem. Theol. Lov.*, 42 (1966),

Pourquoi Luc n'a-t-il pas repris le logion de *Mc.*, I, 15 ? Il y a tout
d'abord, nous semble-t-il, une raison d'ordre littéraire : il n'est pas indiqué
de citer des paroles de Jésus dans un sommaire narratif. En outre,
ce sommaire est l'introduction immédiate au récit de Nazareth, qui
comporte une prédication de Jésus. Voilà une raison en plus pour omettre
le verset marcien dans l'introduction. Le contenu des paroles prononcées
dans la synagogue (IV,18.19.21) explique peut-être l'omission de *ce* logion
de Mc dont l'idée ne convenait pas à traduire l'intention théologique
de Luc à *cet* endroit [40].

415-475 ; spéc. p. 422 ss.) nous pouvons dire avec Schürmann qu'un καὶ αὐτός
employé pour Jésus ne saurait pas être sans aucune emphase. L'expression appartiendrait dès lors à une terminologie lucanienne par excellence. Le ἐδίδασκεν
inspiré par *Mc.*, I, 21 se retrouve dans le parallèle *Lc.*, VI, 6b ἐγένετο δὲ ἐν ἑτέρῳ
σαββάτῳ εἰσελθεῖν αὐτὸν εἰς τὴν συναγωγὴν καὶ διδάσκειν, une construction
très lucanienne où le διδάσκειν est ajouté à Mc. Cet intérêt particulier de Luc pour
l'enseignement de Jésus dans les synagogues apparaît encore en *Lc.*, XIII, 10.
Le verbe δοξάζειν est assez fréquent chez Lc (Mt 4 fois ; Mc 2 ; Lc 9 ; Act 5) mais
il vise normalement l'honneur de Dieu. Luc voudrait-il conférer ici un prérogatif
divin à Jésus? Il y a peu de chance, bien que ce serait dans la ligne de IX, 32 add. Mc
εἶδαν τὴν δόξαν αὐτοῦ et *Act.*, III, 13 ἐδόξασεν τὸν παῖδα αὐτοῦ Ἰησοῦν ? La
généralisation avec πάντες est un trait du style lucanien (cfr *Lc.*, I, 63. 66 ; II, 18.
20. 47 ; IV, 22. 28. 36 etc.).

40. Parmi les auteurs qui commentent cette omission remarquable, il n'y a
que J. Weiss, A. Schlatter et J. Schmid qui cherchent un motif dans le contenu
du message chez Mc. D'après J. Weiss, Luc omet le v. 15 de Mc « weil er sofort ein
anschauliches Bild von der Predigt Jesu geben wird, aber auch, weil ihm jener Inhalt
(Reich Gottes und Busse) nicht genügen konnte : der Schwerpunkt des Evangeliums
liegt zu seiner Zeit bereits auf der rettenden Gnade Gottes, der Sündenvergebung,
der Person des Heilands » (cfr J. WEISS, *Die drei älteren Evangelien* (Die Schriften
des Neuen Testaments, 1), 2e éd., Goettingue, 1907, p. 437). La remarque est
reprise telle quelle par E. KLOSTERMANN, *Die Synoptiker* (Handbuch zum Neuen
Testament, 2), Tubingue, 1919, p. 424. Schlatter pense que les vv. 14-15 de Lc
sont repris à la source « L » : « Diese (Quelle) verkündete aber nicht die Herrschaft
Gottes, die zwar nahe doch nicht gegenwärtig ist, sondern das Jahr des Heils,
das begonnen hat, denn der Christus ist da » (cfr A. SCHLATTER, *Das Evangelium
des Lukas*, 2e éd. Stuttgart, 1931, p. 46). Ce n'est pas l'opinion de J. Schmid :
« Die kurze Inhaltsangabe der Predigt Jesu, die Markus an dieser Stelle bringt,
lässt Lukas weg, nicht etwas deshalb, weil ihm, dem Paulusschüler, der Inhalt
jener Predigt nicht mehr genügte, sondern weil er sofort in der folgenden Szene
ein eindrucksvolles Einzelbild der Lehrweise Jesu wie ihres Misserfolges bringt,
aber auch deshalb, weil für ihn der Anbruch des Gottesreiches noch in einer ferneren
Zukunft liegt » (cfr J. SCHMID, *Das Evangelium nach Lukas* [Regensburger Neues
Testament, 3], Regensburg, 1960, p. 106). Conzelmann, dans son étude importante
sur la théologie lucanienne, se réfère à Klostermann : « Lukas ersetzt also die
Inhaltsangabe des Markus über die Predigt Jesu durch die summarische Beschrei-
bung eines bestimmten Zeitraumes. Das ist bezeichnend für seine durchgreifende
Neufassung des ' Lebens Jesu ', oder besser : für die Umarbeitung der bisherigen
Berichte in ein solches ' Leben Jesu '. Natürlich konnte ihm die marcinische
Zusammenfassung an dieser Stelle auch in sachlicher Ansicht nicht genügen

D. VERSET 16a

H. Schürmann suppose que Luc a trouvé son récit de Nazareth dans l'ensemble de la dite *Überlieferungsvariante* [41]. Nous nous limitons ici aux principaux arguments concernant le v. 16a. Il y a le *minor agreement* *Ναζαρά* dans *Lc.*, IV, 16 et *Mt.*, IV, 12, et puis le fait que Mt mentionne le départ de Jésus de Nazareth à Capharnaüm : Mt aurait disposé d'un renseignement à propos d'un séjour prolongé à Nazareth. Comme nous avons déjà montré, cette dernière hypothèse est plutôt superflue puisqu'il est logique que Mt qui a rapporté en II, 23 que Jésus habitait à Nazareth, mentionne explicitement son départ de cette ville s'il veut choisir Capharnaüm comme « sa propre ville » (*Mt.*, IX, 1).

D'autre part, la valeur probante de *Ναζαρά* reste très discutable. A cause de la grande variation des lectures et de l'attestation plus faible de *Ναζαρά* chez *Mt.*, on pourrait considérer cette lecture comme une adaptation secondaire au texte de *Lc.*, avec Lagrange, Vogels, von Soden et Merk [42]. Mais même si cette forme, qui est unique dans le Nouveau Testament, était originale dans *Mt.* et *Lc.*, elle ne prouverait pas pour autant leur dépendance commune d'une source perdue. A lui seul, *Ναζαρά* ne saurait certainement pas soutenir la construction hypothétique que nous venons d'examiner. N'oublions pas non plus que l'aspect « agreement » n'est que très relatif : il y a une bonne part de « disagreement » dans l'emploi de *Ναζαρά* chez *Mt.* et *Lc.* [43]. La

---

(KLOSTERMANN z. St.). Für Lukas ist ja nicht mehr die Botschaft von der *Nähe* des Reichs ' das Evangelium Gottes ' » (cfr H. CONZELMANN, *Die Mitte der Zeit. Studien zur Theologie des Lukas*, 5e éd., Tubingue, 1964, p. 24-25.

41. Cfr *Der Bericht*, p. 253. Schürmann essaie de prouver cette thèse dans son commentaire sur *Lc.* et récemment dans son article *Zur Traditionsgeschichte* (cfr n. 1). Nous ne croyons pas devoir attribuer *Lc.*, IV, 16-30 à la « Überlieferung der Redequelle ». Toutefois, un examen exhaustif de cette péricope dépasserait les limites de cet article. Nous espérons y revenir.

42. Les lectures : *Mt.*, IV, 13 : *Ναζαρα* : א [corr] B* 33 k ; Or[pt] *Ναζαρετ* : L pm ; Epiph (von Soden) ; *Ναζαρεθ* : א* (c) D W Θ φ pm lat sa bo ; Or[pt] Eus. *Lc.*, IV, 14 : *Ναζαρα* : א B* 33 e Or[4,161] ; *Ναζαρατ* : A ; *Ναζαραθ* : Δ ; *Ναζαρεθ*: E F G H M S U V W[b] ΓΛ al pl it[pler] vg go cop Eus Cyr ; *Ναζαρετ* : B³ K L al perm a ; *Ναζαρεδ* : D (nazared d). Le fait que א* donne *Ναζαρεθ* en *Mt.*, IV, 13 et que les témoins pour *Ναζαρα* en *Mt.* et *Lc.* sont presque identiques ne prouve-t-il que la version matthéenne en א[corr] et B* sont une assimilation au texte de *Lc.* ? Chaque mention du nom de Nazareth dans *Mt.* ou *Lc.* donne lieu à toute une série de variantes, et la lecture la mieux attestée n'est pas toujours la même dans le même évangile (ainsi dans Lc : *Ναζαρετ* (ou -εθ) en I, 26 ; II, 4. 39. 51 ; *Ναζαρα* en IV, 16 ; *Ναζαρεθ* en X, 38). Il faut en conclure que ni les évangélistes, ni les copistes avaient une orthographie uniforme pour le nom de Nazareth et que dans une telle variation, la coïncidence de *Mt.*, IV, 13 en *Lc.*, IV, 16 peut être accidentelle ou due à un copiste.

43. Il faut noter en effet que le nom de la ville se trouve chez Mt dans le sommaire rédactionnel qui introduit la section galiléenne sans aucun rapport avec la prédication à Nazareth, tandis que Lc le mentionne à l'occasion de la péricope IV, 16-30.

formule καὶ ἦλθεν εἰς Ναζαρά est d'ailleurs l'introduction d'un verset de style lucanien [44] et d'une péricope que nous croyons pouvoir attribuer en grande partie à sa main. Nous avons montré d'autre part que Ναζαρά chez *Mt.* se trouve aussi dans un passage rédactionnel.

4. Le « Bericht vom Anfang » : hypothèse superflue ?

Si nous avons réussi à prouver que *Lc.*, IV, 14-16a s'explique entièrement à partir de *Mc.*, l'hypothèse de Schürmann nous semble dépourvue

---

Puis, chez Mt Jésus quitte la ville pour se rendre à Capharnaüm, chez Lc au contraire, Jésus se rend à Nazareth pour y prêcher. Que ce καταλιπών de *Mt.*, IV, 13 laisse supposer une activité prolongée à Nazareth et que ceci prouverait que Mt a connu une histoire parallèle à *Lc.*, IV, 16-30 à cet endroit dans sa source hypothétique (cfr *Der Bericht*, p. 254) voilà une construction bien large sur une base bien étroite. Il n'est pas moins recherché de supposer que ἤρξατο δὲ λέγειν de *Lc.*, IV, 21 a dû inspirer, par l'intermédiaire de l'« Überlieferungsvariante » le ἤρξατο de *Mt.*, IV, 17 (diff. Mc) (cfr *Der Bericht*, p. 255). On retrouve les mêmes arguments, que nous venons d'exposer à propos de Ναζαρά dans la thèse de Th. HANSEN, *De overeenkomsten Mt-Lc tegen Mc in de drievoudige traditie* (diss. dactyl.), vol. 2, Louvain, 1969, p. 36-39. L'auteur refuse de baser quelque conclusion sur les spéculations très hypothétiques à propos de l'origine de la forme exceptionnelle Ναζαρά (cfr K. Zenner, Th. Zahn, G. Dalman). Il insiste à juste titre sur le parallèle en *Mt.*, II, 23a où nous lisons Ναζαρέθ et sur le caractère rédactionnel du contexte, aussi bien chez Mt que chez Lc, qui rend une mention indépendante de Nazareth vraisemblable.

44. Le v. 14a rappelle *Lc.*, II, 51 (καὶ ἦλθεν εἰς Ναζαρέθ καὶ ἦν ὑποτασσόμενος αὐτοῖς. Le style lucanien est attesté par le choix de οὖ (plutôt que de ὅπου) et par les expressions κατὰ τὸ εἰωθός, ἐν τῇ ἡμέρᾳ τῶν σαββάτων. Nous ne parlerions donc pas, avec Schürmann, du « unlukanische Züge tragende Vers Lk. 4, 16 » (*Der Bericht*, p. 254). L'auteur cite surtout le verbe τρέφειν (nourrir) que Lc n'aurait pas préféré à ἀνατρέφειν (élever : un terme exclusivement lucanien dans le N.T., cfr *Act.*, VII, 20. 21 ; XXII, 3). Même si τρέφειν est original (on trouve ανατρεφειν en ℵ X Θ al ; Eus Cyr, mais celà peut être une adaptation ultérieure au vocabulaire des Actes), le verbe peut être choisi par Lc et faire allusion à la toute première période la vie de Jésus qu'il passa à Nazareth (cfr *Lc.*, XXIII, 29 τρέφειν pour l'allaitement). Comme le verbe composé, τρέφειν a le sens très général de « élever » : cfr W. C. VAN UNNIK, *Tarsus of Jeruzalem. De stad van Paulus' jeugd. Met een appendix over het gebruik van τρέφω en verwante woorden in verband met de opvoeding* (Med. Kon. Ned. Akad. Wet. afd. Letterk., N.S., t. 15, N⁰ 5), Amsterdam, 1952. L'auteur a prouvé que dans la littérature classique τρέφω et ἀνατρέφω s'emploient sans aucune distinction pour la toute première éducation de l'enfant, qui revient normalement aux parents. « Uit een vergelijking van de plaatsen... wordt reeds terstond duidelijk, dat het simplex τρέφω en het compositum ἀνατρέφω als synonymen gebruikt worden. Daarnaast mag ook ἐκτρέφω gebruikt worden. In hoeverre tussen deze verba in het levend taalgebruik verschillen bestonden, waarom de ene schrijver een voorkeur voor het ene woord en een andere voor het andere heeft... is niet duidelijk » (p. 39). « Het simplex is in de oudere taal gebruikelijker. Ἀνατρέφω is één van die composita, waarvoor het latere Grieks een zekere voorkeur vertoont naast en ter vervanging van het simplex » (p. 40).

du cœur même de son argumentation [45]. Ces versets contiennent en effet les « strukturgebenden Aufbauelemente » [46], non seulement de la dite variante de *Mc.*, I, 14-39 mais encore de tout le « Bericht vom Anfang ». Sans ce lien entre les deux parties de la variante supposée, celle-ci perd la part de vraisemblance que l'ensemble de la théorie réussit à première vue à lui assurer.

En effet, si l'hypothèse d'une tradition parallèle à *Mc.*, I, 14-39 s'avère être superflue, la variante de *Mc.*, I, 1-13, que Schürmann retrouve derrière *Lc.*, III, 1-IV, 13 devient à son tour douteuse, puisqu'elle perd en quelque sorte non seulement son point d'attache (*Lc.*, IV, 14-15), mais en plus sa raison d'être dans un ensemble décrivant l'ἀρχή de Jésus [47]. Les menus détails que l'auteur indique dans son commentaire pour renforcer sa thèse, ne sont pas de nature à nous convaincre.

Les traces de cette première partie du « Bericht » se retrouvent plus exactement derrière *Lc.*, III, 3-17.(21-22) ; IV, 1-13. Les différentes parties de cette section ne sont pas d'égale valeur pour prouver l'hypothèse d'une source. Il nous semble surtout important d'examiner les prétendus vestiges du début d'un tel document. Un véritable « Bericht vom Anfang » ne saurait pas se passer en effet d'une introduction narrative. Nous discutons brièvement les principaux arguments apportés en faveur de cette hypothèse [48].

Schürmann suppose que les paroles du Baptiste dans *Lc.*, III, 7-9, empruntées à la *Quelle*, ont dû être précédées dans cette source d'une

---

45. Du point de vue de la méthode, on ne peut pas traiter les vestiges d'une source hypothétique (en occurrence la « Überlieferungsvariante ») de la même façon que ceux d'une source connue (*Mc.*). Les premiers doivent satisfaire à des exigences très rigides pour avoir une valeur probante, tandis qu'une « sprachliche Reminiszenz » de *Mc.* nous semble plus facilement acceptable. Les prétendus vestiges de la dite variante dans *Mt.* ne sont pas seulement très subtils mais aussi trop dispersés pour être considérés comme parallèles significatifs de *Lc.*, IV, 14-16a (voir la table dans *Der Bericht*, p. 256-257).

46. Cfr *Der Bericht*, p. 243.

47. Cfr *Das Lukasevangelium*, t. I, p. 147 : « So werden wir die Intention des Luk treffen, wenn wir diesen « Bericht vom Anfang » betont als I Hauptteil der Evangelienschrift verstehen, ... er darf weder eingeebnet noch aufgeteilt werden ». Cette remarque, concernant le texte actuel de Luc, vaut aussi pour la variante hypothétique du « Bericht ». Ajoutons toutefois que nous ne nous rallions pas sans réserves à la structure de Lc telle que Schürmann la conçoit : *Lc.*, I-II : prélude ; *Lc.*, II, 1-IV, 44 : le début à partir de la Galilée ; *Lc.*, V, 1-XIX, 27 : l'activité et l'enseignement publiques de Jésus au pays des Juifs ; *Lc.*, XIX, 28-XXIV, 53 : l'accomplissement à Jérusalem. L'insistance de plusieurs commentateurs sur l'importance structurale de *Lc.*, IV, 14-15 et de *Lc.*, IX, 51 ne nous paraît pas manquer de fondement.

48. Les accords mineurs dans les textes parallèles à *Mc.*, I sont discutés de façon exhaustive dans la thèse de Th. HANSEN (cfr n. 43). Nous empruntons certains arguments à cette étude.

présentation de Jean. Les accords mineurs entre *Lc.* et *Mt.* contre *Mc.* dans *Lc.*, III, 3-6 par. *Mt.*, III, 1-6 prouveraient l'existence de cette introduction narrative de la *Quelle*. Voici les principaux *minor agreements* bien connus dans la littérature. Mt et Lc présentent l'activité du Baptiste avant la citation biblique. Tous deux omettent le texte de *Mal.*, III, 1. L'expression περίχωρος τοῦ Ἰορδάνου se trouve dans *Lc.*, III, 3 par. *Mt.*, III, 5. L'auteur pense en outre que Luc n'aurait pas complété lui-même la citation d'*Is.*, tandis qu'une omission dans *Mt.* serait facile à expliquer.

a. Il nous semble que *Lc.* et *Mt.* n'ont pas dû se servir d'une source commune pour corriger l'ordre problématique de *Mc.* Dans un ordre plus logique, ils présentent d'abord Jean Baptiste, et ils font suivre cette présentation d'une réflexion scripturaire [49].

b. Que *Mc.* cite le texte de *Mal.* sous le nom d'*Is.* explique sans doute l'omission par *Lc.* et *Mt.* Il pouvaient le supprimer d'autant plus facilement à cet endroit, qu'ils le rencontraient à propos du Baptiste dans un texte de la *Quelle* qu'ils ont rendu en *Mt.*, XI, 10 par. *Lc.*, VII, 27.

c. L'expression πᾶσα ἡ περίχωρος τοῦ Ἰορδάνου pose à première vue un problème plus sérieux. Toutefois, une rédaction parallèle et indépendante, à partir du texte de *Mc.*, n'est pas invraisemblable. Dans le v. 5 de *Mt.*, qui contient plusieurs indices rédactionnels [50], l'expression πᾶσα ἡ περίχωρος τοῦ Ἰορδάνου peut s'expliquer comme rédaction matthéenne de πᾶσα ἡ... χώρα (*Mc.*, I, 15) et πέραν τοῦ Ἰορδάνου (*Mt.*, IV, 25 par. *Mc.*, III, 8). Ce changement de la part de *Mt.* devient acceptable si

---

49. Cfr Th. HANSEN, *De overeenkomsten*, t. 2, p. 7-8. *Mt.* a assimilé l'introduction de la citation à sa formule qui introduit les « Reflexionszitate », que la plupart des auteurs attribuent à sa rédaction. Comme d'habitude, la citation suit à la présentation de la personne (ou de la situation) à laquelle la péricope fait allusion. Luc de son côté, aime présenter les personnes au début d'une péricope. En outre, *Lc.*, I, 5 montre qu'il attache une certaine importance à la situation historique du Baptiste. Il pourrait aussi être influencé par *Jer.*, I, 1 ss. Cfr F. NEIRYNCK, *Une nouvelle théorie synoptique. A propos de Mc.*, I, 2-6 et par., dans *Eph. Theol. Lov.*, 44, (1968), 141-153 ; spéc. p. 150. Dans cette critique de l'article de M.-É. BOISMARD, *Évangile des Ébionites et problème synoptique (Mc.*, I, 2-6 et Par.), dans RB, 73 (1966), 331-352, F. Neirynck rejette l'hypothèse de Boismard sur l'influence d'un document primitif, conservé dans l'Évangile des Ébionites, sur la section du Baptiste dans les synoptiques. Il estime qu'une rédaction indépendante de *Mt.* et de *Lc.*, à partir du texte de *Mc.*, donne une meilleure explication des trois versions synoptiques.

50. Cfr Th. HANSEN, *De overeenkomsten*, t. 2, p. 9-10. Τότε : 90 fois en *Mt.* L'emploi d'une métonymie comme Ἱεροσόλυμα se retrouve en *Mt.*, II, 3 ; VIII, 34 ; XXI, 10. F. NEIRYNCK, *Une nouvelle théorie synoptique*, p. 146, attribue cet usage de la métonymie à la rédaction. La suite de Jérusalem, la Judée, le Jourdain, correspond à celle de *Mt.*, IV, 25.

on compare *Mt.*, XIV, 35 εἰς ὅλην τὴν περίχωρον ἐκείνην à *Mc.*, VI, 55 ὅλην τὴν χώραν ἐκείνην. De son côté, Luc réagit avec la même liberté vis-à-vis de *Mc.* par rapport à cette expression. Ainsi, il reprend εἰς τὴν χώραν τῶν Γερασηνῶν dans *Lc.*, VIII, 26 par. *Mc.*, V, 1, mais il ajoute ἅπαν τὸ πλῆθος τῆς περιχώρου τῶν Γερασηνῶν (v. 37) au texte parallèle à *Mc.*, V, 17. Lorsqu'on tient compte de sa préférence pour πᾶς et de son usage de περίχωρος [51], et lorsqu'on remarque que tant par l'endroit que par la fonction, *Mt.*, III, 5 et *Lc.*, III, 3 ne sont pas du tout identiques, on n'attachera plus trop de valeur à cet accord mineur.

d. Nous n'oserions pas affirmer, comme Schürmann, que Luc n'a pas complété lui-même la citation d'*Is.* Compléter ou introduire une citation biblique, dit-il, ne correspond pas aux habitudes de Luc. Un jugement de cette position dépendra en bonne partie de la théorie qu'on propose pour expliquer l'origine du *Sondergut*. Mais limitons-nous au texte de *Lc.*, III, 6. L'ouverture d'une perspective universaliste dès le début de son évangile, par l'ajoute d'*Is.*, XL, 4-5 (v. 5 : καὶ ὄψεται πᾶσα σὰρξ τὸ σωτήριον τοῦ θεοῦ correspond très bien à l'intérêt théologique de Luc. Pour preuve, il suffit de citer la finale du livre des *Actes*, XXVIII, 28 : γνωστὸν οὖν ἔστω ὑμῖν ὅτι τοῖς ἔθνεσιν ἀπεστάλη τοῦτο τὸ σωτήριον τοῦ θεοῦ. Le fait que Luc y préfère σωτήριον au terme plus habituel σωτηρία suggère qu'il se rappelle très bien de la citation d'*Is.* au début de son évangile [52]. On peut se demander si ce contact, sans doute intentionnel, qui contribue à souligner la préoccupation universaliste de l'ouvrage de Luc, aurait été réalisé si la citation d'*Is.* n'était qu'une simple copie d'un « Bericht vom Anfang ». D'autre part, une omission dans *Mt.* n'est pas si évidente non plus. Même si le premier évangéliste met plutôt

---

51. πᾶς : *Lc*, 152 fois ; *Act*, 170 fois ; add. *Mc.* p. ex. *Lc.*, VI, 28 ; VI, 10 ; VIII, 40. 45. 52, etc. Le terme περίχωρος revient en IV, 14 (cfr n. 35), dans l'emploi parallèle du motif de la renommée en IV, 37 (diff. *Mc.*) et VII, 17 (S *Lc.*) et dans le texte mentionné de *Lc.*, VIII, 37 (add. *Mc.*). Puis encore en *Act.*, XIV, 6. Pour l'ensemble de la formule, *Mt.* et *Lc.* ont pu s'inspirer de *Gen.*, XIII, 10. Cfr F. NEIRYNCK, *Une nouvelle théorie synoptique*, p. 150 : l'auteur corrige une suggestion de M.-É. BOISMARD, *Évangile des Ébionites*, p. 326, qui considère cette expression comme une création lucanienne inspirée par *Gen.*, tandis que *Mt.* l'aurait reprise de *Lc.*

52. Cfr J. DUPONT, *Le salut des gentils et la signification théologique du livre des Actes*, dans NTS, 6 (1959-1960), 132-155 ; repris dans *Études sur les actes des apôtres* (Lectio Divina, 45), Paris, 1967, p. 393-419. Dupont attribue l'élargissement de la citation d'Is. au rédacteur du troisième évangile. Il conclut : « En plaçant Is 40, 5 en tête de l'histoire évangélique et en empruntant la conclusion de son ouvrage à des paroles qui rappellent ce texte, Luc montre l'intérêt qu'il attache à cette idée que le salut de Dieu se manifeste à tous les hommes. Il ne semble pas téméraire de chercher là une des clés de l'ouvrage : l'histoire que Luc veut retracer se définit comme celle de la manifestation du salut de Dieu en faveur de toute chair » (*Études*, p. 400-401).

l'accent sur le rôle de Jean comme prédicateur de la pénitence, il n'est pas moins intéressé dans l'aspect universel du christianisme, comme le prouvent entre autres *Mt.*, XXVIII, 18-20 : aurait-il facilement supprimé la citation d'*Is.*, XL, 5 s'il l'avait lu dans sa (deuxième) source [53] ?

Bien sûr, la question des sources de *Mc.*, I, 1-6 par. continuera à fournir de la matière à discussion. Mais une fois de plus, il nous semble que certains exégètes font trop vite appel à une source supplémentaire ou élargie.

Dépourvue ainsi de la « tête » et du « cœur » par l'explication rédactionnelle de *Lc.*, III, 1-6 et IV, 14-16a à partir de *Mc.*, l'hypothèse du « Bericht » ne saurait pas se maintenir par les seuls passages qui restent à mentionner. Dans le discours de Jean-Baptiste (*Lc.*, III, 7-18), Lc se sert évidemment de la *Quelle*, mais l'attribution des vv. 10-14 à cette même source reste douteuse et nous voudrions réserver dans les vv. 7-18 une plus grande part au rédacteur dans les versets propres et les différences vis-à-vis de *Mt.*

Schürmann reconnaît à juste titre le caractère rédactionnel de la petite péricope de *Lc.*, III, 19-20 (par. *Mc.*, VI, 17) qui raconte l'emprisonnement du Baptiste. L'auteur reconnaît en plus que les récits du baptême de Jésus chez *Lc.* et *Mt.* s'expliquent suffisamment à partir de *Mc.*, malgré certains accord mineurs. Il estime toutefois que ce récit a pu figurer dans la *Quelle*, suivi par et en rapport avec la péricope de la tentation. Ce rapport primitif aurait été interrompu par la généalogie *Lc.*, III, 23-38 qui n'a pas figuré dans cette source. Toutefois, un tel rapport primitif éventuel ne suffit pas à soutenir l'hypothèse d'un « Bericht vom Anfang ».

La thèse de Schürmann nous a stimulé à examiner de plus près les chances de l'hypothèse marcienne pour expliquer *Lc.*, IV, 14-16a dans le contexte plus large de *Lc.*, III-IV. Nous espérons avoir démontré que le travail rédactionnel de Luc, inspiré par le texte de *Mc.*, c'est-à-dire le parallèle immédiat de *Mc.*, I, 14-15, la péricope de Capharnaüm, le verset final *Mc.*, I, 39 et d'autres réminiscences de l'évangile de *Mc.*, suffit entièrement à expliquer la composition nouvelle du sommaire lucanien. Il nous a paru en même temps que l'hypothèse d'une source particulière de la *Quelle* parallèle à *Mc.*, I, 1-39 et dépassant les limites que l'hypothèse traditionnelle des deux sources pose d'habitude à la

---

53. Schürmann ajoute un dernier élément au dossier des « accords mineurs » : καὶ ἦλθεν εἰς... de *Lc.*, III, 1 remonterait à une expression absolue καὶ ἦλθεν dans la source, comme dans le texte *Quelle* de *Mt.*, XI, 18 (ἦλθεν) et de *Lc.*, VII, 33 (ἐλήλυθεν). Cette formule absolue se retrouverait encore dans παραγίνεται de *Mt.*, I, 2. Nous croyons plutôt que *Lc.* présente dans ce verset le personnage de cette première péricope, se basant sur l'information fournie par *Mc.*, I, 4-5. Nous avons déjà montré le caractère rédactionnel de l'ensemble. *Mt.* réalise une présentation analogue à sa manière. Le caractère rédactionnel de παραγίνεται (diff. *Mc.*, I, 4 ἐγένετο) est confirmé par *Mt.*, III, 13 (diff. *Mc.*, I, 9 ἐγένετο).

matière *Quelle* dans *Lc.*, III-IV, ne fournit pas une meilleure explication à l'origine des chapitres III et IV de *Lc.* Sans doute Luc s'est servi
de *Mc.* et de *Q,* mais il ne disposait pas d'une variante contenant à
peu près l'ensemble de ces deux chapitres. Il a plutôt retravaillé le
premier chapitre de *Mc.* en y insérant certains passages de sa deuxième
source et en réalisant un nouvel ensemble avec la fidélité et la liberté
que nous croyons retrouver à chaque page de son évangile [54]. Un examen
détaillé du *Sondergut* dans cette section devrait confirmer notre point
de vue.

Pater Damiaanplein 4   J. DELOBEL
3000   Leuven

---

54. Citons encore deux réactions récentes à la théorie de Schürmann. *Lc.*, IV,
14-15 a été examiné en détail par A. GABOURY, *La structure des évangiles synoptiques.*
La structure-type à l'origine des synoptiques (Supplements to Novum Testamentum,
XXII), Leyde, 1970, p. 164-185. Dans cette publication de sa thèse doctorale,
l'auteur rejette en grande partie les conclusions de Schürmann. Il n'accepte pas
que les versets en question remontent à la double tradition, commune à *Mt.* et *Lc.*,
et il reconnaît dans ce bref passage une certaine unité littéraire originale. Toutefois,
l'accord entre son point de vue et le nôtre s'arrête là, puisqu'il part d'une hypothèse
de travail très personnelle en matière de la critique des sources. Gaboury s'oppose
en effet à la théorie des deux sources et croit pouvoir prouver l'existence d'une
série de sources présynoptiques, communes aux trois évangélistes, ces derniers
n'ayant aucune connaissance directe des autres synoptiques. *Lc.*, IV, 14-15
serait alors une représentation fidèle d'une des multiples sources de la triple tradition, dont nous retrouvons des traces moins fidèles dans *Mc.* et *Mt.* Nous n'estimons
pas que cette théorie soit préférable à l'hypothèse que nous venons de proposer,
mais une confrontation détaillée de la thèse de Gaboury et de notre explication
au niveau de la *Redaktionsgeschichte* dépasserait les limites de cet article. Pour une
critique fondamentale de la thèse de Gaboury, voir : F. NEIRYNCK, *The Gospel
of Matthew and Literary Criticism. A Critical Analysis of A. Gaboury's Hypothesis,*
dans M. DIDIER (Éd.), *L'Évangile selon Matthieu. Rédaction et théologie* (Bibliotheca
Ephemeridum Theologicarum Lovaniensium, XXIX), Gembloux, 1972, p. 37-69.
La théorie de Schürmann est encore mentionnée par T. SCHRAMM, *Der Markus-Stoff
bei Lukas. Eine literarkritische und redaktionsgeschichtliche Untersuchung* (SNTS, Mon.
Ser., 14). Cambridge, 1971, p. 66, 90 n. 1. Schramm n'examine pas lui-même nos
versets, mais, s'appuyant sur les résultats de ses autres recherches, il estime que l'hypothèse du « Bericht », sans être entièrement « aus der Luft gegriffen », est tout de
même basée sur une argumentation trop étroite pour convaincre. Il préfère renoncer
à une « Nebenquelle » pour expliquer l'origine de ce sommaire lucanien.

La rédaction lucanienne
du logion des pêcheurs d'homme
(*Lc.*, V, 10c)

L'appréciation que l'on porte sur l'histoire de la tradition et sur la rédaction du récit de la pêche miraculeuse et de la vocation des disciples en *Lc.*, V, 1-11 [1] dépend essentiellement de la réponse à donner à la question de la version lucanienne (*Lc.*, V, 10c) du logion des pêcheurs d'hommes que *Mc.*, I, 17 et *Mt.*, IV, 19 s'accordent à attester sous une autre forme. La réponse à cette question permet de déterminer le caractère de la tradition retravaillée par Luc en V, 1-11 : outre l'évangile de Marc qu'il utilise visiblement ici [2], Luc a-t-il disposé d'une histoire de pêche miraculeuse ou d'un récit de vocation incluant une pêche miraculeuse ? En ce qui concerne aussi l'histoire de la tradition et de la rédaction de *Jo.*, XXI, 1-14, texte apparenté à l'histoire de la pêche miraculeuse en *Lc.*, V, l'opinion qu'on adopte sur *Lc.*, V, 10c ne peut être indifférente : un logion sur la vocation de pêcheurs d'hommes appartenant primitivement à un récit de pêche s'est-il perdu en cours de route avant la rédaction de *Jo.*, XXI, ou bien n'a-t-il jamais existé dans la version johannique de l'épisode ? Si par ailleurs, une ancienne variante traditionnelle de *Mc.*, I, 17 préexistait en *Lc.*, V, 10c, la question se poserait alors de la priorité de l'une des deux variantes, et le récit de vocation de *Mc.*, I, 16-20 serait donc aussi inclus dans le groupe de textes touchés par la question que soulève *Lc.*, V, 10c.

Si l'on parcourt les études consacrées jusqu'ici à ce verset, on constate qu'en général, malgré des efforts appréciables, elles ne discernent pas le rôle-clef que joue le logion pour l'appréciation des différents textes. Cette

---

* Nous remercions Monsieur T. Snoy, qui a bien voulu traduire notre texte allemand.

1. Cet article ne traite qu'un aspect de la problématique de *Lc.*, V, 1-11 ; voir note 4.

2. Sur la question des remaniements apportés par Luc à l'évangile de Marc, cfr le travail intéressant mais insuffisant de T. SCHRAMM, *Der Markus-Stoff bei Lukas. Eine literarkritische und redaktionsgeschichtliche Untersuchung*, Diss., Hambourg, 1966 ; sur l'emploi de Marc en *Lc.*, V, 1-11, voir les commentaires de Luc et G. KLEIN, *Die Berufung des Petrus*, dans ZNW, 58 (1967), 1-44, voir p. 5 et note 18.

affirmation englobe aussi bien les commentaires que les travaux spécialisés qui se proposent d'analyser plus à fond *Lc.*, V, 1-11. Il est évident que l'importance de *Lc.*, V, 10 pour comprendre *Mc.*, I, 16-20, *Lc.*, V, 1-11 et *Jo.*, XXI, 1-14 leur a en partie échappé. Cela tient sans doute à ce qu'ils n'ont jamais examiné à fond la possibilité d'une enquête méthodique et exhaustive sur l'ensemble des traditions. Quel rôle jouent dans la composition de *Lc.*, V, 1-11 le texte marcien et la variante johannique du récit de la pêche (*Jo.*, XXI, 1-14) ?

Nous n'avons pas ici à nous livrer à une réflexion méthodique aussi approfondie ni à une présentation détaillée et à une critique du stade actuel de l'exégèse de notre passage [3]. Nous devons nous contenter d'un bref compte-rendu de quelques hypothèses en guise d'introduction à la problématique (I). Nous viserons principalement à justifier une explication rédactionnelle de la version lucanienne du logion des pêcheurs d'hommes en *Lc.*, V, 10c (II). Enfin, nous indiquerons brièvement les conséquences qui résultent de l'intervention personnelle de l'évangéliste dans la composition du logion (III). Nous réservons pour une monographie plus importante la discussion détaillée de la problématique d'ensemble de *Lc.*, V, 1-11 et de *Jo.*, XXI, 1-14 [4].

I. Introduction : Hypothèses antérieures

Jusqu'à présent, l'exégèse s'est presque généralement reposée sur l'affirmation que l'évangéliste Luc aurait « repris » en *Lc.*, V, 1-11 une tradition particulière, lui aurait apporté des retouches rédactionnelles, mais sans rien modifier d'essentiel et « l'aurait mise à la place du récit de Marc » [5] ; on s'accorde à reconnaître que ce dernier (*Mc.*, I, 16-20),

---

3. Mais nous voudrions signaler quelques travaux importants dont nous ne parlerons plus dans la suite : B. WEISS, *Die Quellen des Lukasevangeliums*, Stuttgart-Berlin, 1907 ; J. SCHNIEWIND, *Die Parallelperikopen bei Lukas und Johannes*, Leipzig, 1914 ; réimpression, Hildesheim, 1958 ; A. LOISY, *L'Évangile selon Luc*, Paris, 1924 ; B. S. EASTON, *The Gospel according to St. Luke. A Critical and Exegetical Commentary*, New York, 1926 ; J. MANEK, *Fishers of Men*, dans *Nov. Test.*, 2 (1958), 138-141 ; E. HILGERT, *The Ship and Related Symbols in the New Testament*, Assen, 1962 ; H. SCHUERMANN, *Die Verheissung an Simon Petrus. Auslegung von Lk 5,1-11*, dans *Bib. Leb.*, 5 (1964), 18-24 ; K. ZILLESEN, *Das Schiff des Petrus und die Gefährten vom anderen Schiff (Zur Exegese von Luc 5,1-11)*, dans ZNW, 57 (1966), 137-139.

4. Pour une étude exhaustive sur *Lc.*, V, 1-11 et *Jo.*, XXI, 1-14, voir R. PESCH, *Der reiche Fischfang Lk 5,1-11/Jo 21,1-14. Wundergeschichte - Berufungserzählung - Erscheinungsbericht*, Düsseldorf, 1969.

5. F. HAHN, *Christologische Hoheitstitel. Ihre Geschichte im frühen Christentum* (FRLANT, 83), Goettingue, 2e éd., 1964, p. 394.

omis par Luc, aurait laissé une trace au moins en *Lc.*, V, 10a, dans un « supplément » ou une « insertion » lucanienne, et même encore en *Lc.*, V, 11. La plupart du temps, on présuppose que la tradition non-marcienne qui se trouve derrière *Lc.*, V, 1-11 constituait un récit de la vocation de Pierre décrite en liaison avec une pêche miraculeuse. Là où l'on pousse plus loin la recherche, on croit fonder cette conception, sans jamais fournir de preuve, en observant ce qui suit : à la différence des vv. 1-3, la conclusion de l'épisode (*Lc.*, V, 10s.) dans ses éléments constitutifs (donc au moins l'appel adressé par Jésus) serait si étroitement liée au corps du récit de la pêche (*Lc.*, V, 4-9) à cause de la personne et de la prééminence de Simon qu'il semblerait impossible et même impensable ici de l'en séparer [6].

On pense alors qu'une « variante plus élégante de la parole que chez Marc, Jésus adresse à Simon et André » [7], a été réunie avant l'évangile de Luc à la pêche miraculeuse (histoire pascale à l'origine ; cfr *Jo.*, XXI) ; ou bien on tente de considérer *Lc.*, V, 1-11 comme une tradition parallèle de *Mc.*, I, 16-20, rapportant des faits et des circonstances historiques pour l'essentiel, « une tradition indépendante du même événement » [8] ; ou encore, avec R. Bultmann [9], on estime que *Lc.*, V, 1-11 a été élaboré de toutes pièces à partir du logion des pêcheurs d'hommes ; ou, avec H. W. Bartsch [10], on explique que, dans son désir d'en savoir davantage que le bref rapport de *Mc.*, I, 16-20, la communauté a relié « inséparablement » la « légende » et le logion ; mais avec tout cela, aucune conclusion précise ne se dégage quant à la rédaction lucanienne du logion des pêcheurs d'hommes. M. Dibelius [11] ne savait lui aussi rien dire de plus que ceci : chez Luc, « le logion des pêcheurs d'hommes ne se présente pas dans la forme de Marc, mais dans une toute autre formulation de la même idée ». Peu d'auteurs ont poussé l'examen de *Lc.*, V, 10c un peu plus loin. Pour éclairer la position du problème, nous mentionnons

---

6. Cfr J. A. BAILEY, *The Traditions Common to the Gospels of Luke and John* (Nov. Test. Suppl., VII), Leyde, 1963, p. 15.

7. E. HIRSCH, *Frühgeschichte des Evangeliums*, II, *Die Vorlagen des Lukas und das Sondergut des Matthäus*, Tubingue, 1941, p. 41.

8. A. SCHULZ, *Nachfolgen und Nachahmen. Studien über das Verhältnis der neutestamentlichen Jüngerschaft zur urchristlichen Vorbildethik* (STANT, 6), Munich, 1962, p. 109.

9. R. BULTMANN, *Die Geschichte der synoptischen Tradition* (FRLANT, 29), Goettingue, 7e éd., 1967, p. 232 ; ainsi également déjà J. WELLHAUSEN, *Das Evangelium Lucae*, Berlin, 1904, p. 14s.

10. H. W. BARTSCH, *Wachet aber zu jeder Zeit ! Entwurf einer Auslegung des Lukasevangeliums*, Hambourg-Bergstedt, 1963, p. 64.

11. M. DIBELIUS, *Die Formgeschichte des Evangeliums*, Tubingue, 2e éd., 1933, p. 110.

les travaux de L. Brun [12], L. Grollenberg [13], G. Klein [14], M. Hengel [15] et F. Agnew [16].

1. L. BRUN

Dans l'étude comparativement assez fouillée de L. Brun sur *Lc.*, V, 1-11, se retrouve, me semble-t-il, la thèse traditionnelle selon laquelle le texte comprendrait « trois parties relativement indépendantes, bien que liées entre elles » [17], une introduction (*Lc.*, V, 1-3), la narration de la pêche miraculeuse (vv. 4-7) et en conclusion un dialogue de Jésus et de Simon et la vocation de ce dernier (vv. 8-11) : « Un récit de miracle préexiste donc ici ; mais la pointe ne se situe pas dans le miracle comme tel, mais dans la parole de Jésus qui y est adjointe, dans la vocation de Simon à être pêcheur d'hommes, étendue par le narrateur aux autres participants. Oui, cette parole de Jésus est l'idée-force vers laquelle tend tout le récit à mesure que le miracle est compris comme un symbole prophétique (T. Zahn) : la pêche miraculeuse symbolise pour le narrateur le succès de la prédication future de Simon et de ses compagnons, la bénédiction divine dont jouira leur travail de pêcheurs d'hommes » [18].

L'erreur fondamentale du travail de Brun au plan méthodologique se voit déjà ici ; Brun prend la structure établie par lui du texte actuel de Luc et le sens qui s'en dégage comme le point de départ de sa recherche sur l'histoire de la tradition et il n'examine pas si la structure et le sens du texte dans leur forme actuelle ne sont pas dûs à Luc lui-même. Cette négligence étonne très fort de la part de Brun parce qu'il analyse le texte avec soin et signale les éléments qui proviennent de Marc (*Mc.*, II, 13 ; III, 9 ; IV, 1 et I, 16-20), les motifs lucaniens (afflux du peuple en *Lc.*, V, 1, transition du v. 4a) et les particularités du récit de la pêche.

Visiblement, c'est son plan du récit qui, de façon unilatérale, conduit Brun à voir dans la vocation le « sommet de l'ensemble ». Selon lui, elle serait « dominée par les deux paroles saisissantes de Simon et de Jésus aux vv. 8, 10b », auxquelles s'ajouterait chaque fois une remarque du narrateur (vv. 9-10a, 11) [19]. Bien que Brun reconnaisse la part de Luc

---

12. L. BRUN, *Die Berufung der ersten Jünger Jesu in der evangelischen Tradition*, dans *Symbolae Osloenses*, 11 (1932), 35-54.

13. L. GROLLENBERG, *Mensen « vangen » (Lk 5,10) : hen redden van de dood*, dans *Tijdschr. Theol.*, 5 (1965), 330-336.

14. G. KLEIN, *art. cit.*

15. M. HENGEL, *Nachfolge und Charisma. Eine exegetisch-religionsgeschichtliche Studie zu Mt. 8,21 und Jesu Ruf in die Nachfolge* (BZNW, 34), Berlin, 1968.

16. F. AGNEW, *Vocation primorum discipulorum in traditione synoptica*, dans VD, 46 (1968), 129-147.

17. L. BRUN, *art. cit.*, p. 36.

18. L. BRUN, *ib.*, p. 37s.

19. L. BRUN, *ib.*, p. 43s.

aux vv. 1-4a, 10a et 11 et qu'il concède qu'un récit de pêche primitif pourrait avoir existé sans la scène de la vocation, il ne creuse pas la question d'une addition éventuelle par Luc du logion des pêcheurs d'hommes auparavant modifié, mais d'après lui, « la composition du récit aux vv. 4-7, 8, 9, 10ab (mise en avant de Simon et anonymat de ses compagnons) permet de supposer que déjà un récit dont Luc disposait a été raconté en liaison avec une pêche miraculeuse. Cette source qui, outre la parole de Jésus sur les pêcheurs d'hommes, peut avoir contenu aussi l'aveu par Pierre de sa condition pécheresse, Luc l'a préférée au récit marcien de la vocation des disciples, mais il l'a en même temps quelque peu retravaillée et modifiée en vue de raconter la vocation des trois disciples principaux » [20].

Mais peut-on éluder la question de la part de l'évangéliste dans l'élaboration du logion des pêcheurs d'hommes, comme en général de son intervention dans le récit ? On reconnaît en effet que les vv. 1-3 sont déterminés par le texte marcien (*Mc.*, II, 13 ; III, 9 ; IV, 1) et composés dans le style de Luc et avec des motifs qui lui sont particuliers ; de plus, les vv. 10a et 11 ont été élaborés à partir du texte de Marc (I, 16-20), que remplace dans son ensemble *Lc.*, V, 1-11. Ne doit-on pas dès lors examiner soigneusement si Luc lui-même n'a pu reproduire *Mc.*, I, 17 au v. 10c, selon une formulation à lui ?

2. L. GROLLENBERG

Dans un bref article qui mérite l'attention, L. Grollenberg a fait un pas important, mais malheureusement seulement un pas, dans le sens de la problématique que nous préconisons. Il a attiré l'attention sur le fait que la version lucanienne du logion des pêcheurs d'hommes avec l'emploi du vocable ζωγρέω s'apparente à la terminologie vétérotestamentaire. Comme la Septante serait le « dictionnaire théologique » [21] de Luc, l'élaboration du logion en *Lc.*, V, 10 proviendrait de la rédaction de Luc.

ζωγρέω signifie dans la Septante « prendre vivant », épargner la vie, ne pas exécuter. Grollenberg pense avant tout à une influence possible de l'histoire de Rahab (*Jos.*, VI, 25 : ἐζώγρησεν 'Ιησοῦς), « parce que l'histoire de Rahab était particulièrement populaire auprès des premiers chrétiens » [22]. L'auteur établit une relation avec *Lc.*, IV, 16-30 où Jésus échappe miraculeusement à la mort dont ses concitoyens le menacent ; si le discours inaugural de Jésus à Nazareth évoque par anticipation la mission de Jésus aux païens, la pêche abondante, que Luc aurait

---

20. L. BRUN, *ib.*, p. 53.
21. L. GROLLENBERG, *art. cit.*, p. 334.
22. L. GROLLENBERG, *ib.*, p. 332.

avancée à partir d'un événement arrivé après Pâques, préfigurerait
de même la mission aux païens où il s'agit également de sauver les
hommes de la mort. La formulation avec ζωγρέω s'adapterait donc
particulièrement bien au récit lucanien caractérisé qui revêterait « un
fort caractère symbolique » [23].

Si bien faites que soient les observations judicieuses de L. Grollenberg pour mettre en évidence le caractère lucanien de la version du
logion des pêcheurs d'hommes, elles ne parviennent pas à prouver
que Luc lui-même a réexprimé de façon nouvelle l'ensemble du logion
en *Lc.*, V, 10. Cette preuve, seule une recherche sur tout le logion à
l'intérieur de son contexte peut la fournir.

Mais après les remarques éclairantes de L. Grollenberg, on ne peut
plus, comme G. Klein le fait encore de façon étrange, arguer de la formulation avec ζωγρέω pour infirmer le travail lucanien en *Lc.*, V, 10.

3. G. KLEIN

Dans une étude développée, mais faussée par un vice de méthode,
G. Klein est arrivé à une tout autre solution, malheureusement erronée,
du problème du logion lucanien des pêcheurs d'hommes. D'après lui,
celui-ci, plus primitif que *Mc.*, I, 17, s'enracine « dans le contexte
traditionnel de la première apparition du Ressuscité à Pierre, apparition
qui a fondé l'Église » [24]. Cette hypothèse en apparence « conservatrice »
est trop nettement dictée par un a priori : G. Klein cherche par là à
montrer que *Lc.*, V, 10 ne peut prouver « que Pierre fut le premier appelé
du Jésus historique » [25] ; pourtant, il ne conteste pas que Pierre ait
appartenu avant Pâques à un cercle de disciples autour de Jésus.

G. Klein a tort aussi d'utiliser *Jo.*, XXI comme témoin du caractère
pascal de la tradition sous-jacente à *Lc.*, V, 1-11 sans une analyse littéraire préalable et une étude de la tradition [26]. Le contact de *Jo.*, XXI, 7
avec *Lc.*, V, 8, très douteux d'ailleurs, ne suffit absolument pas pour
postuler l'appartenance originelle de *Jo.*, XXI, 7 à l'histoire johannique
de la pêche ; un tel argument en faveur du caractère pascal du récit
primitif n'a donc aucune portée [27].

---

23. L. GROLLENBERG, *ib.*, p. 334.
24. G. KLEIN, *art. cit.*, p. 38s.
25. G. KLEIN, *ib.*, p. 39.
26. G. KLEIN, *ib.*, p. 24ss.
27. C'est surtout A. KRAGERUD, *Der Lieblingsjünger im Johannesevangelium.
Ein exegetischer Versuch*, Oslo, 1959, p. 33, qui a cherché à prouver le parallélisme
de *Lc.*, V, 8 et *Jo.*, XXI, 7. Mais G. Klein lui-même comprend aussi *Lc.*, V, 8
comme une réaction du bénéficiaire du miracle conforme au genre littéraire (*art.
cit.*, p. 3, note 7) et, au sujet de *Jo.*, XXI, 7, il parle à juste titre de la « reconnaissance du Seigneur par Pierre » (p. 28), ce qui est pourtant un tout autre motif,
issu des récits de Pâques. Ce motif montre précisément qu'en *Jo.*, XXI, 7, le v. 7

Mais en outre, G. Klein prétend pouvoir régler les principaux problèmes que pose la comparaison synoptique de *Lc.*, V, 1-11 et *Mc.*, I, 16-20. Comment procède-t-il ? Il explique à juste titre (pp. 1-6) le début du texte lucanien (*Lc.*, V, 1-3) comme « un arrangement secondaire à partir d'éléments dispersés de l'évangile de Marc » [28], sans faire attention, il est vrai, aux reflets possibles de l'introduction perdue d'une histoire plus ancienne de la pêche ; cependant, il refuse de prendre en considération l'élément marcien sous-jacent à *Lc.*, V, 10s. Comme G. Klein ne développe ses arguments (pp. 6-10) qu'en polémiquant contre la position, certes faible, d'E. Haenchen [29], comme de plus, il sépare de façon contestable au plan littéraire *Lc.*, V, 7 du récit de la pêche [30] et comme enfin il étudie la version lucanienne du logion des pêcheurs d'hommes sans chercher à le décomposer et en le comparant directement à *Mc.*, I, 17 du seul point de vue du contenu, son jugement sur *Lc.*, V, 10s. ne nous paraît pas convaincant. Il ne peut expliquer « pourquoi la construction au pluriel de *Mc.*, v. 17 devrait être changée en une autre qui exclut les fils de Zébédée [31], et cela parce qu'il n'examine pas si

---

n'appartient pas à la tradition de la pêche, mais à celle de l'apparition. A propos de *Lc.*, V, 6, G. KLEIN, *art. cit.*, p. 28, note 109, parle d'« une insertion possible du motif de la reconnaissance » en se référant à H. GRASS, *Ostergeschehen und Osterberichte*, Goettingue, 2e éd., 1962, p. 295, mais en fait, celui-ci se borne à une simple interrogation.

28. G. KLEIN, *art. cit.*, p. 6.

29. E. HAENCHEN, *Der Weg Jesu. Eine Erklärung des Markus-Evangeliums und der kanonischen Parallelen*, Berlin, 1966, p. 82s.

30. Si on suivait G. KLEIN, *art. cit.*, p. 3s., 8, on ferait de Jésus ou plutôt de Pierre un personnage caricatural. *Lc.*, V, 7 n'est en rien un « intermède rationnel dans le déroulement du miracle » où Pierre chercherait « à s'assurer de sa pêche abondante selon toutes les règles de son métier » (*art. cit.*, p. 3). En réalité, la description au v. 7 rend pour la première fois *visible* la pêche miraculeuse (cfr aussi L. BRUN, *art. cit.*, p. 42). *Lc.*, V, 6 ne suffit pas à la description et à la confirmation du miracle parce que le contenu des filets n'est pas encore visible. Dans des récits facétieux, on ironise sur la chance douteuse des pêcheurs ; amenée au grand jour, la prétendue bonne prise se révèle être des ordures, un chameau mort (Alkiphron, Lettres, I, 17), une pierre ou un récipient (Lucien Hermot., 65), comme l'attestent les exemples de la littérature grecque cités par F. FIELD, *Notes on the Translation of the New Testament*, Cambridge, 2e éd., 1899, p. 57. On a donc besoin d'une démonstration du miracle de la pêche en pleine lumière. *Jo.*, XXI le montre bien ! Là aussi, il s'agit d'une grosse prise : les filets sont si lourds qu'on ne peut les remonter à bord de la barque (*Jo.*, XXI, 6), mais il est nécessaire de constater qu'on a pris des *poissons*, après les avoir amenés sur le rivage, les avoir vus (de gros poissons) et comptés (153 poissons). *Lc.*, V, 7 ne provoque donc aucune rupture de style et ne signifie aucun « retard dans la réaction des bénéficiaires du miracle » (G. KLEIN, *art. cit.*, p. 3) ; au contraire, le verset prépare justement celle-ci conformément au genre littéraire. Avant que Simon n'ait vraiment vu le résultat de la pêche (cfr ἰδών au v. 8), il ne peut réagir au miracle.

31. G. KLEIN, *art. cit.*, p. 9.

l'évangéliste n'a pas assemblé aussi en *Lc.*, V, 10 des éléments marciens
avec le récit de la pêche où dès le début, Pierre joue visiblement le
premier rôle.

G. Klein reconnaît certes le caractère lucanien de la formule ἀπὸ
τοῦ νῦν en *Lc.*, V, 10c, mais il se rend beaucoup trop facile le rejet d'une
part plus large de l'évangéliste dans la formulation du logion des pêcheurs
d'hommes ; en effet sans plus, il qualifie d'« inimaginable » (p. 15s.)
l'élimination d'un appel à suivre Jésus (*Mc.*, I, 17) au profit d'une
invitation à ne pas craindre (*Lc.*, V, 10). Pourtant, en supposant qu'en
Lc., V, 10s., l'évangéliste voulait relier *Mc.*, I, 16-20 avec une ancienne
histoire de pêche, on voit clairement que l'appel à la suite de Jésus
ne pouvait être conservé parce que, formulé au singulier, il aurait exclu
précisément les fils de Zébédée qui, au v. 11, suivent aussi expressément
Jésus ; par contre, l'injonction de ne pas craindre que Luc utilise avec
une étonnante fréquence, convient au mieux comme réaction à l'épiphanie du Seigneur au v. 8.

Dans la logique de la position de G. Klein, et bien qu'il rejette lui-
même cette hypothèse (p. 3s.), on pourrait avancer que sans la parole
de Jésus au v. 10b, le récit prélucanien de la pêche miraculeuse ne serait
plus qu'un « fragment » (p. 27), mais une telle supposition est fatalement
inexacte en raison de la conclusion telle qu'elle se trouve en *Lc.*, V, 9
et qui est adaptée au style d'un récit de miracle. En effet, la réaction
de son bénéficiaire au miracle (*Lc.*, V, 8), que G. Klein estime lui-même
conforme au genre littéraire, et la stupéfaction des témoins constatant
le prodige concluent au mieux un récit de miracle. En tenant compte
de tout cela, rien n'empêche donc d'étudier *Lc.*, V, 10 en fonction d'une
addition rédactionnelle possible de Luc.

En conclusion, il faut encore signaler que G. Klein considère *Mc.*,
I, 16-20 comme plus récent que la tradition lucanienne contenue en *Lc.*,
V, 1-11 et tient le logion marcien sur les pêcheurs d'hommes comme
secondaire par rapport au parallèle lucanien (pp. 11-22) [32]. Mais son
argument principal qui exploite la différence temporelle des deux promesses ne résiste pas à l'examen. D'une part, le futur de *Mc.*, I, 17
s'explique simplement par la logique d'une telle promesse sans qu'on
doive pour cela couper l'envoi en mission après Pâques de la vocation
et de la suite de Jésus avant Pâques. D'autre part, on ne voit pas comment
l'expression *lucanienne* ἀπὸ τοῦ νῦν, remarquée aussi par G. Klein,
marquerait une différence fondamentale entre la promesse également au
futur chez Luc et celle de Marc, puisque Luc a modifié l'appel à suivre
Jésus. Il paraît évident que, ni au plan historique, ni au plan rédactionnel,

---

32. Je défends la conception opposée dans mon article : R. PESCH, *Berufung
und Sendung, Nachfolge und Mission. Eine Studie zu Mk 1,16-20*, dans ZKTh, 91
(1969), 1-31.

ce qui est plus grave en l'occurrence, G. Klein ne tient compte de la mission palestinienne des disciples.

C'est là une des lacunes les plus regrettables de son article : il relègue à l'arrière-plan l'étude de la rédaction ; pourtant, dans toute recherche qui veut aboutir à des conclusions fondées, l'étude de la rédaction doit avoir sa place au plan de la méthode, au moins en tant que contre-épreuve indispensable. Avec H. Schürmann [33], il reste à affirmer : « Avant de dégager la théologie des Synoptiques et de leurs sources, s'imposent des recherches approfondies sur l'histoire de la rédaction évangélique ». Aussi stimulant qu'insatisfaisant, l'article de G. Klein appelle justement à une enquête sur l'histoire de la rédaction de *Lc.*, V, 1-11 et en particulier de *Lc.*, V, 10.

4. M. Hengel

Dans son étude de 1968, M. Hengel a également traité le logion des pêcheurs d'hommes et à cette occasion, il a exprimé son opposition à l'hypothèse de G. Klein : « La tentative de G. Klein de démontrer la priorité de la version lucanienne se heurte au fait qu'en *Lc.*, V, 10, jusque dans la variante de traduction provenant de la tradition ἀνθρώπους... ζωγρῶν, la réponse de Jésus apparaît comme une formulation typiquement lucanienne ; celle-ci correspond en effet à la conception de Luc sur la simultanéité de l'appel à suivre Jésus et à s'engager dans la prédication missionnaire. Dès lors, il semble peu indiqué de relier à une vision pascale de Pierre une parole à résonance aussi provocante et choquante. De même, son originalité rend peu vrai-semblable une création tardive de la communauté en milieu palestinien. La formulation, qu'elle soit adressée au pluriel aux deux frères ou au singulier au seul Pierre, remonte au Jésus historique » [34]. M. Hengel insiste particulièrement sur le caractère lucanien de μὴ φοβοῦ et de ἀπὸ τοῦ νῦν [35].

La thèse de M. Hengel d'une variante de traduction bute cependant sur la constatation suivante : comme il l'a montré lui-même, la formulation prémarcienne de *Mc.*, I, 17 qu'on peut retraduire en araméen et qui convient tout à fait au Jésus historique [36] est au pluriel, alors qu'en *Lc.*, V, 10, la formulation qui d'après Hengel provient de Luc lui-même, y compris ἀνθρώπους ἔσῃ ζωγρῶν, est au singulier. Selon Hengel, « la différence propre entre *Mc.*, I, 17 et *Lc.*, V, 10b » s'explique par le fait « que *sajjâd*, à l'époque post-biblique, pouvait signifier aussi bien « chas-

---

33. H. Schuermann, *Protolukanische Spracheigentümlichkeiten ?*, dans BZ, N.F., 5 (1961), 266-286, voir p. 266.

34. M. Hengel, *op. cit.*, p. 87.

35. M. Hengel, *ib.*, p. 87, note 152a.

36. Voir note 32.

seur » que « pêcheur » [37]. Cependant, en *Mc.*, I, 17 comme en *Lc.*, V, 10,
il s'agit bien de *pêcheurs* d'hommes, ou de gens qui *attrapent* des hommes
au lieu de poissons, et donc nullement d'une différence entre pêcheurs
et chasseurs. C'est pourquoi l'élément linguistique mis en avant par
M. Hengel n'a aucune importance dans le jugement à porter sur *Lc.*,
V, 10c. De façon étrange et malgré sa connaissance de l'article de G. Klein,
M. Hengel semble ne pas avoir tenu compte des développements éclairants de L. Grollenberg à propos de ζωγρέω [38]. Si l'on conserve ceux-ci
à l'esprit, la contribution de M. Hengel pousse également à envisager
plus précisément la possibilité d'une formulation rédactionnelle lucanienne de l'ensemble du verset *Lc.*, V, 10.

5. F. Agnew

La plus récente recherche consacrée à *Lc.*, V, 1-11 provient
de F. Agnew. Comme L. Brun, il divise le texte en trois parties : vv. 1-3,
4-7, 8-11 ; à bon droit, il reconnaît que Luc lui-même a construit les vv. 1-
3 à partir du matériel fourni par Marc [39]. En outre, Agnew pense que
les vv. 4-7, basés sur une tradition prélucanienne, feraient tellement
corps avec les vv. 8-11 (au dialogue des vv. 4-5 en correspondrait un
deuxième aux vv. 8, 10b) que tout le contenu des vv. 4-11 appartiendrait
à une tradition prélucanienne. *Lc.*, V, 10b devrait se comprendre comme
une version du logion des pêcheurs d'hommes indépendante de *Mc.*,
I, 17 [40]. Les objections que nous avons soulevées contre la manière
de procéder de Brun, atteignent aussi l'argumentation de F. Agnew.
Il groupe en effet les vv. 8-11, les analyse du point de vue du style et
du vocabulaire, et puis seulement les compare avec les vv. 1-3 et 4-7,
ce qui du point de vue de la méthode ne peut se justifier. Agnew découvre
ainsi dans les vv. 8-11 (dont les vv. 8-9 sont prélucaniens, mais les vv. 10-
11 un remaniement lucanien de *Mc.*, I, 16-20) « une combinaison de
mots caractéristiques et rares étonnante » tout autant qu'aux vv. 4-7
(que Luc a seulement peu retravaillés aux vv. 4a, 5, 7 [41] ; cette combinaison le mène alors à tirer de fausses conclusions [42]. Nous devons donc
spécialement veiller à distinguer en *Lc.*, V, 1-11 les parties où le texte

---

37. M. Hengel, *op. cit.*, p. 85.
38. De même, il est regrettable que G. Klein, *art. cit.*, ne tienne aucun compte
du travail de A. Schulz, *Nachfolgen und Nachahmen*, ce qui entraîne par exemple
que Klein étudie *Mc.*, I, 16-20 sans aucune référence au schéma vétérotestamentaire
(*III Reg.*, XIX, 19-21) sous-jacent à la composition de ce texte.
39. F. Agnew, *art. cit.*, p. 135 : « Luc lui-même a élaboré les versets 1-3 à partir
de la matière antérieure pour introduire la suite du récit. »
40. F. Agnew, *ib.*, p. 137.
41. La transition du v. 4a provient de Luc, il a mis ἐπιστάτα au v. 5 et au v. 7,
il a peut-être remplacé un ἄλλος primitif par ἕτερος.
42. F. Agnew, *art. cit.*, p. 136.

marcien exerce une influence de celles où se reconnaît le récit prélucanien de la pêche et où ne se discerne aucune influence de Marc ; la structuration du texte qui en résulte fournit le seul point de départ valable, tant pour remonter au delà du texte dans l'histoire de la tradition que pour examiner la rédaction du texte lui-même. Esquissons donc ce point de départ en commençant notre étude de la version lucanienne du logion des pêcheurs d'hommes.

II. Le caractère lucanien du logion des pêcheurs d'hommes, Lc., V, 10

On ne pourra trancher la question que pose *Lc.*, V, 10c que par une analyse de tout le texte de *Lc.*, V, 1-11 et de ses relations avec la source marcienne, et aussi par une recherche des relations de *Lc.*, V, 1-11 avec *Jo.*, XXI, 1-14 et la tradition de la pêche miraculeuse qu'on y retrouve. Certes, impossible ici de mener cette étude de façon exhaustive [43] ; on se bornera à en présenter brièvement les conclusions en fonction des problèmes soulevés par *Lc.*, V, 10. L'analyse de *Lc.*, V, 1-11 oblige presque déjà, on le montrera, à attribuer au rédacteur tout le logion du v. 10. Pour devenir une conclusion bien établie, cette indication devra ensuite être vérifiée par une analyse détaillée de *Lc.*, V, 10ab, 11 et de *Lc.*, V, 10c.

1. Point de départ de l'analyse de Lc., V, 1-11

Aucun exégète ne conteste que *Lc.*, V, 1-11 ne soit pas un texte d'une seule coulée. Mais les sources de la composition lucanienne n'ont pas encore été examinées en détails. En outre, les conclusions partielles obtenues jusqu'à présent n'ont jamais été revues de façon méthodique et convaincante. De la littérature antérieure se dégage fragmentairement la constatation que *Mc.*, I, 16-20 ; II, 13 ; III, 7-9 ; IV, 1s., 35 ont servi de sources. Cependant, il vaut la peine de remarquer sur quelles parties de la composition lucanienne ont influé les différents textes de Marc. Résumons les résultats d'une analyse : *Mc.*, III, 9 et IV, 1 (et peut-être une réminiscence de *Mc.*, I, 16) ont influé sur *Lc.*, V, 1 ; de nouveau, *Mc.*, III, 9 et IV, 1 et accessoirement *Mc.*, I, 16-20, sur *Lc.*, V, 2 ; enfin, *Mc.*, IV, 1s. avec une réminiscence de *Mc.*, I, 17 sur *Lc.*, V, 3. *Lc.*, V, 4a est une transition créée librement par Luc qui s'inspire toutefois de la situation du discours en paraboles de *Mc.*, IV, 1-35. Aucun texte marcien n'a exercé d'influence sur *Lc.*, V, 4b-9. En *Lc.*, V, 10s., l'action de *Mc.*, I, 16-20 est de nouveau clairement reconnaissable.

---

43. Voir note 4.

Enfin, en *Lc.*, V, 1-3 comme en *Lc.*, V, 10s., on peut encore discerner des restes du récit de pêche miraculeuse retravaillé par Luc.

A ce premier résultat de l'analyse en correspond un deuxième. Les traces de la rédaction lucanienne : vocabulaire, stylistique et motifs lucaniens s'accumulent aux vv. 1-4a et 10s., tandis que le récit proprement dit de la pêche ne contient que peu de retouches lucaniennes. Cela signifie donc : l'évangéliste intervient bien davantage là où il assemble divers éléments marciens avec l'histoire de la pêche miraculeuse que dans la transmission de ce récit lui-même.

A cette deuxième conclusion s'en ajoute encore une troisième. Une comparaison de *Lc.*, V, 1-11 avec *Jo.*, XXI, 1-14 montre que de véritables parallèles avec *Jo.*, XXI, 1-14 ne sont discernables qu'en *Lc.*, V, 4b-9 (et dans les restes du récit de la pêche aux vv. 1 et 10). Après une comparaison littéraire avec *Jo.*, XXI et vu l'absence de vocabulaire lucanien, la position de Jésus sur la rive (*Lc.*, V, 1b/*Jo.*, XXI, 24a) et l'accostage (*Lc.*, V, 11a) apparaissent comme des traits repris par Luc au récit de la pêche. Le trait de l'accostage en *Lc.*, V, 11 est d'autant plus important pour l'appréciation de *Lc.*, V, 10c qu'il était déjà avant Luc formulé au pluriel en sorte que, d'un point de vue de critique littéraire, on doit tenir compte de cet élément pour juger le changement de nombre en *Lc.*, V, 10s. Il n'y a pas moyen de prouver [44] qu'au cours de l'évolution de la tradition jusqu'à *Jo.*, XXI, un logion sur les pêcheurs d'hommes doit s'être perdu, — il a d'ailleurs aussi peu sa place en *Jo.*, XXI que dans la tradition prélucanienne qui se trouve derrière *Lc.*, V, 9 ; quant au trait de l'accostage maintenant situé en *Lc.*, V, 11, il se trouvait sans doute primitivement avant le v. 8 puisque comme en *Jo.*, XXI, Jésus est censé être à terre et ne prend place dans la barque de Simon que d'après la rédaction lucanienne ; d'autre part, on est en droit de supposer que *Lc.*, V, 10c a seulement été élaboré au stade de la rédaction lucanienne du récit de la pêche, étant donné l'emploi d'éléments marciens en *Lc.*, V, 1-11.

Si nous résumons sommairement les conclusions partielles que nous venons d'esquisser, on peut dire qu'aussi bien la transformation des éléments marciens que l'intervention intensive de la rédaction lucanienne et enfin les rapports existant entre *Lc.*, V et *Jo.*, XXI nous amènent par convergence à l'opinion suivante : l'évangéliste a relié un récit de pêche contenu essentiellement aux vv. 4b-9 à divers éléments empruntés à Marc, en particulier *Mc.*, III, 9 et IV, 1 pour donner un cadre à l'enseignement de Jésus qui forme une scène relativement indépendante et *Mc.*, I, 16-20 pour présenter la vocation de Simon et des fils de Zébédée ; il en a fait une nouvelle narration qui remplace dans le

---

44. Contre G. KLEIN, *art. cit.*, p. 27ss.

plan de son évangile la péricope de *Mc.*, I, 16-20. Comme *Lc.*, V, 10c
se trouve dans un passage aussi déterminé par la source marcienne que
marqué par la main de Luc, on peut supposer que ce dernier a aussi
formulé le v. 10c.

2. L'ARGUMENTATION A PARTIR DU CONTEXTE IMMÉDIAT, Lc., V, 10s

La supposition que l'évangéliste Luc lui-même a donné une formulation nouvelle de *Mc.*, I, 17 en *Lc.*, V, 10c trouve une confirmation
dans l'étude de la rédaction lucanienne du contexte immédiat *Lc.*,
V, 10s., et voilà pourquoi nous ne renonçons pas à en traiter ici. Pour
l'étude des deux versets, nous partons des changements apportés au
texte de base *Mc.*, I, 16-20. En premier lieu, l'absence d'André, frère
de Simon, surprend en *Lc.*, V, 10s. ; cela s'explique sans aucun doute
parce que le logion des pêcheurs d'hommes ne s'adresse pas comme en
Mc., I, 17 aux deux frères, mais au seul Simon. Cette particularité
se comprend d'abord comme une adaptation au récit de la pêche où,
à côté de Jésus, Simon joue le rôle principal (ainsi également en *Jo.*,
XXI). Déjà en *Lc.*, V, 3, Luc en a tenu compte au plan de sa rédaction,
préparant ainsi *Lc.*, V, 10.

Mais la promotion de Simon correspond aussi à une tendance luca-
ne reconnaissable ailleurs [45]. Dès avant sa vocation, Simon est le premier
et le seul disciple nommé (IV, 38), et Luc le met en évidence plus que
dans les textes qu'il reprend à Marc (cfr *Lc.*, VIII, 45 diff. *Mc.*, V, 41 ;
Lc., IX, 32 et *Mc.*, IX, 4 ; *Lc.*, XII, 41 et *Mt.*, XXIV, 44 ; *Lc.*, XXII, 8
diff. *Mc.*, XIV, 13 ; *Lc.*, XXII, 13 ; *Lc.*, XXII, 55-61 et *Mc.*, XIV, 66-
72 ; ensuite *Act.*, I-XII, 17).

A cette mise en avant de Simon correspond chez Luc la rétrogradation
d'André qui n'est plus nommé encore que dans la liste des Douze (*Lc.*,
VI, 14 à la deuxième place ; *Act.*, I, 13 à la quatrième place) [46] et qui
est omis en *Lc.*, IV, 38 et XXI, 7 contrairement à *Mc.*, I, 29 et XIII, 3,
ainsi d'ailleurs les deux fois que les fils de Zébédée [47]. De toute évidence,
André doit reculer devant la paire que forment « Pierre et Jean » et
qui a les préférences de Luc ; déjà dans l'évangile, celui-ci l'inaugure
(noter le changement dans la suite des noms : Jacques et Jean en *Mc.*,
V, 37 ; IX, 2 ; Jean et Jacques en *Lc.*, VIII, 51 ; IX, 28 où, à la place
de Jacques, Jean avance à côté de Pierre ; ainsi encore dans la liste

---

45. Cfr E. J. TINSLEY, *The Gospel according to Luke*, Cambridge, 1965, p. 58.

46. Sur la place des quatre premiers appelés dans les listes des apôtres, cfr mon
article *Berufung und Sendung*.

47. P. M. PETERSON, *Andrew, Brother of Simon Peter. His History and his Legends*
(Nov. Test. Suppl., I), Leyde, 1958, p. 2, déduit du fait que *Mt.* et *Lc.* omettent
deux fois André à l'encontre de *Mc.* « qu'en tant que disciple (ou qu'apôtre en
l'occurrence), André était un personnage historiquement sans importance. »

d'*Act.*, I, 13 ; voir de plus *Lc.*, XXII, 8 diff. *Mc.*, XIV, 13) [48] et elle prendra ensuite une signification particulière dans les Actes des apôtres (*Act.*, I, 13 ; III, 1, 3, 4, 11 ; IV, 13, 19 ; VIII, 14).

La mention des deux fils de Zébédée en *Lc.*, V, 10a s'éloigne de la forme de *Mc.*, I, 19 et suit plutôt *Mc.*, X, 35 (cfr *Jo.*, XXI, 2 !). Nous pouvons nous dispenser ici d'aborder la question de savoir si les fils de Zébédée ont fait partie de la narration prélucanienne de la pêche. La formulation du v. 10a est adaptée de telle façon que Luc qui introduit visiblement ici les fils de Zébédée doit éviter la manière de s'exprimer plus circonstanciée de *Mc.*, I, 19 [49] pour tenir compte du déroulement de sa propre composition. Selon sa parcimonie habituelle pour ce genre de détails [50], Luc présente les fils de Zébédée au v. 10a comme des frères ; leur père n'est plus jamais nommé [51] (à la différence de *Mc.*, I, 20 ; III, 17 ; X, 35), et dans la liste des apôtres en VI, 14, ils ne sont plus désignés comme des frères ; après V, 10, Luc suppose le lecteur au courant du degré de parenté de Jacques et Jean.

Luc s'écarte du texte de Marc non seulement dans la formulation du logion, mais encore dans l'expression ἀφέντες πάντα qui combine les deux paroles de *Mc.*, I, 18, 20. En même temps entre en jeu la tendance rédactionnelle de Luc à préférer une expression englobante dans le sens d'un engagement absolu à la suite de Jésus ; la tournure καταλιπὼν πάντα que Luc choisit en V, 20 à l'occasion de la vocation de Lévi (contre *Mc.*, II, 14 : ἀναστάς) confirme la chose [52].

A ces remarques concernant les changements apportés à la source marcienne qui dénotent déjà la main de Luc (mise en évidence de Simon, suppression d'André), ajoutons-en d'autres sur le style et l'emploi des motifs lucaniens. Le caractère surajouté de la jonction au v. 10a

---

48. En *Lc.*, IX, 54 où Pierre n'est pas nommé subsiste l'ordre traditionnel des noms : Jacques et Jean. G. SCHILLE, *Die urchristliche Kollegialmission* (AThANT, 48), Zurich, 1967, p. 162s., voudrait expliquer « l'avancement de Jean, fils de Zébédée » par son rôle important dans la « mission présente ». Mais cette interprétation à partir de la mission, qui ne se soucie pas d'examiner au plan rédactionnel les tendances éventuelles de l'évangéliste, repose sur une base très incertaine.

49. Cfr à ce sujet mon article *Berufung und Sendung*.

50. Simon-Pierre et André sont présentés comme des frères en *Lc.*, VI, 14 ; André peut donc reculer à la quatrième place de la liste en *Act.*, I, 13, sans qu'il faille à nouveau spécifier sa relation à Pierre.

51. A propos d'une autre tendance chez Matthieu, cfr mon article : R. PESCH, *Levi-Matthäus (Mc 2,14/Mt 9,9 ; 10,3). Ein Beitrag zur Lösung eines alten Problems*, dans ZNW, 59 (1968), 40-56.

52. Cfr là-dessus : H. ZIMMERMANN, *Christus Nachfolgen. Eine Studie zu den Nachfolge-Worten der synoptischen Evangelien*, dans *Theol. Gl.*, 53 (1963), 241-255. voir p. 253 ; H.-J. DEGENHARDT, *Lukas, Evangelist der Armen. Besitz und Besitzverzicht in den lukanischen Schriften. Eine traditions- und redaktionsgeschichtliche Untersuchung*, Stuttgart, 1965, p. 213ss. ; H. D. BETZ, *Nachfolge und Nachahmung Jesu Christi im Neuen Testament* (BHTh, 37), Tubingue, 1967, p. 40s.

qui tient à ce que le récit de la pêche s'achève au v. 9 semble bien une addition lucanienne en raison de la transition ὁμοίως δὲ καί. Ὁμοίως appartient aux termes préférés de Luc [53] (voir en particulier III, 11 ; V, 33 diff. Mc., II, 18 ; VI, 31 diff. Mt., VII, 12 ; X, 37 ; XIII, 3 ; XVI, 25 ; XVII, 28 ; XVII, 31 diff. Mc., XIII, 16 ; XXII, 36). L'expression ὁμοίως δὲ καί se retrouve encore en Lc., X, 32. Si on tient compte de Mc., I, 16-20 et de la conclusion du récit en Lc., V, 11, on voit clairement que les fils de Zébédée sont introduits afin de pouvoir être inclus dans l'appel à la suite de Jésus qui termine l'épisode. De façon surprenante, les associés de Simon sont encore mentionnés au v. 10b ; des phrases relatives de ce type paraissent bien un indice de la stylistique lucanienne [54]. Sans doute, un reste de l'introduction primitive à l'histoire prélucanienne de la pêche pourrait subsister ici en ce que là (comme en Jo., XXI, 2) les fils de Zébédée étaient nommés. Le fait que Luc souligne si fort ici l'association des trois disciples (cfr Lc., VIII, 51 ; IX, 28), ce qui provoque une indiscutable tension avec Lc., V, 7, 9 [55] rend possible la suite du récit avec le logion des pêcheurs d'hommes adressé *au seul Simon et* la mention que *tous les trois disciples* partent à la suite de Jésus. Comme associés de Simon, les fils de Zébédée sont indirectement concernés par la parole adressée à Simon, bien que seul ce dernier y soit mentionné. Si on voit cela, il devient clair que Lc., V, 10ab et V, 10c appartiennent tout à fait à la même couche de la tradition, à savoir la rédaction de Luc qui, en liaison avec une histoire de pêche miraculeuse où Pierre jouait le premier rôle, veut rapporter la vocation de Simon et des fils de Zébédée d'après Mc., I, 16-20 (en reprenant le motif de l'accostage au v. 11a à l'histoire de la pêche). Les tensions à l'intérieur des vv. 10-11 ne sont pas plus grandes qu'à l'intérieur des vv. 1-3 où Luc a tout autant juxtaposé des éléments traditionnels transformés rédactionnellement et les a réunis en un ensemble.

3. Le caractère lucanien du logion des pêcheurs d'hommes, Lc., V, 10c

Face aux données qui résultent de l'analyse du texte de Lc., V, 1-11 dans son ensemble et du contexte immédiat Lc., V, 10s., il faut aussi caractériser le logion des pêcheurs d'hommes tel que Luc l'a rédigé sur la base de Mc., I, 17, pour autant qu'on puisse établir le travail rédactionnel de Luc. Nous allons essayer ici de le mettre en lumière.

---

53. Cfr R. MORGENTHALER, *Statistik des neutestamentlichen Wortschatzes*, Zurich-Francfort, 1958, p. 181.

54. Sur la particule relative, cfr R. MORGENTHALER, *op. cit.*, p. 126.

55. Luc n'introduit pas déjà au v. 7 les fils de Zébédée ; ce détail confirme encore une fois que l'évangéliste suit des sources différentes aux vv. 1-3 et aux vv. 4b-9.

Au niveau de la structure (appel — promesse) et du contenu (pêcheurs d'hommes — mission), les deux versions correspondent, mais en fonction des contextes respectifs, il y a des différences dans l'expression de l'appel, le temps des verbes, des formulations particulières et les personnes interpellées :

Mc., I, 17 : καὶ εἶπεν αὐτοῖς ὁ Ἰησοῦς· Δεῦτε ὀπίσω μου, καὶ ποιήσω ὑμᾶς γενέσθαι ἁλεεῖς ἀνθρώπων.

Lc., V, 10 : καὶ εἶπεν πρὸς τὸν Σίμωνα ὁ Ἰησοῦς· Μὴ φοβοῦ, ἀπὸ τοῦ νῦν ἀνθρώπους ἔσῃ ζωγρῶν.

La phrase d'introduction avec l'insistance sur ὁ Ἰησοῦς à la fin qui ne se rencontre pas très souvent chez Luc provient certainement de *Mc.*, I, 17. La formule μὴ φοβοῦ [56] qui a une longue préhistoire vétérotestamentaire est utilisée en liaison avec le miracle de la pêche et l'épiphanie de Jésus comme Kyrios (V, 8), selon un style adapté à la situation. Elle peut très bien avoir évincé l'appel à la suite de Jésus de *Mc.*, I, 17, surtout que Luc emploie la tournure assez fréquemment (*Lc.*, I, 13, 30 ; II, 10 ; VIII, 50 ; XII, 7, 32 ; *Act.*, XVIII, 9 ; XXVII, 24), en particulier dans les contextes d'épiphanies (*Lc.*, I, 13, 30 ; II, 10 ; *Act.*, XVIII, 9 ; XXVII, 24) [58]. L'appel à la suite de Jésus de *Mc.*, I, 17 n'aurait plus convenu en *Lc.*, V, 10 où il aurait dû être transposé au singulier, alors que les fils de Zébédée sont aussi inclus dans la suite de Jésus (V, 11), mais que la parole s'adresse au seul Simon (en relation avec V, 8).

ἀπὸ τοῦ νῦν est une expression considérée en général comme lucanienne [59] (cfr *Lc.*, XXI, 48 ; V, 10 ; XII, 52 ; XXII, 69 diff. *Mc.*, XIV, 62 ; *Act.*, XVIII, 6) ; elle est un indice de la rédaction lucanienne et d'ailleurs aussi un « septuagintisme » [60]. Son emploi dans la Septante comme chez Luc montre qu'elle postule le futur pour la formulation du verbe qui suit : dès maintenant, quelque chose s'engage pour l'avenir. On peut ici laisser en suspens le sens que Luc attribue à ce « dès maintenant » [61].

---

56. Cfr là-dessus S. PLATH, *Furcht Gottes. Der Begriff* ירא *im Alten Testament* (Arbeiten zur Theologie, II, 2), Stuttgart, 1963.

57. Contre G. KLEIN, *art. cit.*, p. 15s.

58. Là-dessus, cfr R. PESCH, « *Sei getrost, kleine Herde* » (Lk 12,32). *Exegetische und ekklesiologische Erwägungen*, dans K. FAERBER (éd.), *Krise der Kirche, Chance des Glaubens*, Francfort, 1969, p. 85-118.

59. Cfr par exemple G. KLEIN, *art. cit.*, p. 13 ; M. HENGEL, *op. cit.*, p. 87, note 152a ; H. SCHUERMANN, *art. cit.*, p. 279.

60. Voir dans la LXX : *Gen.*, XLVI, 30 ; *II Chr.*, XVI, 9 ; *Tob.*, VIII, 21 ; X, 13 ; XI, 9 ; *Ps.*, CXII (CXIII), 2 ; CXIII, 26 (CXV, 18) ; CXX (CXXI), 8 ; CXXIV (CXXV), 2 ; CXXX (CXXXI), 3 ; *Sir.*, XI, 23s. ; *Mi.*, IV, 7 ; *Is.*, IX, 7 (6) ; XVIII, 7 ; XLVIII, 6 ; LIX, 21 ; *Dan.*, IV, 34 ; *Dan. Th.*, X, 17 ; *I Macc.*, X, 41 ; XI, 36 ; XV, 8.

61. G. KLEIN, *art. cit.*, p. 13s., voudrait le relier à *Act.*, II.

La mise en premier lieu de ἀνθρώπους fait ressortir l'antithèse avec les poissons que Marc présupposait, mais qui, chez Luc seulement (vv. 6, 9), s'ancre dans le contexte ; elle a donc une portée spéciale, en liaison avec le récit de la pêche. La construction périphrastique : futur de εἶναι avec un participe (cfr *Lc.*, I, 20 ; V, 10 ; XII, 52 ; XVII, 35 ; XXI, 17 = *Mc.*, XIII, 13 ; XXI, 24 ; XXII, 69) et l'ἀπὸ τοῦ νῦν supplémentaire (en plus de *Lc.*, V, 10, cfr encore XII, 52 par rapport à *Mt.*, X, 34 ; XXII, 69 diff. *Mc.*, XIV, 62) peut être considéré comme un indice de la rédaction lucanienne ; en d'autres endroits aussi, Luc affectionne la périphrase [62]. ζωγρεῖν ne se trouve qu'ici chez Luc (cfr dans le Nouveau Testament encore *II Tim.*, II, 26), mais, comme « biblicisme » [63], le mot correspond aux habitudes de la rédaction lucanienne qui recourt volontiers à l'Ancien Testament grec. ζωγρεῖν souligne le fait d'attraper *vivant*, pour la vie ; le choix de ce verbe est sûrement déterminé aussi par le contexte (ἄγρα aux vv. 4, 9), mais, mieux que toute expression pour « attraper », il convient surtout à la « capture des hommes » par la mission chrétienne [64].

La nouvelle élaboration du logion par Luc s'explique également par les raisons suivantes. Dans le contexte lucanien, Simon, qui après la suppression d'André, reste le seul auquel Jésus s'adresse, n'est plus nommé ἁλιεύς comme en *Mc.*, I, 16 ; il n'est question des ἁλεεῖς au pluriel qu'en *Lc.*, V, 2, en correspondance avec *Mc.*, I, 16. Sans doute Simon fait-il partie des pêcheurs, mais, du fait du changement de nombre en *Lc.*, V, 4, 9, il est aussi distingué formellement des pêcheurs anonymes qui l'accompagnent. En tout cas, dans le contexte lucanien, *Lc.*, V, 2 ne peut plus servir, comme *Mc.*, I, 16 pour Marc, à préparer le logion sur les pêcheurs d'hommes. Ce rôle, c'est le vocable ἄγρα qui le reprend aux vv. 4, 9.

A cela correspond le fait que, à la différence de *Mc.*, I, 16-20, seul Luc parle directement de l'affaire des poissons, de *la prise des poissons*, et pas seulement de jeter les filets (*Mc.*, I, 16), de les arranger (*Mc.*, I, 19) ou de les laver (*Lc.*, V, 2) : *Lc.*, V, 6 : συνέκλεισαν πλῆθος ἰχθύων πολύ ; V, 9 : ἐπὶ τῇ ἄγρᾳ τῶν ἰχθύων ὧν συνέλαβον. Il en résulte aussi une antithèse entre *prise* des poissons et *prise* des hommes, au lieu de *pêcheurs* et *pêcheurs* d'hommes comme chez Marc. Cela signifie chez Luc un net

---

62. Cfr M.-J. LAGRANGE, *Évangile selon saint Luc*, Paris, 1921, p. 156, sur *Lc.* V, 1 ; T. SCHRAMM, *op. cit.*, p. 72.

63. Cfr *Num.*, XXXI, 15, 18 ; *Deut.*, XX, 16 ; *Jos.*, II, 13 ; VI, 24s. ; IX, 20 ; *II Reg.*, VIII, 2.

64. Ce qui fait tomber l'argument de G. KLEIN, *art. cit.*, p. 38, note 147, lorsqu'il soutient que la formulation marcienne est « un éclaircissement secondaire du logion ». P. 21, note 80a, G. Klein ne remarque pas que le verbe « attraper » n'apparaît pas dans le texte de Marc ; chez Luc, cette nécessité provient de la liaison établie avec l'histoire de la pêche. A ce sujet, voir ci-dessous.

déplacement d'accent de la description de l'appel (pêcheurs d'hommes) à la caractérisation de l'activité (prendre des hommes).

Enfin, le vocable ἄγρα (vv. 4, 9) explique justement la formulation avec ζωγρέω (ζῶος + ἀγρέω) parce que, dans la Septante, ἀγρεύω n'est employé qu'à propos de la capture d'animaux, ζωγρέω étant réservé à la capture des hommes avec une insistance sur l'acte d'épargner et de sauver la vie.

Les remarques qui précèdent, basées sur les données que nous livre l'analyse de l'ensemble du texte et du contexte immédiat, permettent la conclusion suivante : la version lucanienne du logion des pêcheurs d'hommes est la reprise rédactionnelle du logion marcien que Luc adapte au contexte de sa mise en scène ; Lc., V, 10c est l'œuvre de Luc.

Assurément, cette constatation n'obtient sa pleine portée que dans une présentation d'ensemble de Lc., V, 1-11 qui examinerait en détails la narration prélucanienne de la pêche. Mais de nouveau, ce n'est pas le lieu ici de le faire, et nous renvoyons à l'étude générale que nous avons annoncée sur le sujet. Cependant, pour terminer, nous tirerons encore quelques conséquences de la reconnaissance du caractère lucanien de Lc., V, 10c qui est importante pour l'appréciation de différents textes.

III. Quelques conséquences

Étant donné ce rôle-clé de Lc., V, 10c, déduisons-en quelques conséquences. Les unes résultent immédiatement de l'exposé auquel nous venons de procéder ; d'autres devront encore être dégagées.

1. A PROPOS DE L'ANALYSE DE LUC

Le résultat de notre étude a confirmé notre critique des travaux de L. Brun et de F. Agnew qui cherchaient à retrouver la structure du texte de Luc à partir de l'analyse littéraire et de l'histoire de la tradition. Nous avons vu qu'au préalable il faut déterminer plus exactement l'influence contrôlable des éléments marciens qui ont servi de source et que la division du texte d'après les sources ne coïncide pas nécessairement avec la structure éventuelle de la composition finale. Étant donné la liberté avec laquelle Luc utilise les éléments marciens, on ne peut tirer des conclusions valables que si on étudie ses textes sous différents approches méthodologiques (étude des éléments empruntés à Marc, étude rédactionnelle de la formulation et des motifs lucaniens, comparaison avec d'autres textes du point de vue de la critique des formes).

Dans l'analyse de Luc, il faut évidemment s'attendre à ce qu'on ne puisse pas sans plus interpréter les « tensions » en attribuant dans chaque cas à des couches traditionnelles différentes les éléments qui ne s'accorderaient pas entre eux. Ainsi en *Lc.*, V, 10s., des éléments en provenance de sources diverses sont assemblés les uns avec les autres comme en *Lc.*, V, 1-3, sans qu'on puisse considérer aucune partie comme une « insertion » ou une « addition » (ainsi qu'on le fait toujours encore pour le v. 10a), car, dans son état actuel, l'ensemble provient de l'évangéliste qui a « fusionné » ses sources [65].

Enfin, il faut veiller à structurer et à lire le texte final en fonction de la thématique et de la stylistique lucaniennes. Par exemple, si on considère la liaison ὁμοίως δὲ καί au v. 10a comme un élément typiquement lucanien, on ne parlera plus d'une addition, mais on lira d'une traite le v. 9 et le v. 10ab et on les joindra au v. 10c. La tension que le v. 10ab provoque dans le texte semble alors fort diminuée.

2. A PROPOS DU RÉCIT PRÉLUCANIEN DE LA PÊCHE

Il est devenu évident non seulement que le récit prélucanien de la pêche pouvait se conclure aux vv. 8-9, sans les paroles sur la vocation des disciples, mais qu'en fait il se concluait ainsi. La supposition qu'au cours de la transmission du récit jusqu'au stade de *Jo.*, XXI un logion sur les pêcheurs d'hommes se serait perdu devient donc superflue. Les deux narrations de pêches miraculeuses se rapprochent alors davantage l'une de l'autre et demandent une comparaison poussée. La version transmise par Luc ne fournit aucun point d'appui à l'hypothèse que le récit se situait initialement dans un contexte pascal. Par ailleurs, l'analyse littéraire à l'intérieur de l'évangile de Jean et la comparaison avec *Lc.*, V du point de vue de l'histoire des formes permet de reconstituer en *Jo.*, XXI dans ses lignes essentielles une histoire de la pêche miraculeuse, mais celle-ci à laquelle appartiendraient des fragments du v. 2 ainsi que les vv. 3-4a, 6, 11 n'a apparemment aucun rapport non plus avec les événements qui ont suivi Pâques.

Depuis longtemps, on discute pour savoir lequel des deux évangélistes a anticipé un récit de pêche du contexte pascal ou l'a post-posé de la vie de Jésus après Pâques ; la question se laisse trancher dans ce sens : Luc place à juste titre un récit de pêche miraculeuse au cours du ministère terrestre de Jésus ; de son côté, Jean le relie avec un récit d'apparition et de repas et le transplante dans le contexte d'après Pâques.

Beaucoup d'exégètes ont déjà souligné que *Lc.*, V, 8 n'a rien à voir avec le reniement de Pierre. De notre examen de *Lc.*, V, 10c, il résulte

---

65. Sur cette conception, cfr T. SCHRAMM, *op. cit.*

66. Ainsi, G. KLEIN, *art. cit.*, p. 27ss.

aussi qu'on ne peut mettre en rapport *Jo.*, XXI, 15ss. et *Lc.*, V, 10s. (en tout cas pas de façon valable au plan de la critique littéraire et de l'histoire de la tradition).

Une comparaison avec la tradition de la pêche en *Jo.*, XXI nous apprendrait beaucoup sur la narration prélucanienne de la pêche miraculeuse. On s'interdirait au moins d'éliminer *Lc.*, V, 7 du récit [67], parce que, à côté d'histoires grecques satiriques, *Jo.*, XXI, 11 atteste également qu'une pêche miraculeusement abondante a besoin d'être démontrée au grand jour, dans la barque ou sur la rive.

3. A PROPOS DE MC., I, 16-20

Le fait bien établi de la rédaction lucanienne de *Lc.*, V, 10c qui est donc secondaire par rapport à *Mc.*, I, 17 permet d'en conclure au caractère primitif des récits de vocations en *Mc.*, I, 16-20 par rapport à celui de *Lc.*, V, 1-11. *Mc.*, I, 17 présente donc la forme la plus ancienne du logion des pêcheurs d'hommes, celle qui seule entre en ligne de compte si on cherche à remonter au Jésus historique [68].

Par comparaison encore avec *Mc.*, II, 13s. et *Jo.*, I, 43, *Lc.*, V, 10s. montre en outre que les récits des vocations individuelles (Lévi, Philippe, Simon) sont secondaires dans la tradition [69] aux récits des doubles vocations (*Mc.*, I, 16-20 : Simon et André ; Jacques et Jean ; *Jo.*, I, 37ss. : originellement André et Philippe qui ensuite conduisent Pierre et Nathanaël à Jésus). On soutiendra donc contre G. Klein que la question historique de la vocation des premiers disciples doit être étudiée sur la base de *Mc.*, I, 16-20, et non de *Lc.*, V, 1-11. Simon n'est certes pas identifiable comme « le premier appelé » du Jésus terrestre, mais il appartient aux « premiers appelés » de ce même Jésus, comme l'atteste *Mc.*, I, 16-20 de façon historiquement certaine.

Sur la question du rang de Simon-Pierre, *Lc.*, V, 10c n'apporte rien de décisif, car le v. 10 présente la version lucanienne du logion des pêcheurs d'hommes de *Mc.*, I, 17.

F.W.v. Steubenstrasse 90/AT II   R. PESCH
Frankfurt (B.R.D.)

---

67. Cfr ci-dessus, note 30.
68. Cfr à ce sujet mon article mentionné à la note 32.
69. Cfr mes travaux mentionnés aux notes 32 et 51.

L'hypocrisie des Pharisiens
et le dessein de Dieu
Analyse de *Lc.*, XIII, 31-33

Dans les pages qui suivent, nous avons l'intention d'étudier le texte fort énigmatique de *Lc.*, XIII, 31-33. Avant de commencer l'analyse du texte même (§ II), nous voudrions donner, en guise d'introduction, un aperçu de quelques problèmes qui se posent à propos de notre texte et des positions prises par les divers auteurs (§ 1).

I. Questions posées par l'exégèse de Lc., XIII, 31-33

1. LE CONTEXTE DE Lc., XIII, 31-33 [1]

a) Une analyse séparée de *Lc.*, XIII, 31-33 se justifie du point de vue de la critique des sources. Ce texte appartient au *Sondergut* lucanien, et pour cette raison, on peut le distinguer du texte précédent (*Lc.*, XIII, 23-29) et du texte suivant (*Lc.*, XIII, 34-35), qui appartiennent à la double tradition. Dans les synopses, *Lc.*, XIII, 31-33 porte à juste

---

[1]. Extrait partiellement complété de notre dissertation doctorale : *De sectie Lc., XIII, 22-35 en haar plaats in het lucaanse reisbericht*, Louvain, 1967, spéc. p. 369-390, voir *Eph. Theol. Lov.*, 43 (1967), 633-634.

Pour une bibliographie générale, nous renvoyons le lecteur au commentaire de H. SCHÜRMANN, *Das Lukasevangelium. Erster Teil* (HThK, III), Fribourg, 1969, p. XI-XXXVII, spéc. la liste des commentaires du 19e et 20e siècle, p. XXI-XXII. Dans les notes, nous renvoyons aux commentaires, et aux monographies plus fréquemment citées par un mot-clé, suivi éventuellement par l'année de publication.

Nous employons dans notre texte les renvois suivants : SgLc = *Sondergut*, matière propre à Luc ; Sv = *Sondervers*, verset propre dans un contexte de la double ou triple tradition ; SgRd = texte appartenant au *Sondergut* mais qui est à notre avis rédactionnel ; LcRd = le rédacteur du troisième évangile ; par. Mc = parallèle à Mc ; par. Mt = parallèle à Mt ; diff. Mc = différent de Mc, c.-à-d. un changement particulier survenant dans un contexte ou un verset parallèle à Mc ; add. Mc = addition faite à la matière marcienne par le rédacteur ; Q = *Quelle*, source commune de Mt et de Lc dans la double tradition ; L = symbole utilisé par F. Rehkopf pour le Proto-Luc ; v. = verset ; l.v. = lecture variante.

titre un numéro et un titre distincts [2]. Mais quand on essaie de déterminer la fonction et la signification de ces versets au niveau de la rédaction lucanienne, il n'est plus permis de les isoler. On remarque d'ailleurs que Lc les a consciemment intégrés dans une unité littéraire plus grande.

Du point de vue de la rédaction, la mise en garde contre Hérode (*Lc.*, XIII, 31-33) ne doit pas être considérée isolément, mais elle forme une unité avec l'apostrophe contre la ville de Jérusalem (*Lc.*, XIII, 34-35 par. *Mt.*, XXIII, 37-39). Le début de cette unité est marqué par une indication de temps (ἐν αὐτῇ τῇ ὥρᾳ) et par une nouvelle situation (l'arrivée des Pharisiens et leur avertissement). La fin de l'unité est nettement délimitée par la formule d'introduction de *Lc.*, XIV, 1. L'apostrophe contre Jérusalem (XIII, 34-35) qui n'a pas une introduction propre, est considérée par Lc comme une partie de la réponse de Jésus qui commence au verset 32. Pour le rédacteur de l'évangile, les versets XIII, 31-35 forment donc une unité bien délimitée.

Dans quelle mesure LcRd est-il responsable de cette unité ? La réponse dépend largement de la position qu'on prend vis-à-vis de deux autres questions : (*a*) Quelles sources (ou traditions) Luc a-t-il utilisées en XIII, 31-33 et (*b*) quel est le contexte de *Lc.*, XIII, 34-35 par. *Mt.*, XXIII, 37-39 dans la *Quelle* [3] ? Nous aurons l'occasion de traiter plus loin de la première question. Nous essayerons de montrer que le texte de *Lc.*, XIII, 31-33 a beaucoup de chances d'être rédactionnel. Quant à la deuxième question, avec beaucoup d'auteurs, nous sommes enclin à penser que dans la *Quelle*, *Lc.*, XIII, 34-35 (par. *Mt.*, XXIII, 37-39) suivait plutôt *Lc.*, XI, 49-51 (par. *Mt.*, XXIII, 34-36) [4] que *Lc.*, XIII, 24-30 par. [5]. Nous pouvons nous référer à l'état de la question qu'en ont donné O. H. Steck et J. Dupont [6]. Même s'il y aurait des arguments

---

2. Cfr A. HUCK & H. LIETZMANN, *Synopse*, 1950[9], p. 166 : n° 166 *Abschied von Galiläa* ; K. ALAND, *Synopsis*, Stuttgart, 1964, p. 298 : n° 212 *Warnung vor Herodes*.

3. Remarquons d'emblée que notre étude est menée dans le cadre de la théorie des deux sources, dont nous acceptons le bien-fondé et selon laquelle Luc aurait connu l'évangile de Mc (dans les textes de la triple tradition) et la *Quelle* (pour ce qui concerne la double tradition). *Lc.*, XIII, 34-35 par. *Mt.*, XXIII, 37-39 appartenait donc à la *Quelle*. Pour ce qui regarde le contexte de *Lc.*, XIII, 34-35 par. dans Q, voire les aperçus de O. H. STECK, *Israel und das gewaltsame Geschick der Propheten* (WMANT, 23), Neukirchen, 1967, p. 45-48 ; J. DUPONT, *Les Béatitudes*. *Vol. II*, Paris, 1969, p. 302-308.

4. O. H. STECK, *op. cit.*, p. 47, n. 2 et 3 ; et J. DUPONT, *op. cit.*, p. 306, n. 4, donnent les noms des auteurs qui défendent cette thèse.

5. Ainsi E. HIRSCH, *Frühgeschichte des Evangeliums*, II, Tubingue, 1941, p. 132 s. ; H. FLENDER, *Heil und Geschichte in der Theologie des Lukas* (Beitr. Ev. Theol., 41), Munich, 1965, p. 101-102 ; D. R. A. HARE, *The Theme of Jewish Persecution of Christians in the Gospel according to St. Matthew* (SNTS, Mon. Ser., 6), Cambridge, 1967, p. 94-95.

6. Voir note 3.

sérieux en faveur du caractère rédactionnel de la place donnée à *Mt.*, XXIII, 37-39, il ne s'ensuit pas encore immédiatement que l'encadrement de *Lc.*, XIII, 34-35 est traditionnel. Il y a encore la voie moyenne — ayant ses propres inconvénients — qui dit, comme O. H. Steck, que l'apostrophe contre Jérusalem constitue un bloc erratique auquel chacun des évangélistes a donné un cadre approprié. Quoi qu'il en soit, la thèse que Luc aurait trouvé l'assemblage de XIII, 31-33 et de XIII, 34-35 tel quel dans la tradition ne trouve pas beaucoup d'adhérents. Il nous semble donc que la présence de cette unité littéraire dans l'évangile de Luc est du moins partiellement le résultat de l'activité rédactionnelle de Luc.

b) Quoique les versets précédents XIII, 22-30 forment à leur tour une unité telle qu'on a pu les nommer une « parabole » [7], il y a des indices littéraires qui montrent que Luc a voulu lier très fermement les deux péricopes de XIII, 22-30 et de XIII, 31-35.

— La circonstance de temps ἐν αὐτῇ τῇ ὥρᾳ (XIII, 31) ne se réfère pas à quelque temps absolu. L'expression lucanienne veut justement rattacher *Lc.*, XIII, 31-35 à *Lc.*, XIII, 22-30 (cfr *Lc.*, X, 21 ; XIII, 1 ; XXIV, 13).

— Les versets *Lc.*, XIII, 22 et 23 nous offrent un exemple d'une introduction à double fonction. De telles introductions semblent être un moyen caractéristique de la rédaction lucanienne pour lier entre elles des péricopes isolées [8]. *Lc.*, XIII, 22 n'introduit pas seulement et même

---

7. F. MUSSNER, *Das 'Gleichnis' vom gestrengen Mahlherrn (Lk. 13, 22-30). Ein Beitrag zum Redaktionsverfahren und zur Theologie des Lukas*, dans TrThZ, 65 (1956), 129-143 ; J. JEREMIAS, *Die Gleichnisse Jesu*, Goettingue, 1962[6], p. 94-95 : *das Gleichnis von der verschlossenen Tür* (Lk 13, 24-30).

8. Autres exemples de cette technique rédactionnelle de Luc : (*a*) *Lc.*, V, 17 amplifie *Mc.*, II, 1-2 ; pour faire cela, Luc semble anticiper certains éléments de *Mc.*, II, 6 (ἦσαν δέ τινες τῶν γραμματέων ἐκεῖ καθήμενοι) et de *Mc.*, II, 13, l'introduction de la péricope suivante. Le motif de l'enseignement καὶ αὐτὸς ἦν διδάσκων pourrait être une synthèse de *Mc.*, II, 2 καὶ ἐλάλει αὐτοῖς τὸν λόγον et de *Mc.*, II, 13 καὶ ἐδίδασκεν αὐτούς. L'addition de οἳ ἦσαν ἐληλυθότες ἐκ πάσης κώμης pourrait être inspirée de *Mc.*, II, 13 καὶ πᾶς ὁ ὄχλος ἤρχετο πρὸς αὐτόν. En *Lc.*, V, 27, l'introduction parallèle de *Mc.*, II, 13 est d'ailleurs vidée de son contenu. Il reste seulement une notice de temps qui rattache l'épisode de la vocation de Lévi à la péricope précédente. Cela confirme notre impression que la scène générale de *Lc.*, V, 17 n'introduit pas seulement *Lc.*, V, 17-26, mais également *Lc.*, V, 27 ss.

(*b*) *Lc.*, VIII, 1-3 est l'introduction rédactionnelle de la section VIII, 1-21. Pour le caractère rédactionnel, voir l'analyse terminologique de J. DELOBEL, *L'onction par la pécheresse. La composition littéraire de Lc., VII, 36-50*, dans *Ephem. Theol. Lov.*, 42 (1966), 415-475, spéc. 445-449. Soulignons encore l'importance de ces versets dans le cadre de la conception lucanienne des témoins authentiques qui doivent avoir accompagné Jésus à partir de Galilée (cfr *Lc.*, XXIII, 5. 49. 55 ; XXIV, 6-10. 22-24 ; *Act.*, XIII, 31). Après avoir introduit les témoins principaux, les disciples (V, 1-11), et les douzes (VI, 12), Luc peut introduire maintenant les

pas principalement les logia de XIII, 24-30, mais annonce plutôt *Lc.*, XIII, 31-35. L'introduction propre de XIII, 24-30 nous est donnée en XIII, 23 : les logia de XIII, 24-30 sont présentées comme la réponse de Jésus à la question d'une personne anonyme. L'épisode de XIII, 24-30 est mis à son tour dans le cadre général du voyage de Jésus à Jérusalem (XIII, 22).

— La double introduction et les deux péricopes correspondantes forment donc en quelque sorte une structure chiastique :

A	XIII, 22
B	XIII, 23
B'	XIII, 24-30
A'	XIII, 31-35

— Entre A et A' et B et B', il y a une correspondance de terminologie et de contenu :

— A' (XIII, 22) : κατὰ πόλεις καὶ κώμας διδάσκων
A' (XIII, 32) : ἰδοὺ ἐκβάλλω δαιμόνια καὶ ἰάσεις ἀποτελῶ

---

témoins secondaires, les femmes (VIII, 1-3). *Mc.*, IV, 10 οἱ περὶ αὐτὸν σὺν τοῖς δώδεκα peut avoir suggéré la place de *Lc.*, VIII, 1-3. Dans l'introduction de VIII, 1-3, Luc semble se servir des introductions aux péricopes suivantes de Marc (IV, 1 ; IV, 10), qu'il synthétise. Dans les versets parallèles Lc omet tous les éléments de Mc qui peuvent rompre l'unité de VIII, 1-21 : comparez *Mc.*, IV, 1 et *Lc.*, VIII, 4 ; IV, 4 et VIII, 5 ; IV, 10 et VIII, 9 ; IV, 13 et VIII, 11 ; IV, 21 et VIII, 16 ; IV, 24 et VIII, 18.

(*c*) *Lc.*, IX, 51 est un verset rédactionnel avec une triple fonction d'introduction. Le verset introduit la péricope suivante (IX, 51-56) : les Samaritains refusent de recevoir Jésus parce qu'il est en route pour Jérusalem (IX, 53). Mais *Lc.*, IX, 51 introduit aussi le récit du voyage de Jésus vers Jérusalem (IX, 51-XIX, 44) : pour la première fois nous entendons parler de la décision de Jésus de monter à la ville. Enfin, par la mention de l'ἀνάλημψις, le verset IX, 51 annonce toute la deuxième partie de l'évangile de Luc : IX, 51-XXIV, 53, qui finit également avec le motif de l'ascension.

(*d*) Après *Lc.*, XI, 15 par. *Mt.*, XII, 24 (comp. *Mc.*, III, 22), qui introduit la controverse sur Béelzébub, dans XI, 16, Luc mentionne ceux qui demandent à Jésus un signe du ciel. Le texte parallèle se trouve en *Mt.*, XII, 38, comme introduction à la péricope *Mt.*, XII, 38-41 par. *Lc.*, XI, 29-32. Luc a donc anticipé l'introduction de la péricope suivante dans sa source Q pour en faire une introduction à double fonction XI, 15-16 qui unifie les deux péricopes.

(*e*) Le verset *Lc.*, XII, 1 n'introduit pas seulement l'exhortation à la confession sans crainte (XII, 2-12), mais, par la mention de la foule et par la présence du mot πρῶτον, la péricope suivante (XII, 13-21) est déjà annoncée. La foule est donc présente dès le début, mais Jésus s'adresse d'abord à ses disciples (XII, 2-12), puis quelqu'un de la foule intervient.

(*f*) *Lc.*, XVII, 11-12a n'introduit pas seulement la péricope des dix lépreux (XVII, 12-19), mais ces versets mettent les péricopes suivantes dans le cadre du voyage vers Jérusalem, jusqu'à la notice topographique de XVIII, 35 (Jéricho).

(*g*) *Lc.*, XIX, 11-12a introduit en premier lieu la parabole des mines (XIX, 12-28), mais en même temps aussi la finale du récit de voyage (XIX, 11-44).

Les deux textes sont complémentaires : ensemble ils nous offrent une image complète de l'activité de Jésus : prédication et guérisons [9].

— A καὶ πορείαν ποιούμενος   A' δεῖ με... πορεύεσθαι
     εἰς Ἱεροσόλυμα   οὐκ... ἔξω Ἱερουσαλήμ

Deux fois, on lit le thème du voyage vers Jérusalem (XIII, 22 et XIII, 33), quoique la formulation des deux mentions est variée d'une manière très souple.

— B' XIII, 23a : εἶπεν δέ τις αὐτῷ
    B' XIII, 23c : ὁ δὲ εἶπεν πρὸς αὐτούς

— B' XIII, 23b   (a) ὀλίγοι
                  (b) οἱ σῳζόμενοι
   B' XIII, 24   (b') εἰσελθεῖν διὰ τῆς στενῆς θύρας
                  (a') πολλοί

A l'aide de tous ces éléments, le rédacteur du troisième évangile forge les versets XIII, 22-35 en une section bien unifiée. La disposition chiastique de la double introduction avec les péricopes correspondantes a pour conséquence que la signification des logia de Q (XIII, 24-29.30) est précisée par les versets du SgLc (XIII, 22.31-33) qui les entourent. La polémique antijuive de la *Quelle* est intégrée dans le cadre rédactionnel du voyage et de la polémique contre Jérusalem. L'iniquité pour laquelle les Juifs sont condamnés (XIII, 27 : ἐργάται ἀδικίας) n'est rien autre que le meurtre du prophète Jésus par la capitale (XIII, 33-34). L'exégète de *Lc.*, XIII, 31-33 devra donc tenir compte que ce texte est très intégré dans la section plus large de XIII, 22-35 et que le sens de ce texte sera déterminé au moins en partie par ce contexte [10]. Or, ailleurs nous avons essayé de montrer que *Lc.*, XIII, 22-35 constitue une des quatre sections-clés du récit du voyage de Jésus à Jérusalem (*Lc.*, IX, 51-XIX, 44), dans laquelle Luc a exprimé ce que lui-même considère être la signification théologique de ce voyage [11]. C'est donc dans ce contexte plus large qu'il faudrait situer et étudier le texte de *Lc.*, XIII, 31-33.

---

9. Comparer *Lc.*, IV, 31 avec IV, 32-37 ; IV, 40-41 avec IV, 42-44 ; V, 15 (ἀκούειν καὶ θεραπεύεσθαι) ; V, 17a avec V, 17b-26 ; VI, 6a avec VI, 6b-11 ; VI, 17-19 avec VI, 20-49 ; VIII, 1 avec VIII, 2 ; IX, 1 avec IX, 2 ; IX, 11 : ἐλάλει αὐτοῖς περὶ τῆς βασιλείας τοῦ θεοῦ, καὶ τοὺς χρείαν ἔχοντας θεραπείας ἰᾶτο.

10. Quoique beaucoup de commentaires se tiennent à une division *quellen-kritisch* (XIII, 22-30 ; XIII, 31-33 et XIII, 34-35), il y a plusieurs auteurs qui voient en *Lc.*, XIII, 22-35 une unité littéraire. Ainsi J. WEISS, E. KLOSTERMANN, A. SCHLATTER, A. R. C. LEANEY, J. M. CREED, G. B. CAIRD. Voire déjà J. J. GRIESBACH, dans sa *Synopsis*, Berlin, 1842².

11. A. DENAUX, *Het lucaanse reisverhaal (Lc. 9,51-19,44)*, dans CollBrugGand, 14 (1968), 214-242 ; 15 (1969), 464-501. Sur le récit de voyage à Jérusalem dans Luc,

2. TRADITION ET RÉDACTION EN LC., XIII, 31-33

Est-il possible de discerner dans cet épisode ce qui remonte à la tradition et ce qui résulte de la rédaction lucanienne ?

a) Il n'est peut-être pas exagéré de dire qu'il y a un *consensus* parmi les auteurs que le texte de *Lc.*, XIII, 31-33 contient une tradition très ancienne [12], voir même des traits originaux qui remontent à la vie de Jésus [13]. Dans la réponse de Jésus à l'avertissement des Pharisiens, on voit parfois un écho authentique du fait que, pendant sa vie, Jésus avait prévu sa mort prophétique ou au moins sa fin tragique [14]. D'autres auteurs estiment que *Lc.*, XIII, 31-33 a conservé la raison historique du départ de Jésus hors de la région de Galilée. Un argument en faveur de cette opinion serait la manière dont les Pharisiens sont présentés dans ce texte. Leur attitude bienveillante vis-à-vis de Jésus — ils l'avertissent

---

voir la bibliographie dans cet article, CBG, 14 (1968), 214, note 1. Ajoutez encore R. LAPOINTE, *L'espace-temps de Lc. 9, 51-19, 27*, dans *Église et théologie*, 1 (1970), 275-290 ; G. OGG, *The Central Section of the Gospel according to St. Luke*, dans NTS, 18 (1971-1972), 39-53.

12. Cfr P. WERNLE, *Die synoptische Frage*, Leipzig-Tubingue, 1899, p. 93 : « Kleine Episoden wie... die Nachstellung des Herodes... spotten der Erfindung durch ihre Verknüpfung mit geschichtlichen Situationen » ; B. H. STREETER, dans *Studies in the Synoptic Problem* (éd. W. SANDAY), Oxford, 1911, p. 193, dit de *Lc.*, XIII, 31-33 : « a passage so un-Lucan in its rough vigor that it is certainly original ».

13. Cfr C. H. DODD, *The Parables of the Kingdom* (1935), Collins, Fontana Books, Londres, 1967, p. 75, n. 22 : « Have we in Lk. XIII. 32-33 another adaptation of the Hosean Formula ? The realistic reference to Herod in this passage inclines one to regard the saying as authentic, not the less so because the situation implied is extremely difficult to fit into the familiar Marcan framework of the ministry » ; Voir dans le même sens J. JEREMIAS, Παῖς (θεοῦ) *im Neuen Testament* (1954), dans *Abba. Studien zur neutestamentlichen Theologie und Zeitgeschichte*, Goettingue, 1966, p. 191-216, spéc. p. 211-212 et 214 ; F. MUSSNER, *Der « historische » Jesus* (1960), dans *Praesentia Salutis. Gesammelte Studien zu Fragen und Themen des Neuen Testaments*, Dusseldorf, 1967, p. 67-80, spéc. p. 77 ; J. BLINZLER, *Der Prozess Jesu*, Regensburg, 1969⁴, p. 76 et 83.

14. Ainsi K. L. SCHMIDT, *Der Rahmen der Geschichte Jesu* (1919), Darmstadt, 1964, p. 266 ; E. SCHWEIZER, *Erniedrigung und Erhöhung bei Jesus und seinen Nachfolgern* (AbhThANT, 28), Zurich, 1955, p. 16, n. 59 ; G. BORNKAMM, *Jesus von Nazareth* (1956), Stuttgart, 1968⁸, p. 141-142 ; W. G. KÜMMEL, *Promise and Fulfilment* (SBT, 23), Londres, 1966², p. 71-72 ; *Die Theologie des Neuen Testaments*, Goettingue, 1969, p. 77 ; H. SCHÜRMANN, *Die vorösterlichen Anfänge der Logientradition* (1960), dans *Traditionsgeschichtliche Untersuchungen zu den synoptischen Evangelien*, Dusseldorf, 1968, p. 39-65, spéc. p. 53 (à propos de *Lc.*, XIII, 32 seulement) ; A. RICHARDSON, *An Introduction to the Theology of the New Testament* (1958), Londres, 1969, p. 133 : « There are several strongly ' Semitic ' passages which shew that Jesus himself expected to be rejected, to suffer and to die, before he could bring his work to its triumphant conclusion, e.g. Luke 9. 31 ; 12. 50 ; 13. 32f. ; ».

contre les intentions meurtrières d'Hérode — ne s'accorde pas du tout avec la tradition évangélique plus récente, qui montre une tendance à décrire les Pharisiens comme les ennemis obstinés de Jésus [15]. On a parfois conjecturé que *Lc.*, XIII, 31-33 dépendrait de la *source* de *Mc.*, VI, 14-16ss., où il n'aurait pas été question des intentions hostiles du tétrarque vis-à-vis du Baptiste (ainsi Mc), mais vis-à-vis de Jésus. Celles-ci auraient été le véritable motif pour lequel Jésus se serait éloigné de la Galilée [16]. Enfin, on a remarqué qu'il y aurait une certaine contradiction entre *Lc.*, IX, 51-56 d'une part, où Jésus semble vouloir quitter la Galilée définitivement, décision rappelée au lecteur en XIII, 22, et XIII, 31-33 d'autre part, où il est supposé que Jésus se trouve encore en Galilée, le territoire d'Hérode (cfr *Lc.*, III, 1 ; XXIII, 7). Cette tension serait un indice du caractère traditionnel de *Lc.*, XIII, 31-33 [17].

b) A ce *consensus* sur le caractère traditionnel ou original de *Lc.*, XIII, 31-33, plusieurs auteurs apportent une nuance : le noyau de cet épisode serait traditionnel, mais cela n'empêche pas qu'il y ait des traces d'un travail rédactionnel. Mais les opinions divergent assez fort quand il s'agit de préciser les éléments rédactionnels. Selon M. Dibelius, Lc disposait d'un logion traditionnel (XIII, 32b-33), qu'il a doté d'un cadre narratif (XIII, 31-32a), selon une technique bien connue dans son temps qu'on appelait la *Chreia*. Ne cherchant pas l'historicité exacte, Lc aurait introduit ici les Pharisiens, les adversaires habituels de Jésus (cfr *Lc.*, XVI, 14 ; XVII, 20) [18]. W. E. Bundy, de son côté, juge que la description de l'activité en XIII, 32b fait penser au style lucanien plutôt qu'à un logion authentique de Jésus, et il renvoie aux textes d'*Act.*, II, 22 et X, 38 [19]. R. Bultmann hésite entre deux explications : ou bien le v. 32b serait une addition secondaire faite par la communauté chrétienne ; la pièce primitive était constituée des vv. 31.32a et 33 (sauf la particule πλήν) ; ou bien le v. 33 est un logion isolé que Lc ajouta aux vv. 31-32 *ad vocem* σήμερον καὶ αὔριον. La pointe de la réponse de Jésus se trouvait primitivement au v. 32 [20]. Cette deuxième explication est acceptée par plusieurs auteurs qui sont impressionnés par le parallélisme entre les vv. 32 et 33, et qui tiennent le v. 33 soit pour un logion

15. M. GOGUEL, *La vie de Jésus*, Paris, 1932, p. 333. ; W. L. KNOX, *The Sources of the Synoptic Gospels*, II, Cambridge, 1957, p. 81.

16. J. WELLHAUSEN, *Mc.*, 1909[2], p. 48-49 ; A. LOISY, *Les évangiles synoptiques*, I, p. 927-928 ; II, p. 128 ; J. M. CREED, *Luke*, p. 186.

17. J. SCHNEIDER, *Zur Analyse des lukanischen Reiseberichtes*, dans *Synoptische Studien. Fs. A. Wikenhauser*, Munich, 1953, p. 207-229, spéc. p. 214-216.

18. M. DIBELIUS, *Die Formgeschichte des Evangeliums* (1919), Tubingue, 1961[4], p. 162-163.

19. W. E. BUNDY, *Jesus and the First Three Gospels*, Cambridge (Mass.), 1955, p. 371.

20. R. BULTMANN, *Die Geschichte der synoptischen Tradition*, Goettingue, 1964[6], p. 35.

traditionnel [21], soit pour un texte rédactionnel [22], mais en tout cas pour une addition secondaire au verset 32. H. Conzelmann prend une position assez vague : d'une part il appelle *Lc.*, XIII, 31-33 un *Traditionsstück* ; d'autre part, il y voit une base que LcRd a utilisé pour donner une division tripartite à la vie de Jésus [23]. Bref, quand il s'agit de déterminer la part de rédaction dans l'épisode traditionnel de *Lc.*, XIII, 31-33, les opinions divergent autant que possible : pour les uns c'est le v. 31, pour les autres c'est le v. 32, pour d'autres encore c'est le v. 33 qui est rédactionnel.

c) Il reste encore une explication qui n'est généralement pas prise en considération, sauf exceptionnellement [24], et qui mérite à notre avis un examen plus attentif : c'est la possibilité que le texte tout entier de *Lc.*, XIII, 31-33 est une composition rédactionnelle. Dans son exposé devenu classique de la question synoptique, P. Wernle (1899) écrivait que dans la critique des sources du SgLc, il y a deux hypothèses extrêmes : (a) tout le *Sondergut* lucanien dérive d'une seule source écrite et (*b*) tout le SgLc vient du rédacteur même de l'évangile. Il ajoute que les deux hypothèses commettent l'erreur de vouloir généraliser trop vite, et qu'un examen plus détaillé des péricopes individuelles est nécessaire avant de prononcer un jugement [25]. Or, il nous semble que l'on attribue le SgLc de XIII, 31-33 parfois trop vite à l'une ou l'autre source écrite [26],

---

21. F. HAUCK, *Lukas*, 1934, p. 186 ; W. G. KÜMMEL, *Promise and Fulfilment*, p. 71.

22. K. L. SCHMIDT, *Rahmen*, p. 266 : le v. 32 (καὶ τῇ τρίτῃ τελειοῦμαι) et le v. 33 sont une addition de LcRd. sur la base d'une ancienne prédiction de la passion et de la résurrection ; A. LOISY, *Évang. synopt.*, I, p. 156 ; J. SCHMID, *Lukas*, 1955³, p. 241 ; W. OTT, *Gebet und Heil. Die Bedeutung der Gebetsparänese in der lukanischen Theologie* (StANT, 12), Munich, 1965, p. 35 ; O. H. STECK, *Geschick*, p. 40-47, qui propose avec plus d'arguments la même solution qu'Alfred Loisy, mais apparemment sans le connaître ; K. LEHMANN, *Auferweckt am dritten Tag nach der Schrift* (Quaestiones Disputatae, 38), Fribourg, 1968, p. 234-235, accepte, à la suite de O. H. Steck, le caractère rédactionnel du v. 33a, mais il hésite pour le v. 33b ; G. LOHFINK, *Die Himmelfahrt Jesu* (StANT, 26), Munich, 1971, p. 216 semble accepter le caractère rédactionnel de *Lc.*, XIII, 33.

23. H. CONZELMANN, *Die Mitte der Zeit*, Tubingue, 1964⁵, p. 60 et 184, n. 2.

24. J. P. BROWN, *The Form of 'Q' known to Matthew*, dans NTS, 8 (1961-62), 27-42, p. 35, n. 1, appelle *Lc.*, XIII, 31-33 une « *editorial addition* » ; il est suivi par D. R. A. HARE, *Jewish Persecution*, p. 95 ; voir aussi H. FLENDER, *Heil und Geschichte*, p. 35, n. 113.

25. P. WERNLE, *Die synoptische Frage*, p. 93-94.

26. Attribuent *Lc.*, XIII, 31-33 à la *Quelle* : B. WEISS, *Mk. und Lk.*, 1901⁹, p. 513 ; B. H. STREETER, *Oxford Studies*, 1911, p. 193 ; J. V. BARTLET, *Oxford Studies*, 1911, p. 322. 339 (le v. 32) ; W. BUSSMANN, *Synoptische Studien*, II, Halle, 1929, p. 76 s. Rattachent *Lc.*, XIII, 31-33 à L ou Proto-Lc : K. H. RENGSTORF, *Lukas*, 1968, p. 7-11. 174 ; W. GRUNDMANN, *Lukas*, p. 287. Pour ce qui concerne l'hypothèse du « Proto-Luc », voir les remarques de J. DELOBEL, *L'onction par la pécheresse. La composition littéraire de Lc.*, *VII, 36-50*, dans *Ephem. Theol. Lov.*, 42 (1966), 415-475, spec. 422-424. Signalons surtout l'ouvrage de F. REHKOPF, *Die lukanische*

sans qu'on l'estime nécessaire de prouver cette affirmation par une analyse littéraire. Il nous semble cependant qu'une analyse littéraire plus poussée pourrait montrer que l'hypothèse du caractère lucanien de Lc., XIII, 31-33 n'est pas si gratuite qu'on ne le pense parfois. Il va de soi que, une fois qu'on estime prouvée la thèse du caractère rédactionnel de Lc., XIII, 31-33, on n'a pas le droit de généraliser cette conclusion sur tout le SgLc. Ce serait tomber dans l'excès que Wernle signale. Cela veut dire qu'il y a encore beaucoup de travail à faire pour venir à un jugement raisonné sur l'ensemble du Sondergut lucanien.

3. L'INTERPRÉTATION DE Lc., XIII, 31-33

Beaucoup d'auteurs — et non les moindres — ont manifesté un sentiment de perplexité vis-à-vis de notre texte [27]. La réponse de Jésus leur semble sinon incompréhensible, du moins vague et énigmatique. D'une part, le v. 33 donne l'impression d'être un doublet inutile du v. 32. D'autre part, il y a une certaine contradiction entre les deux versets. Au v. 32, Jésus semble vouloir *rester* « aujourd'hui et demain » pour accomplir sa mission. Au v. 33 au contraire, Jésus dit qu'il doit *partir* « aujourd'hui et demain ». De même, les précisions chronologiques du troisième jour ne s'accordent apparemment pas. Au v. 33, le troisième jour ($\tau\hat{\eta}$ $\dot{\epsilon}\chi o\mu\acute{\epsilon}\nu\eta$) est mis en rapport avec le départ de Jésus. Au v. 32, Jésus déclare : $\tau\hat{\eta}$ $\tau\rho\acute{\iota}\tau\eta$ $\tau\epsilon\lambda\epsilon\iota o\hat{\upsilon}\mu\alpha\iota$. Si ce verbe contient une allusion à la mort de Jésus, on se demande comment le départ de Jésus hors du territoire d'Hérode coïncide avec sa mort. Si le verbe $\tau\epsilon\lambda\epsilon\iota o\hat{\upsilon}\mu\alpha\iota$ signifie que Jésus mettra fin à son activité de guérison le troisième jour, alors il reste la difficulté de comprendre comment Jésus peut en même temps aller plus loin « aujourd'hui et demain » [28].

a. L'hypothèse d'une interpolation

Ces difficultés ont amené plusieurs auteurs à penser que le texte actuel a été corrompu.

Sonderquelle. Ihr Umfang und Sprachgebrauch (Wiss. Unters. zum N.T., 5), Tubingue, 1959 ; et le réquisitoire contre la liste de Rehkopf par H. SCHÜRMANN, *Protolukanische Spracheigentümlichkeiten ?*, in BZ, N.F. 5 (1961), 226-286 (= *Traditiongeschichtliche Untersuchungen zu den synoptischen Evangelien*, Dusseldorf, 1968, p. 209-227).

27. R. BULTMANN, *Geschichte*, p. 35 : « Für dies singuläre Stück habe ich keine Erklärung » ; J. DUPONT, *Les Béatitudes*, II, 1969, p. 297-98 : « La sagacité des exégètes a trouvé matière sur... Nous n'avons heureusement pas à nous engager dans ces discussions ».

28. Ainsi, chacun à sa manière, J. WELLHAUSEN, *Lucas*, p. 76 ; J. M. CREED, *Luke*, p. 187 ; J. SCHMID, *Lukas*, p. 240-241 ; J. BLINZLER, *Die literarische Eigenart des sogenannten Reiseberichtes im Lukas-Evangelium*, dans *Synoptische Studien. Fs. A. Wikenhauser*, Munich, 1953, p. 20-53, spéc. 42-44.

A la suite de la *Peshitta*, quelques auteurs supposent que dans le texte original, l'indication de temps « aujourd'hui et demain » (v. 33) était suivie d'un verbe exprimant l'activité de Jésus, comme ἐργάζεσθαι [29]. M. Black se rallie à cette solution. Une rétroversion araméenne des vv. 32b-33 semble la confirmer, parce que seule la présence de ce verbe laisse voir le parallélisme parfait du logion original [30] :

Voici que je chasse les démons et accomplis des guérisons jour par jour, mais un jour, je suis au terme (τελειοῦμαι = arriver à la fin de la vie)
Mais jour par jour, je dois travailler,
et un jour, il me faut aller (πορεύεσθαι = un euphémisme signifiant la mort)

Une première objection à faire contre cette solution est que la critique textuelle offre une base assez mince pour la soutenir : le verbe ' travailler ' est attesté très rarement, c.-à-d. dans deux traductions (pes. et sah.) ; en outre, on s'explique difficilement comment ce verbe a pu disparaître dans tous les manuscrits grecs, bien que la lecture en devienne moins intelligible. Une seconde objection à faire est que, dans cette hypothèse, on voit mal pourquoi l'auteur aurait mis la particule adversative πλήν [31].

J. Wellhausen, suivi par beaucoup d'auteurs, pense que dans la tradition manuscrite, on aurait interpolé d'abord les derniers mots du v. 32 (« et le troisième jour je suis au terme »), et ensuite les premiers mots du v. 33 (« aujourd'hui et demain et ») [32]. Quand on supprime ces interpolations, on obtient une affirmation claire : ' pendant deux jours je continuerai mes activités ici, mais le jour suivant je pars pour Jérusalem ' [33].

J. Blinzler estime que seulement les mots du v. 33 « aujourd'hui et demain » auraient été interpolés. Si on les élimine, on obtient l'affirmation suivante : « j'excerce mon activité aujourd'hui et demain, et le troisième je la termine. Mais le jour suivant (= le quatrième jour)

29. F. HAUCK, *Lukas*, p. 186 ; J. SCHMID, *Lukas*, p. 241.

30. M. BLACK, *An Aramaic Approach to the Gospels and Acts*, Oxford, 1967[3], p. 205-207.

31. La dernière objection est formulée par J. BLINZLER, *Reisebericht*, p. 44, n. 64 : la particule πλήν n'a un sens que quand elle introduit une idée opposée à celle du v. 32. C'est exact, mais on peut douter s'il s'agit d'une opposition entre rester (v. 32) et partir (v. 33), comme le croit J. Blinzler.

32. J. WELLHAUSEN, *Lk.*, p. 76. Une liste d'auteurs qui se sont ralliés à cette solution se trouve dans R. BULTMANN, *Geschichte. Ergänzungsheft*, 1962[2], p. 10, et dans J. BLINZLER, *Reisebericht*, p. 44, n. 65.

33. Voir la critique de cette solution dans les ouvrages de O. H. STECK, *Geschick*, p. 42 ; et de K. LEHMANN, *Dritter Tag*, p. 233.

il me faut aller » (cfr *Act.*, XX, 15). Un scribe qui avait transcrit le v. XIII, 22 savait que Jésus montait déjà à Jérusalem. Il peut avoir été embarrassé par le v. XIII, 33 qui semblait situer le voyage dans le futur. Pour éviter cette impression, il aurait ajouté ' aujourd'hui et demain ' [34]. Sans parler de l'invraisemblance plus ou moins grande des solutions proposées, on peut se demander encore s'il est vraiment nécessaire de recourir à l'hypothèse d'une interpolation, qui n'a en outre pas d'appui dans les manuscrits. Une telle hypothèse n'est justifiée que quand tout essai d'interprétation du texte *sicut iacet* a échoué. Or, il nous semble que le texte de *Lc.*, XIII, 31-33 est plus ou moins intelligible, compte tenu de la structure du texte, des préoccupations théologiques de LcRd, et peut-être aussi du genre littéraire du texte.

b. Le genre littéraire

Le genre littéraire de *Lc.*, XIII, 31-33 n'a pas été beaucoup étudié. R. Bultmann range le texte parmi les ' apophthegmes biographiques. ' Mais à l'opposé de la plupart des apophthegmes, *Lc.*, XIII, 31-33 n'aurait pas de caractère ' idéal ', et serait donc un apophthegme biographique au sens strict du mot [35]. On a l'impression que l'intérêt de cette affirmation se trouve plus dans le jugement sur la valeur historique du texte que dans l'essai de son classement littéraire. M. Dibelius est probablement plus sensible au statut littéraire de *Lc.*, XIII, 31-33 quand il écrit que l'ensemble de ce texte a été écrit par Luc à l'exemple d'un genre littéraire bien connu dans la littérature grecque : la *Chreia* [36], ce qui semble suggérer que l'apport rédactionnel est plus grand qu'on ne l'accepte en général. Les deux exégètes s'accordent sur le fait qu'ils essayent de déterminer le genre littéraire de *l'ensemble* de l'épisode *Lc.*, XIII, 31-33. La *réponse* de Jésus n'est pas examinée séparément. Or, c'est exactement ce que fait J. Jeremias. Dans son livre récent sur la théologie néotestamentaire, il énumère cinq indices de *l'ipsissima vox Jesu*, qui n'auraient pas d'analogie dans la littérature de ce temps. Le deuxième s'appelle le *Rätselspruch*. Un des exemples qu'il donne est *Lc.*, XIII, 32-33 [37]. On peut éventuellement regretter que l'auteur n'offre pas une analyse plus poussée de la forme littéraire des logia énumérés ; on peut aussi se demander si le *Rätselspruch* est un indice *exclusif* de la langue authentique de Jésus ; on peut enfin douter pour plusieurs raisons du caractère original de *Lc.*, XIII, 32-33. Toutefois, on doit au moins avouer que la suggestion de J. Jeremias est intéressante, et qu'elle

---

34. J. BLINZLER, *Reisebericht*, p. 42-46.
35. R. BULTMANN, *Geschichte*, p. 58-59.
36. M. DIBELIUS, *Formgeschichte*, p. 162-163.
37. J. JEREMIAS, *Neutestamentliche Theologie*, I, Gutersloh, 1971, p. 39-40.

mérite un examen attentif. Il nous semble en effet que la réponse de
Jésus aux Pharisiens contient quelques éléments qui s'approchent des
caractéristiques du genre littéraire de l'énigme [38]. Il ne s'agit évidemment
pas d'une énigme dans le sens strict du mot, mais d'une parole énigmatique, qui se sert intentionnellement d'une langue ambiguë qui ne peut
être comprise que par un groupe spécial (notamment ceux qui suivent
Jésus, éventuellement les lecteurs chrétiens), et non par ceux du dehors
(notamment les Pharisiens) [39]. S'il est exact que le caractère ' énigmatique ' est un trait essentiel du logion XIII, 32-33, comme nous inclinons
à le penser, cela ne veut pas dire que nous voudrions expliquer ce qui
est difficile par ce qui est en principe inexplicable. Au contraire, quand
on qualifie un logion de ' parole énigmatique ', c'est pour offrir un critère
d'interprétation d'un texte à première vue incompréhensible. L'énigme
n'est pas un non-sens. L'énigme signifie quelque chose, quoique son
sens n'apparaisse que dans un contexte bien déterminé.

c. La structure

Un autre élément qui, à notre avis, pourrait faire avancer l'interprétation de *Lc.*, XIII, 31-33 est une analyse plus poussée de la structure
de ce texte. Sous l'influence de la *Formgeschichte*, les auteurs ont été
habitués à une sorte de vivisection de *Lc.*, XIII, 31-33. On détachait
le cadre narratif de la réponse de Jésus, et on divisait celle-ci en deux
logia parallèles. On isolait les différents éléments et on essayait de les
interpréter pour eux-mêmes. On tâchait de comprendre la réponse
de Jésus sans prendre en considération sa relation avec l'intervention des
Pharisiens. Aujourd'hui, sous l'influence de la *Redaktionsgeschichte*,
on est devenu plus sensible à l'ensemble des textes. Abstraction faite
du sens de l'un ou l'autre logion traditionnel, on cherche la portée de
l'ensemble d'une péricope due à l'arrangement rédactionnel. Cette
approche pourrait être fructueuse aussi pour l'interprétation de *Lc.*,

---

38. Voir la description du genre de l'énigme dans H. LEROY, *Rätsel und Missver-
ständnis. Ein Beitrag zur Formgeschichte des Johannesevangelium* (Bonner Biblische
Beiträge, 30), Bonn, 1968, p. 12-47, qui donne six caractéristiques : (a) Rätselspruch
oder Rätselfrage ; (b) Sondersprache ; (c) Oft spezifisches Wissen einer Gruppe ;
(d) Darstellung des höheren Wissens der Rätselsteller ; (e) Lösungsmöglichkeit ;
(f) Die Lösung wird in der Regel genannt.

39. Mots ou expressions qui peuvent être interprétés en plusieurs sens : (a) $\tau\hat{\eta}$
$\tau\rho\iota\tau\eta$ troisième jour ou ' troisième jour ' d'un changement opéré par Dieu, éventuelle-
ment allusion à la résurrection ; (b) $\tau\epsilon\lambda\epsilon\iota\omicron\hat{\upsilon}\mu\alpha\iota$: terminer les activités ou allusion
à l'accomplissement de la vie de Jésus ; (c) $\delta\epsilon\hat{\iota}$: menace de l'ennemi ou volonté
divine ; (d) $\pi\omicron\rho\epsilon\acute{\upsilon}\epsilon\sigma\theta\alpha\iota$: fuite pour Hérode ou voyage vers Jérusalem. Autres
indices de cette ambiguïté voulue : la contradiction apparente entre ' rester pour
exercer son ministère ' (v. 32) et ' partir ' (v. 33) ; ensuite les deux indications de
temps qui ne vont pas très bien ensemble.

XII, 31-33. Quelle que soit la part de tradition conservée dans ce texte, et à plus forte raison si on admet l'hypothèse que *Lc.*, XIII, 31-33 est un texte rédactionnel, il est justifié de penser que *l'ensemble* de *Lc.*, XIII, 31-33 avait un sens pour le rédacteur du troisième évangile, et que, pour lui, les logia de Jésus (v. 32-33) étaient une vraie réponse à l'intervention des Pharisiens (v. 31). Cela signifie qu'on ne peut interpréter la réponse de Jésus qu'à partir de la question des Pharisiens, chose qui a été oubliée presque toujours. Quand on essaie de voir de plus près la relation entre la question des Pharisiens et la réponse de Jésus, on pourrait le faire en proposant la structure suivante :

31 'Εν αὐτῇ τῇ ὥρᾳ προσῆλθάν τινες Φαρισαῖοι λέγοντες αὐτῷ,
    A "Εξελθε καὶ πορεύου ἐντεῦθεν,
    B ὅτι 'Ηρῴδης θέλει σε ἀποκτεῖναι.

32 καὶ εἶπεν αὐτοῖς,
    B′ Πορευθέντες εἴπατε τῇ ἀλώπεκι ταύτῃ,
      a. 'Ιδοὺ ἐκβάλλω δαιμόνια καὶ ἰάσεις ἀποτελῶ σήμερον καὶ αὔριον,
      b.   καὶ τῇ τρίτῃ τελειοῦμαι.

33 A′ a′ πλὴν δεῖ με σήμερον καὶ αὔριον καὶ τῇ ἐχομένῃ πορεύεσθαι,
      b′ ὅτι οὐκ ἐνδέχεται προφήτην ἀπολέσθαι ἔξω 'Ιερουσαλήμ.

Dans la remarque des Pharisiens, on peut distinguer deux éléments : (A) un conseil (« Pars et va-t-en d'ici »), et (B) la motivation (« car Hérode veut te tuer »). La réponse de Jésus correspond exactement à cette remarque. D'abord Jésus énonce son opinion sur la motivation (v. 32 : B′). Cette première partie de la réponse s'adresse directement à Hérode. Ensuite, Jésus répond au conseil (v. 33 : A′). Dans la deuxième partie de sa réponse, Jésus s'adresse directement aux Pharisiens. A notre avis, il y a donc un parallélisme conscient entre la remarque des Pharisiens (v. 31) et la réponse de Jésus (v. 32-33). Et qui plus est, il y a un parallélisme entre les deux parties de la réponse :

        a l'activité thaumaturgique de Jésus
        b ' être accompli '
        a′ la montée vers Jérusalem
        b′ le meurtre du prophète.

Il nous semble que LcRd a vu un parallélisme entre ces différents éléments, comme l'analyse suivante le montrera, et que la structure indiquée peut offrir en quelque sorte une clé pour l'interprétation de *Lc.*, XIII, 31-33.

II. Analyse littéraire de Lc., XIII, 31-33

Notre analyse sera dominée par deux grandes préoccupations : montrer
que l'hypothèse de caractère rédactionnel n'est pas si invraisemblable
qu'il apparaît en général ; et ensuite essayer de comprendre ce texte
obscur, en donner une interprétation plausible au niveau de la rédaction
lucanienne.

A. L'intervention des Pharisiens (XIII, 31)

1. *La terminologie*

Première question à poser : ce verset pourrait-il être écrit par LcRd ?
Le style de *Lc.*, XIII, 31, est-il lucanien ?

L'indication de temps ἐν αὐτῇ τῇ ὥρᾳ [40]. Selon F. Rehkopf, le pronom
αὐτὸς ὁ (Mt : 1 fois ; Mc : 3 fois ; Lc : 11 fois ; Act : 2 fois) serait un terme
proto-lucanien [41], affirmation à laquelle H. Schürmann n'ose pas souscrire [42]. En Luc, le pronom se trouve onze fois : XII, 12 (diff. *Mc.*,
XIII, 11 ; diff. *Mt.*, X, 20) ; XX, 19 (add. *Mc.*, XII, 12) ; X, 7.21 (diff.
Mt) ; et 7 fois SgLc. : au milieu (I, 36 ; II, 38), au début (XIII, 1 ; XIII,
31 ; XXIV, 13) et à la fin d'une péricope (XXIII, 12 ; XXIV, 33).
Surtout, l'expression de temps ἐν αὐτῇ τῇ ὥρᾳ a beaucoup de chances d'être
une expression lucanienne : II, 38 (sans ἐν) ; X, 21 (diff. *Mt.*, XI, 25) ;
XII, 12 (diff. Mc ; diff. Mt) ; XIII, 31 (Sg) ; XX, 19 (add. Mc) ; XXIV,
33 (Sg), et *Act.*, XVI, 18 ; XXII, 13 (sans ἐν). C'est pourquoi la lecture
de la *Koinè* A D Θ pm lat ἐν αὐτῇ τῇ ὥρᾳ dans le verset rédactionnel
VII, 21 est probablement à préférer à la lecture du *textus receptus* ἐν ἐκείνῃ

---

40. Les variantes ταυτη dans D W Θ 070 al et ημερα in B^corr R W Θ pm lat
sont des adaptations secondaires de l'introduction à la pratique liturgique de la
lecture de péricopes : cfr K. L. Schmidt, *Rahmen*, p. 256-257.

41. Cfr F. Rehkopf, *Sonderquelle*, p. 92, n° 16 αὐτὸς ὁ : 2 fois Act ; *Mt.*, XVI, 20 ;
2 fois Mc ; 12 Pl ; 6 fois reste du N.T. ; 11 fois Lc = 10 fois L : I, 36 ; II, 38 ; X, 7. 21
(diff. Mt) ; XII, 12 (diff. Mt) ; XIII, 1. 31 ; XXIII, 12 ; XXIV, 13. 33 ; et 1 fois
add. Mc : XX, 19.

42. Cfr H. Schürmann, *Spracheigentümlichkeiten*, p. 279 : le pronom se trouve
plusieurs fois dans le SgLc (XIII, 1. 31 ; XXIII, 12 ; XXIV, 13. 33) ; peut-être aussi
en Q ? : X, 21 (diff. Mt) ; XII, 12 (diff. Mt et diff. *Mc.*, XIII, 11) ; X, 7 (Sv diff. Mt) ;
le terme peut être LcRd en vertu de *Lc.*, XX, 19 (diff. Mc) ; *Act.*, XVI, 18 ; XXII, 13 ;
comp. *Lc.*, II, 38 (règle 6) ; ceci est spécialement vrai pour l'expression ἐν αὐτῇ τῇ ὥρᾳ
qui ne se trouve dans les textes synoptiques qu'en *Lc.*, XX, 19 diff. Mc, et en *Act.*,
XVI, 18 ; XXII, 13 ; donc probablement rédactionnel en X, 7. 21 ; XII, 12 (diff. Mt).
Le terme αὐτὸς ὁ figure dans la liste des caractéristiques lucaniennes de J. C. Hawkins, *Horae Synopticae*, 1909, p. 16.

τῇ ὥρᾳ, qui serait vraiment une exception en Luc. La comparaison s'indique avec l'expression ἐν αὐτῷ τῷ καιρῷ en *Lc.*, XIII, 1 et ἐν αὐτῇ τῇ ἡμέρᾳ en *Lc.*, XXIII, 12 et XXIV, 13, quoique Luc combine le mot ἡμέρα normalement avec ἐκείνη singulier (*Lc.*, VI, 23 ; X, 12 ; XVII, 31 ; XXI, 34 ; *Act.*, II, 41 ; VIII, 1), ou avec ἐκεῖναι pluriel (*Lc.*, II, 1 ; IV, 2 ; V, 35 ; IX, 36 ; XXI, 23 ; *Act.*, II, 18 ; VII, 41 ; IX, 37) [43].
— Une comparaison de la fréquence du verbe προσέρχεσθαι dans les évangiles montre qu'il s'agit d'un matthéanisme prononcé (Mt : 52 fois ; Mc : 5 fois ; Lc : 10 ou 11 fois ; Act : 10 fois). Il ne s'ensuit pas nécessairement que le mot ne convient pas au style de Luc, ce qui apparaît dans l'aperçu suivant : le verbe vient en Luc 1 fois par. Mc : IX, 12 (= *Mc.*, VI, 35) ; 5 fois diff. Mc : VIII, 44 (= *Mt.*, IX, 20) ; IX, 42 ; XX, 27 (= *Mt.*, XXII, 23) ; XXIII, 36 ; XXIII, 52 (= *Mt.*, XXVII, 58) [44] ; 1 fois add. Mc : VIII, 24 (= *Mt.*, VIII, 25) et 3 ou 4 fois SgLc : I, 17(?) ; VII, 14 ; X, 34 ; XIII, 31. Parallèlement à *Lc.*, XIII, 31 la construction προσέρχεσθαι avec un verbe introduisant un discours ou une demande se lit encore en *Lc.*, VIII, 24 (add. Mc) et en *Act.*, IX, 1 ; XXII, 26.27 ; XXIII, 14.
L'hypotaxe : verbe principal avec participe λέγων (-οντες) se trouve quelques fois en Luc dans des passages où le texte parallèle de Marc a une parataxe : *Lc.*, V, 13 ; VIII, 24.25 ; XVIII, 16.38 ; XIX, 30.46 ; XXII, 42 [45]. On peut encore mentionner le pronom indéfini τινες (XIII, 31) suivi d'un nom, formule typique de Luc [46].
Le verbe ἐξέρχεσθαι se lit 44 fois dans Luc (Mt : 43 fois ; Mc : 39 fois), dont 13 ou 14 fois en parallèle à Marc : *Lc.*, IV, 35 (2 fois).42 ; V, 27 ; VIII, 5.27.29.33.46 ; IX, 4.6 ; XXII, 39.52 et éventuellement XXI, 37 (par. *Mc.*, XI, 11 ou diff. *Mc.*, XI, 19) ; 9 fois diff. Mc : *Lc.*, IV, 14.36. 41 ; VI, 12.19 ; VIII, 2.35 ; IX, 5 ; XXII, 62, et 2 fois add. Mc : *Lc.*, VIII, 35.38 ; 7 fois par. Mt : *Lc.*, VII, 24.25.26 ; X, 10 ; XI, 24 (2 fois) ; XII, 59 ; 5 fois diff. Mt : *Lc.*, XI, 14 ; XIV, 18.21.23 ; XVII, 29 ; et 7 fois Sg ou Sv : *Lc.*, I, 22 ; II, 1 ; V, 8 ; VII, 17 ; XI, 53 ; XIII, 31 ; XV, 28. Il s'agit donc d'un terme courant que Luc emprunte sans réserve à ses sources et qu'il n'hésite pas à introduire plusieurs fois lui-même. Du point de vue de terminologie, rien ne contredit la possibilité d'un usage lucanien ici.

---

43. La formule (ἐν) αὐτῇ τῇ ὥρᾳ (ἡμέρᾳ) est lucanienne (huit fois sur les onze usages de αὐτὸς ὁ), tandis que la combinaison de ὥρα ἐκείνη est plutôt matthéenne (*Mt.*, XV, 28 ; XVII, 18 ; XVIII, 1 ; XXIV, 36 ; XXVI, 55).

44. Les trois exemples d'accord mineur entre Mt et Lc contre Mc s'expliquent facilement ici, parce que le verbe est très matthéen.

45. Cfr H. SCHÜRMANN, *Der Abendmahlsbericht*, II, Munster, 1955, p. 60.

46. Cfr J. C. HAWKINS, *Horae Synopticae*, p. 22. 47.

Il n'en va pas exactement de même avec le verbe πορεύεσθαι, qu'on peut vraiment appeler un lucanisme [47] (Mt : 29 fois ; Mc : 3 fois ; Lc : 50 fois ; Joh : 13 fois ; Act : 37 fois). Luc emploie ce verbe 50 fois : 11 fois diff. Mc : Lc., IV, 42a ; V, 24 ; VIII, 14.48 ; IX, 12.13 ; XIX, 28 ; XXI, 8; XXII, 8.22.33; 3 fois add. Mc: Lc., IV, 42b; XIX, 36; XXII, 39 ; 5 fois par. Mt : Lc., VII, 8 (2 fois).22 ; XI, 26 ; XV, 4 ; 2 et 4 fois diff. Mt : Lc., XIV, 19 ; XIX, 12 (diff. Mc) ; VII, 6 (?) ; IX, 57 (?) ; et 27 fois LcSg dont 7 cas sont probablement rédactionnels : IV, 30 ; VII, 11.50 ; IX, 51.56 ; XVII, 11.19. La combinaison de ἐξέρχεσθαι et πορεύεσθαι en XIII, 31 pourrait témoigner d'un grec sémitisant et se trouve encore en Lc., IV, 42a ; XXII, 39 et Act., XII, 17 ; XVI, 36 ; XX, 1 et XXI, 5 [48].

En Lc., XIII, 31-33, on lit encore deux fois le verbe πορεύεσθαι. Au verset XIII, 32, on remarque un autre usage sémitisant, c.-à-d. le participe de πορεύεσθαι suivi par un impératif (cfr Lc., VII, 22 par. Mt ; XIV, 10 Sg ; XVII, 14 Sg ; XXII, 8 diff. Mc). En opposition avec l'usage plutôt redondant des vv. 31 et 32, au v. 33 le verbe a une signification plus dense, voire théologique. Dans ce verset, le verbe signifie ' aller à Jérusalem ', ce qui pour Lc est identique à marcher vers la mort (cfr IX, 51.53 ; XVII, 11 ; XIX, 28). Ceci ne veut pas dire que le terme comme tel serait un euphémisme pour ' mourir ', comme le croient quelques auteurs, qui appuient cette interprétation sur les textes de Lc., XXII, 22 (cfr XXII, 33) et d'Act., I, 25 [49]. Si on tient compte du parallélisme entre les vv. 32 et 33 (voir la structure proposée plus haut), on dirait plutôt que l'idée de la mort est exprimée par les verbes τελειοῦμαι (v. 32) et ἀπολέσθαι (v. 33), tandis que le terme πορεύεσθαι dans le v. 33 correspond à la description des activités de Jésus au v. 32. En outre, si on admet que πορεύεσθαι au v. 33 signifie « mourir », on voit mal dans le texte actuel quel sens aurait l'indication de temps « aujourd'hui et demain et le jour suivant », ni pourquoi le verbe est suivi par un ὅτι

---

47. Cfr H. Schürmann, Abendmahlsbericht, I, p. 90. 93 ; III, p. 5.

48. Cfr F. Hauck & S. Schulz, dans ThWNT, VI, p. 573, qui se réfèrent à l'hébraïsme wayyetše' wayyilek dans le cas des Act., XII, 17 ; XXI, 5. On a l'impression que les deux verbes sont tautologiques ou expriment au moins deux moments d'un même acte. En Lc., XIII, 31, notamment « partir » et « aller d'ici », quoique le verbe πορεύεσθαι n'obtint la signification de « partir » que par l'addition de l'adverbe de lieu ἐντεῦθεν. A noter cependant que le verbe πορεύεσθαι dans Luc remplace plusieurs fois le verbe ἀπελθεῖν dans Mc (Lc., IV, 42 diff. Mc., I, 35 ; IX, 12 diff. VI, 36 ; IX, 13 diff. VI, 37 ; XXII, 8 diff. XIV, 12) ou le verbe ὑπάγειν (Lc., V, 24 diff. Mc., II, 11 ; XXII, 22 diff. XIV, 21).

49. Ainsi J. H. Moulton & G. Milligan, The Vocabulary of the Greek Testament, London, 1949², ad lemma ; C. C. Torrey, Our Translated Gospels, Londres, 1937, p. 133 ; J. H. Davies, The Purpose of the Central Section of St. Luke's Gospel, dans Studia Evangelica II (T. & U., 87), Berlin, 1964, p. 164-169, spéc. p. 167 ; M. Black, Aramaic Approach, 1967, p. 206.

causatif qui introduit la même idée. Il est donc plus probable que Luc
respecte la signification normale du verbe dans le v. 33, mais, dans le
cadre du voyage vers Jérusalem, il lui donne un sens fort. Notons encore
que l'usage absolu du verbe se trouve encore dans *Lc.*, IV, 30 (SgRd ?) ;
VII, 8 (2 fois par. *Mt.*, VIII, 9) ; X, 37.38 (Sg) ; XI, 26 (par. *Mt.*, XII,
45) ; XVII, 19 (SgRd) ; XIX, 36 (add. *Mc.*, XI, 8) (cfr *Act.*, IX, 3 ;
X, 20 ; XXIV, 25), ce qui confirme son caractère rédactionnel [50]. Signalons enfin que l'adverbe de lieu ἐντεῦθεν n'est attesté que deux fois
dans les évangiles synoptiques : *Lc.*, IV, 9 (diff. Mt) et XIII, 31 [51].

2. *Les motifs*

Il ne suffit pas d'examiner si la terminologie convient au style de Luc.
Il faut en outre se demander si les motifs du v. 31 sont en accord avec
les conceptions globales de Luc.

a) *L'attitude des Pharisiens*

Nous disions déjà qu'un certain nombre d'auteurs voit dans l'attitude
bienveillante des Pharisiens vis-à-vis de Jésus une indication de l'originalité de l'épisode raconté. Cependant, on peut se demander si cette bienveillance est tellement évidente. Quand on veut préciser le sens de leur
intervention dans *Lc.*, XIII, 31, il ne faut pas examiner en premier
lieu si leur attitude concorde avec l'image historique des Pharisiens
du temps de Jésus, mais plutôt comment Luc lui-même se représente
les Pharisiens. Ensuite, on peut chercher une interprétation du v. 31
qui va dans la ligne de cette conception générale. Or, un examen du
dossier montre que Luc parle presque toujours péjorativement des
Pharisiens. Ils inculpent Jésus ou le guettent. Ils commencent une
controverse avec lui ou avec ses disciples [52]. Même quand ils invitent

---

50. A partir du caractère lucanien assez évident de la formule πλὴν δεῖ με...
πορεύεσθαι de v. 33, il devient plus probable que le verbe πορεύεσθαι dans le v. 31
est aussi rédactionnel, surtout si on tient compte du jeu de mot (' fuir ' — ' aller
consciemment vers Jérusalem ') qui se cache derrière le double usage du verbe.

51. Ici se termine l'analyse strictement terminologique. L'étude des deux noms
de personnes ' les Pharisiens ' et ' Hérode ' se range plutôt parmi l'examen des
motifs. Pour ce qui concerne le motif θέλει σε ἀποκτεῖναι, voir p. 265.

52. En *Lc.*, V, 21, les Pharisiens inculpent Jésus de blasphème (dans le texte
parallèle *Mc.*, II, 6 seulement les scribes sont nommés). En *Lc.*, V, 30 les Pharisiens
et leurs scribes murmurent contre les disciples parce qu'ils mangent et boivent avec
les publicains et les pécheurs (dans le texte parallèle de *Mc.*, II, 16 il s'agit des
scribes des Pharisiens ; Luc met donc en évidence les Pharisiens). Luc répète ce
motif en XV, 2 (Sv). En *Lc.*, V, 33 (par. *Mc.*, II, 18), les Pharisiens font grief à
Jésus de ce que ses disciples ne jeûnent pas continuellement comme les leurs.
Ailleurs, les Pharisiens reprochent aux disciples de Jésus d'égrener les épis et de
les manger le jour du sabbat (*Lc.*, VI, 2 par. *Mc.*, II, 24). Ils guettent Jésus (*Lc.*,

Jésus chez eux, — ce qui à première vue est un geste de respect, — Luc
ne les présente pas sous un jour favorable : ils l'acceptent froidement,
ils l'observent, ils le jugent sévèrement [53]. Cette image générale jette
un doute sur l'interprétation favorable de *Lc.*, XIII, 31. Et qui plus
est, il nous semble que dans l'évangile de Luc, il y a un passage qui
pourrait jeter quelque lumière sur le sens exact de l'intervention des
Pharisiens en *Lc.*, XIII, 31. Tout de suite après le discours contre les
Pharisiens, Luc nous offre un texte dans lequel ils sont présentés d'une
manière très défavorable : *Lc.*, XI, 53-XII, 1. En XII, 1, Luc a réinter-
prété le texte de *Mc.*, VIII, 15. Ce dernier texte contient un avertissement de se garder « du levain des Pharisiens et du levain d'Hérode ».
Lc., XII, 1 interprète l'image d'une manière qui ne laisse aucun doute :
« Gardez-vous du levain c'est-à-dire *l'hypocrisie* des Pharisiens ». Or,
il est probable que le texte de XI, 53-XII, 1 était encore dans la mémoire
de Luc quand il écrivait le verset XIII, 31, parce que *Lc.*, XIII, 31-33
sert justement d'introduction à la finale (originale) du discours antipharisien, que Luc a reculée (*Lc.*, XIII, 34-35 par. *Mt.*, XXIII, 37-
39). En *Lc.*, XIII, 31 comme en *Mc.*, VIII, 15, les Pharisiens et Hérode
sont mentionnés ensemble. En *Lc.*, XII, 1, l'accusation d'hypocrisie est
adressée aux Pharisiens seuls. Hérode en est exclu consciemment !
Il est possible que dans l'intention de Lc, la conduite des Pharisiens
en *Lc.*, XIII, 31 est une illustration concrète de l'hypocrisie, dont ils

---

VI, 7 : anticipation de *Mc.*, III, 6 ?). En *Lc.*, VII, 30 (add. Q ? cfr *Mt.*, XXI, 31-32),
les Pharisiens et les légistes entêtés sont opposés au peuple et aux publicains qui
veulent se convertir. Cette même opposition se retrouve dans la péricope propre
à Luc du Pharisien et du publicain (*Lc.*, XVIII, 10, 14).

53. Le Pharisien Simon condamne intérieurement l'attitude de Jésus vis-à-vis
de la pécheresse (VII, 38), et il ne lui a pas fait un accueil chaleureux (VII, 44-46).
Le Pharisien de XI, 37 l'invite à table, mais il s'étonne de sa conduite (XI, 38),
ce qui donne à Jésus l'occasion de prononcer un discours contre les Pharisiens
(XI, 39. 42. 43). En *Lc.*, XIV, 1, Jésus va manger chez un chef des Pharisiens, un
jour de sabbat, et « ils » guettent, c.-à-d. les légistes et les Pharisiens présents
(XIV, 3). Il semble qu'un des traits du genre littéraire du symposion grec était de
donner une image un peu ridicule de l'hôte (cfr J. MARTIN, *Symposion. Die Geschichte
einer literarischen Form* [Studien zur Geschichte und Kultur des Altertums, Bd.
XVII, 1-2], Paderborn, 1931, p. 37-51). Le fait que dans les symposia de Luc,
les Pharisiens jouent presque toujours le rôle d'hôtes, révèle en quelque sorte
indirectement son jugement défavorable sur eux. Enfin, ils restent encore les textes
éloquents de *Lc.*, XVI, 14 (Sv), où les Pharisiens sont appelés des « amis de l'argent »,
de *Lc.*, XVII, 20, où leur curiosité apocalyptique à propos du moment de la venue
du Règne est repoussée par Jésus dans une parole (consciemment ?) énigmatique.
Les quelques textes des Actes, où il est question des Pharisiens ne peuvent guère
changer cette image générale : Gamaliel (Φαρισαῖος au singulier !) est une exception
qui confirme la règle ; et l'attitude des Pharisiens vis-à-vis de Paul en *Act.*, XXIII
est trop ambiguë, — défendent-ils leur propre cause ou celle de Paul ? — pour qu'on
puisse en conclure beaucoup.

sont accusés en XII, 1. En apparence, ils avertissent Jésus contre les
intentions meurtrières d'Hérode. En réalité, ils veulent empêcher Jésus
d'accomplir sa mission. Il nous semble donc que, pour Luc, c'est là
l'intention propre qui se cache derrière l'avertissement « Pars et va-t-en
d'ici ». En tout cas, selon Luc, c'est ainsi que Jésus interprète leur
intervention (voir le v. 32) [54]. En outre, d'une manière hypocrite, ils
prêtent à Hérode une intention qu'il n'a pas.

b) *Hérode*

Certains auteurs pensent que le récit de *Lc.*, XIII, 31-33 suppose
les Pharisiens en connivence avec Hérode contre Jésus, leur ennemi
commun : le tétrarque veut écarter Jésus de ses domaines ; les Pharisiens
veulent l'attirer vers la Judée où ils espèrent avoir les mains libres pour
l'éliminer [55]. Ceux qui défendent cette opinion invoquent les textes de
Mc., III, 6 ; VIII, 15 ; XII, 13, où les Pharisiens font cause commune
avec Hérode ou les Hérodiens quand il s'agit de combattre Jésus. Toutefois, il est frappant que dans les textes parallèles, Luc ne reprend jamais
le motif de la complicité entre les deux parties. Au contraire, en XII, 1,
l'accusation d'hypocrisie est adressée seulement aux Pharisiens (diff.
Mc., VIII, 15) ! Cette constatation jette un doute sur l'interprétation
mentionnée.

Et qui plus est, il nous semble que notre interprétation, — que la
communication faite à Jésus par les Pharisiens est une fiction imaginée, —
peut être confirmée par le portrait lucanien d'Hérode, qui, — comme

---

54. Selon Luc, il y a deux façons dont les hommes empêchent Jésus d'accomplir
sa mission. D'une part, ils veulent garder Jésus pour eux-mêmes, disposer de lui,
l'intégrer complètement dans leur groupe (p.e. *Lc.*, IV, 23 : les habitants de Nazareth ; IV, 42 : les foules de Capharnaüm ; VIII, 19-20 : sa mère et ses frères) ;
d'autre part, ils ne veulent pas accueillir Jésus, ou ils veulent qu'il s'en aille de
leur domaine (*Lc.*, IV, 29 : les habitants de Nazareth ; IX, 53 : les Samaritains ;
XIX, 29-39 : la ville de Jérusalem et ses porte-parole, les Pharisiens). Le conseil
des Pharisiens en XIII, 31 se range parmi la deuxième catégorie.
— La réaction de Jésus est stéréotypée : Il affirme sa liberté prophétique (cfr IV,
24 : « aucun prophète n'est *propice* à sa propre patrie » : ainsi la traduction et
l'interprétation de J. Bajard, *La structure de la péricope de Nazareth en Lc., IV,
16-30*, dans *Eph. Theol. Lov.*, 45 (1969), 165-171 ; et VIII, 21). Cette liberté prophétique s'exprime dans le fait que Jésus, comme un étranger qui n'a pas de maison
définitive sur terre (IX, 58 ; cfr XXIV, 18 : Σὺ μόνος παροικεῖς), commence (IV, 30)
ou continue sa route en annonçant l'évangile du Règne par la parole et par les
actes (IV, 43-44 ; IX, 56 ; XIII, 32-33 ; XIX, 40. 41. 45. 47). Voir encore les textes
de *Lc.*, II, 7 et de *Lc.*, XXIV, 29.31 qui trahissent la même conception, et enfin
de *Lc.*, XXIV, 51 où l'ὁδός du Seigneur vient à son terme définitif.
55. Cfr H. J. Holtzmann, *Synoptiker*, Tubingue, 1901³, p. 379 ; A. Loisy, *Evang.
synopt.*, II, p. 125-126 ; F. A. Farley, *A Text (Luke XIII, 33)*, dans *Exp. Tim.*, 34
(1922-23), 429-430 ; F. Zehrer, *Synoptischer Kommentar*, III, 1965, p. 240.

c'est le cas de celui des Pharisiens, — ne doit pas coïncider nécessairement avec le personnage historique du tétrarque. Selon Luc, l'attitude d'Hérode vis-à-vis de Jésus n'est pas caractérisée par une hostilité prête à le tuer quand l'occasion se présenterait [56]. Il est plutôt dominé par un sentiment de curiosité à l'égard du thaumaturge exceptionnel qu'est Jésus. Il désire lui voir faire quelque miracle (*Lc.*, IX, 9 ; XXIII, 8). Lors de leur rencontre, Jésus ne consent pas à son désir, mais Hérode n'ose pas aller plus loin que de se moquer de lui, puis de le renvoyer à Pilate (XXIII, 8-12) [57]. Ces données justifient l'hypothèse que Luc n'impute pas à Hérode l'intention réelle de tuer Jésus [58]. Pour Luc, il s'agit plutôt d'une invention hypocrite des Pharisiens, pour cacher leurs mobiles véritables [59].

---

56. V. E. HARLOW, *The Destroyer of Jesus. The Story of Herod Antipas Tetrarch of Galilee*, Oklahoma City, 1954 ; et J. B. TYSON, *Jesus and Herodes Antipas*, dans JBL, 79 (1960), 239-246, pensent que, depuis longtemps déjà, Hérode voudrait arrêter Jésus et l'éliminer (*Lc.*, XIII, 31-33), et que Hérode est le premier responsable de sa condamnation à mort (*Lc.*, XXIII, 8-12). Voir la réfutation de J. BLINZLER, *Der Prozess Jesu*, Regensburg, 1969[4], p. 293-300.

57. Cette image inoffensive d'Hérode est d'autant plus lucanienne, si on voit dans *Lc.*, XXIII, 8-12, comme p.e. M. DIBELIUS, *Herodes und Pilatus*, dans ZNW, 16 (1915), 113-126, une composition rédactionnelle. Ajoutons encore que Luc semble éviter autant que possible de donner l'impression qu'Hérode s'est comporté comme un potentat cruel vis-à-vis de Jean-Baptiste : la donnée traditionnelle du meurtre du Baptiste, — un fait tellement connu que Luc ne pouvait évidemment plus le nier, — est réduite au minimum (*Lc.*, IX, 9) : Luc omet le récit détaillé de *Mc.*, VI, 17-29 traitant de cette affaire cruelle. Luc, qui semble avoir connu assez bien la maison des Hérodiens, n'insiste pas sur les scandales de cette famille, et la présente sous son jour le plus favorable (cfr H. J. CADBURY, *The Making of Luke-Acts*, Londres, 1958, p. 240-241). En outre, si l'intention principale de l'épisode de *Lc.*, XXIII, 8-12 est de donner une preuve supplémentaire de l'innocence politique de Jésus de la part d'Hérode, à côté de celle de Pilate (*Lc.*, XXIII, 14-15) (cfr H. CONZELMANN, *Mitte*, p. 79, n. 2 ; p. 129 ; E. E. ELLIS, *Luke*, 1966, p. 261), on voit mal comment la menace d'Hérode de *Lc.*, XIII, 31 pourrait être réelle.

58. B. WEISS, *Mk und Lk*, p. 514 ; J. BLINZLER, *Prozess*, p. 295.

59. Cfr W. OTTO, *Herodes*, 1913, p. 185. Notons encore qu'à la lumière de cette interprétation, il y a peut-être moyen de comprendre plus précisément l'appellation de « renard » à l'adresse d'Hérode. Au sens figuré, le mot peut signifier (a) une personne rusée (cfr W. BAUER, col. 82-83 ; LIDDELL-SCOTT, col. 75 ; STRACK-BILLERBECK, II, 200-201) : c'est le sens le plus obvie, qui se trouve dans beaucoup de langues ; (b) une personne destructrice (cfr LEANEY, *Luke*, 1958, p. 171) : E. E. ELLIS, *Luke*, p. 190 qualifie cette interprétation comme peu probable ; (c) STRACK-BILLERBECK, II, p. 201, note encore une troisième possibilité dans la littérature rabbinique : le renard indique une personne insignifiante (ou modeste) en opposition avec le lion, qui est une image de l'homme puissant. Cette dernière signification ne diffère pas tellement de la première : une personne inconséquente, qui change beaucoup d'opinion ou de position (comme le renard), peut être considérée par les autres soit comme un homme rusé, qui n'est pas digne de confiance, soit comme une personne insignifiante, de caractère faible, qui n'a pas de prise sur la

c) *Influence de Mc., VI ?*

Il n'est pas impossible que le motif ʽΗρῴδης θέλει σε ἀποκτεῖναι dépende en quelque sorte de *Mc.*, VI. Dans *Lc.*, XIII, 31-33 il s'agit du rapport entre Hérode et Jésus. Il ne serait donc pas étonnant qu'en écrivant ce texte, Luc avait devant ses yeux le texte de *Mc.*, VI, 14-16 par. *Lc.*, IX, 7-9, dans lequel Hérode donne son opinion sur Jésus et rappelle le sort prophétique qu'il a fait subir à Jean le Baptiste. Dans le récit suivant, qui traite de la mort du Baptiste (*Mc.*, VI, 17-29), et que Luc a omis, il est dit que ἡ δὲ ʽΗρῳδιὰς... ἤθελεν αὐτὸν (= le Baptiste) ἀποκτεῖναι (VI, 19). Dans *Lc.*, XIII, 31, nous avons peut-être une transposition lucanienne de ce motif : ʽΗρῴδης θέλει σε ἀποκτεῖναι [60]. Il nous semble que cette connexion peut être confirmée par d'autres contacts littéraires et thématiques entre *Lc.*, XIII, 22.31-33 et *Mc.*, VI :

(1) La réponse de Jésus : ἐκβάλλω δαιμόνια καὶ ἰάσεις ἀποτελῶ (*Lc.*, XIII, 32) pourrait être une réminiscence de *Mc.*, VI, 13 : δαιμόνια πολλὰ ἐξέβαλλον... ἐθεράπευον.

(2) Il y a une similitude de contenu et de forme littéraire entre *Lc.*, XIII, 33b et *Mc.*, VI, 4 [61] :

---

réalité. Luc s'est peut-être rallié à cette troisième signification (quoique nous n'ayons pas trouvé un parallèle dans la littérature grecque) : Jésus ne se laisse pas intimider par Hérode, le « renard », dont la soi-disant puissance ne peut rien faire contre la mission divine de Jésus.

60. Cette transposition n'est pas si invraisemblable qu'elle pourrait apparaître à première vue, si on tient compte du fait que, pour Luc, entre Jésus et son précurseur Jean il y a d'une part une similitude, et d'autre part une supériorité. Cette supériorité se manifeste entre autres dans le fait que Luc attribue plus clairement à Jésus des traits qui, en Mc, sont attribués à Jean le Baptiste. Nous avons déjà signalé plus haut que Luc réduit au minimum le récit circonstancié de Mc sur le sort prophétique que Jean subit de la part d'Hérode (*Mc.*, VI, 19-27 comp. *Lc.*, III, 19-20). En plus du motif déjà indiqué qui a pu influencer ce changement, — Luc veut présenter les Hérodiens sous une lumière favorable, — il est possible qu'en même temps un autre motif ait joué : notamment l'intention de Luc de mettre plus en évidence la fin prophétique de Jésus, dont *Lc.*, XIII, 31-35 est aussi une expression. Dans les pages qui suivent nous aurons encore l'occasion de montrer que tous les traits qui, dans la présentation marcienne du Baptiste, pourraient rappeler le prophète Élie (cfr surtout *Mc.*, IX, 9-13), sont tranférés à Jésus dans l'évangile de Luc. Dans le cadre de cette dernière transposition, il est peut-être intéressant de remarquer que les motifs δεῖ ἐλθεῖν πρῶτον (*Mc.*, IX, 11) et καὶ ἐποίησαν αὐτῷ ὅσα ἤθελον (*Mc.*, IX, 13), qui, dans Marc, s'appliquent au Baptiste (= Élie), valent *mutatis mutandis* pour Jésus (= Élie) dans *Lc.*, XIII, 31 (θέλει σε ἀποκτεῖναι) et *Lc.*, XIII, 33 (δεῖ με πορεύεσθαι). Remarquons enfin que Matthieu, dans le texte parallèle à *Mc.*, VI, 19, fait également la transposition Hérodiade-Hérode (*Mt.*, XIV, 5).

61. Cfr E. KLOSTERMANN, *Lukas*, 1929², p. 148 ; O. H. STECK, *Geschick*, p. 46, n. 3.

Lc., XIII, 33b: οὐκ ἐνδέχεται προφήτην ἀπολέσθαι ἔξω Ἱερουσαλήμ
Mc., VI, 4 : οὐκ ἔστιν προφήτης ἄτιμος εἰ μὴ ἐν τῇ πατρίδι αὐτοῦ.

(3) Le verset *Lc.*, XIII, 22, l'introduction rédactionnelle de la section XIII, 22-35 [62], montre une analogie frappante de contenu et de structure littéraire avec *Lc.*, IX, 6, qui est une adaptation de *Mc.*, VI, 6b.12-13, et avec *Lc.*, VIII, 1 (SvRd) [63] :

Lc., IX, 6 : ἐξερχόμενοι δὲ διήρχοντο
     a κατὰ τὰς κώμας   b εὐαγγελιζόμενοι
     b′ καὶ θεραπεύοντες   a′ πανταχοῦ

Lc., VIII, 1 : καὶ... αὐτὸς διώδευεν
     a κατὰ πόλιν καὶ κώμην   b κηρύσσων
     b′ καὶ εὐαγγελιζόμενος   a′ τὴν βασιλείαν τοῦ θεοῦ

Lc., XIII, 22 : καὶ διεπορεύετο
     a κατὰ πόλεις καὶ κώμας   b διδάσκων
     b′ καὶ πορείαν ποιούμενος   a′ εἰς Ἱεροσόλυμα.

Dans les trois textes, nous trouvons un verbe d'aller sans objet, chaque fois un verbe composé avec la préposition διά. Ce verbe principal est précisé par deux participes (b et b′) qui, avec leurs compléments (a et a′), forment une structure chiastique. Dans les trois cas, le membre b contient un verbe qui indique la prédication de Jésus. L'élément (a), précédant le verbe, est chaque fois constitué par la préposition κατά avec accusatif (3 fois κώμη et 2 fois πόλις). La position de κατὰ πόλιν et/ou κώμην *avant* un verbe de prédication se lit encore en *Lc.*, VIII, 39 et *Act.*, XV, 21.36, et avant un autre verbe dans *Lc.*, VIII, 4 et *Act.*, XX, 23 [64]. Sur la base de ces parallèles, il nous semble qu'en *Lc.*, XIII,

---

62. *Lc.*, XIII, 22 est la deuxième des trois notices de voyage explicites qu'on rencontre dans la grande interpolation de *Lc.*, IX, 51-XVIII, 14. La plupart des auteurs acceptent le caractère rédactionnel de ces notices IX, 51 ; XIII, 22 ; XVII, 11. Voir notre aperçu dans *Het lucaanse reisverhaal*, dans *Collationes Brug. Gand.*, 14 (1968), 225 ss. Il restent de rares exceptions, ainsi K. H. RENGSTORF, *Lukas, ad loc.* ; et J. SCHNEIDER, *Reisebericht*, p. 212, qui défendent le caractère traditionnel de ce verset. Il faut concéder à ces auteurs que le verset *Lc.*, XIII, 22 ne contient en effet aucun des lucanismes que K. GROBEL a étudiés et rassemblés dans les versets d'introduction de Luc (cfr K. GROBEL, *Formgeschichte und synoptische Quellenanalyse*, Gœttingue, 1937, pp. 69-77). Pourtant une analyse plus poussée de *Lc.*, XIII, 22 montre que la terminologie et le style de ce verset n'ont rien de contraire à la manière d'écrire de Luc (voir notre thèse *De sectie Lc., XIII, 22-35 en haar plaats in het lucaanse reisbericht* (Dissert. doct.), Louvain, 1967, p. 358-363).

63. Sur le caractère rédactionnel de *Lc.*, VIII, 1, voir l'analyse de J. DELOBEL, *L'onction*, p. 445-446.

64. Voir encore *Act.*, VIII, 25 qui a une structure chiastique analogue :

22 le complément « par villes et par bourgs » dépend du verbe διδάσκων [65]. Il en résulte que la structure chiastique de *Lc.*, XIII, 22 est à préférer à une autre structuration, qui est également possible du point de vue grammatical, et qui rattache « par villes et par bourgs » au verbe διεπορεύετο [66]. La similitude frappante de ces trois versets justifie l'hypothèse que Luc lui-même en est responsable [67]. En effet, la structure qu'on y découvre est en quelque sorte lucanienne. *Lc.*, IX, 6 a retravaillé *Mc.*, VI, 12-13 dans ce sens. Pour obtenir ce résultat, Luc emploie une expression de *Mc.*, VI, 6b (καὶ περιῆγεν τὰς κώμας κύκλῳ διδάσκων), qu'il omet dans le texte parallèle. On peut même se demander si le texte de *Mc.*, VI, 6b.12-13 n'était pas présent dans la mémoire de Luc quand il écrivait XIII, 22. Le terme κώμη se lit 12 fois dans Luc, dont 9 fois au singulier, et seulement trois fois dans le pluriel. Cela veut dire que Luc préfère normalement le singulier, sauf... quand il dépend de sa source Mc : dans le cas de *Lc.*, IX, 12 (par. *Mc.*, VI, 36), c'est certain ; dans celui de *Lc.*, IX, 6 (cf. *Mc.*, VI, 6b), c'est probable. Ne se pourrait-il pas que *Lc.*, XIII, 22 dépende également de *Mc.*, VI ? Le terme διδάσκων se lit dans *Mc.*, VI, 6b. Dans *Mc.*, VI, 56 on lit l'expression εἰς κώμας ἢ εἰς πόλεις ἢ εἰς ἀγρούς, et dans *Mc.*, VI, 36 ἀγροὺς καὶ κώμας, expressions qui pourraient avoir influencé la formule πόλεις καὶ κώμας de *Lc.*, XIII, 22. L'usage exceptionnel du pluriel de κώμη, le verbe διδάσκων, et la structure analogue de *Lc.*, XIII, 22 ont donc quelque chance d'être une réminiscence de *Lc.*, IX, 6 par. *Mc.*, VI, 6b.12-13.

(4) Enfin, il y a encore une autre correspondance. Dans *Mc.*, VI, 10-11 par. *Lc.*, IX, 4-5, Jésus donne des conseils aux disciples sur l'attitude à prendre vis-à-vis de ceux qui les reçoivent ou les refusent, qui rendent possible ou impossible leur travail : ils doivent rester ou s'en aller. L'influence de ce thème sur la présentation de Lc est indubitable. Son

---

οἱ μὲν... ὑπέστρεφον   εἰς Ἱεροσόλυμα,
πολλάς τε κώμας τῶν Σαμαριτῶν   εὐηγγελίζοντο.
En *Act.*, V, 42, nous lisons :
... κατ' οἶκον ... διδάσκοντες καὶ
εὐαγγελιζόμενοι τὸν Χριστόν, Ἰησοῦν.

65. Ainsi déjà G. L. HAHN, *Lukas*, 1894, *ad loc.* ; cfr E. KLOSTERMANN, *Lukas*, 1929, p. 146, qui indique cette possibilité, mais qui hésite.

66. Ainsi B. WEISS, *Mk. und Lk.*, p. 509 ; M.-J. LAGRANGE, *Luc*, 1941[5], p. 388, avoue que la solution de HAHN est plus attrayante (« car il paraît superflu de dire qu'en voyageant, on traverse des villes et des bourgs »), tout en choisissant l'autre solution (« Cependant d'après l'analogie de *Mc.*, VI, 6 et *Mt.*, IX, 35, ces mots se rattachent plutôt à διεπορεύετο »). L'argument est très faible : il nous semble plus indiqué d'expliquer *Lc.*, XIII, 22 à partir de *Lc.*, VIII, 1 et IX, 6 que sur la base de *Mc.*, VI, 6 et de *Mt.*, IX, 35.

67. Cette hypothèse ne suppose pas nécessairement que Luc a assimilé ces trois textes consciemment. Il se pourrait que nous ayons là un caractère de style lucanien qui s'exprime inconsciemment.

évangile contient plusieurs passages dans lesquels on veut empêcher Jésus d'accomplir sa mission, ou dans lesquels on ne le reçoit pas. Chaque fois Jésus met en pratique le conseil qu'il donne lui-même en *Lc.*, IX, 4-5 : il affirme sa mission en ce qu'il part pour prêcher et guérir [68]. En *Lc.*, XIII, 31-33, ce thème n'est pas absent. Les Pharisiens ont l'intention d'empêcher Jésus d'accomplir sa mission (v. 31). Jésus répond en affirmant sa volonté d'accomplir sa mission (v. 32), qui se réalise en partie en ce qu'il continue son voyage vers Jérusalem (v. 33).

La présence des Pharisiens et la mention de leur attitude hypocrite dans un texte où Luc veut introduire la fin du discours contre les Pharisiens n'a donc rien d'étonnant. Les remarques précédentes sur la terminologie, les motifs et les analogies de *Lc.*, XIII, 31 avec plusieurs textes de *Mc.*, VI et avec la fin du discours antipharisien (Q) rendent probable que Luc lui-même a rédigé le verset 31.

B. LA RÉPONSE DE JÉSUS (LC., XIII, 32-33)

1. *Le verset XIII, 32*

a) *L'introduction narrative*

L'introduction narrative à la réponse de Jésus, καὶ εἶπεν αὐτοῖς, pourrait à première vue trahir l'emploi d'une source : car, au dire de quelques auteurs, Luc n'aime pas tellement l'introduction avec parataxe καὶ εἶπεν ; en outre, de lui-même, il aurait écrit εἰπεῖν + πρός + accusatif [69]. Cependant, selon J. Delobel, il faudrait éviter des jugements trop généraux. Après un examen nouveau du dossier, il conclut : « ... si l'expression préférée de Luc est sans doute εἶπεν προς, cela n'empêche pas que son souci de variation stylistique l'a obligé de prendre parfois recours à une 'expression de rechange' » [70]. A notre avis, *Lc.*, XIII, 32 pourrait en être un exemple. Dans le cadre de la section XIII, 22-35, καὶ εἶπεν αὐτοῖς (v. 32) serait une variation stylistique avec ὁ δὲ εἶπεν πρὸς αὐτούς au verset 'correspondant' (XIII, 23). Même quand on n'accepte pas cette explication, il en reste peut-être une autre : *Lc.*, XIII, 32 καὶ εἶπεν

---

68. Voire la note 54. Surtout, le texte de *Lc.*, IV, 42-43, une élaboration lucanienne de *Mc.*, I, 37-38, est instructif. Au texte de Marc, Luc ajoute « ils voulaient le retenir pour qu'il ne les quittât point (πορεύεσθαι) », ainsi que la réponse de Jésus : « Il faut aussi que je (δεῖ με ...) porte aux autres villes la bonne nouvelle du royaume de Dieu ». Les foules empêchent donc Jésus d'exercer son activité, qui se réalise justement dans le fait qu'il continue à voyager en prêchant. Jésus répond en rappelant la nécessité divine (δεῖ comp. XIII, 33) sous laquelle son activité est placée. Comparer encore *Act.*, V, 40. 42 ; VIII, 1. 5.

69. Cfr H. SCHÜRMANN, *Abendmahlsbericht*, III, p. 116-117, avec renvoi à *Abendmahlsbericht*, I, p. 4-5. 88 ; F. REHKOPF, *Sonderquelle*, p. 93, nr. 25.

70. Cfr J. DELOBEL, *L'onction*, p. 435-436.

αὐτοῖς est une réminiscence de sa source Mc., VI, 10 : καὶ ἔλεγεν αὐτοῖς. A première vue cette suggestion semble être sans aucun fondement. Elle n'est pas moins plausible si on tient compte des contacts thématiques et littéraires entre Lc., XIII, 22.31-33 et Mc., VI, 6b-13, que nous avons décrits plus haut.

La réponse de Jésus commence avec un commandement d'allure sémitisante πορευθέντες εἴπατε. Nous avons déjà dit un mot sur cette expression. Ajoutons que l'impératif de εἰπεῖν + datif se lit encore dans Lc., X, 40 (Sg) ; XX, 2 (add. Mc) ; XX, 3 (diff. Mc) et XXII, 67 (add. Mc), ce qui favorise plutôt son caractère rédactionnel. L'objet ἀλώπηξ est rare dans le Nouveau Testament ce qui se comprend aisément. Pourtant, des trois cas présents dans le Nouveau Testament, il y en a deux en Luc : IX, 58 (par. Mt., VIII, 20) et XIII, 32. Enfin, la place du pronom démonstratif après le substantif τῇ ἀλώπεκι ταύτῃ est tout à fait selon le style de Luc [71].

b) Les activités thaumaturgiques

Le terme ἰδού revient 57 fois en Luc (dont 16 fois dans un texte narratif) et 23 fois dans les Actes (dont 8 fois dans une narration). Comparé à Mc (7 fois), Mt (62 fois) aussi bien que Lc lui montrent une préférence marquée. Luc utilise le terme deux fois par. Mc : Lc., XVIII, 28.31 ; 10 ou 11 fois diff. ou add. Mc : Lc., V, 12.18 ; VIII, 41 ; IX, 30.38.39 ; XIII, 30 (?) ; XXII, 10.47 ; XXIII, 50 ; XXIV, 4 ; 9 fois par. Mt : Lc., VII, 25.27 (par. Mc., I, 2).34 ; X, 3 ; XI, 31.32 ; XIII, 35 ; XVII, 23 (2 fois) ; et 4 fois diff. Mt : Lc., VI, 23 ; X, 25 ; XI, 41 ; XIX, 20. On lit encore ἰδού 31 fois dans le SgLc, dont 6 fois dans des passages très probablement rédactionnels : XIII, 11 ; XIV, 2 ; XVII, 21 (2 fois) ; XIX, 2 et XXIV, 13. La formule καὶ ἰδού, qui dans la LXX est la traduction de l'expression hébraïque wᵉhinnêh, peut être considérée comme lucanienne [72]. Il nous semble que, même dans les 29 cas d'usage absolu, on ne peut nier la possibilité d'un emploi lucanien [73].

Plus haut, nous avons suggéré que, dans XIII, 32, Luc pourrait avoir repris l'expression ἐκβάλλω δαιμόνια à Mc., VI, 13. Ailleurs dans son évangile aussi, Luc l'emprunte soit à Marc (Lc., IX, 40.49), soit à la Quelle (Lc., XI, 15.19.20 par. Mt). Dans ce dernier texte, Luc introduit encore deux fois la formule (XI, 14.18!diff. Mt). Surtout, le terme δαιμόνιον est préféré par Luc (Mt : 11 fois ; Mc : 13 fois ; Lc : 23 fois ; Act :

---

71. Cfr H. SCHÜRMANN, Abendmahlsbericht, I, p. 70 : Lc : 70 fois ; Act : 79 fois ; l'ordre inverse : Lc : 15 fois ; Act : 22 fois.

72. Cfr J. DELOBEL, De zalvingsverhalen. Bijdrage tot de Redactiegeschiedenis der Evangeliën (Diss. doct.), Louvain, 1965, p. 184-187 ; L'onction, p. 439.

73. Cfr H. SCHÜRMANN, Abendmahlsbericht, I, p. 93 ; et J. C. HAWKINS, Horae Synopticae, p. 41, à propos de ἰδοὺ γάρ.

1 fois). Luc l'emploie 2 fois par. Mc : *Lc.*, IV, 41 ; IX, 49 ; 10 fois diff.
ou add. Mc : *Lc.*, IV, 33.35 ; VIII, 27.29.30.33.35.38 ; IX, 1.42 [74]. 5 fois
par. Mt : *Lc.*, VII, 33 ; $\overline{XI}$, 15 (2 fois).19.20 ; 3 fois diff. $\overline{Mt}$: *Lc.*, XI,
14 (2 fois).18 ; et 3 fois Sg : *Lc.*, VIII, 2 ; X, 17 ; XIII, 32.

Quoique l'expression ἰάσεις ἀποτελῶ ne se trouve pas fréquemment
en Luc, elle n'est pas nécessairement non-lucanienne. Le substantif
ἴασις se lit trois fois dans le Nouveau Testament, toutes dans l'œuvre de
Luc (*Lc.*, XIII, 32 et *Act.* IV, 22.30). Et quand on tient compte de
l'emploi du verbe ἰᾶσθαι en Lc [75], on pourrait presque dire que le substantif ἴασις est un lucanisme. Ἀποτελεῖν est attesté deux fois seulement
dans le Nouveau Testament : *Lc.*, XIII, 32 et *Jac.*, I, 15 [76]. Le caractère
lucanien de ce verbe peut être pris en considération quand on remarque
la préférence de Luc pour les autres verbes composés avec τελεῖν :
συντελεῖν (6 fois dans le Nouveau Testament, dont *Mc.*, XIII, 4 ; *Lc.*,
IV, 2.13 diff. Mt ; et *Act.*, XXI, 27) ; διατελεῖν (seulement dans *Act.*,
XXVII, 33), ἐκτελεῖν (2 fois dans le Nouveau Testament : LcSg, XIV,
29.30). Exorcisme et guérison sont combinés encore dans *Lc.*, IV,
40-41 ; VI, 18 ; VII, 21 ; VIII, 2 et XIII, 12-16.

Il n'y a aucune contre-indication à ce que la donnée chronologique
σήμερον καὶ αὔριον provienne de la plume de Luc. Dans le Nouveau
Testament, chacun des deux termes pris pour eux-mêmes sont caracté-
ristiques de Luc. Le vocable σήμερον est attesté 41 fois dans le Nouveau
Testament, dont presque la moitié dans les écrits de Luc : Mt : 8 fois ;
Mc : 1 fois ; Lc : 11 fois ; Act : 9 fois ; reste du Nouveau Testament :
12 fois. En Luc, le dossier se présente comme suit : 1 fois par. Mc :
Lc., XXII, 34 ; 2 fois add. Mc : *Lc.*, V, 26 ; XXII, 61 (sous l'influence
de *Mc.*, XIV, 30 ?) ; 1 fois par. Mt : *Lc.*, XII, 28 ; et 7 fois LcSg : *Lc.*,
II, 11 ; IV, 21 ; XIII, 32.33 ; XIX, 5.9 ; XXIII, 43 ; quelques uns de
ces textes ont une signification nettement théologique (II, 11 ; IV,
21 ; XIX, 5) [77]. Le vocable αὔριον se trouve 14 fois dans le Nouveau
Testament : Mt : 3 fois ; Lc : 4 fois (X, 35 ; XIII, 32.33 : Sg ; et XII, 28 :
par. Mt) ; et Act : 4 fois (IV, 3.5. ; XXIII, 20 ; XXV, 22).

---

74. Dans les textes soulignés, Luc remplace le πνεῦμα ἀκάθαρτον de Marc par le
mot δαιμόνιον.

75. Terme caractéristique de Luc figurant dans la liste de J. C. HAWKINS, *Horae*,
p. 19. Ἰᾶσθαι : Mt : 4 fois ; Mc : 1 fois ; Lc : 11 fois ; Act : 4 fois. Luc écrit le terme
en VIII, 47 (par. *Mc.*, V, 29 ?) et VII, 7 (par. *Mt.*, VIII, 8) ; dans *Lc.*, V, 17 ;
VI, 18. 19 ; IX, 2. 11. 42 : add. ou diff. Mc ! ; et 3 fois LcSg : XIV, 4 ; XVII, 5 ;
XXII, 51.

76. Ἀποτελῶ dans P75 B ℵ L 33 124. La lecture variante -λουμαι de D est vraiment exceptionnelle. Les variantes ἐπιτελω de la *Koinè* (A W Θ λ φ pl) et ποιουμαι
dans P45 sont peut-être des essais pour remplacer un verbe plutôt rare (ἀποτελῶ)
par un terme plus courant.

77. Dans le même sens, H. SCHÜRMANN, *Abendmahlsbericht*, III, p. 24-25.

c) « *Le troisième jour, je suis conduit au terme* »

L'interprétation de l'expression καὶ τῇ τρίτῃ τελειοῦμαι peut être menée dans deux grandes directions. Ou bien on y voit la fin des activités de Jésus en Galilée : « le troisième jour, je suis au terme (de mes exorcismes et guérisons ici) » : c'est une interprétation assez littérale, sinon banale, mais elle s'appuie sur le sens étymologique du verbe, et sur le contexte précédent. Ou bien on estime que l'expression comporte une signification plus profonde : elle indiquerait la fin de la mission terrestre de Jésus : sa mort, sa résurrection, sa glorification, ou ces trois phases ensemble. Nous pensons qu'il n'est pas impossible, vu le caractère énigmatique de la réponse de Jésus, que Luc ait choisi une expression ouverte à plusieurs explications. Dans l'intention de Luc, les Pharisiens y entendraient l'affirmation que Jésus ne mettra fin à ses activités qu'après un certain temps. Toutefois, il nous apparaît comme certain, que, pour ses lecteurs chrétiens, Luc a mis dans la bouche de Jésus une expression qui a des résonances chrétiennes, de sorte qu'on peut parler d'une sorte de prédiction des événements qui concluent la vie terrestre de Jésus. Plusieurs indications peuvent être invoquées en faveur de cette explication :

(1) Du point de vue étymologique, le verbe τελειοῦν τι / τινα signifie à l'actif « rendre quelqu'un parfait (τέλειος) », et au passif « devenir ou être parfait » [78]. Or, déjà dans le grec non biblique (Philon, *Leg. all.*, III, 74), et à coup sûr dans le Nouveau Testament (*Lc.*, II, 43 ; *Act.*, XX, 24 ; *Phil.*, III, 12), il y a contamination avec un verbe dont la signification est très proche : τελεῖν, dans l'actif « faire venir au terme (τέλος) », au passif « atteindre le but » [79]. En soi donc, le verbe τελειοῦσθαι peut indiquer soit (a) l'accomplissement, la consommation, la perfection ; soit (b) le but, la fin, le terme. Il nous faut donc préciser de quelle consommation ou de quelle fin il s'agit.

(2) La voix passive du verbe [80] indique aussi dans quelle direction chercher. Si Luc voulait laisser dire à Jésus : « Je mets fin à mes activités ici », il aurait probablement préféré la voix active τελειώσω (ταῦτα), voix qu'il connaît et emploie ailleurs (*Act.*, XX, 24 ; comp. *Lc.*, II, 43). Il nous semble donc qu'on ne pourrait traduire la forme passive τελει-

---

78. Sur le sens du verbe, voir LIDDELL & SCOTT, *Greek-English Lexicon*, 1770 ; W. BAUER, *Wörterbuch*, 1602-03 ; G. DELLING, art. τέλειος, e.a., dans ThWNT, VIII (1969), 80-85. Sur le sens du verbe dans *Lc.*, XIII, 32, voir surtout l'aperçu de J. BLINZLER, *Reisebericht*, p. 43, n. 61.

79. Voir également J. DUPONT, *Le discours de Milet* (Lectio Divina, 32), Paris, 1962, p. 98-101.

80. Le sens du moyen peut être exclu ici : cfr A. LOISY, *Évang. Synopt.*, II, p. 126, n. 7 ; M.-J. LAGRANGE, *Luc*, 1941, p. 395 ; J. BLINZLER, *Reisebericht*, p. 43, n. 61.

οῦμαι dans le sens actif de « j'atteins le but », mais plutôt dans un sens passif « je suis conduit au terme ; je suis porté au point de consommation » ; cela veut dire que le sujet de l'action est *Dieu* ; c'est lui qui mettra un terme à l'activité de Jésus ; c'est lui qui définit quand et comment la mission de Jésus sera accomplie[81]. Ce sens est confirmé par le contexte : le sens global du v. 32 est sans doute que Jésus veut confirmer sa mission *divine* contre les désirs ou la volonté d'Hérode. Et qui plus est, l'idée de la nécessité divine est exprimée plus clairement encore au v. 33 (δεῖ et οὐκ ἐνδέχεται).

(3) A quoi précisément Dieu mettra-t-il un terme ? A la rigueur, on pourrait dire que Dieu définira le moment où prendra fin l'activité thaumaturgique de Jésus en Galilée. Le texte de *Lc.*, II, 43 prouve que cette explication est possible ; là aussi, il est question de la fin d'une période limitée de quelques jours. Toutefois, une autre interprétation semble plus dans la ligne de pensée de Luc. Premièrement, dans le dernier des trois textes dans lesquels Luc emploie le verbe τελειοῦν, *Act.*, XX, 24, il est dit que Paul, en dépit des tribulations et du martyre éventuel qui l'attendent à Jérusalem, veut « parfaire sa course », c.-à-d. il veut achever le « ministère » que Dieu lui a accordé. Dans ce texte, le verbe τελειοῦν n'est pas mis en relation avec une période limitée (comme en *Lc.*, II, 43), mais avec *l'ensemble du ministère* de Paul (cfr *Act.*, XIII, 25 ; *2 Tim.*, IV, 7-8). Ensuite, il y a une sorte d'opposition entre les tribulations (éventuellement le danger de mort) de Paul et l'achèvement de sa mission (cfr *Phil.*, III, 12). Or, nous avons l'impression que la même opposition joue dans notre texte. Cela n'étonne d'ailleurs pas. Selon Luc, la vie de Jésus est en quelque sorte le modèle de celle de ses apôtres. En dépit du danger de mort (XIII, 31), Jésus veut accomplir sa mission (prise dans sa totalité, et dont les exorcismes et les guérisons sont l'expression caractéristique : XIII, 32a)[82], à laquelle seul Dieu mettra un terme (XIII, 32b).

(4) En quoi consiste ce terme ? A première vue, on pourrait penser à la mort de Jésus : ce n'est pas Hérode, mais Dieu qui en décidera ! C'est ainsi que le comprennent plusieurs auteurs[83]. Cependant, nous

---

81. Dans ce sens aussi, M.-J. LAGRANGE, *Luc, ad locum* ; G. DELLING, dans ThWNT, VIII, p. 85 : « hernach wird er, Jesus, *vollendet*, wird ihm von Gott der *Abschluss* seines Wirkens *gesetzt* ».

82. H. CONZELMANN, *Mitte*, p. 177-180, a montré que, dans la présentation lucanienne du ministère de Jésus, l'attention se dirige plus sur les gestes de Jésus que sur ses paroles : cfr *Lc.*, VII, 21 (SvRd) ; *Act.*, II, 22 ; X, 38. L'énumération des exorcismes et des guérisons dans *Lc.*, XIII, 32 peuvent donc indiquer la totalité de l'œuvre salvifique de Jésus. En outre, *Lc.*, XIII, 32 forme un complément avec XIII, 22 (prédication).

83. Ainsi M. J. LAGRANGE, A. VALENSIN & J. HUBY ; J. SCHMID, W. BUNDY, M. BLACK et W. GRUNDMANN (?).

avons l'impression que Luc pense en premier lieu à la *glorification* de Jésus, à l'acte de la résurrection-exaltation, par lequel Dieu a porté à sa consommation la vie de Jésus [84]. La tension entre le danger de mort et la volonté d'accomplir sa mission qui domine *Lc.*, XIII, 31-32, doit se comprendre à la lumière de l'antithèse plus profonde qui domine la vie de Jésus : passion-gloire, mort-resurrection. Pour Luc, c'est évidemment l'enlèvement (ἀνάλημψις), c.-à-d. l'entrée de Jésus dans la gloire du Père, qui forme le vrai terme de sa vie et la consommation de sa mission (cfr *Lc.*, IX, 51 ; XXIV, 26.46). Il va sans dire que, selon Luc, ce but n'est atteint qu'à travers la souffrance et la mort. Si l'idée de la mort n'est pas formellement exprimée par le terme τελειοῦμαι, c'est parce que Luc le fait dans le verset suivant, qui, avec un πλήν adversatif introduit l'autre terme de l'antithèse, la mort (XIII, 33). Il est intéressant de noter que c'est exactement la même idée qu'exprime le verbe τελειοῦν dans l'épître aux Hébreux II, 10 ; V, 9 ; VII, 28 ; la *consommation* du Christ dont il est question là-bas, n'est rien d'autre que sa glorification, son entrée dans le ciel, dans la gloire de Dieu [85].

(5) Cette interprétation peut être confirmée par la structure que nous avons proposée plus haut. Les deux membres de la double réponse de Jésus (B′ en A′) sont en quelque sorte parallèles entre eux :

a les miracles de Jésus (= ministère de Jésus)
b la ' consommation ' (= résurrection-exaltation)
a′ le voyage vers Jérusalem (= ministère de Jésus)
b′ le meurtre du prophète (= la mort de Jésus).

(6) Une autre confirmation de cette interprétation théologique du verbe τελειοῦμαι peut être trouvée dans l'expression τῇ τρίτῃ (ἡμέρᾳ) [86]. Ailleurs dans son évangile, Luc n'emploie cette indication de temps qu'en rapport avec la résurrection (cfr *Lc.*, IX, 22 ; XVIII, 33 ; XXIV, 7.46 ; comp. XXIV, 21 ; *Act.*, X, 40) [87]. Pour le lecteur chrétien, « le troisième jour » est associé spontanément avec la résurrection de Jésus trois jours après sa mort. Il serait donc étonnant que Luc n'y pense

---

84. Cfr A. Loisy, II, p. 126 ; E. Klostermann et F. Hauck, *ad loc.*, parlent de la mort et de l'exaltation de Jésus ; J. M. Creed de la cruxifixion et de la résurrection.

85. Voir P. Andriessen & A. Lenglet, *De Brief aan de Hebreeën*, Roermond, 1971, *ad loc.*, et spéc. p. 121-122. Il va sans dire que l'idée de consommation a dans cette épître presque toujours une nuance cultuelle, mais cela n'empêche pas que la signification fondamentale est celle de l'entrée dans la gloire de Dieu.

86. Le nombre ordinal τρίτος est volontiers utilisé par Luc (Mt : 7 fois ; Mc : 2 fois ; Lc 9 fois ; Act : 4 fois). Luc l'emploie 1 fois par. Mc : *Lc.*, XX, 31 ; 4 fois diff. Mc : *Lc.*, IX, 22 ; XVIII, 33 ; XX, 12 ; XXIV, 7 et 4 fois SgLc : *Lc.*, XII, 38 ; XIII, 32 ; XXIV, 21. 46.

87. Voire encore *Mt.*, XVI, 21 ; XVII, 23 ; XX, 19 ; XVII, 64.

pas en *Lc.*, XIII, 32. Toutefois, à cause du caractère énigmatique du logion, il se contente d'une allusion voilée.

(7) Enfin, s'il est vrai que l'expression τῇ τρίτῃ τελειοῦμαι ne contient pas seulement l'idée de terme (τέλος) mais aussi celle de consommation (τελείωσις), comme nous avons essayé de montrer, cela est en accord avec un autre thème important dans l'évangile de Luc, celui de l'accomplissement. Luc comprend son œuvre à la lumière de cette idée. L'histoire qu'il écrit est une διήγησις περὶ τῶν πεπληροφορημένων ἐν ἡμῖν πραγμάτων (*Lc.*, I, 1). En effet, tous les grands événements de la vie de Jésus sont des réalisations de la volonté divine telle qu'elle a été prédite par les prophètes et consignée dans les Écritures [88]. En Jésus, les promesses prophétiques aboutissent à leur τέλος (cfr *Lc.*, XVIII, 31 ; XXII, 37 ; *Act.*, III, 18 ; XIII, 27-29). Dans ce cadre général du thème du plan divin qui se réalise par étapes, il est normal que le mot de Jésus τῇ τρίτῃ τελειοῦμαι signifie plus que « le troisième (jour) je suis au terme de mes miracles dans cette région » !

2. *Le verset XIII, 33*

a) *La terminologie*

Du point de vue statistique, la conjonction πλήν est un terme caractéristique du vocabulaire de Luc, du moins dans son évangile (Mt : 5 fois ; Lc : 14 ou 15 fois ; Act : XX, 23) [89]. Le terme figure dans la liste des termes protolucaniens de F. Rehkopf [90]. Cependant, H. Schürmann se montre

---

88. Cfr E. LOHSE, *Lukas als Theologe der Heilsgeschichte*, dans *Ev. Theol.*, 14 (1954), 256-275, spéc. p. 261-265 : l'auteur rattache à ce thème le verbe πληροῦν et ses dérivés. Plus spécialement, il renvoie à *Lc.*, IX, 31. 51 ; XXIV, 44 ; *Act.*, II, 1 ; III, 22-24 ; VII, 52 ; X, 43.

89. J. C. HAWKINS, *Horae*, incorpore le mot πλήν (sans distinguer l'adverbe de la préposition) dans la liste des termes caractéristiques de Luc (Mt : 5 fois ; Mc : 1 fois ; Lc : 15 fois ; Act : 4 fois) (p. 21), et dans la liste des termes qui sont fréquents dans Luc et rares dans les Actes (p. 180). Nous laissons de côté les 4 cas où πλήν fonctionne comme une préposition impropre : *Mc.*, XII, 32 ; *Act.*, VIII, 1 ; XV, 28 ; XXVII, 22. Pour le sens du mot, voir W. BAUER, *Wörterbuch*, 1963, col. 1327-1328 : il n'accepte qu'un cas d'usage adversatif (notamment *Lc.*, XXII, 22). L'exposé de Margaret E. THRALL, *Greek Particles in the New Testament* (N.T.T.St., III), Leyde, 1962, p. 20-24 est plus nuancé : elle distingue entre (a) le sens d'exception (surtout dans le grec classique), (b) le sens adversatif, (c) le sens progressif (p.e. *Lc.*, X, 14 ; XIX, 27 : ' et qui plus est ') et (d) le sens consécutif (*Lc.*, XI, 41). Dans la grande majorité des cas, Luc utilise le mot dans le sens adversatif. Ainsi également en *Lc.*, XIII, 33. Voir notre interprétation dans la conclusion de notre article p. 285.

90. F. REHKOPF, *Sonderquelle*, p. 96, nr. 63 : πλήν 14/15 fois Lc = 14/15 L : VI, 24. 35 ; X, 11. 14 (par. Mt). 20 ; XI, 41 ; XII, 31 (diff. Mt) ; XIII, 33 ; XVII, 1 l.v. (par. Mt) ; XVIII, 8 ; XIX, 27 ; XXII, 21.22.42 (par. Mt ; diff. Mc) ; XXIII, 28.

plus prudent. Selon lui, un certain nombre de ces textes pourraient éventuellement remonter à la source Q [91]. W. Ott de son côté se prononce plutôt pour le caractère rédactionnel du terme dans six cas [92]. Nous inclinons à partager son opinion. Le dossier se présente ainsi : Luc utilise le mot 3 fois diff. Mc : *Lc.*, XXII, 21.22.42 ; 1 ou 2 fois par. Mt : *Lc.*, X, 14 ; XVII, 1 (?) ; 4 fois diff. Mt : *Lc.*, VI, 35 ; X, 11 ; XI, 41 ; XII, 31 ; et 6 fois Sg ou Sv : *Lc.*, VI, 24 ; X, 20 ; XIII, 33 ; XVIII, 8 ; XIX, 27 ; XXIII, 28. Le verset *Lc.*, X, 11b semble être une réutilisation rédactionnelle d'un texte de Q (*Lc.*, X, 9 par. *Mt.*, X, 7), que Luc a introduit par une formule qui doit attirer l'attention du lecteur πλὴν τοῦτο γινώσκετε (à comparer avec *Lc.*, XII, 39 ; XXI, 20.30.31). Il est possible qu'en XI, 41, LcRd ait ajouté l'invitation à donner des aumônes, invitation qui est absente dans le texte parallèle de *Mt.*, XXIII, 26. Dans le texte de Q, *Mt.*, VI, 33 par. *Lc.*, XII, 31, c'est plutôt Luc qui a ajouté la conjonction πλήν, et non Matthieu qui l'a omise. Enfin, si Luc est responsable de la présence du motif du roi dans la parabole des mines, la même conjonction en XIX, 27 vient probablement de lui [93]. Ajoutons encore à ces textes les trois cas de *Lc.*, XXII, 21.22. 42 (diff. Mc) et celui d'*Act.*, XX, 23. Une indication sérieuse s'en dégage en faveur du caractère rédactionnel du mot en *Lc.*, XII, 33.

Le verbe δεῖ est à notre avis un lucanisme évident. Mt utilise le mot 8 fois, Mc 6 fois, Lc 18 fois, Jean 10 fois, et en Act, on le lit 22 fois [94]. Les 18 cas de Luc se présentent de la manière suivante : 2 fois par. Mc : *Lc.*, IX, 22 ; XXI, 9 ; 2 fois diff. Mc : *Lc.*, IV, 43 ; XXII, 7 ; 1 fois par. Mt : *Lc.*, XI, 42 ; 1 fois diff. Mt : *Lc.*, XII, 12 ; et 12 fois Sg ou Sv : *Lc.*, II, 49 ; XIII, 14.16.33 ; XV, 32 ; XVII, 25 ; XVIII, 1 ; XIX, 5 ; XXII, 37 ; XXIV, 7.26.44. Le nombre d'emplois en Lc-Act par rapport aux autres écrits du Nouveau Testament est déjà significatif. Mais le fait que le verbe joue un rôle dans la description de la mission de Jésus l'est encore plus. Les activités les plus importantes de Jésus se déroulent sous le signe d'un ' devoir ' divin. « *Il faut* que j'annonce aussi aux autres villes le royaume de Dieu », déclare Jésus en *Lc.*, IV, 43 (diff. *Mc.*, I, 38). En IX, 22, Luc emprunte à *Mc.*, VIII, 31 le motif de la passion

---

91. H. SCHÜRMANN, *Protolukanische Spracheigentümlichkeiten ?*, p. 276 : à côté de *Lc.*, X, 14 ; XVII, 1 par Mt, il est possible que *Lc.*, VI, 24 (cfr NTS, 6 (1959-60), p. 201-202 : *Mt.*, VI, 2.5. 16 contient une réminiscence de *Lc.*, VI, 24-26) ; VI, 35 ; X, 11 ; XI, 41 remontent à la *Quelle* (règle 9) ; p. 272, n. 36 : règle 3 (textes dans le récit de la passion) ; p. 274, n. 41 : une fois Act peut-être LcRd ; et règle 7 (le terme est présent dans d'autres couches de la tradition).

92. W. OTT, *Gebet und Heil*, Munich, 1965, p. 33-34 : il s'agit de *Lc.*, X, 11 ; XI, 41 ; XII, 31 ; XIII, 33 ; XVIII, 8 ; XIX, 27.

93. *Ibid.*

94. Cfr R. MORGENTHALER, *Statistik des neutestamentlichen Wortschatzes*, Francfort a.M., 1958, p. 186.

voulue par Dieu δεῖ... παθεῖν, et il le réutilise lui-même en XVII, 25
(δεῖ... παθεῖν) ; XXIV, 7 (δεῖ παραδοθῆναι), et peut-être aussi en *Lc.*,
XXIV, 26 (ἔδει παθεῖν). Il nous semble que le motif δεῖ πορεύεσθαι en
Lc., XIII, 33 présente une affinité avec ce thème de la nécessité divine.
Ceci est d'autant plus probable, si on réalise que, pour Luc, le voyage
vers Jérusalem ne signifie rien d'autre que la montée vers la mort et
vers l'exaltation (*Lc.*, IX, 51ss.). Ajoutons que, dans Luc, il y a encore
d'autres passages qui se rapprochent de très près du thème de la nécessité
divine : notamment les textes où il est dit à propos de la passion que
les Écritures « doivent » s'accomplir (*Lc.*, XXII, 37 ; XXIV, 44 ; cfr
Act., I, 16) [95].

L'emploi au moyen du verbe ἔχειν est plutôt rare dans le Nouveau
Testament : on ne le rencontre que 6 fois : *Mc.*, I, 38 ; *Lc.*, XIII, 33 ;
Act., XIII, 44 (τῷ δὲ ἐχομένῳ σαββάτῳ) ; XX, 15 (τῇ δὲ ἐχομένῃ ἤλθομεν
εἰς Μίλητον) ; XXI, 26 (τῇ ἐχομένῃ ἡμέρᾳ), et *Hebr.*, VI, 9 [96]. On peut
deviner la raison qui a amené Luc à écrire ἑτέραις en IV, 43 à la place
du participe ἐχομένας de *Mc.*, I, 38 : dans les trois textes des Actes,
il emploie la forme moyenne de ἔχειν toujours dans un sens temporel ;
le sens spatial du verbe en *Mc.*, I, 38 n'était probablement pas dans son
style. La fréquence du verbe en Lc-Act par rapport au reste du Nouveau
Testament rend probable le caractère rédactionnel du mot en *Lc.*,
XIII, 33.

Il nous reste à examiner la terminologie du verset XIII, 33b « car
il ne convient pas qu'un prophète meure hors de Jérusalem ». Dans ce
texte, on lit le motif bien connu des mauvais traitements des prophètes [97].
Or, il nous semble que Luc a emprunté ce motif traditionnel à sa source
Q. En effet, dans le texte Q qui suit immédiatement (*Lc.*, XIII, 34
par. *Mt.*, XXIII, 37), on le trouve explicitement : « Jérusalem, Jérusalem,
qui tue les prophètes, et lapide ceux qui sont envoyés vers elle ! ». Luc
a en quelque sorte anticipé le motif : plus précisément encore, il l'a

---

95. La même conscience de sa mission s'exprime en *Lc.*, II, 49 : « Ne savez-vous
pas qu'il faut (δεῖ) que je sois aux choses de mon Père ». Dans le cadre de tous ces
textes qui traitent de la nécessité divine de la passion, le sens prégnant de τελειοῦμαι
que nous avons proposé plus haut, devient plus probable encore. Selon le livre
des Actes, la vie des disciples se trouve également sous le signe de cette nécessité :
Act., XIV, 22 : « C'est par beaucoup de tribulations qu'il nous faut (δεῖ) entrer
dans le royaume de Dieu ». C'est spécialement le cas de Paul : *Act.*, IX, 16 (δεῖ...
παθεῖν) ; comparer *Act.*, XIX, 21 ; XXIII, 11 ; XXVII, 24.

96. Dans les quatre cas où le verbe a un sens temporel (*Lc.*, XIII, 33 ; *Act.*,
XIII, 44 ; XX, 15 ; XXI, 26), la tradition manuscrite donne la variante ερχομενη.
Apparemment, on a voulu remplacer un terme assez rare par un terme presque
homonyme et plus courant.

97. Voir pour la *Traditionsgeschichte* de ce thème l'analyse profonde de
O. H. STECK, *Israël und das gewaltsame Geschick der Propheten*, Neukirchen, 1967 ;
et J. DUPONT, *Les Béatitudes, Tome II. La bonne nouvelle*, Paris, 1969, p. 294-318.

intégré déjà dans la *Chreia* de XIII, 31-33 qu'il a rédigée lui-même comme introduction au logion traditionnel. L'intention de Luc était sans doute d'adapter le motif d'allure générale au cas particulier de Jésus, le prophète par excellence. Cette adaptation oblige Luc de lui donner une nouvelle formulation. Il le fait en composant une sorte de sentence, dont le modèle peut être fourni par *Mc.*, VI, 4 (« Un prophète n'est sans honneur que dans sa patrie »), et dont la terminologie convient plus au style de Luc qu'à la formulation assez fixe du motif traditionnel[98].

Le verbe impersonnel ἐνδέχεται est un *hapax* dans le Nouveau Testament. La préférence évidente de Luc pour la forme simple (Mt : 10 fois ; Mc : 6 fois ; Lc : 16 fois ; Act : 8 fois) et pour les formes composées[99] du verbe δέχεσθαι rendent probable le caractère rédactionnel de ce *hapax*. Il est d'ailleurs tout à fait normal qu'après avoir employé le verbe δεῖ au v. 32, Luc, par son souci de variation stylistique, ait cherché un autre verbe exprimant à peu près la même idée, mais un peu moins fréquent.

L'usage du verbe ἀπολλύναι (Mt : 19 fois ; Mc : 10 fois) ne pose pas de problèmes pour Luc. Il utilise le terme 27 fois, dont 7 fois par. Mc : *Lc.*, IV, 34 ; V, 37 ; VIII, 24 ; IX, 24 (2 fois) ; XIX, 47 ; XX, 16 ; 2 fois diff. Mc : *Lc.*, VI, 9 ; IX, 25 ; 2 fois par. Mt : *Lc.*, XVII, 33 (2 fois) ; 6 fois diff. Mt : *Lc.*, XI, 51 ; XV, 4 (2 fois) ; XV, 6 ; XVII, 27.29 ; et 10 fois Sg ou Sv : *Lc.*, XIII, 3.5.33 ; XV, 8.9.17.24.32 ; XIX, 10 ; XXI, 18. La fréquence des textes parallèles à Marc montrent que Luc n'hésite pas à emprunter le terme à ses sources. Parfois il l'introduit lui-même dans son évangile. En ce qui concerne *Lc.*, XIII, 33, il est possible que Luc ait introduit le terme ici sous l'influence d'un autre texte de Q où le même motif des mauvais traitements des prophètes est présent : c.-à-d. *Lc.*, XI, 51 (diff. *Mt.*, XXIII, 35 : ἐφονεύσατε)[100].

---

98. O. H. STECK, *op. cit.*, p. 46, n. 4, attribue le v. XIII, 33b à la rédaction pour des raisons de ce genre : (a) l'insistance sur l'impossibilité de la mort du prophète *hors de Jérusalem* est inexistante dans la tradition de ce motif ; (b) la forme passive ἀπολέσθαι s'oppose à l'usage constante des verbes transitifs dans cette tradition ; (c) le verbe ἐνδέχεσθαι est presque absent de la LXX, et n'a pas d'équivalent hébreu.

99. Ἀναδέχεσθαι : 2 fois dans le N.T., *Act.*, XXVIII, 7 et *Hebr.*, XI, 7 ; ἀποδέχεσθαι : 7 fois dans le N.T., dont 2 fois en Lc et 5 fois en Act ; διαδέχεσθαι (*hapax*) : *Act.*, VII, 45 ; ἐκδέχεσθαι : 6 fois dans le N.T., pas dans les évangiles synoptiques, mais en *Act.*, XVII, 16 ; παραδέχεσθαι : 6 fois dans le N.T., 1 fois en Mc, 3 fois en Act ; προσδέχεσθαι : 14 fois dans le N.T. ; 1 fois en Mc, 5 fois en Lc, 2 fois en Act ; ὑποδέχεσθαι : 4 fois dans le N.T. en *Lc.*, X, 38 ; XIX, 6 ; *Act.*, XVII, 7 ; *Jac.*, II, 25. Notons encore que, en *Lc.*, IV, 24, le texte parallèle à *Mc.*, VI, 4 (le modèle de *Lc.*, XIII, 33b) met à la place de ἄτιμος (Mc) l'adjectif verbal de δέχομαι, notamment δεκτός. Est-ce un pur hasard ?

100. La vraisemblance de cet emprunt sera confirmée si on admet que en Q, *Mt.*, XXIII, 35 (par. *Lc.*, XI, 51) était suivi par *Mt.*, XXIII, 37-39 (par. *Lc.*, XIII, 34-35 ?) (voir p. 246s). Matthieu a une préférence pour le verbe φονεύειν :

Le mot ἔξω (Mt : 9 fois ; Mc : 10 fois ; Act : 10 fois) revient 9 fois en
Luc, dont 2 fois par. Mc : *Lc.*, VIII, 20 ; XX, 15 ; 4 fois diff. Mt : *Lc.*,
XIII, 25.28 ; XIV, 35 (par. *Mt.*, V, 13 ?) ; XXII, 62 ; et 3 fois Sg :
Lc., I, 10 ; IV, 29 ; XIII, 33. *Ἔξω* comme préposition avec le génitif
ne se lit que 3 fois en Luc : IV, 29 (Sg) ; XIII, 33 (Sg) ; et XX, 15 (par.
Mc), mais 7 fois sur les 10 cas en *Act.*, IV, 15 ; VII, 58 ; XIV, 19 ; XVI,
13 ; XXI, 5.30 ; XXVIII, 16. L'usage du mot dans le livre des Actes
semble un indice de son caractère rédactionnel en *Lc.*, XIII, 33. Remarquons encore que, dans trois autres cas de Lc-Act on trouve l'expression « hors de la ville » (ἔξω τῆς πόλεως) dans un texte où il est question
des mauvais traitements que subissent Jésus (*Lc.*, IV, 29) ou ses disciples
(*Act.*, VII, 58 ; XIV, 19). La ressemblance (dans le contraste !) avec
Lc., XIII, 33 n'est sans doute pas un hasard.

Notons enfin que Luc montre une préférence manifeste pour la forme
venant de la LXX Ἰερουσαλήμ (Mt : 2 fois ; Lc : 27 fois ; Act : 36 fois)
au détriment de la forme hellénisante Ἰεροσόλυμα (Mt : 11 fois ; Mc :
10 fois ; Lc : 4 fois ; Act : 23 fois) [101]. En XIII, 33, il a emprunté le mot
au logion suivant de la *Quelle*: XIII, 34.

b) *Les indications de temps*

Le moment est venu de chercher la signification des deux indications
de temps aux versets 32 et 33, et de définir leur relation mutuelle [102].
Disons tout de suite qu'il est utile de bien distinguer les deux expressions
du v. 32 et du v. 33. L'affirmation que l'expression a la même signification dans les deux versets est une supposition qu'il faut d'abord prouver.

Il y a un *consensus* parmi les exégètes actuels sur ce que les trois
jours du verset 32 ne sont pas à prendre à la lettre [103]. Cependant,

---

Mt : 5 fois ; Mc : 1 fois ; Lc : 1 fois ; Pl : 1 fois. Il est donc possible qu'il a introduit
le terme en XXIII, 35, et que *Lc.*, XI, 51 ἀπολομένου a conservé le terme de Q.
Si au contraire on pense que Luc lui-même a introduit le verbe en XI, 51, le caractère rédactionnel de ἀπολέσθαι en XIII, 33b devient plus probable encore.

101. Voir sur les deux formes R. SCHÜTZ, Ἰερουσαλήμ *und* Ἰεροσόλυμα *im Neuen
Testament*, dans ZNW, 11 (1910), 169-187 ; BLASS-DEBRUNNER, § 56 ; H. J. CADBURY,
The Making of Luke-Acts, Londres, 1958², p. 227.

102. Voir A. H. GILBERT, Σήμερον καὶ αὔριον καὶ τῇ τρίτῃ (*Luke 13, 32*), dans
JBL, 35 (1916), 315-318.

103. Voir déjà B. WEISS, *Mk und Lk*, 1901, p. 514 : « Unmöglich können die
drei Tage die wirkliche Zeit angeben, die er noch (im Gebiete des Herodes) wirken
will (de W., Meyer), etwa um zu zeigen, wie wenig er Herodes fürchte, wenn man
ihm das hinterbringe (Hhn), da das ganze Akumen der Antwort darauf beruht,
dass dieselben sprüchwörtlich gemeint, und zwar nicht die Länge (Hofm.) oder
Kürze (Bleek, God., Keil und wenigstens zugleich Nösg., Hltzm., Aufl. 8) bezeichnen,
was ja mit der vorliegenden Frage garnichts zu thun hat, sondern *nur* eine bestimmt
bemessene Zeit (Plm.), die natürlich ihm von Gott vorgeschrieben ist, und an der
die Drohungen des Herodes nichts ändern können ».

beaucoup d'auteurs comprennent encore l'expression principalement dans un sens temporel : les uns y voient un temps long, les autres un temps court [104]. D'autres encore y voient un temps déterminé. Certains pensent aux trois ans du ministère de Jésus [105]. Or, il nous semble assez inutile de chercher la durée exacte de temps qu'indique cette expression. Les exemples vétérotestamentaires, qui ont pu inspirer notre auteur, montrent qu'il s'agit d'une formule à portée plutôt théologique que temporelle [106]. Dans la LXX, on rencontre plusieurs fois l'expression σήμερον καὶ αὔριον, ou les deux jours représentent deux périodes. La pointe de cette expression existe dans une sorte d'opposition entre les deux temps indiqués ainsi. *Jos.*, XXII, 18 nous fournit un bel exemple : « Si vous vous révoltez *aujourd'hui* contre Yahweh, *demain* il s'irritera contre toute l'assemblée d'Israël ». Le terme αὔριον indique donc un tournant inattendu qui modifie radicalement la situation précédente. Dans la plupart des cas, ce changement est dû à une intervention de Dieu [107]. Or, dans l'Ancien Testament, la même idée est encore exprimée par une autre expression, où « aujourd'hui et demain » est opposé au « troisième jour ». En *Ex.*, XIX, 10-11, Yahweh dit à Moïse : « Va vers le peuple, et sanctifie-les *aujourd'hui et demain*, et qu'ils lavent leurs vêtements. Qu'ils soient prêts pour *le troisième jour*, car le troisième jour Yahweh

---

104. A. VALENSIN & J. HUBY, 1949, p. 281 ; L. MARCHAL, 1935, p. 178, M.-J. LA-GRANGE, 1941, p. 395, pensent à un temps d'une certaine longueur, mais déterminé. La plupart des auteurs pensent à un temps court. Dans ce sens, G. B. CAIRD, 1963, p. 173 ; F. HAUCK, p. 186 ; W. GRUNDMANN, 1964, p. 289 ; J. KEULERS, *Mc et Lc*, 1951, p. 228 ; E. KLOSTERMANN, p. 148 ; A. R. C. LEANEY, p. 209 ; A. LOISY, II, p. 126 ; É. OSTY, 1953, p. 111 ; J. SCHMID, 1955, p. 240.

105. Selon A. PLUMMER, p. 349-350 ; B. WEISS, p. 514, et les trois premiers auteurs nommés à la note 103, il s'agit d'une période déterminée. H. CONZELMANN, *Die Mitte*, p. 60, y voir une indication des trois périodes du ministère public de Jésus : la Galilée, le voyage, et Jérusalem. C'est à notre avis une *Hineininterpretierung* qui n'a aucune base dans le texte.

106. Pour l'étude de l'expression ' le troisième jour ', il faut consulter le livre de K. LEHMANN, *Auferweckt am dritten Tag nach der Schrift. Früheste Bekenntnis-bildung und Schriftauslegung im Lichte von 1 Kor. 15,3-5* (Quaestiones Disputatae, 38), Fribourg, 1968, spéc. p. 176-181. Des textes vétérotestamentaires et juifs, l'auteur dégage une signification sotériologique de la formule : le ' troisième jour ' amène d'une manière inattendue le salut opéré par Dieu ; c'est un jour souverainement fixé par Dieu, en dehors de toute succession de l'ordre de l'expérience humaine, et qui fait apparaître la fidélité divine invisible. L'auteur exagère peut-être quand il interprète la formule dans un sens exclusivement sotériologique. En tout cas, nous sommes d'accord avec lui pour attribuer à l'expression en premier lieu une signification théologique.

107. Comparer encore *Sir.*, X, 10 : « Le roi d'aujourd'hui mourra demain » ; XX, 14 : « Il prête aujourd'hui, et il redemandera demain » ; cfr *Ex.*, IX, 18 ; *Num.*, XI, 18 ; XVI, 5. 7 ; *Jos.*, III, 5 ; VII, 13 ; XI, 6 ; *Jug.*, XX, 28 ; 2 *Sam.*, XI, 12 ; *Is.*, XXII, 13 (= I *Cor.*, XV, 12).

descendra, aux yeux de tout le peuple, sur la montagne de Sinai » (cfr *Ex.*, XIX, 16). Il y a une comparaison à faire avec l'usage un peu diffé-rent dans le texte bien connu d'*Osée* VI, 2 : « *Après deux jours* (μετὰ δύο ἡμέρας), il nous fera revivre ; *le troisième jour* (ἐν τῇ ἡμέρᾳ τῇ τρίτῃ), il nous relèvera, et nous vivrons devant lui » [108]. Dans ces deux exemples, le tournant se réalise ' le troisième jour '. La formule ' aujourd'hui et demain ' en *Ex.*, XIX, 10-11 remplit la même fonction que le terme ' aujourd'hui ' dans l'expression de la première série de textes. Il nous semble que c'est dans le même sens qu'on doit interpréter l'expression de *Lc.*, XIII, 32 : « aujourd'hui et demain » Jésus fait des exorcismes et des guérisons, et le « troisième jour » il est conduit au terme. Il ne s'agit donc pas d'une simple énumération de trois jours, mais d'une opposition entre deux périodes. Pendant un certain temps (dont la durée ne peut être déterminée ni par Hérode, ni par les Pharisiens), Jésus accomplira sa mission, jusqu'à ce qu'il en meure. Mais « le troisième jour » viendra le tournant imprévu de sa glorification par Dieu. A notre avis, l'interprétation que M. Black donne du texte d'*Osée* VI, 2 vaut également pour *Lc.*, XIII, 32 : « Il ne s'agit pas de deux jours exacts suivis par un troisième jour : (mais) une période indéterminée, de durée plus longue ou plus courte, trouvera son point culminant à un moment qui arrivera certainement mais reste indéterminé » [109]. L'homme ne peut fixer ce moment, mais Dieu seul.

L'expression de temps en *Lc.*, XIII, 33 remplit une autre fonction. Dans ce verset, le « troisième jour » (τῇ ἐχομένῃ) n'annonce pas une nou-velle situation comme en *Lc.*, XIII, 32. Le ' troisième jour ' du v. 32 dé-termine τελειοῦμαι, un *autre* verbe que celui qui régit l'expression ' au-jourd'hui et demain '. En XIII, 33, au contraire, le ' troisième jour ' continue à déterminer le verbe πορεύεσθαι, comme le fait déjà l'expression ' aujourd'hui et demain '. En XIII, 32, il s'agit en premier lieu d'une opposition théologique, en XIII, 33 plutôt d'une énumération tempo-relle. Le sens énumératif de τῇ ἐχομένῃ est confirmé par le texte d'*Act.*,

---

108. Voir le dossier de K. LEHMANN, *op. cit.*, p. 180, dont surtout *Gen.*, XXII, 4 ; XLII, 18 ; *Esth.*, V, 1.

109. M. BLACK, *Aramaic Approach*, 1967³, p. 206. Son interprétation de *Lc.*, XIII, 32 nous semble trop préciser (c'est nous qui soulignons) : « It is this idiom which we find in Lk. XIII. 32 : no two definite days followed by a third day are implied, but a *short* indefinite period, followed by a still indefinite but *imminent, and* certain future event ». Dans le même sens aussi, E. E. ELLIS, *Luke*, 1966, p. 190. M. Black et E. E. Ellis pensent à une période indéterminée, d'autres auteurs à une période déterminée (voir note 104). Les deux explications ne s'oppo-sent pas nécessairement : pour l'homme c'est une période indéterminée, parce que le droit de fixer un terme ne lui appartient pas, mais du point de vue de Dieu, il s'agit d'une période déterminée.

XX, 15 [110]. En tenant compte du parallélisme dont nous avons parlé plus haut, on remarque les correspondances suivantes : (a) L'expression « aujourd'hui et demain et le jour suivant » du v. 33 est en quelque sorte équivalente à l'expression « aujourd'hui et demain » du v. 32. L'énumération du v. 33 reste incomplète et suggère un nombre indéterminé de jours pendant lesquels Jésus continuera son voyage vers Jérusalem. Il est donc impossible aussi de préciser la durée exacte de l'expression « aujourd'hui et demain » au v. 32, qui indique la période restante de la vie terrestre de Jésus. (b) L'expression « le troisième jour, je suis conduit au terme » du v. 32 trouve sa correspondante au v. 33 « car il ne convient pas qu'un prophète meure hors de Jérusalem ».

Cette interprétation paraît plausible à une condition : qu'on ne voie pas une contradiction entre les activités de Jésus au v. 32 et le fait qu'il continue son voyage au v. 33. C'est au fond cette contradiction qui est à la base de l'hypothèse d'interpolation signalée plus haut : Jésus ne peut pas en même temps *rester* pour faire des miracles et continuer sa route vers Jérusalem, dit-on toujours. Or, il est évident que c'est là un faux problème. Parce que, pour Luc, les activités de Jésus se réalisent par définition en même temps qu'il voyage de ville en ville (*Lc.*, III-IX, 50), ou qu'il monte vers Jérusalem (*Lc.*, IX, 51-XIX, 44) [111]. Pour voir cela, il suffit d'examiner les sommaires lucaniens de la mission de Jésus : p.e. *Lc.*, IV, 14-15 ; IV, 42-44 ; VIII, 1 (comparer IX, 6 ; XIII, 22) ; les *dicta et facta* de Jésus y sont toujours liés à un verbe de mouvement. Il en va de même dans les introductions des péricopes : la plupart des cas, il est dit que Jésus accomplit un miracle à l'occasion de son passage par l'une ou l'autre ville (p.e. *Lc.*, VII, 11 ; VIII, 26-27.39 etc.). En *Act.*, X, 38, on trouve une belle expression de cette vision de Luc : διῆλθεν εὐεργετῶν. Pour Luc, les deux verbes ont une portée christologique [112].

---

110. Comparer encore *Act.*, XIII, 44 et XXI, 26 où l'énumération est moins explicite, mais où il n'est certainement pas question d'un tournant.

111. Cfr H. A. W. MEYER, *Mk und Lk*, 1867, p. 454 ; K. L. SCHMIDT, *Rahmen*, p. 266 ; T. W. MANSON, *Sayings*, p. 271 ; W. GRUNDMANN, *Lukas*, p. 289 ; É. OSTY, *Luc*, 1953, p. 111 : « J'ai encore à chasser des démons et à guérir et cela sur le chemin de Jérusalem où je dois me rendre pour accomplir mon dessein ».

112. Pour Luc, ce ne sont pas seulement les œuvres de Jésus qui offrent une base à sa christologie, mais également la conception de Jésus toujours en route, qui n'est jamais chez lui. Au fond, pour Luc plus que pour les autres évangélistes, Jésus est l'éternel Étranger, qui, au nom de Dieu, visite les hommes et qui, après avoir accompli sa mission, retourne à sa maison véritable (voir *Lc.*, VII, 16 ; XIX, 44 ; XXIV, 18 ; *Act.*, XIV, 11-13) ; cfr A. DENAUX, *Het lucaanse reisverhaal*, dans CBG, 15 (1969), p. 472-473. Voir aussi les notes 53 et 67.

c) *Jésus : prophète comme Élie*

Dans les évangiles, beaucoup de titres sont attribués à Jésus. Il y en
a un de rang secondaire, celui de prophète [113]. En Marc, Jésus est appelé
deux fois προφήτης par les gens : *Mc.*, VI, 15 et VIII, 28. Luc reprend
ces appellations (*Lc.*, IX, 8.19) et y recourt encore dans trois textes qui
lui sont propres : *Lc.*, VII, 16 ; VII, 39 ; XXIV, 19. En outre, il a deux
passages où Jésus s'applique à lui-même une sentence sur le sort des
prophètes : *Lc.*, IV, 24 (par. *Mc.*, VI, 4) et XIII, 33b. On peut en conclure
que le motif de Jésus-prophète dans Luc lui vient de la tradition, mais
qu'il l'a accentué davantage et de façon personnelle. A côté de la typologie Jésus-Moïse, qu'il a en commun avec Matthieu, Luc s'intéresse
surtout à la typologie Jésus-Élie [114]. Toutefois, l'image lucanienne de

---

113. Voir F. GILS, *Jésus prophète d'après les évangiles synoptiques*, Louvain,
1957 ; F. HAHN, *Christologische Hoheitstitel* (FRLANT, 83), Goettingue, 1966,
p. 351-404 ; G. FRIEDRICH, προφήτης, dans ThWNT, VI (1965) 842-849 ; G. W. H.
LAMPE, *The Lucan Portrait of Christ*, dans NTS, 2 (1955-1956), 160-175 ; G. VOSS,
Die Christologie der lukanischen Schriften in Grundzügen (Studia neotestamentica,
Studia 2), Paris-Bruges, 1965, p. 155-170.

114. F. HAHN, G. VOSS et aussi C. F. EVANS, *The Central Section of St Luke's
Gospel*, dans *Studies in the Gospels. Essays in Memory of R. H. Lightfoot* (éd.
D. E. NINEHAM), Oxford, 1957, p. 37-53, soulignent la typologie Jésus-Moïse dans
l'évangile de Luc. C. F. Evans exagère quand il voit dans la section du voyage
de Luc un Deutéronome chrétien. Voir la critique de F. GILS, *op. cit.*, p. 41-42.
En ce qui concerne cette typologie en Luc, on renvoie en général au récit de la
transfiguration (spécialement à l'ordre ἀκούετε αὐτοῦ de *Mc.*, IX, 7 par *Lc.*, IX, 35
qui rappelle *Deut.*, XVIII, 15) ; on renvoie aussi à *Lc.*, XXIV, 19 (ἀνὴρ προφήτης
δυνατὸς ἐν ἔργῳ καὶ λόγῳ...), qui trouve un parallèle en *Act.*, VII, 22, où Etienne
dit à propos de Moïse : ἦν δὲ δυνατὸς ἐν λόγοις καὶ ἔργοις αὐτοῦ (cfr *Act.*, VII, 36. 38).
La même typologie est aussi présente dans les discours de Pierre (III, 12-26) et
d'Étienne (VII, 2-53) qui citent tous deux *Deut.*, XVIII, 15 s. (III, 22 ; VII, 37).
G. Voss et C. F. EVANS n'excluent pas qu'il y ait aussi une assimilation de Jésus
à Élie dans l'évangile de Luc. En ce qui concerne la typologie Jésus-Élie, voir surtout
P. DABECK, « *Siehe, es erschienen Moses und Elias* » (*Mt. 17, 3*), dans *Biblica*, 23
(1942), 175-189 ; l'auteur schématise peut-être trop quand il dit : « Im gleichen Verhältnis, wie der Mt-Christus zu Moses, steht der lukanische Christus zum Propheten
Elias » (p. 180). Il rassemble un dossier de textes qui contiennent une allusion directe
ou indirecte au cycle d'Élie (p. 180-183). H. RIESENFELD, *Jesus als Prophet*, in
Spiritus und Veritas (Fs. Karl Kundsins), Auseklis, 1953, p. 135-148, se rallie à
cette présentation. Nous pensons que Dabeck cherche parfois trop loin les contacts.
On voit mal par exemple comment les thèmes du πνεῦμά et de la δύναμις de Jésus,
et sa manière de pousser les gens à se décider pour ou contre lui sont dûs à une assimilation consciente à la personne d'Élie. R. SWAELES, *Jésus, nouvel Élie, dans
saint Luc*, dans *Assemblées du Seigneur*, 69 (1964), p. 41-66, donne une image plus
nuancée. Voir encore les études de G. W. H. LAMPE, *The Holy Spirit in the Writings
of Luke*, dans *Studies in the Gospels* (éd. D. E. NINEHAM), Oxford, 1955, p. 159-200,
spéc. 176-177 ; *The Lucan Portrait of Christ*, dans NTS, 2 (1955-56), 160-175,
spéc. p. 169 ; J. A. T. ROBINSON, *Elijah, John and Jesus : an Essay in Detection*,
dans NTS, 4 (1957-58), 263-281.

Jésus-prophète-comme-Élie est moins prononcée que la typologie Jésus-Moïse de Matthieu. Il s'agit plutôt d'une série d'allusions suggestives que le lecteur averti peut deviner ça et là. Tout d'abord, Luc omet deux textes de Marc où Jean le Baptiste est identifié implicitement avec le prophète Élie : c.-à-d. *Mc.*, I, 6 (par. *Mt.*, III, 4 ; comparez 2 *Rois* I, 8), et *Mc.*, IX, 9-13 (par. *Mt.*, XVII, 9-13) [115]. Ces omissions s'expliquent très bien dans l'hypothèse selon laquelle, chez Luc, c'est Jésus plutôt que Jean qui doit être comparé au prophète Élie. De même, l'omission par Luc de *Mc.*, XV, 35, où Jésus appelle Élie, pourrait s'expliquer par cette hypothèse. A côté de ces omissions, il y a des indications positives : plusieurs textes de l'évangile de Luc trahissent l'influence du cycle vétéro-testamentaire du prophète Élie (*1 Rois* XVII-XIX. XXI ; *2 Rois* I-XVII). Nous pouvons nous référer à la liste que W. Wink a dressée dans son livre sur Jean Baptiste [116].

Ayant en vue tous ces parallèles, on peut se demander si l'histoire d'Élie n'a pas été présente à l'esprit de Luc quand il rédigeait XIII, 31-33. Plusieurs commentaires comparent l'anecdote de *Lc.*, XIII, 31-33 avec la constance du prophète Amos face au pouvoir royal (*Amos*, VII, 10-17) [117]. Toutefois, le cycle d'Élie raconte une histoire analogue. En *1 Rois*, XIX, il est dit que Jézabel, la femme du roi Achab, envoie un messager à Élie pour prononcer contre lui une menace de mort (*1 Rois*, XIX, 1-2), parce qu'il avait tué les prophètes de Baäl (ἀπέκτεινεν τοὺς προφήτας). Le motif de meurtre des prophètes revient encore deux fois dans ce chapitre (*1 Rois*, XIX, 10.14), mais en sens inverse : les enfants d'Israël ont tué les prophètes de Yahweh. Il n'est pas impossible que Luc, en lisant le texte de Q reproduit en *Lc.*, XIII, 34, ait pensé spontanément à cette histoire, où le motif du meurtre des prophètes est appliqué à Élie, modèle du prophète Jésus. En *Lc.*, XXII, 43-44, nous avons probablement une autre indication que Luc connaissait cette histoire : le réconfort apporté à Jésus par un ange rappelle celui dont Élie bénéficia lorsqu'il était en fuite devant la reine Jézabel (*1 Rois*, XIX, 5-8). En *Lc.*, XIII, 31-33, nous retrouvons une application analogue du motif : une personne de sang royal menace de la mort le prophète Jésus par l'intermédiaire d'autres personnes [118]. Il faut noter quand

---

115. H. CONZELMANN, *Die Mitte*, p. 16-21. Matthieu a accentué encore l'assimilation marcienne du Baptiste à Élie : *Mt.*, XI, 14-15 ; XVII, 10-13.

116. Cfr W. WINK, *John the Baptist in the Gospel Tradition* (SNTS Mon. Ser., 7), Cambridge, 1968, p. 42-45.

117. Cfr E. KLOSTERMANN, p. 147 ; M.-J. LAGRANGE, p. 392-393 ; LOISY, II, 126 ; A. PLUMMER, p. 349.

118. Notons encore les indications de temps ou le mot αὔριον joue un rôle : *1 Rois*, XIX, 2 (ταύτην τὴν ὥραν αὔριον, Jézabel va tuer Élie) ; *1 Rois*, XIX, 11 (ἐξελεύσῃ αὔριον καὶ στήσῃ ἐνώπιον κυρίου ἐν τῷ ὄρει, dit Yahweh). L'antithèse entre ces deux mentions de « demain » a-t-elle inspiré à Luc d'intégrer également un jeu

même qu'il y a une différence importante. Alors que Élie « voyant cela, se leva et partit pour sauver sa vie » (*1 Rois*, XIX, 3), Jésus réagit de façon plus digne en affirmant son intention de continuer sa mission divine (*Lc.*, XIII, 32-33 ; cfr *Amos*, VII, 10-17). Alors que Élie doit être encouragé par l'ange de Yahweh et par une théophanie de Dieu lui même (*1 Rois*, XIX, 15 : πορεύου ἀνάστρεφε εἰς τὴν ὁδόν σου), Jésus affirme tout de suite qu'il veut continuer à marcher sur la voie de la volonté divine (XIII, 33 : δεῖ με... πορεύεσθαι). Si parallèle il y a, celui-ci fait en même temps ressortir la supériorité de Jésus par rapport au prophète Élie [119].

* * *

Il est temps de conclure. Il nous semble que notre analyse a pu éclaircir un peu les deux grands problèmes que soulève notre texte.

En ce qui concerne la relation entre la tradition et la rédaction, nous pensons avoir montré qu'il n'y a pas d'arguments suffisants qui prouvent que *Lc.*, XIII, 31-33 remonte à une source écrite ou à une tradition particulière. Au contraire, plusieurs données justifient l'hypothèse que *Lc.*, XIII, 31-33 est une pièce rédactionnelle où Luc, bien sûr à l'aide d'éléments traditionnels divers, a rédigé une longue introduction au logion traditionnel de XIII, 34-35, pour lui si important. Le vocabulaire de l'épisode ne contient pas un seul mot qu'on serait obligé de considérer comme non-lucanien. En outre, les motifs qui s'entassent dans ce texte très dense, s'intègrent parfaitement dans la synthèse théologique de Luc : l'attitude hypocrite des Pharisiens et l'impuissance d'Hérode ; la *Heimatlosigkeit* de Jésus, l'éternel Étranger toujours en route, qui dépend entièrement de l'hospitalité ou de l'hostilité des hommes ; la nécessité établie par Dieu de la mort de Jésus et l'accomplissement de sa glorification ; l'accent mis sur les gestes de Jésus dans la description de sa mission terrestre ; la typologie Jésus-Élie ; et enfin le motif du voyage vers Jérusalem.

En ce qui concerne la signification de l'épisode, il nous semble que, tenant compte du genre littéraire et de la structure du texte, on peut

---

de mots dans les indications de temps en XIII, 32-33 ? C'est difficile à prouver. Remarquons que, là aussi, ces expressions de temps sont liées à l'idée de la mort et à un verbe de mouvement.

119. Une correction analogue de la description d'Élie se trouve aussi en *Lc.*, IX, 54 : Jésus rejette la demande des disciples Jacques et Jean qui veulent faire descendre le feu du ciel (voir le contraste avec *2 Rois*, I, 10-12). Autre exemple : alors qu'Élie permet à Élisée de faire ses adieux à ses parents avant de le suivre (*1 Rois*, XIX, 19-21), Jésus défend même cela en Lc., IX, 61-62. Pour le procédé de la *synkrisis* dans l'évangile de Luc, voir A. GEORGE, *Le parallèle entre Jean-Baptiste et Jésus en Luc 1-2*, dans *Mélanges bibliques en hommage au R. P. Béda Rigaux*, Gembloux, 1970, p. 147-171.

proposer l'interprétation suivante [120]. La mise en garde hypocrite des Pharisiens contient deux éléments : un conseil et une motivation. Au v. 32, Jésus réfute la motivation. Hérode n'a pas le pouvoir de mettre un terme à la mission divine de Jésus. C'est pourquoi Jésus continuera à chasser les démons et à guérir pendant un certain temps. Mais le jour viendra où Dieu lui-même amènera la vie de Jésus au point de consommation. Le v. 32 vise directement Hérode, mais indirectement déjà les Pharisiens : sa déclaration sur Hérode laisse déjà entendre que eux aussi ne pourront pas empêcher Jésus d'accomplir sa mission. Au v. 33, Jésus se retourne alors contre les Pharisiens : « L'échec de votre tentative doit être une grande désillusion pour vous. Mais ($\pi\lambda\acute{\eta}\nu$) n'ayez crainte, vous, Pharisiens ; je vais quand même partir comme vous le souhaitez, et bien à Jérusalem, où l'on me tuera, selon le dessein de Dieu ».

Vis-à-vis de l'hypocrisie astucieuse des Pharisiens, Jésus montre sa supériorité prophétique dans une réponse, qui, par ses jeux de mots et son caractère intentionnellement énigmatique, est vraiment d'une ironie tragique. En poursuivant sa route, Jésus semble tomber dans le piège que lui tendent ses adversaires. En réalité, leurs manœuvres aboutissent, sans qu'ils s'en doutent, à réaliser le plan divin.

Potterierei, 72
8000 - Brugge

A. DENAUX

---

120. Voir la suggestion de F. A. FARLEY, *A Text (Luke XIII, 33)*, in *Exp. Tim.*, 34 (1922-23), 429-430.

L'Évangile selon Thomas :
témoin d'une tradition prélucanienne ?

La relation entre l'Évangile selon Thomas (= ET) et l'Évangile de Luc a été déjà souvent le sujet d'une attention particulière de la part des auteurs qui ont étudié l'apocryphe copte[1]. Certains auteurs ont supposé une source commune à l'ET et à Luc[2], se manifestant sous des formes diverses. Ils ont été critiqués à juste raison. On peut même dire que la relation entre les deux évangiles a été surestimée : un tableau comparatif comme celui de Grant-Freedman démontre que la relation de l'ET avec l'Évangile de Matthieu est au moins aussi importante que celle avec Luc[3]. Toutefois c'est surtout par rapport à l'origine du Sondergut lucanien qu'on a formulé plusieurs hypothèses qui voulaient l'attribuer à la même source que les logia de l'ET[4]. Or, dans un article

---

1. Voir les auteurs cités par H. SCHÜRMANN, *Das Thomasevangelium und das lukanische Sondergut*, dans *BZ*, 7 (1963), 236-260, voir p. 236, note 4 [= *Traditionsgeschichtliche Untersuchungen zu den synoptischen Evangelien*, Dusseldorf, 1968, p. 228-247.]

En ce qui concerne l'ET voir les remarques bibliographiques dans B. DEHAND-SCHUTTER, *Les Paraboles de l'Évangile selon Thomas. La Parabole du Trésor Caché*, dans *ETL*, 47 (1971), 199-219, voir p. 199-200.

La bibliographie complète au sujet des textes de Nag Hammadi est en voie de publication, voir déjà D. M. SCHOLER, *Nag Hammadi Bibliography 1948-1969*, (Nag Hammadi Studies I), Leyde, 1971; *Bibliographia Gnostica. Supplementum I*, dans *Nov. Test.*, 13 (1971), 322-336; *Supplementum II, ibid.*, 14 (1972), 312-331.

2. C'était l'opinion de J. LEIPOLDT, *Ein neues Evangelium ? Das Thomasevangelium übersetzt und besprochen*, dans *TLZ*, 83 (1958), 481-496, voir col. 494; G. QUISPEL, *Some Remarks on the Gospel of Thomas*, dans *NTS*, 5 (1958-59), 276-290; voir p. 280-281; S. SCHULZ, *Die Bedeutung neuer Gnosisfunde für die neutestamentliche Wissenschaft*, dans *Theol. Rundschau*, 26 (1960-61), 209-266; 301-334, voir p. 256; R. HAARDT, *Das koptische Thomasevangelium und die ausserbiblischen Herrenworte*, dans K. SCHUBERT, *Der historische Jesus und der Christus unseres Glaubens*, Fribourg, 1962, p. 257-287, voir p. 277-278; O. CULLMANN, *Das Thomasevangelium und die Frage nach dem Alter der in ihm enthaltenen Tradition*, dans *TLZ*, 85 (1960), 321-334, voir col. 333.

3. R. M. GRANT-D. N. FREEDMAN, *The Secret Sayings of Jesus*, New York, 1960, p. 108-109.

4. Voir les auteurs cités note 2.

important [5], H. Schürmann a réduit le problème à ses vraies dimensions : après une étude minutieuse et nuancée, il remarque : « Lukanische Sonderüberlieferungen sind im Thomas entgegen mehrfacher Behauptung nicht gerade besonders ausgiebig benutzt » [6] et aussi : « Thomas bezeugt uns nicht die vorkanonischen Quellen oder eine vorkanonische Quelle, aus der der Evangelist Lukas sein Sondergut geschöpft hat » [7]. La conclusion suivante nous semble importante : « Thom ist — in einzelnen Logien — von der lukanischen Redaktion, d.h. aber : vom kanonischen Lukasevangelium abhängig » [8]. Nous nous rallions également à la remarque : « Eine eingehende Untersuchung der Thomasparallelen zur lukanischen Markus-Redaktion und zur lukanischen Wiedergabe der Redequelle müsste dieses Ergebnis — direkter oder indirekter — Abhängigkeit vom Lukasevangelium erhärten » [9].

Nous avons essayé de démontrer cette thèse pour les logia 64 et 65, la parabole de la fête nuptiale (*Lc.*, XIV, 16-24 // *Mt.*, XXII, 1-14) et celle des vignerons homicides (*Mc.*, XII, 1-12 par) [10]. Notre étude nous a convaincus qu'il s'agit dans ces logia d'adaptations du texte de Luc, bien que d'autres auteurs récents soient d'un avis contraire [11]. Parmi ces derniers, T. Schramm mérite de retenir notre attention. Dans son livre sur la rédaction lucanienne de la « Markus-Stoff » [12], cet auteur propose l'hypothèse que Luc se serait servi d'une source particulière, une « Nebenquelle » à côté de Marc. Schramm a intégré l'ET dans son étude : ce document faciliterait la distinction entre tradition et rédaction [13] et confirmerait la théorie de la source particulière de Luc. L'auteur a appliqué cette théorie dans sa présentation de la parabole des vignerons homicides [14]. Mais il nous faut d'abord présenter son appréciation générale de l'ET (1) avant de considérer le cas particulier de la parabole des vignerons (2).

---

5. Voir note 1.

6. H. SCHÜRMANN, *art. cit.*, p. 256.

7. ID., *ibid.*, p. 259.

8. ID., *ibid.*, p. 259 ; il s'agit des logia 10 et 16 ; 31 ; 47 ; 72 ; 78 ; 79a ; 79b ; 88 ; 103. Voir p. 253 ; comp. W. SCHRAGE, *Das Verhältnis des Thomasevangeliums zur synoptischen Tradition und zu den koptischen Bibelübersetzungen* (BZNW 29), Berlin, 1964, p. 35 ; 76 ; 82-83 ; 165 ; 186-187.

9. H. SCHÜRMANN, *art. cit.*, p. 253-254.

10. Voir B. DEHANDSCHUTTER, *La Parabole des vignerons homicides (Mc. 12, 1-12) et l'Évangile selon Thomas*, à paraître dans M. SABBE (éd.), *L'Évangile selon Marc.*

11. Ainsi récemment J. D. CROSSAN, *The Parable of the Wicked Husbandmen*, dans *JBL*, 90 (1971), 451-465 ; ID., *Parable and Exemple in the Teaching of Jesus*, dans *NTS*, 18 (1971-72), 285-307, voir p. 302-303.

12. T. SCHRAMM, *Der Markus-Stoff bei Lukas* (Soc. N.T. Studies Mon. Ser. 14), Cambridge, 1971 ; présenté en 1966 comme dissertation doctorale à Hamburg.

13. ID., *ibid.*, p. 9-10 ; 21.

14. ID., *ibid.*, p. 150-167.

1. Selon Schramm, l'ET est « ein Repräsentant eines von den synopti-schen Evangelien unabhängigen Traditionsstranges » [15]. Il remarque qu'une telle représentation n'est pas généralement admise et il essaie de fonder son opinion dans l'introduction de son livre. Ses arguments résument en quelque sorte les objections antérieures contre l'hypothèse de la dépendance de l'ET vis-à-vis des synoptiques. Il réfère à la position de Grant-Freedman et de Haenchen [16] comme défenseurs de la dé-pendance, mais c'est surtout la contribution de W. Schrage [17] sur ce problème qui est présentée et critiquée. Or, quoiqu'on puisse contester les arguments de Schrage pour prouver que l'ET dépend des synoptiques [18], cela n'implique pas encore la réfutation de cette hypothèse. Il y a d'autres auteurs qui ont fourni des arguments valables en sa faveur [19]. On a souvent oublié que la complexité des matières contenues dans l'ET interdit de tirer trop vite des conclusions en étudiant seulement un nombre limité de logia. Le fait qu'on sache prouver la dépendance de tel logion vis-à-vis des synoptiques n'autorise pas la même conclusion pour tous les logia de type « synoptique » [20]. Dès lors,

---

15. ID., *ibid.*, p. 9-10 et 20, s'associant surtout à C. H. HUNZINGER, *Ausser-synoptisches Traditionsgut im Thomasevangelium*, dans *TLZ*, 85 (1960), 843-846 ; ID., *Unbekannte Gleichnisse Jesu aus dem Thomasevangelium*, dans *Judentum, Urchristentum, Kirche. Fs. J. Jeremias*, éd. W. ELTESTER, Berlin, 1960, p. 209-220. Aussi J. JEREMIAS, *Die Gleichnisse Jesu*, Goettingue, 1965[7].

16. R. M. GRANT-D. N. FREEDMAN, *o.c.* ; E. HAENCHEN, *Literatur zum Thomas-evangelium*, dans *Theol. Rundschau*, 27 (1961-62), 147-178 ; 306-338 ; ID., *Die Botschaft des Thomasevangeliums*, Berlin, 1961.

17. W. SCHRAGE, *o.c.*

18. Voir B. DEHANDSCHUTTER, *Les Paraboles de l'Évangile selon Thomas*, p. 210 et *ibid.*, note 50. Dans cette même note, on est renvoyé à l'étude de P. NAGEL, *Grammatische Untersuchungen zur Nag Hammadi Codex II*, dans F. ALTHEIM-R. STIEHL (éd.), *Die Araber im alten Welt V*, 2, Berlin, 1969, p. 393-469. Depuis quelque temps nous avons pu prendre connaissance de cette contribution. P. Nagel pense pouvoir exclure la dépendance de l'ET vis-à-vis du Nouveau Testament *sahidique*, en s'appuyant sur la différence de certaines formes gramma-ticales (voir p. ex. p. 447, note 24). Evidemment ceci n'exclut pas la possibilité de la dépendance se situant au niveau *grec* de la tradition néotestamentaire.

19. Voir R. KASSER, *L'Évangile selon Thomas*, Neuchâtel, 1961, p. 19 ; 22 ; B. GAERTNER, *The Theology of the Gospel according to Thomas*, New York, 1961, p. 68 ; H. TURNER, *The Gospel of Thomas : its History, Transmission and Sources*, dans H. TURNER-H. MONTEFIORE, *Thomas and the Evangelists* (SBT 35), Londres, 1962, p. 39 ; J. DORESSE, *L'Évangile selon Thomas*, Paris, 1959, p. 61 ; 72-73 ; H. K. MC-ARTHUR, *The Dependence of the Gospel of Thomas on the Synoptics*, dans *Exp. Tim.*, 71 (1959-60), 286-287. Voir pourtant le même auteur, plus nuancé : ID., *The Parable of the Mustard Seed*, dans *CBQ*, 33 (1971), 198-210.

20. Voir O. CULLMANN, *art. cit.*, col. 332 en ce qui concerne l'hypothèse de l'indé-pendance : « ... so ist jedes Logion in dieser Hinsicht für sich zu prüfen und auf jeden Fall ist hier vor vorzeitigen Verallgemeinerungen im negativen oder positiven Sinne zu warnen ». Comp. W. C. VAN UNNIK, *Evangelien aus dem Nilsand*, Franc-

plusieurs auteurs n'ont accepté la dépendance que dans quelques cas bien limités [21].

Schramm constate que les défenseurs de la thèse de la dépendance partent généralement du texte actuel de l'ET [22] ; il voit dans cette « habitude » le danger de négliger la place de la « matière synoptique » de l'ET dans l'ensemble de l'histoire de la tradition. Pourtant, du point de vue de la méthode, il nous semble qu'il faut partir du texte actuel, afin d'éviter un danger plus grave : celui de fonder la recherche sur des hypothèses et non sur les textes. Dès lors, on peut se demander si on accorde aux textes toute leur valeur en les approchant de la manière « formgeschichtlich » et « traditionsgeschichtlich » proposée par notre auteur. Étudions de plus près ses arguments en faveur de l'indépendance de l'ET :

a. L'ET représenterait, en tant que collection de logia, un stade antérieur au développement de la tradition dans les évangiles canoniques (pp. 14-15). Cela implique-t-il que depuis l'existence des évangiles canoniques, la « forme » de collections de logia a disparu ? Cette forme de tradition nous semble justement bien indiquée pour une présentation gnostique des paroles de Jésus [23]. En outre, on ne peut trop insister sur le fait que l'ET est une collection *sui generis*, qui ne peut être comparée sans plus à la « Quelle ». Ainsi B. Gaertner remarque : « The unique form of the Gospel of Thomas seems to indicate that its background differed considerably from that which lay behind the collections of sayings of Jesus which are thought to have existed in the beginning of the Gospel tradition » [24].

---

fort, 1960, p. 68 ; R. McL. WILSON, *The Gnostic Gospels from Nag Hammadi*, dans *Exp. Tim.*, 78 (1966-67), 36-41, voir p. 38-39.

21. Ainsi p. ex. R. McL. WILSON, *Studies in the Gospel of Thomas*, Londres, 1960, p. 51-52 ; aussi G. C. STEAD, *New Gospel Discoveries*, dans *Theology*, 62 (1959), 321-327, voir p. 325 ; ID., *Some Reflections on the Gospel of Thomas*, dans *Studia Evangelica III* (TU 88), Berlin, 1964, 390-402, voir p. 401 ; J. B. BAUER, *Echte Jesusworte ?*, dans W. C. VAN UNNIK, *Evangelien aus dem Nilsand*, p. 108-150, voir p. 117-118.

22. T. SCHRAMM, *o.c.*, p. 11.

23. Voir B. DEHANDSCHUTTER, *Les Paraboles de l'Évangile selon Thomas*, p. 208-209.

24. B. GAERTNER, *o.c.* p. 32. Voir aussi les p. 29-31. A la p. 32 encore Gaertner souligne les différences entre l'ET et Q, surtout le fait que Q a dû contenir une certaine proportion d'éléments narratifs. Le même auteur a également bien étudié la relation entre Luc et l'ET (p. 66-68) : ses conclusions sont plus convaincantes que celles de R. NORTH, *Chenoboskion and Q*, dans *CBQ*, 24 (1962), 154-170, voir p. 169-170, qui voudrait concevoir un « Proto-Gospel of Thomas » identique à la forme de Q sous-jacent à l'évangile de Luc. North élabore outre mesure quelques considérations de O. CULLMANN, *art. cit.*, col. 333. Voir aussi sur l'ET et Q : M. DEVISCH, *Le Document Q, Source de Matthieu. Problématique actuelle*, dans M. DIDIER (ed.), *L'Évangile*

b. Concernant le choix de la matière, Schramm signale le fait remarquable que l'ET ne reprend pas certains textes synoptiques susceptibles d'être interprétés de façon gnostique (p. 15). Il estime que ce fait reste inexpliqué dans l'hypothèse de la dépendance. A notre avis, ces omissions autant que les parallèles peuvent mettre en relief les propres opinions gnostiques de l'ET [25]. Signalons encore que le choix des deux textes cités par l'auteur (p. 15, note 2) comme des exemples d'omissions qu'il qualifie d'injustifiables dans la théorie de la dépendance, n'est pas très heureux. Pour le texte de *Mt.*, XI, 27 // *Lc.*, X, 22 on peut dire que l'ET a préféré le contexte de ce verset en *Mt.*, XI, 29-30 (log. 90) [26] ; le thème de l'ἀνάπαυσις, sa recherche et sa découverte

---

selon Matthieu. *Rédaction et Théologie*, Gembloux, 1972, 71-97, voir p. 83-86 ; K. RUDOLPH, *Gnosis und Gnosticismus, Ein Forschungsbericht*, dans *Theol. Rundschau*, 34 (1969), 121-175 ; 181-231 ; 358-361 ; 36 (1971), 18-61 ; 89-124, voir année 34, p. 185-186 ; R. McL. WILSON, *Studies*, p. 45-46 ; W. SCHRAGE, *o.c.*, 4-5.

25. Voir R. KASSER, *o.c.*, p. 14 : « ... nous constatons que tout ce qui dans l'ET est d'origine biblique a été choisi en fonction de son interprétation gnostique... » ; B. GAERTNER, *o.c.*, p. 69-76 ; W. SCHRAGE, *o.c.*, p. 19-23 ; E. HAENCHEN, *Literatur*, p. 171-172 ; ID., *Die Botschaft des Thomasevangeliums*, p. 11 ; voir aussi J. DORESSE, *o.c.*, p. 61.

26. A propos du logion 90 voir R. McL. WILSON, *Studies*, p. 57-58 ; W. SCHRAGE, *o.c.*, p. 172-174 ; R. M. GRANT-D. N. FREEDMAN, *o.c.*, p. 184. Le thème de l'ἀνάπαυσις dans l'ET en comparaison avec les autres écrits gnostiques a été particulièrement étudié par P. VIELHAUER, *ΑΝΑΠΑΥΣΙΣ. Zum gnostischen Hintergrund des Thomasevangeliums*, dans W. ELTESTER (éd.), *Apophoreta. Fs. E. Haenchen* (BZNW 30), Berlin 1964, 281-299 [= *Gesammelte Aufsätze zum Neuen Testament* (Theologische Bücherei 31), Munich, 1965, 215-234]. Sans entrer en détails (voir notre prochaine contribution au sujet du logion 76, où la littérature sera examinée), on peut ajouter aux textes de P. Vielhauer : l'*Évangile de Vérité* 33, 3-5 et 33, 33-36 (édités dans le supplément à l'édition de Zürich, 1961) ; l'*Écrit sans Titre* du Codex II, surtout pl. 173, 7-9 : « Denn diese werden eingehen in den heiligen Ort ihres Vaters und werden ruhen in Erholung » (= traduction de A. BOEHLIG-P. LABIB, *Die koptisch-gnostische Schrift ohne Titel aus Codex II von Nag Hammadi im Koptischen Museum zu Alt Kairo*, Berlin, 1962, p. 103), texte fort intéressant aussi pour notre interprétation de la fin du logion 64 (voir B. DEHANDSCHUTTER, *La Parabole des vignerons homicides*, note 31) ; l'*Épître à Rheginos* 43, 35-44, 7 (voir R. HAARDT, Die « *Abhandlung über die Auferstehung* » des Codex Jung aus der Bibliothek koptischer Schriften von Nag Hammadi, dans *Kairos*, 11 (1969), 1-5 ; 12 (1970), 241-269 ; voir p. 247-249).

Le thème semble bien connu aussi dans le *Dialogue du Sauveur* (Codex III, 5), voir l'introduction dans E. HENNECKE-W. SCHNEEMELCHER, *Neutestamentliche Apokryphen. I. Evangelien*, Tubingue, 1959³, p. 173 (= pl. 120, 2-9). P. Vielhauer avait déjà remarqué ce texte (*Ges. Aufs.*, p. 218, note 16). J. Doresse cite un autre passage du même écrit (encore inédit) fort intéressant pour l'interprétation gnostique de l'ET : « Les solitaires et les élus sont ceux qui parviendront au monde de l'ἀνάπαυσις » (J. DORESSE, *o.c.*, p. 175). Ceci montre du coup la relativité des considérations sur l'origine ascético-encratite de l'ET, établi par rapport à l'idée

revient plus d'une fois dans l'ET [27]. On ne voit pas comment le contenu de *Mt.*, XI, 27 dans son ensemble pourrait s'accorder avec les thèmes importants de l'ET [28]. On peut expliquer la suppression des paraboles de la drachme perdue et du fils prodigue par la présence de la parabole de la brebis perdue (log. 107), qui est souvent employée dans la littérature gnostique [29].

---

de μοναχός par e.a. G. QUISPEL, *Makarius, das Thomasevangelium und das Lied von der Perle* (Suppl. Nov. Test. XV), Leyde, 1967 ; p. 26-28 ; 33 ; 107-108.

J. Doresse renvoie encore à d'autres textes tels que le *Livre de Thomas l'Athlète* (Codex II, 7), voir J. DORESSE, *o.c.*, p. 121-123.

27. Dans les logia 50, 51, 60 le mot grec est employé ; il s'agit de paroles qui n'ont que très peu en commun avec la tradition synoptique. Dans les logia 61 et 86 on retrouve l'expression copte M̄TON ; le logion 61 modifie remarquablement le texte de *Lc.*, XVII, 34 : ἔσονται en NAM̄TON (= ἀναπαύσονται), tandis qu'au logion 86 l'idée du repos est ajoutée au texte de *Mt.*, VIII, 20 // *Lc.*, IX, 58 (voir B. GAERTNER, *o.c.*, p. 60-61 ; R. McL. WILSON, *Studies*, p. 59 ; W. SCHRAGE, *o.c.*, p. 158-170 ; R. M. GRANT-D. N. FREEDMAN, *o.c.*, p. 182) ; contrairement à ces auteurs, A. STRO-BEL, *Textgeschichtliches zum Thomas-logion 86*, dans *Vig. Christ.*, 17 (1963), 211-224, est d'avis qu'il n'y a pas question de « bewussten Antönung eines gnostischen Ruhe-Motivs... » ; il s'agirait dans ce texte d'une tradition syriaque de provenance judéo-chrétienne (p. 223-224). Voir la critique de P. VIELHAUER, *Ges. Aufs.*, p. 227-228. Dans la ligne de pensée de A. Strobel : J. B. BAUER, *Das Thomasevangelium in der neuesten Forschung*, dans R. M. GRANT-D. N. FREEDMAN, *Geheime Worte Jesu. Das Thomasevangelium*, Francfort, 1960, 182-205, voir p. 193-194. (A l'exception de ce complément de J. B. Bauer, nous citons Grant-Freedman selon l'édition originale anglaise, qui est à préférer à la traduction allemande, voir E. HAENCHEN, *Literatur*, p. 171).

Le logion 2 n'est pas sans importance non plus : la forme grecque du Pap. Ox. 654 diffère du texte copte et lit à la fin : κα [ὶ βασιλεύσας ἀναπα] ήσεται, reconstruction de J. A. FITZMYER, *The Oxyrhynchus Logoi of Jesus and the Coptic Gospel according to Thomas*, dans *Essays on the Semitic Background of the New Testament*, Londres, 1971, 355-433, voir p. 371. Fitzmyer remarque que le traducteur copte semble avoir lu ἀνὰ πάντα (= EXM̄ ΠΤΗΡϥ pl. 80, 19) ; il poursuit : « or is it a deliberate change of meaning that has been introduced ? » Sur le problème du logion 2 (provient-il de l'Évangile des Hébreux oui ou non?) voir encore E. HAENCHEN, *Literatur*, p. 162-163 ; ID., *Botschaft*, p. 34, note 3 ; P. VIELHAUER, *Judenchristliche Evangelien*, dans E. HENNECKE-W. SCHNEEMELCHER, *o.c.*, p. 75-108, voir p. 105-106 ; W. SCHNEEMELCHER, *ibid.*, p. 63 ; H.-Ch. PUECH, *ibid.*, p. 214.

28. Voir quand même l'écho dans logion 61 (pl. 91, 30), logion 3b (pl. 80, 26-21, 2) et logion 69a (pl. 93, 26-27).

29. Voir C. BARTH, *Die Interpretation des Neuen Testaments in den Valentiniani-schen Gnosis* (TU 37, 3), Leipzig, 1911, p. 60-61 ; B. GAERTNER, *o.c.*, p. 235-236 ; A. ADAM, *Gnostische Züge in der patristischen Exegese von Lukas 15*, dans F. L. CROSS (éd.), *Studia Evangelica III* (TU 88), Berlin, 1964, 299-305. Le logion 107 est étudié de plus près par G. GARITTE - L. CERFAUX, *Les Paraboles du Royaume dans l'Évangile selon Thomas*, dans *Mus.*, 70 (1957), 307-327, voir p. 322-325 [= *Recueil L. Cerfaux III*, Gembloux, 1962, p. 61-80] ; J. DORESSE, *o.c.*, p. 201-202 ; R. HAARDT, *art. cit.*, p. 267-268 ; N. PERRIN, *Rediscovering the Teaching of Jesus*, Londres, 1967, p. 98-99 ; K. Th. SCHAEFER, *Das neuentdeckte Thomasevangelium*,

c. Notre auteur prétend que l'ordre dans l'ET diffère tellement de celui des synoptiques qu'il serait impossible de voir une dépendance (pp. 15-16) : voilà un argument peu décisif.

1° L'ordre chez les synoptiques n'est pas toujours aussi parallèle qu'on ne le voudrait. Attribuera-t-on le remaniement assez important de l'acolouthie marcienne en *Mt.*, IV, 12-XI, 1 à des facteurs du type « formgeschichtlich » [30] ?

2° Quand on essaie de comprendre l'ordre dans l'ET comme indépendant des synoptiques, on perd de vue l'ET en tant que *totalité*. Si élémentaire soit-elle, il faut tenir compte de la technique de composition propre à l'auteur de l'ET, où le principe des mots-crochets joue un rôle important. Nous touchons ici la difficulté majeure des auteurs qui partagent le point de vue de Schramm : il ne peuvent s'imaginer qu'un auteur comme celui de l'ET puisse changer quoi que ce soit à ses sources [31].

Nous tenons à citer ici un article trop négligé du professeur G. Garitte, traitant de la matière parabolique parallèle à *Mt.*, XIII dans l'ET, l'exemple classique qui prouverait l'indépendance de l'ET par rapport aux synoptiques quant à l'ordonnance [32] : « Les sept paraboles du ch. XIII de l'Évangile de *Mt.* sont toutes représentées dans l'ET, mais sont dispersées d'un bout à l'autre du recueil et disposées dans un ordre différent. Si Thomas dépend de *Mt.*, comment se fait-il qu'il ait disséminé ces paraboles qu'il trouvait groupées dans sa source, et pourquoi a-t-il bouleversé leur ordre ? Ne serait-ce pas l'indice que l'ET a puisé ces textes, non pas à *Mt.* lui-même, mais à une autre source, indépendante de *Mt.* ou antérieure à lui ? Plusieurs critiques l'ont pensé. Mais si l'on observe attentivement l'environnement de chacune de ces paraboles

---

dans *Bibel und Leben*, 1 (1960), 62-74, voir p. 69-70 ; voir aussi E. F. Bishop, *The Parable of the lost or wandering Sheep Mat. 18, 10-14 ; Luke 15, 3-7*, dans *Ang. Th. Rev.*, 44 (1962), 44-57 ; E. Rasco, *Les Paraboles de Luc XV*, dans I. DE LA POTTERIE (éd.), *De Jésus aux Évangiles. Donum natalicium J. Coppens II*, Gembloux, 1967, 165-183, voir p. 173-174. La parabole de la brebis perdue se retrouve dans l'*Évangile de Vérité*, pl. 31, 35-32, 16, suivie d'une référence à *Mt.*, XII, 11, la brebis tombée dans le puits le jour du sabbat (pl. 32, 18-22) ; les textes sont étudiés dans W. C. van Unnik, *Evangelien*, p. 72-73 ; Id., *The recently discovered « Gospel of Truth » and the New Testament*, dans F. L. Cross (ed.), *The Jung Codex*, Londres, 1960, 81-129, voir p. 94-96, 112-113, où l'auteur remarque une préférence pour la parabole matthéenne. K. Grobel, *The Gospel of Truth. A Valentinian Meditation on the Gospel*, Londres, 1960, p. 129-136.

30. Voir F. Neirynck, *La rédaction matthéenne et la structure du premier évangile*, dans *ETL*, 43 (1967), 41-73.

31. T. Schramm, *o.c.*, p. 14 : « ... zudem wird dem Verfasser und seinem Arbeitsverfahren m. E. zuviel zugemutet. »

32. B. Dehandschutter, *Les Paraboles de l'Évangile selon Thomas*, p. 211.

dans l'ET, on constate que, dans la plupart des cas, leur place y est déterminée par les connexions verbales dont notre auteur est coutumier ; dès lors, la disposition différente où se trouvent les paraboles dans Th ne peut prouver, à elle seule, qu'il dérive d'une source différente de *Mt.* : il a très bien pu, tout en empruntant ses paraboles à l'évangile canonique, les disposer autrement, pour suivre sa méthode habituelle de composition. » [33]

T. Schramm renvoie à quelques exemples frappants de « aussersynoptisches Traditionsgut », notamment les logia 64 (parabole du banquet) et 76 (parabole de la perle) (pp. 16-18). Nous avons déjà consacré une étude à la première parabole [34], et nous comptons analyser la seconde dans une contribution ultérieure.

Bien que nos arguments n'aient peut-être pas encore suffisamment renforcé la thèse de la dépendance, ils démontrent au moins qu'il faut considérer l'apocryphe comme un document postérieur [35], ce qui se confirme d'ailleurs par l'étude de l'ET dans son ensemble.

La remarque de Schramm concernant la pluriformité de la tradition sur Jésus (p. 28) est peut-être justifiable ; néanmoins il faut reconnaître qu'il s'agit pour l'ET d'un document *écrit*, ayant son histoire rédactionnelle tout comme les évangiles canoniques, qui se situe dans un contexte religieux et historique précis. On peut s'en rendre compte en étudiant l'ensemble des documents trouvés à Nag Hammadi [36]. Par contre, la

---

33. Et le professeur Garitte poursuit : « Notez que je ne prétends pas ici nier l'indépendance de l'ET par rapport à *Mt.* ; je veux dire seulement que le moyen invoqué *in casu* n'est pas probant ». G. GARITTE, *Le nouvel Évangile copte de Thomas*, dans *Ac. Roy. Belge Bull. Cl. Lettr. 5e Ser.*, 50 (1964), 33-54, voir p. 44-45 ; voir encore H. TURNER, *o.c.*, p. 33-34.

34. Voir B. DEHANDSCHUTTER, *La parabole des vignerons homicides.*

35. Schramm lui-même reconnait évidemment le caractère secondaire de plusieurs logia de l'ET (*o.c.*, p. 16-18) ; il n'est pas prouvé que les traits secondaires soient rares dans l'ET. Quand il s'agit d'une tradition secondaire par rapport à celle des évangiles synoptiques (comme il a été indiqué fort bien e.a. par H. W. BARTSCH, *Das Thomasevangelium und die synoptischen Evangelien*, dans *NTS*, 6 (1959-60), 249-261), on ne comprend guère la conclusion de Schramm (*o.c.*, p. 21) : « Das Th. Ev. enthält Traditionsgut synoptischer Art, ohne von den synoptischen Evangelien abhängig zu sein. Es darf *daher* neben die Synoptiker gestellt und beim kritischen Vergleich als « gleichberechtigt » betrachtet werden ».

36. En effet, il est nécessaire d'examiner l'emploi du Nouveau Testament dans les écrits de Nag Hammadi ; nous avons déjà renvoyé à l'*Évangile de Vérité*, au sujet duquel K. Grobel remarque encore : « Their (= les évangiles canoniques) validity and their content seem to be accepted as beyond discussion and alluded to in much the same way as in Ignatius' letters » (K. GROBEL, *o.c.*, p. 20). C'est surtout l'*Évangile selon Philippe*, qui fait suite à l'ET dans le Codex II, qui mérite notre attention. Cet apocryphe cite souvent le Nouveau Testament de façon très exacte ; voir pour les évangiles les sentences 23 (pl. 105, 4-5) et *Jo.*, VI, 53 ; 69 (pl. 116, 10-12) et *Mt.* VI, 6 ; 72 (pl. 116, 26-27) et *Mt.* XXVII, 46 ; 110

« Formgeschichte » a été conçue surtout par rapport à la tradition *orale* [37].

2. Concernant la parabole des vignerons homicides, nous ne pouvons pas accepter l'appel de notre auteur à l'ET pour soutenir la théorie de la source particulière de Luc (pp. 156-166) [38]. Il nous semble superflu

---

(pl. 125, 17-18) et *Jo.*, VIII, 34 ; 123 (pl. 131, 12-13 ; 132, 8-9) et *Mt.*, III, 10 // *Lc.*, III, 9 ; *Jo.*, VIII, 32 ; la sentence 89 (pl. 120, 34-121, 1) référant à *Mt.*, III, 15 est assez fragmentaire (pour la sentence 72, comp. H. M. SCHENKE, *Die Arbeit am Philippusevangelium*, dans *TLZ*, 90 (1965), 321-332, voir col. 329).

Voir sur le problème encore R. M. GRANT, *Two gnostic Gospels*, dans *JBL*, 79 (1960), 1-11, p. 5 : « Like Thomas, Philip contains a number of sayings of Jesus, but most of them clearly come from the canonic Gospels » ; R. McL. WILSON, *The Gospel of Philip*, Londres, 1962, p. 21-27 ; ID., *The New Testament in the Gospel of Philip*, dans *NTS*, 9 (1962-63), 291-294 ; récemment : J. E. MÉNARD, *L'Évangile selon Philippe*, Strasbourg, 1967, p. 29 ; les p. 30-32 donnent une liste des échos néotestamentaires.

La relation entre l'ET et l'*Évangile selon Philippe* est d'autant plus intéressante qu'on retrouve dans le dernier écrit aussi des sentences non-canoniques parallèles avec l'ET : voir p. ex. sentence 57 et ET logion 19 ; sentence 69 (assez fragmentaire) et ET logion 22.

37. Voir R. M. GRANT, *Two gnostic Gospels*, p. 2 : « These scholars usually proceed to argue that « the laws of form criticism », assumed to be evident to all men diligently reading holy scripture, prove that some of the parables and sayings in Thomas are set forth in forms older than the forms in our Gospels. But if Thomas made use of our Gospels, such laws cannot prove anything. Form-critical methods were designed for analyzing material transmitted orally. They are irrelevant when one considers the literary use of source by an author. » Voir aussi R. M. GRANT-D. N. FREEDMAN, *o.c.*, p. 104.

38. Aux p. 8 et 20, note 2, cette théorie apparaît en contradiction directe avec l'hypothèse des deux sources, dans son aspect de « starre Markushypothese ». En plus de la parabole des vignerons homicides, Schramm renvoie à l'ET aux p. 96, 101 (logion 47) et 116, note 4 (logion 9) ; à la page 37, note 2, l'ET doit de nouveau confirmer l'hypothèse de la source particulière par rapport à *Lc.*, IV, 16-30. Dans le logion 31 on retrouve la parole de *Lc.*, IV, 24 combinée avec un élément du verset 23. Le verset 24 est comparable également au texte grec du Pap. Ox. 1. Y a-t-il un indice de tradition indépendante ? Il nous semble plus évident de penser à une compilation secondaire, constituant un parallélisme dans le genre du logion 47, bien dans le style de l'ET. C'est aussi l'opinion d'un témoin non suspect tel que H. SCHÜRMANN, *art. cit.*, p. 237-238 (voir les auteurs cités, p. 238, note 15) ; ID., *Zur Traditionsgeschichte der Nazareth-Perikope Lk. 4, 16-30*, dans A. DESCAMPS-A. DE HALLEUX (éd.), *Mélanges Bibliques B. Rigaux*, Gembloux, 1970, 187-205, voir p. 200 ; ID., *Das Lukasevangelium* (Herders Theologischer Kommentar zum NT III, 1), Fribourg, 1969, p. 237, note 115 et p. 244.

Comment comprendre l'enchaînement de cette parole dans le contexte de l'ET ? En lisant attentivement le texte copte, on peut constater une connexion entre ϯⲘⲈ (village) du logion 31 et πόλις du logion 32. Il n'est pas impossible que πατρίδι du grec ait été modifié en copte en ϯⲘⲈ, pour avoir un « mot-crochet ». Pareille connexion a provoqué le déplacement de la seconde partie du logion 30

de reprendre ici l'exposé de la dépendance de l'ET vis-à-vis de Luc pour cette parabole : elle a été démontrée autre part [39]. Nous sommes d'avis que les éléments indiquant une tradition indépendante dans le log. 65 (p. ex. l'introduction brève, la triple mission, la position indépendante du logion 66 sur la pierre de faîte) peuvent être compris comme le résultat d'une rédaction postérieure partant du texte lucanien [40]. On pouvait s'attendre à ce que Schramm fasse appel à ces éléments-là pour confirmer sa thèse de la « Sonderüberlieferung », source de l'ET et de Luc. Considérons ses arguments, plus particulièrement au niveau de Luc.

a) L'introduction ἄνθρωπος (τις) fournirait une première indication de la tradition particulière : elle se manifeste aussi dans l'ET, logia 63, 64, 65 [41]. Mais τις fait défaut dans le texte de *Lc.*, XX, 9 (comme Schramm remarque lui-même). Il s'agit alors plus vraisemblablement d'un emprunt à Marc, qui ne nécessite pas d'autre explication.

b) Le fait que, chez Luc, la citation de *Is.*, V est supprimée indiquerait l'influence de la source secondaire : il aurait existé une forme non-allégorisante de la parabole, sans référence à *Is.*, V, que l'on rencontre aussi dans l'ET. Luc n'aurait aucune raison de supprimer une citation de l'Ancien Testament [42].

Cependant, il ne faut pas chercher loin pour trouver la raison d'une telle suppression dans le contexte lucanien : la citation d'*Is.*, V n'a pas de valeur christologique. D'autre part, le mot ἐφύτευσεν reflète encore suffisamment le texte d'Isaie et si l'on suit la ligne de pensée de Schramm, on pourrait s'attendre à une introduction comme « un homme *avait* une vigne », parallèle au commencement du logion 65.

c) La possibilité de comparaison avec l'ET fait également défaut pour la triple mission [43]. Néanmoins, la forme lucanienne est considérée

---

vers le logion 77, ceci par le jeu de mots avec ⲠⲰⲢ, possible seulement en copte, comme il a été remarqué depuis longtemps (voir H.-Ch. Puech, dans E. Hennecke-W. Schneemelcher, *o.c.*, p. 213 ; comp. J. Jeremias, *ibid.*, p. 69 ; il est important de ne pas oublier que la contribution de Puech dans Hennecke-Schneemelcher date de 1957, voir p. 158, note). Le logion 32 est enchaîné au suivant par l'idée de « cacher » (ⲢⲰⲠ, pl. 87, 10 et ⲢⲎⲠ, pl. 87, 14), tandis que les deux parties du logion 33 sont liées par ⲘⲀⲀϪⲈ, un jeu de mots de nouveau possible en copte seulement. Pour une liaison copte-grec on peut encore comparer avec les logia 67 et 68 (ⲠⲘⲀ, pl. 93, 20 τόπος, pl. 93, 23) bien que l'exemple soit moins frappant (τόπος est suivi de ⲢⲘ ⲠⲘⲀ ce qui traduit sans doute ὅπου, comme il paraît dans Clem. Al. Strom. IV, 41, 3).

39. B. Dehandschutter, *La Parabole des vignerons homicides*.
40. Voir nos conclusions *ibid.*
41. T. Schramm, *o.c.*, pp. 155-156.
42. Id., *ibid.*, p. 156-158.
43. Id., *ibid.*, p. 160-161.

comme plus originale en comparaison avec les autres synoptiques, bien que la version de Luc s'explique facilement comme correction d'un texte marcien assez maladroit, qui finit par une gradation descendante : déjà les serviteurs sont tués.

d) *Lc.*, XX, 17-18 serait également dû à une tradition complémentaire, qui s'associerait à celle de l'ET [44] : tous deux ne citent que *Ps.* CXVIII, 22. Cependant, ceci est à comprendre comme une rédaction lucanienne, comme il a été souligné par M. Rese [45]. Cet auteur a montré comment les citations de l'Ancien Testament sont souvent modifiées chez Luc [46]. L'absence du verset 23 du *Ps.* CXVIII est probablement le résultat du remaniement lucanien, associant par le « Stichwort » λίθον une nouvelle parole qui lui semble plus appropriée dans le contexte [47]. Le recours à un stade présynoptique pour expliquer la parole sur la pierre de faîte, séparée de la parabole, n'est pas nécessaire non plus, comme nous l'avons démontré dans un autre article : il s'agit en effet d'une séparation due au rédacteur de l'ET voulant construire un nouveau logion [48].

Ces quelques remarques pourront suffire à mettre en doute la valeur de l'appel à l'ET que fait T. Schramm pour appuyer son hypothèse [49]. La difficulté majeure consiste dans le fait que les auteurs des évangiles synoptiques et celui de l'ET ne sont pas considérés comme de vrais rédacteurs. Ils seraient uniquement capables de combiner des matières traditionelles tandis que leur intervention personnelle serait minimale. Ce point de vue nous semble incompatible avec les résultats actuels de la *Redaktionsgeschichte*.

Ruelensvest 91/3   B. Dehandschutter
3030 Heverlee

44. Id., *ibid.*, p. 151 ; 165.

45. M. Rese, *Alttestamentliche Motive in der Christologie des Lukas* (Stud. zum NT I), Gutersloh, 1969, p. 172-173.

46. M. Rese, *o.c.*, p. 207 ; à la page 216, il critique T. Holtz, *Untersuchungen über die alttestamentlichen Zitate bei Lukas* (TU 104), Berlin, 1968, qui sous-estime l'influence de la rédaction lucanienne.

47. Voir E. Haenchen, *Der Weg Jesu. Eine Erklärung des Markusevangeliums und der kanonischen Parallelen*, Berlin, 1966, p. 404.

48. Voir B. Dehandschutter, *La Parabole des vignerons homicides*, e.a. note 32.

49. On aura remarqué que cette hypothèse, en ce qui concerne ses rapports avec l'ET, n'est pas nouvelle. Elle a déjà été formulée par G. Quispel, *Some Remarks*, 280-281.

La notion de *ΑΡΧΗ*
dans l'œuvre lucanienne

Ceux qui se penchent tant sur l'évangile de Luc que sur le livre des Actes remarquent fort vite que ces deux œuvres sont plus que de simples morceaux d'histoire juxtaposés. Derrière les récits et les enseignements se cache toute une ordonnance, une structure.

Dans son ouvrage important sur la théologie lucanienne, H. Conzelmann [1] a développé la thèse selon laquelle Luc divisait l'histoire du Salut en trois périodes bien délimitées : le temps d'Israël, le temps de Jésus, le temps de l'Église. Depuis lors, plusieurs auteurs ont pris position par rapport à cette thèse et l'ont critiquée [2]. Nous ne pouvons reprendre ici tout le dossier de la discussion, mais en partant de quelques remarques de H. Conzelmann [3] sur l'importance du concept de ἀρχή dans l'œuvre lucanienne, nous voudrions souligner le rôle théologique dévolu à cette notion dans l'ordonnance des matériaux des deux livres lucaniens.

---

1. H. CONZELMANN, *Die Mitte der Zeit. Studien zur Theologie des Lukas* (Beiträge zur historischen Theologie, 17), Tubingue, 1954 ; 2ᵉ éd., 1957 ; 3ᵉ éd., 1960 (retravaillée) ; 4ᵉ éd., 1962 (comme la précédente mais complétée du point de vue bibliographique), 242 p.

2. G. BRAUMANN, *Das Mittel der Zeit*, dans *ZNW*, 54 (1963), 117-145 ; W. C. ROBINSON, *Der Weg des Herrn. Studien zur Geschichte und Eschatologie im Lukas-Evangelium. Ein Gespräch mit Hans Conzelmann* (Theologische Forschung, 36), Hambourg, 1964, 67 p. ; H. FLENDER, *Heil und Geschichte in der Theologie des Lukas*, Munich, 1965. Pour une présentation d'ensemble du problème nous renvoyons à l'article de W. G. KUEMMEL, *Luc en accusation dans la théologie contemporaine*, p. 93-109 de ce recueil.

Notre étude était déjà rédigée quand nous avons pris connaissance d'un autre article du même auteur, « *Das Gesetz und die Propheten gehen bis Johannes* ». *Lukas 16, 16 im Zusammenhang der heilsgeschichtlichen Theologie der Lukasschriften*, dans O. BOECHER et K. HAACHER (éd.), *Verborum veritas. Festschrift für Gustav Stählin zum 70. Geburtstag*, Wuppertal, 1970, p. 89-102. Il y réfute l'exégèse que fait Conzelmann au sujet de la présentation de Jean-Baptiste dans l'histoire du Salut ; dans le même sens que Kümmel, cfr W. WINK, *John the Baptist in the Gospel Tradition* (SNTS, Mon. Ser., 7) Cambridge, 1968, p. 51-58.

3. H. CONZELMANN, *Die Mitte der Zeit*, p. 6, 9 (note 2), 16 (note 4), 22, 34, 79 (note 1), 171, 176 (note 3), 181, 197 (note 1), 206 (note 2).

I. L'APXH de la proclamation apostolique

1. ACT., XI, 15

En *Act.*, XI, 15, Pierre, après avoir conféré le baptême au nom de Jésus à Corneille et aux premiers païens, justifie sa conduite devant la communauté de Jérusalem en ces termes : « Or, à peine commençais-je à parler que l'Esprit-Saint tomba sur eux, tout comme sur nous *au commencement* (ὥσπερ καὶ ἐφ' ἡμᾶς ἐν ἀρχῇ) ». Cette formule autant que les parallèles littéraires existant entre les sections X, 34-48 (que résume *Act.*, XI, 15 [4]) et *Act.*, II, 1-14 ss. [5] nous amènent à une première constatation : Luc qualifie la venue de l'Esprit-Saint sur les apôtres au jour de Pentecôte d'un « début » ; l'effusion de l'Esprit à Césarée et les manifestations charismatiques qui l'accompagnent rappellent ce que fut ce « commencement » à Jérusalem.

2. Lc., XXIV, 47

De même l'évangile lucanien s'achève par cet ordre du Christ ressuscité « de ne point quitter la ville (de Jérusalem) avant d'avoir été revêtus de la puissance d'en-Haut » (*Lc.*, XXIV, 49). Ceci doit être mis en rapport avec le contexte qui précède ; aux disciples d'Emmaüs, le Christ ressuscité ouvre l'esprit sur le sens des événements qu'ils viennent de vivre. Il était écrit, leur dit-il, « que le Christ souffrirait, qu'il ressusciterait d'entre les morts et que serait proclamée en son nom la conversion

---

4. Ce verset 15 reprend dans un raccourci littéraire toute la section d'*Act.*, X, 34-48, à savoir l'instruction catéchétique faite par Pierre, à Corneille et aux siens (vv. 34-43) et les événements qui survinrent alors : venue de l'Esprit, manifestations glossolaliques et baptême d'eau au nom de Jésus (vv. 44-48). C'est même ce caractère ramassé qui doit expliquer son apparente contradiction avec le v. 44 du chapitre précédent, l'essentiel consistant de part et d'autre à souligner l'initiative divine qui présida à ces événements.

5. Qu'on remarque notamment la similitude entre le ἐπέπεσεν τὸ πνεῦμα τὸ ἅγιον ἐπὶ πάντας τοὺς ἀκούοντας τὸν λόγον (*Act.*, X, 44) ou le ἐπέπεσεν τὸ πνεῦμα τὸ ἅγιον ἐπ' αὐτούς (*Act.*, XI, 15) et le ἐπλήσθησαν πάντες πνεύματος ἁγίου (*Act.*, II, 4) ; de même l'allusion à l'effusion de l'Esprit sur toute chair annoncée par le prophète Joël : ... ἐπὶ τὰ ἔθνη ἡ δωρεὰ τοῦ ἁγίου πνεύματος ἐκκέχυται (*Act.*, X, 45) ou le εἰ οὖν τὴν ἴσην δωρεὰν ἔδωκεν αὐτοῖς ὁ θεὸς ὡς καὶ ἡμῖν (*Act.*, XI, 17) et le λέγει ὁ θεός, ἐκχεῶ ἀπὸ τοῦ πνεύματός μου ἐπὶ πᾶσαν σάρκα καὶ προφητεύσουσιν (*Act.*, II, 17).

Voir encore le ἤκουον γὰρ αὐτῶν λαλούντων γλώσσαις καὶ μεγαλυνόντων τὸν θεόν (*Act.*, X, 46) et le ἀκούομεν λαλούντων αὐτῶν ταῖς ἡμετέραις γλώσσαις τὰ μεγαλεῖα τοῦ θεοῦ (*Act.*, II, 11) ; de même le καὶ ἐξέστησαν οἱ ἐκ περιτομῆς πιστοὶ ὅσοι συνῆλθαν τῷ Πέτρῳ (*Act.*, X, 45) et les ἐξίσταντο et ἐξίσταντο δὲ πάντες (*Act.*, II, 7, 12).

pour la rémission des péchés εἰς πάντα τὰ ἔθνη, — ἀρξάμενοι ἀπὸ Ἰερουσαλήμ. ὑμεῖς μάρτυρες τούτων » (*Lc.*, XXIV, 46-48) [6].

Le rejet en fin de phrase du ἀρξάμενοι ἀπὸ Ἰερουσαλήμ pourrait révéler
à nouveau l'importance que Luc assigne, dès la fin de son évangile,
à Jérusalem en tant que point de départ du témoignage apostolique
(κηρυχθῆναι : v. 47 ; μάρτυρες : v. 48). Le εἰς πάντα τὰ ἔθνη marque le
point d'aboutissement de ce dernier et forme le deuxième terme de
l'expression. Étant donné en effet que la formule ἀρξάμενος ἀπὸ ... ἕως +
gén. se retrouve encore chez Luc [7], on pourrait accorder un certain
crédit à la variante de D : ως επι παντα εθνων [8]. Par là se trouve rappelé
aux apôtres non pas seulement que leur proclamation à toutes les nations
commencerait à Jérusalem mais qu'ils auraient à proclamer le repentir
en vue de la rémission des péchés en commençant par Jérusalem et
en finissant (jusqu'à) par toutes les nations. En brisant sa formule plus
habituelle, Luc pouvait ainsi donner à cette ἀρχή du témoignage apostolique un saisissant relief et appeler son lecteur à concentrer une nouvelle
fois son attention sur Jérusalem, lieu où commencerait cette proclamation kérygmatique.

Plus largement d'ailleurs, c'est dans toute la section (*Lc.*, XXIV,
45-49) que la pensée lucanienne se ramasse. En quelques lignes essentielles, cette section résume anticipativement le début du livre des
Actes et plus précisément trace les thèmes majeurs de la prédication
apostolique primitive. Les vv. 44-47a contiennent en effet tous les élé-

---

6. Si nous reprenons la ponctuation proposée par E. NESTLE-K. ALAND, *Novum
Testamentum graece*, c'est en estimant que le ἀρξάμενοι ἀπὸ Ἰερουσαλήμ se raccroche
non à ce qui suit mais à ce qui précède et ce, au prix d'une anacoluthe assez violente.
Il n'est donc pas nécessaire de recourir à ce que C. C. TORREY, *The Composition
and Date of Acts* (Harvard Theological Studies, I), Cambridge (Mass.), 1916, p. 26,
appelle une construction « détachée » dans laquelle il suppose un substrat araméen
sous-jacent ; cfr la critique de M. WILCOX, *The Semitisms of Acts*, Oxford, 1965,
p. 148-150 qui, renvoyant à *Act.*, I, 22 ; *Lc.*, XXIII, 5 et *Act.*, X, 37, considère
Lc., XXIV, 47 comme un usage très proprement lucanien.

7. Cfr *Lc.*, XXIII, 5 ; *Act.*, I, 22 ; également *Jo.*, VIII, 9 en S, U, pm et *Mt.*,
XX, 8.

8. Rappelons que εἰς est parfois employé pour ἐπί ou πρός (Bl.-Debr. § 207 (1) qui
renvoient explicitement à *Mc.*, XIV, 9 ; *Lc.*, XXIV, 47 ; *I Thess.*, II, 9 ; *Act.*, XVII,
15 en D) ; ce εἰς pour désigner les récipiendaires d'un message est un sémitisme
(ㄱ araméen). Par ailleurs, au ως επι (D) correspond le εως επι ; cfr Bl.-Debr., § 453 (4)
qui signalent notamment *I Macc.*, V, 29. Même si D est une harmonisation, elle
reflète une compréhension du texte assez semblable à la nôtre : « Vous serez
témoins de ces choses (τουτων = les faits du Kérygme) qui commencent à Jérusalem
(αρξαμενων απο Ιερουσαλημ) et que vous porterez jusqu'à toutes les nations (ως επι
παντα τα εθνη). Pour une construction similaire (à la leçon D), nous renvoyons à
Gen., XLIV, 12 (LXX) : ἠρεύνα δὲ ἀπὸ τοῦ πρεσβυτέρου ἀρξάμενος ἕως ἦλθεν ἐπὶ τὸν
νεώτερον... Enfin il est très vraisemblable qu'à la base du texte reçu se trouve la
formule de *Mc.*, XIII, 10 : εἰς πάντα τὰ ἔθνη πρῶτον δεῖ κηρυχθῆναι τὸ εὐαγγέλιον.

ments caractéristiques du kérygme chrétien tel qu'on le retrouve largement développé dans le premier discours de Pierre à Jérusalem (*Act.*,
II, 14-19) [9].

3. Act., I, 8

Enfin, l'importance à donner à la formule de *Lc.*, XXIV, 47 est confirmée par la reprise qu'en fait Luc, au début du livre des Actes (*Act.*,
I, 8) : ἀλλὰ λήμψεσθε δύναμιν ἐπελθόντος τοῦ ἁγίου πνεύματος ἐφ᾽ ὑμᾶς καὶ
ἔσεσθέ μου μάρτυρες ἔν τε Ἰερουσαλὴμ καὶ ἐν πάσῃ τῇ Ἰουδαίᾳ καὶ Σαμαρείᾳ
καὶ ἕως ἐσχάτου τῆς γῆς.

On ne s'étonne pas de retrouver les éléments essentiels que nous avait
révélés la finale de l'évangile : la venue de l'Esprit-Saint [10] qui — ici
plus clairement — inaugurera [11] le témoignage apostolique et, à nouveau,
Jérusalem comme centre premier de ces événements. L'absence de la
notion de ἀρχή proprement dite affaiblirait la force du parallélisme
entre *Lc.*, XXIV, 47 et *Act.*, I, 8 si Luc n'avait substitué à la formule
attendue ἀρξάμενος ἀπὸ... ἕως [12] une autre qui, tout compte fait, en dit
plus long. Le point de départ du témoignage reste fixé à Jérusalem,
mais la suite de la mission apostolique est ici précisée : « toute la Judée,
la Samarie et jusqu'aux confins de la terre ». Cette formule plus longue
d'*Act.*, I, 8 reflète davantage l'empreinte lucanienne, et si son auteur continue à la mettre dans la bouche de Jésus, il l'explicite en fonction
d'un plan qui, largement, pourrait coïncider avec celui de son second
Livre [13]. Dans ce prologue secondaire du début des Actes, peu conforme

---

9. Accomplissement et nouvelle intelligence donnée par les Écritures relativement
à la mort et à la résurrection du Christ (*Lc.*, XXIV, 44-46 et *Act.*, II, 22-31) ;
proclamation du message de conversion et de rémission au nom de Jésus-Messie
(*Lc.*, XXIV, 47 et *Act.*, II, 38) ; les apôtres, témoins de l'accomplissement de ces
choses (*Lc.*, XXIV, 48 et *Act.*, II, 32) ; envoi de l'Esprit-Saint, promesse du Père,
d'abord répandu à Jérusalem (*Lc.*, XXIV, 47 ; *Act.*, II, 1-13, 17-21 (*Joël*, III, 1-5), 33)
mais qui doit être communiqué aux nations entières (*Lc.*, XXIV, 47 et *Act.*, II, 39).

10. *Act.*, I, 8 : λήμψεσθε δύναμιν ἐπελθόντος τοῦ ἁγίου πνεύματος ἐφ᾽ ὑμᾶς parallèlement
à ἐνδύσησθε ἐξ ὕψους δύναμιν (*Lc.*, XXIV, 49b), qui est l'ἐπαγγελία τοῦ πατρός (*Lc.*,
XXIV, 49a) par. à *Act.*, I, 4.

11. En *Lc.*, XXIV, 47, l'ordre de témoigner précédait littérairement la promesse
de l'envoi de l'Esprit-Saint ; en *Act.*, I, 8 il la suit et lui est rattaché par un καί qui
pourrait avoir valeur consécutive (Bl.-Debr. § 442 (2)) : voir la construction très
parallèle à la nôtre en *Mt.*, V, 15 bien que Luc, dans les passages parallèles de *Lc.*,
VIII, 16 = XI, 33, ait soin de remplacer le καί consécutif par ἵνα + subjonctif.

12. La formule n'a d'ailleurs pas entièrement disparu. On soupçonne dans le
καὶ ἕως ἐσχάτου τῆς γῆς le second terme de l'expression dont le premier (ἀρξάμενος
ἀπό) devait forcément éclater en raison de l'énumération qui suivait.

13. C'est ainsi qu'après la lapidation d'Étienne, la mission s'orientera progressivement vers la Samarie (chap. VIII), puis vers la Judée, pour atteindre, au terme
du livre des Actes, avec l'arrivée de Paul à Rome, une nouvelle étape, mais non

aux règles habituelles du genre, *Act.*, I, 8 fait ainsi figure de programme du témoignage qu'auront à rendre les apôtres depuis Jérusalem, capitale d'Israël, jusqu'aux extrémités du monde. Le lieu attendu du grand rassemblement de toute la juiverie dispersée de par le monde devient le point de départ de la communication du salut à toute chair.

De ces textes, il ressort clairement que Luc a voulu par un concept marquer le « début » du témoignage apostolique. Cette notion de ἀρχή qui, plus qu'une expression simplement littéraire, porte un contenu théologique précis, fixe Jérusalem comme centre et point de départ de la mission chrétienne au monde entier, conditionnée par la venue préalable de l'Esprit-Saint sur les apôtres.

II. L'APXH du ministère public de Jésus

Cette notion qui nous est apparue à des endroits-clés de l'œuvre lucanienne, se retrouve encore dans d'autres passages importants des deux livres de Luc avec un contenu théologique nouveau qu'il convient à présent de préciser.

1. ACT., I, 21-22

Après avoir rapporté l'ascension de Jésus et le retour des disciples à Jérusalem, le récit des Actes se poursuit par l'épisode du choix d'un douzième apôtre qui devra compléter le Collège apostolique et devenir témoin de la résurrection. Pour ce faire, Pierre rappelle les exigences de l'apôtre-témoin : « Il faut donc, parmi les hommes qui nous ont accompagnés pendant tout le temps où le Seigneur Jésus entra et sortit parmi nous — ἀρξάμενος ἀπὸ τοῦ βαπτίσματος Ἰωάννου ἕως τῆς ἡμέρας ἧς ἀνελήμφθη ἀφ' ἡμῶν, — qu'un de ceux-ci devienne avec nous témoin de sa résurrection » (*Act.*, I, 21-22).

---

sans doute la dernière. Dans une étude récente, W. C. van Unnik, *Der Ausdruck* ἕως ἐσχάτου τῆς γῆς *(Apg 1,8) und sein alttestamentlicher Hintergrund*, dans *Studia biblica et semitica Theodoro Christiano Vriezen ab amicis, collegis, discipulis dedicata,* Wageningen, 1966, p. 335-349, a bien montré, à partir de *1 Clem.*, XXVIII, 3, d'exemples tirés de la littérature grecque en général et de la LXX en particulier, que le ἕως ἐσχάτου τῆς γῆς est dans tous les cas un terme géographique visant « das Äusserste der Welt » (p. 346). Selon lui, il est faux de penser (notamment sur la base de *Ps. Sal.* VIII, 16) que le bout du monde est Rome, comme le fait l'opinion la plus répandue. Comme en XXIV, 47 ; *Mc.*, XIII, 10 ; XIV, 9 ; *Mt.*, XXIV, 14 ; XXVI, 13 et XXVIII, 19, l'expression — qui, ici, vise les confins de la terre, non un point lointain indéterminé —, sert à montrer que la mission doit par toute la terre s'adresser à tous les peuples.

Lc., XXIV, 47 et *Act.*, I, 8 nous avaient déjà familiarisé à ce lien entre l'idée du témoignage et la formule ἀρξάμενος ἀπὸ ... ἕως. Ce rapport perdure en *Act.*, I, 22, mais alors que dans les textes antérieurs, la fonction du témoin recevait, grâce à cette formule, une détermination plutôt externe (à savoir le champ géographique assigné à la mission apostolique), elle acquiert ici une qualification plutôt interne et chronologique : sont aptes à être témoins de la résurrection du Seigneur ceux qui ont vécu avec lui « depuis le baptême de Jean jusqu'au jour de l'ascension ».

Ce qui semble ainsi primordial dans la pensée de l'évangéliste, c'est de définir globalement le temps de l'activité de Jésus [14]. Celui-ci englobe non seulement le ministère public du Christ mais également les événements finaux (passion, mort, résurrection et le temps précédent l'ascension).

Alors que le terme de cette activité, l'ascension [15], est clair, l'ἀρχή de ce « temps du Seigneur Jésus » demeure d'une certaine façon encore imprécise. Si elle commence au baptême de Jean (ἀπό), comprend-elle l'activité baptismale de Jean, voire même tout le ministère du précurseur ou, au contraire, se situe-t-elle au terme de l'activité de Jean-Baptiste [16] ?

2. Lc., XXIII, 5

C'est encore à cette question que répond partiellement un autre texte important de l'évangile lucanien (*Lc.*, XXIII, 5) puisqu'il s'agit d'un sommaire venant au terme du ministère d'enseignement du Seigneur à travers la Judée, juste avant que ne soient rapportés les événements

---

14. L'expression « entrer et sortir » peut être considérée comme un hébraïsme qui, en *Act.*, I, 21 signifie que le témoin devra l'être *de toute la vie* du Christ ; cfr J. LAMBERT, « *Lier-Délier* ». *L'expression de la totalité par l'opposition de deux contraires*, dans *Vivre et Penser* (Revue d'Exégèse et d'Histoire), 3e série (1943-1944), surtout p. 94-95 où l'auteur renvoie notamment à *Jos.*, XIV, 11 ; *I Sam.*, XXIX, 6 ; *I Reg.*, III, 7 ; *II Reg.*, XIX, 27 ; *Ez.*, XLIII, 11. Ajoutons-y *Deut.*, XXXI, 2 et pour le N.T., *Jo.*, X, 9 et *Act.*, I, 21.

15. C'est ainsi qu'il faut comprendre le ἀνελήμφθη (v. 22b) qui n'est pas un simple motif littéraire renvoyant à la fin de l'évangile et à *Act.*, I, 1, mais qui est une allusion et une reprise de l'expression d'*Act.*, I, 11 dans le récit même de l'ascension. Cfr J. DUPONT, Ἀνελήμφθη *(Act I. 2)*, dans *NTS*, 8 (1961-62), 154-158, surtout p. 156 ; voir aussi E. HAENCHEN, *Die Apostelgeschichte* (Meyer, 3), Goettingue, 13e éd., 1961, p. 126.

16. ἀρξάμενος : sans devoir à nouveau recourir à la théorie de C. C. TORREY, d'un substrat araméen à la base des premiers chapitres des Actes (voir la critique de M. WILCOX, *op. cit.*, p. 148-149), ἀρξάμενος pourrait se comprendre comme un participe aoriste au nominatif qualifiant ὁ κύριος Ἰησοῦς ou comme un nominatif absolu employé adverbialement.

de sa mort, de sa résurrection et de son ascension qui ont pour cadre Jérusalem.

Les prêtres veulent accuser Jésus d'une série de délits (vv. 2-3) [17] que Pilate ne peut sanctionner (v. 4). Aussi les grands-prêtres en viennent-ils à dénoncer l'enseignement de Jésus qui est une activité subversive, cause de trouble et de soulèvement parmi le peuple [18]. Cet enseignement (διδάσκων) (v. 5), Luc en précise l'étendue : le Christ l'a répandu à travers toute la Judée, en commençant par la Galilée et jusqu'ici (Jérusalem) : καθ' ὅλης τῆς 'Ιουδαίας, καὶ ἀρξάμενος ἀπὸ τῆς Γαλιλαίας ἕως ὧδε.

Relié par un καί qu'on peut considérer comme epexégétique [19], la formule ἀρξάμενος ἀπὸ ... ἕως qu'on retrouve, vient préciser [20] le καθ' ὅλης τῆς 'Ιουδαίας et est elle-même un excellent résumé du plan tracé par Luc [21] : parti de la Galilée (IV, 14), il devait après une lente progression s'achever à Jérusalem. Comme en *Act.*, I, 8, nous sommes en présence d'un schéma géographique, rendant apparente cette fois une division de l'histoire de Jésus.

3. ACT., X, 37 ss.

Le rapprochement de ce verset avec une formule similaire d'*Act.*, X, 37 va nous permettre de savoir maintenant où et quand Luc fixe

---

17. Sommaire comme l'a déjà noté H. CONZELMANN, *Die Mitte*, p. 79. L'activité rédactionnelle de Luc paraît bien nette. Si *Mc.*, XV, 4 et *Mt.*, XXVII, 13 font état des accusations portées contre Jésus, Luc est le seul à les mentionner explicitement (XXIII, 2, 5). Premier délit : la perversité qu'il sème dans la nation juive : διαστρέφοντα (XXIII, 2) littéralement = « pervertissant », « tournant en différents sens », est rare dans le N.T., et se retrouve principalement chez Luc : *Lc.*, IX, 41 (par. *Mt.*, XVII, 17) ; XXIII, 2 ; *Act.*, XIII, 8, 10 ; XX, 30 ; *Phil.*, II, 15. Deuxième délit : son refus de payer le tribut à César : κωλύοντα φόρους καίσαρι διδόναι ; κωλύω se rencontre 12 fois chez Luc, une fois seulement chez Marc et 7 fois dans le reste du N.T., ; l'expression φόρον (φόρους) δοῦναι (*I Macc.*, VIII, 4, 7) ne revient que chez Luc dans tout le N.T., (*Lc.*, XX, 22 à comparer avec *Mc.*, XII, 14 par. à *Mt.*, XXII, 17 = δοῦναι κῆνσον, et *Lc.*, XXIII, 2).

Troisième délit : sa prétention à se dire le Christ-Roi, accusation rendue explicite chez *Mc.*, XV, 2 et *Mt.*, XXVII, 12 (par. *Lc.*, XXIII, 2) par la question que Pilate pose à Jésus : « Es-tu Roi des Juifs ? » et la réponse qu'en donne Jésus.

18. Ce dernier délit clôt l'ensemble des accusations ; il est en fait la reprise de la première accusation (v. 2), et ici encore, le ὅτι ἀνασείει τὸν λαόν (v. 5) paraît bien rédactionnel. ἀνασείω = « exciter » n'apparaît en effet que deux fois dans le N.T. (*Lc.*, XV, 11 et XXIII, 5) et ne se retrouve qu'une ou deux fois dans les versions grecques de l'A.T.

19. Bl.-Debr. § 442 (9). Nous traduirions : « ... enseignant de par toute la Judée (le pays d'Israël) *c'est-à-dire* en commençant par la Galilée jusqu'ici ». Cfr W. C. ROBINSON, *Der Weg des Herrn*, p. 31 plus note 203.

20. Comme la formule d'*Act.*, I, 22a venait préciser le ἐν παντὶ χρόνῳ (I, 21a).

21. W. C. ROBINSON, *Der Weg des Herrn*, p. 30-36.

le début de l'activité du Seigneur Jésus. En *Act.*, X, 34-44 en effet, l'auteur relate le discours tenu par Pierre chez le centurion Corneille. A cette occasion, il revient sur l'idée de l'activité de Jésus en ces termes : ὑμεῖς οἴδατε τὸ γενόμενον ῥῆμα καθ' ὅλης τῆς Ἰουδαίας, ἀρξάμενος ἀπὸ τῆς Γαλιλαίας μετὰ τὸ βάπτισμα ὃ ἐκήρυξεν Ἰωάννης, Ἰησοῦν τὸν ἀπὸ Ναζαρέθ, ὡς ἔχρισεν αὐτὸν ὁ θεὸς πνεύματι ἁγίῳ καὶ δυνάμει ... (*Act.*, X, 37-38a).

Cette formule apparemment simple [22] a déjà l'avantage de combiner les deux éléments que nous avions discernés dans les formules parallèles de *Lc.*, XXIII, 5 et *Act.*, I, 22. Si en plus elle se rattache comme en *Act.*, I, 22 au thème du témoignage [23], elle apporte surtout une précision importante : l'ἀρχή de l'œuvre du Christ « commence en Galilée *après* (μετά) le baptême que prêcha Jean » [24].

Les versets 37-38 ne sont pas sans poser d'épineux problèmes grammaticaux. Si on peut aisément encore considérer Ἰησοῦν comme dépendant de οἴδατε et en faire un parallèle à τὸ ῥῆμα [25], une autre difficulté apparaît : que l'on rapproche le ἀρξάμενος ἀπό de τὸ ῥῆμα ou de Ἰησοῦν, comment expliquer le nominatif du participe dans la plupart des manuscrits [26] ? Sans devoir recourir à une solution aussi extrême que celle proposée par P. Schmiedel [27] ni supposer une inadvertance de l'auteur des Actes [28] — voire même une erreur consciente du traducteur [29] —, il semble qu'on puisse ici avec U. Wilckens [30] penser

---

22. En ce sens que nous ne retrouvons pas ici le second terme : « ... ἕως ».

23. καὶ ἡμεῖς μάρτυρες πάντων... (*Act.*, X, 39) comme en *Act.*, I, 22.

24. μετά + accusatif n'est employé qu'au sens temporel (« après ») : cfr Bl.-Debr. § 226.

25. C'est l'opinion que défendent aussi J. DUPONT, *Les Actes des Apôtres* (La Sainte Bible), Paris, 1963, 3ᵉ éd., 1964, p. 106 et A. LOISY, *Les Actes des Apôtres*, Paris, 1920, p. 446. Il est utile, comme le font H. CONZELMANN, *Die Apostelgeschichte* (HNT, 7), Tubingue, 1963, p. 65 ou J. RENIÉ, *Actes des Apôtres* (La Sainte Bible), Paris, 1949, p. 163, de penser que l'accusatif Ἰησοῦν a été rejeté emphatiquement avant la proposition commençant par ὡς ; que Ἰησοῦν serait dès lors complément direct de ἔχρισεν, formant avec le pronom αὐτόν un pléonasme.

26. ἀρξάμενος dans B S A C D H E ; ἀρξάμενον (neutre) en P⁴⁵ K 69 pl.

27. L'auteur propose de placer le ἀρξάμενος... Ἰωάννης après le ὅς ou tout simplement de le rayer ; cfr apparat critique de E. NESTLE, p. 330.

28. Ce que laissent entendre Bl.-Debr. § 137 (3) et H. H. WENDT, *Die Apostelgeschichte* (Meyer 3), Goettingue, 9ᵉ éd., 1913, p. 184, note 1, qui pensent que Luc aurait repris la formule de *Lc.*, XXIII, 5 sans plus l'accorder.

29. C'est l'hypothèse de C. C. TORREY, *The Composition and Date*, p. 27, défenseur d'un texte araméen sous-jacent. Selon lui, le traducteur devait trouver important de souligner ici encore, à la suite de *Lc.*, XXIII, 5 et d'*Act.*, I, 22, que c'était Jésus qui « commença ». Mais comme il avait à la base de son futur texte grec un participe araméen מְשָׁרֵא מִן ..., la seule façon de maintenir son but sans trahir l'original était de traduire par un nominatif masculin. Cfr la critique de M. WILCOX, *The Semitisms of Acts*, p. 150.

30. U. WILCKENS, *Kerygma und Evangelium bei Lukas. Zu Act 10, 37-38*, dans

que le nominatif qui fait problème doit se comprendre comme un nominatif absolu avec signification adverbiale dont le sujet logique est Jésus. L'idée lucanienne en effet est moins la vie de Jésus tout court que son activité. Or, dans le grec hellénistique, le nominatif absolu ἀρξάμενος semble bien déjà avoir reçu cette signification quasiment adverbiale [31]. Revenant d'ailleurs sur une position antérieure, H. Conzelmann [32] tient désormais l'emploi de la formule ἀρξάμενος ἀπό en *Act.*, I, 22 et X, 37 comme typique de la langue de Luc. Cette formule, dit-il, se distingue nettement du concept de l'ἀρχή chez *Mc.*, I, 1 et vise l'activité de Jésus à l'exclusion de celle du Baptiste.

Avant de nous prononcer sur ce point, résumons les données que nous avons jusqu'ici recueillies. Luc, avons-nous observé, utilise la formule ἀρξάμενος ἀπὸ ... ἕως non seulement pour préciser le début de la mission apostolique mais aussi pour circonscrire le commencement de l'activité du Christ. Si en *Lc.*, XXIII, 5, l'auteur se limitait au ministère public d'enseignement du Sauveur, en *Act.*, I, 22 il visait toute la carrière terrestre de Jésus. Mais alors que ce dernier texte n'envisageait ce commencement qu'« à partir » (ἀπό) du baptême de Jean-Baptiste, la formule de *Lc.*, XXIII, 5 nous reporte expressément à *Lc.*, IV, 14, en situant le début de la prédication en Galilée. *Act.*, X, 37, en combinant la formulation des deux autres textes, vient confirmer cette vue en posant l'ἀρχή de l'œuvre du Christ « après » le baptême que proclama Jean-Baptiste.

Il nous semble maintenant que la structure littéraire du discours de Pierre chez Corneille (*Act.*, X, 34-44) permette non seulement de corroborer ces premiers résultats mais aussi de fixer un contenu clair et définitif à cette ἀρχή de l'activité de Jésus chez Luc.

ZNW, 49 (1958), 223-237, surtout p. 231 et dans *Die Missionsreden der Apostelgeschichte. Form- und traditionsgeschichtliche Untersuchungen* (Wissenschaftliche Monographien zum A. und N.T., 5), Neukirchen, 1961, p. 106-107 plus note 2.

31. Cfr E. HAENCHEN, *Apg*, p. 297 note 7 : Bl.-Debr. § 419 (3) et K. LAKE et H. CADBURY, *Beginnings*, I/4, p. 14 (pour I, 22) et p. 120 (pour X, 37).

32. H. CONZELMANN, *Die Mitte*, 4e éd., 1962, p. 16, note 4 ; aussi p. 9, note 2 : « ἀρχή — ἄρχεσθαι bezeichnet bei Lc einen ganz bestimmten Zeitpunkt, nämlich den ' Beginn in Galiläa ' ».

Dans sa première édition, H. CONZELMANN, *Die Mitte*, 1954, p. 124, note 1, affirmait que la notion d'ἀρχή et respectivement d'ἄρχεσθαι ne différaient pas chez Marc et chez Luc, L'un et l'autre employaient la *même* notion chrétienne. Cette affirmation, l'auteur la déduisait des considérations de M. DIBELIUS, *Die Bekehrung des Cornelius*, dans *Aufsätze zur Apostelgeschichte* (FRLANT, 60) publié par H. GREEVEN, Goettingue, 1951, p. 96-107, ici, p. 98, note 1, pour qui la tournure ἀρξάμενος ἀπὸ (ἕως) ne pouvait être que traditionnelle et pré-lucanienne, étant donné que d'une part sa fréquence dans l'œuvre de Luc la mettait au rang de formule et que, d'autre part, elle restait contre toute attente figée au nominatif masculin en *Act.*, X, 37.

Sans vouloir parler de l'introduction (vv. 34-35) et de la conclusion (v. 43) qui se répondent, en posant toutes les deux la question du salut des païens ; sans nous attarder non plus sur l'étonnante symétrie thématique et littéraire existant entre le v. 36 et le v. 42, nous pensons devoir considérer les vv. 37-41 comme un tout qui est le point central de ce discours. Dans ce sommaire de l'activité salvifique de Jésus qu'un schéma binaire continue à sous-tendre, les vv. 37-38 d'une part et 40-41 d'autre part se nouent autour d'un axe, le verset 39, qui appelle respectivement l'activité de Jésus dans le pays des juifs (ἔν τε τῇ χώρᾳ τῶν Ἰουδαίων = vv. 37-38) et celle accomplie à Jérusalem (καὶ Ἰερουσα-λήμ = vv. 40-41) [33]. Rien d'étonnant dès lors à ce que nous retrouvions dans ce verset 39 l'idée du témoignage (καὶ ἡμεῖς μάρτυρες πάντων) liée à « tout ce que le Seigneur Jésus a fait », dans une formule d'ailleurs qui rappelle Lc., XXIV, 47 (ὑμεῖς μάρτυρες τούτων). Si notre exégèse est bonne, elle nous permettra de relire plus attentivement le contenu de la péricope vv. 37-41 en y retrouvant non seulement la mention du point de départ de l'activité du Christ mais, implicitement encore, son terme, l'ascension [34]. Entre ces deux points, Luc fait allusion au ministère de Jésus qui « passa » [35] en faisant le bien et en guérissant, à sa mort par crucifixion, à sa résurrection au troisième jour et à ses manifestations au petit cercle des futurs témoins.

Dans ce sommaire où Luc n'est certes pas avare de détails [36], on ne s'étonnera donc pas qu'il ait pu et voulu expliciter considérablement son concept de ἀρχή. Celui-ci couvre les vv. 37-38a qui, en dépit d'un désordre syntaxique évident [37], contiennent une suite de précisions

---

33. La distinction est faite entre l'activité de Jésus dans la Judée et à Jérusalem. Nous renvoyons au sommaire Lc., XXIII, 5 où, précisément avant de raconter les événements que Jésus vécut à Jérusalem, Luc prend soin de rappeler toute son activité « à travers la Judée entière jusqu'ici ». Ceci nous semble justifier fortement notre propre distinction.

34. Le texte occidental a d'ailleurs pour la fin du v. 41 : « à nous qui avons mangé et bu avec lui », le texte suivant : « ... et avons vécu familièrement en sa compagnie pendant 40 jours après sa résurrection des morts » ; cfr D, E, Const. Ap., Vet. lat., Vulg., Syr., Sa, Vigile, Augustin.

35. Le διῆλθεν est un aoriste complexif constant qu'on emploie pour les actions linéaires qui, étant achevées, sont considérées comme un tout. L'indication externe qui montre que l'action est conçue comme un tout est généralement un complément temporel : cfr Bl.-Debr. § 332 (1) qui renvoie précisément à Act., X, 38, en traduisant le διῆλθεν par « always went about » (or ' time after time ') until his death in Jerusalem » (v. 39 = indication temporelle). Signalons encore que διέρχομαι a la faveur de Luc dans le N.T., : 10 fois dans l'évangile et 21 fois dans les Actes, très souvent pour marquer les étapes d'un voyage (de Jésus vers Jérusalem ; de la mission apostolique vers Rome).

36. Une comparaison de la longue formule d'Act., X, 37-41 avec celles que nous avions en Act., I, 22 ou Lc., XXIII, 5 le confirme.

37. J. DUPONT, Les Actes des Apôtres, p. 106, note g.

qui s'enchaînent logiquement les unes aux autres et qui gravitent toutes autour du motif de l'ἀρχή. Luc semble en effet y fixer de façon assez détaillée le *terminus a quo* de l'activité de Jésus au double plan géographique et chronologique ; cela est évident au v. 37b : ἀπὸ τῆς Γαλιλαίας μετὰ τὸ βάπτισμα. Mais nous nous demandons si le même schéma ne se retrouverait pas aussi au v. 38a selon un parallélisme assez marqué déjà au niveau de la construction : ᾿Ιησοῦν correspondrait à ἀρξάμενος ; ἀπὸ Ναζαρέθ et la subordonnée ὡς ἔχρισεν préciseraient respectivement ἀπὸ τῆς Γαλιλαίας et μετὰ τὸ βάπτισμα... Ainsi, en ce qui concerne le moment et le lieu, l'ἀρχή serait déterminée par deux notations parallèles, la seconde renforçant la première. Sans doute, vu la présence de l'article τόν, il paraît difficile de traduire ᾿Ιησοῦν τὸν ἀπὸ Ναζαρέθ autrement que par « Jésus de Nazareth » ; mais il faut remarquer que, lorsque Luc parle de Jésus originaire de Nazareth, il emploie toujours les adjectifs Ναζαρηνός ou Ναζωραῖος, précédés ou non de l'article [38] ; l'usage inhabituel de ἀπὸ Ναζαρέθ n'indiquerait-il pas ici le point de départ géographique du ministère de Jésus ? D'autre part, la traduction de ὡς ἔχρισεν αὐτὸν ὁ θεός par « quand » ou « après que Dieu l'eut oint... » nous paraît ici défendable [39]. Pour Luc donc, le ministère de Jésus commence avec sa venue en Galilée, plus précisément avec le premier discours qu'il tient dans la synagogue de Nazareth (*Lc.*, IV, 16 ss.). Mais ce début est lié à la réception par Jésus de l'Esprit-Saint (*Lc.*, III, 21-22). L'affirmation de cette connexion est confirmée par *Lc.*, IV, 14-15 où l'évangéliste juxtapose les deux réalités dans un verset de transition : καὶ ὑπέστρεψεν ὁ ᾿Ιησοῦς ἐν τῇ δυνάμει τοῦ πνεύματος εἰς τὴν Γαλιλαίαν καὶ αὐτὸς ἐδίδασκεν. Elle se vérifie en outre par l'examen

---

38. Cfr *Lc.*, IV, 34, XVIII, 37 ; XXIV, 19 ; *Act.*, II, 22 ; III, 6 ; IV, 10 ; VI, 14 ; XXII, 8 ; XXVI, 9. Dans le N.T., *Mt.*, XXI, 11 ; *Jo.*, I, 45 et *Act.*, X, 38 sont les trois seuls cas où l'on trouve la formule : ᾿Ιησοῦς ὁ ἀπὸ Ναζαρέθ.

39. Certes, les commentaires traduisent généralement : « Comment Dieu l'oint... » (J. DUPONT, *Les Actes des Apôtres*, p. 107), ce qui correspond à l'emploi de la particule ὡς en *Act.*, X, 28 ; XI, 16 ; XX, 20 ; voir aussi Lc., IV, 4 ?) ; VIII, 47 ; XXII, 61 ; XXIV, 6, 35. Mais, vu la construction anarchique de la phrase, cette version s'impose-t-elle vraiment après déjà les deux compléments directs τὸ γενόμενον ῥῆμα et ᾿Ιησοῦν ?

En faveur de notre proposition, on peut faire valoir que, dans la très grande majorité des cas, la particule ὡς, utilisée comme conjonction dans les écrits lucaniens, introduit une subordonnée temporelle : cfr Bl.-Debr. § 455 (2) ; ainsi, sur 34 emplois de ὡς dans les Actes, nous n'en avons relevé que 5 n'ayant pas un sens temporel : *Act.*, X, 28 ; XI, 16 ; XX, 20, 24 ; XXII, 11 ; dans l'évangile, 8 seulement sur 26 : VI, 4 ; VIII, 47 ; IX, 52 ; XX, 37 ; XXII, 61 ; XXIII, 55 ; XXIV, 6, 35. Par ailleurs, il arrive très souvent que ὡς introduise une subordonnée temporelle dont le verbe est à l'aoriste et qui marque un moment *antérieur* à l'action de la principale ; ainsi, outre X, 38, 13 fois encore en *Act.*, V, 24 ; X, 7 ; XIII, 29 ; XVI, 10, 15 ; XVII, 13 ; XVIII, 5 ; XIX, 21 ; XX, 18 ; XXI, 1, 12 ; XXII, 25 ; XXVII, 1 et 9 fois encore en *Lc.*, I, 23, 41, 44 ; II, 15, 39 ; V, 4 ; XI, 1 ; XIX, 5 ; XXII, 66.

du premier discours de Jésus : entré dans la synagogue de Nazareth, Jésus s'applique la parole du prophète Isaïe : Πνεῦμα κυρίου ἐπ' ἐμέ, οὗ εἵνεκεν ἔχρισέν με εὐαγγελίσασθαι πτωχοῖς, ἀπέσταλκέν με κηρῦξαι... κηρῦξαι (*Is.*, LXI, 1s. = *Lc.*, IV, 18s.). Cette annonce, selon Jésus, s'accomplit aujourd'hui en lui devant eux (*Lc.*, IV, 21). Il n'est pas surprenant de constater que, lorsque Luc revient sur le « début » de l'activité de Jésus en *Act.*, X, 37 ss., il se remémore la parole prophétique que Jésus s'attribua à Nazareth « au commencement », après son onction par l'Esprit : *Act.*, X, 38a : ὡς ἔχρισεν αὐτὸν ὁ θεὸς πνεύματι ἁγίῳ καὶ δυνάμει semble donc parallèle à *Lc.*, IV, 18a. Et c'est au v. 38b, après la fixation chronologique et géographique de l'ἀρχή, que commence d'ailleurs l'évocation du ministère de Jésus proprement dit : ὃς διῆλθεν... Nous estimons donc qu'en *Act.*, X, 37b-38a, le « début » de l'activité de Jésus se situe « à partir de la Galilée », en relation avec sa venue dans la synagogue de Nazareth. Bien sûr, cette première prédication se trouve en rapport étroit avec la réception de l'Esprit-Saint, et pour Luc les deux événements caractérisent conjointement l'ἀρχή de l'activité de Jésus.

Ceci nous amène à reposer la question du rapport de cette ἀρχή avec le ministère prophétique de Jean-Baptiste. Sans doute Luc le présente-t-il de façon différente des deux autres synoptiques. H. Conzelmann nous semble faire à ce sujet des observations pertinentes [40]. Mais nous ne croyons pas qu'il faille, comme il l'affirme, exclure pour autant Jean-Baptiste du temps de l'accomplissement et nier toute relation entre son ministère et celui de Jésus. Les études de W. Wink [41] et de W.

---

40. Cfr H. CONZELMANN, *Die Mitte*, p. 16-21.
41. W. WINK, *John the Baptist*, p. 52-58. Il rejette l'interprétation de Conzelmann au sujet de *Lc.*, XVI, 16 mais sans la réfuter. A propos de *Lc.*, III, 1-2, il montre bien en opposition à Conzelmann que, dans ces deux versets rédactionnels, le synchronisme établi par Luc lie explicitement le ministère de Jean-Baptiste à la période décisive de l'histoire du salut qu'est la vie de Jésus. Ce point de vue lui semble confirmé par l'intervention en *Lc.*, III, 2-7 de *Mc.*, I, 2 s. et 4, et par le οὖν du v. 7 : Jean prêche aux foules parce qu'il « prépare les voies du Seigneur » selon l'oracle d'*Is.*, XL, 4-5.
Wink exagère cependant en assimilant la vision de Luc à celle de *Mc.*, I, 1 : Luc ne parle pas en l'occurence du « *début* de l'Évangile ». Il réserve le mot ἀρχή au début de l'*activité* de Jésus que précède et prépare la prédication de Jean ; il ne recourt pas ici au mot εὐαγγέλιον qui n'apparaît d'ailleurs que deux fois en son œuvre (*Act.*, XV, 7 et XX, 24) et qui, pour lui, a le sens de ' message ', objet de la prédication apostolique, alors que Marc l'entend comme l'actualisation du salut en Jésus (cfr W. MARXSEN, *Der Evangelist Markus. Studien zur Redaktionsgeschichte des Evangeliums* (FRLANT, 67), Goettingue, 2ᵉ éd., 1959, p. 77 ss.).
Nous sommes de nouveau d'accord avec Wink quand il dit que l'emploi du verbe εὐαγγελίζομαι en *Lc.*, III, 18 assimile la prédication de Jean à celle du message chrétien. Il a raison également contre Conzelmann (p. 92 s.) de souligner que Luc ne considère pas simplement Jean « comme le dernier des prophètes » mais reprend la tradition Q en VII, 26 selon laquelle Jean est « plus qu'un prophète » justement

G. Kuemmel [42] nous ont convaincu du contraire. Il reste cependant que, tout en incluant Jean-Baptiste dans la période centrale de l'histoire du salut, Luc établit plus nettement une césure chronologique entre

---

en tant que précurseur de Jésus. A propos d'*Act.*, I, 22, l'expression ἀρξάμενος ἀπὸ τοῦ βαπτίσματος Ἰωάννου ἕως τῆς ἡμέρας ἧς ἀνελήμφθη ἀφ' ἡμῶν, il note avec justesse : « The time span indicated marks the whole central period of salvation. It begins, however, not with ' the baptism of Jesus ' or ' Jesus' baptism by John ', but with the baptizing ministry of John » (p. 54).

Quant à l'omission du ὀπίσω μου en *Lc.*, III, 16 et la notice de III, 19 s. qui sembleraient favoriser la thèse de Conzelmann, elles s'expliquent par un souci christologique : Luc veut éviter de présenter Jésus comme un disciple de Jean et tient à marquer que son ministère a pris fin quand Jésus commence le sien. En conséquence, la présentation lucanienne n'exclut pas Jean-Baptiste de la période centrale de l'histoire du salut : « It preserves the independence of his ministry from that of Jesus and yet at the same time explains how it is that he participates in the fulfilment which he inaugurates... John's ministry is clearly distinguished both from the period of promise and from the period of Jesus. It can only be explained by a separate preparatory period within the time of fulfilment » (p. 55-56).

42. W. G. KUEMMEL, *Lukas 16, 16*, s'attaque à l'exégèse que fait Conzelmann de ce logion difficile. Entre la parabole de l'intendant avisé (XVI, 1-13) et celle du pauvre Lazare (XVI, 19-31), il fait partie d'un groupe d'autres logia assez disparates. Il ne semble avoir aucun rapport avec le bref épisode qui précède où Jésus stigmatise l'attitude des pharisiens (vv. 14 et 15) ni d'ailleurs avec les deux affirmations qui suivent sur la pérennité de la loi (v. 17) et la condamnation du divorce (v. 18).

On peut se demander si les trois logia juxtaposés aux vv. 16-18 étaient déjà réunis en Q ou si c'est Luc qui les a groupés (Mt. les mentionne chacun dans des contextes différents : XI, 12 s. ; V, 18 ; XIX, 9 qui dépend plutôt de *Mc.*, X, 11 s.). Quoiqu'il en soit, le contexte actuel de *Lc.*, XVI, 16 n'aide absolument pas à en dégager le sens.

Fréquente chez Luc (XVI, 29, 31 ; XXIV, 27, 44 ; *Act.*, XIII, 15 ; XXIV, 14 ; XXVIII, 23), l'expression « la Loi et les prophètes » paraît bien reprise telle quelle à Q par Luc. La formulation différente de *Mt.*, XI, 13 « Tous les prophètes et la Loi » s'explique comme une modification introduite par Matthieu en fonction du contexte où il situe le logion et où Jean-Baptiste est décrit comme plus qu'un simple prophète (*Mt.*, XI, 9-14).

A propos de μέχρι, Kümmel observe que les deux seuls autres emplois lucaniens de la préposition en *Act.*, X, 30 et XX, 7 ne permettent pas de décider si elle a une portée inclusive ou exclusive. Le sens de ἀπὸ τότε qui ne revient plus ailleurs chez Luc n'est pas plus facile à déterminer. Les autres attestations qu'on en trouve dans le N.T. et dans la LXX montrent que la formule peut signifier aussi bien « après cela » que « depuis lors » (c'est-à-dire inclusivement). En *Lc.*, XVI, 16, il n'y a donc aucune raison de trancher a priori en faveur de « après cela » et d'exclure Jean-Baptiste de la prédication du Royaume de Dieu.

Quant au verbe εὐαγγελίζεται, il est caractéristique du vocabulaire lucanien. Sur les 25 emplois que l'on relève dans l'évangile et dans les Actes, tous proviennent de la main de l'évangéliste, à l'exception de *Lc.*, VII, 22 par. *Mt.*, XI, 15 ; *Lc.*, I, 19 ; II, 10 où Luc semble dépendre d'une tradition antérieure et *Lc.*, IV, 18 où il s'agit d'une citation de l'Ancien Testament. Ainsi la formule εὐαγγελίζεσθαι τὴν βασιλείαν τοῦ θεοῦ qu'on retrouve encore en *Lc.*, IV, 43 ; VIII, 1 et *Act.*, VIII, 12

l'*activité* de Jean-Baptiste et celle de Jésus. Son utilisation de la notion de ἀρχή vise essentiellement le début de la seconde. Elle ne s'applique

---

mais nulle part ailleurs dans le Nouveau Testament est typiquement lucanienne et le verbe y a le sens inhabituel de « prêcher », « annoncer ». « Also ist in Lk 16, 16 ἡ βασιλεία τοῦ θεοῦ εὐαγγελίζεται ebenfalls im lukanischen Sinn zu interpretieren, d.h. : auf die Predigt von der gegenwärtigen *und* kommenden Gottesherrschaft » (p. 95).

La question se pose alors de savoir si Luc inclut la prédication de Jean-Baptiste dans cette expression qu'il applique ailleurs à la prédication de Jésus et des chrétiens.

En ce qui concerne le sens de βιάζεται, Kümmel se rallie à la position de G. SCHRENK, art. βιάζομαι, βιαστής, dans *ThWNT*, t. I, p. 608, et traduit la fin du v. 16 : « und jeder dringt mit Gewalt in sie (die Gottesherrschaft) ein » (p. 96). Cette traduction enlève au verbe toute connotation péjorative (comportement hostile au Royaume). Mais l'examen des données philologiques ne permet pas de dégager clairement la signification de *Lc.*, XVI, 16. Il faut également tenir compte de la préhistoire du logion et de son intégration actuelle dans l'œuvre lucanienne.

Le logion se compose de deux propositions en ordre inverse chez Mt. et chez Lc. En XVI, 16a, Luc semble avoir repris telle quelle la formulation de sa source, alors que *Mt.*, XI, 13 la modifie (cfr *supra*). Par contre, au v. 16b, on reconnaît généralement que Luc a changé la formulation originale conservée en *Mt.*, XI, 12. On le voit au caractère typiquement lucanien de l'expression ἡ βασιλεία τοῦ θεοῦ εὐαγγελίζεται et au sens positif donné à βιάζεται. Mais s'il oppose « la Loi et les prophètes jusqu'à Jean » à la prédication du Royaume de Dieu, il s'agit pour Luc d'une simple succession chronologique ; il ne veut pas dire que le temps de la prédication du Royaume se limite au temps de Jésus, puisque, par ailleurs, il emploie la même expression pour désigner la prédication de Jésus et celle de Philippe (*Lc.*, IV, 43 ; VIII, 1 ; *Act.*, VIII, 12).

Il reste à savoir à quelle époque de l'histoire du Salut en définitive appartient Jean-Baptiste d'après *Lc.*, XVI, 16. Les partisans de la thèse de Conzelmann et d'autres encore estiment que le logion rattache Jean-Baptiste au temps de la Loi et des prophètes, et non pas à celui de la prédication du Royaume et ils attribuent à ἀπὸ τότε une signification exclusive. Mais cette interprétation ne s'impose pas. Au contraire, plusieurs études récentes sur la théologie lucanienne ont bien établi le caractère inclusif de ἀπὸ τότε, et cela en fonction de la conception générale du rôle de Jean-Baptiste chez Luc. Kümmel se réfère surtout à l'ouvrage de W. WINK, *John the Baptist* (cfr note 41) et à l'article de P. S. MINEAR, *Luke's Use of the Birth Stories*, dans *Studies in Luke-Acts. Essays Presented in Honor of P. Schubert*, Nashville, 1966, p. 111-130, voir p. 123, qui souligne le parallélisme établi dans l'évangile de l'Enfance entre Jean-Baptiste et Jésus (cfr I, 15, 76 et I, 32, 35 ; dans le même sens voir aussi A. GEORGE, *Le parallèle entre Jean-Baptiste et Jésus en Lc I-2*, dans *Mélanges bibliques en hommage à Béda Rigaux*, Gembloux, 1970, p. 147-171). Il en ressort que, comme précurseur de Jésus (cfr encore *Lc.*, I, 17, 76), Jean-Baptiste fait déjà partie de l'ère de l'accomplissement du Salut. Enfin, Kümmel examine brièvement *Act.*, X, 37 s. où le début de l'activité de Jésus est situé dans le temps μετὰ τὸ βάπτισμα ὃ ἐκήρυξεν Ἰωάννης. Ce passage ne peut être nvoqué à l'appui de la thèse de Conzelmann : « Denn auch in Apg 10, 37 ist nicht von der Taufe Jesu durch Johannes, sondern von der durch Johannes verkündeten Taufe, also von der Johannestaufe ganz allgemein, die Rede, und die « Geschichte » (ῥῆμα), von der hier die Rede ist, beginnt zwar nach der Johannestaufe, jedoch so, dass die Johannestaufe als Vorbereitung zu dem Jesusgeschehen hinzugehört » (p. 101). Les mêmes considérations valent pour *Act.*, XIII, 24 s.

pas comme chez Marc au « début de l'Évangile » [43] qu'inaugure déjà
la prédication de Jean-Baptiste. Celle-ci lui apparaît davantage comme
une phase préparatoire [44] qui prend fin au moment où Jésus commence
son ministère proprement dit [45].

L'analyse de la structure du discours de Pierre à Césarée nous a
donc permis d'attirer l'attention sur la place centrale qu'y occupait
le v. 39. Celui-ci apparaît bien être la charnière qui commande
le développement en deux volets de toute l'activité terrestre de Jésus
($\pi\acute{a}\nu\tau\omega\nu$ $\mathring{\omega}\nu$ $\dot{\epsilon}\pi o\acute{\iota}\eta\sigma\epsilon\nu$) : le premier volet résume cette activité dans le
pays des juifs ($\check{\epsilon}\nu$ $\tau\epsilon$ $\tau\mathring{\eta}$ $\chi\acute{\omega}\rho\alpha$ $\tau\mathring{\omega}\nu$ $\mathring{\prime}I o\upsilon\delta\alpha\acute{\iota}\omega\nu$) en en fixant l'$\dot{a}\rho\chi\acute{\eta}$; le second
volet reprend les événements qui se sont passés à Jérusalem ($\kappa\alpha\grave{\iota}$ $\mathring{\prime}I\epsilon\rho o\upsilon\sigma\alpha$-
$\lambda\acute{\eta}\mu$) et marque le point final de l'activité du Christ à l'ascension.

4. ACT., I, 1-2

Le même schéma chronologique ne se retrouverait-il pas encore dans
la formule par laquelle Luc entame son second ouvrage et qui ne va
pas sans rappeler *Act.*, X, 39 : $T\grave{o}\nu$ $\mu\grave{\epsilon}\nu$ $\pi\rho\mathring{\omega}\tau o\nu$ $\lambda\acute{o}\gamma o\nu$ $\dot{\epsilon}\pi o\iota\eta\sigma\acute{a}\mu\eta\nu$ $\pi\epsilon\rho\grave{\iota}$
$\pi\acute{a}\nu\tau\omega\nu$, $\mathring{\omega}$ $\Theta\epsilon\acute{o}\phi\iota\lambda\epsilon$, $\mathring{\omega}\nu$ $\mathring{\eta}\rho\xi\alpha\tau o$ $\acute{o}$ $\mathring{\prime}I\eta\sigma o\mathring{\upsilon}s$ $\pi o\iota\epsilon\mathring{\iota}\nu$ $\tau\epsilon$ $\kappa\alpha\grave{\iota}$ $\delta\iota\delta\acute{a}\sigma\kappa\epsilon\iota\nu$ $\check{a}\chi\rho\iota$ $\mathring{\eta}s$ $\mathring{\eta}\mu\acute{\epsilon}\rho\alpha s$...

---

43. $\kappa\alpha\grave{\iota}$ $\alpha\mathring{\upsilon}\tau\grave{o}s$ $\mathring{\eta}\nu$ $\mathring{\prime}I\eta\sigma o\mathring{\upsilon}s$ $\dot{a}\rho\chi\acute{o}\mu\epsilon\nu o s$ de *Lc.*, III, 23 doit se comprendre dans la même
perspective, même si l'expression ne se relie pas directement au début effectif de
l'activité de Jésus de Nazareth. Notons qu'elle *suit* le récit de la venue de l'Esprit
sur Jésus, après l'emprisonnement du Baptiste.

Doit-on regarder $\dot{a}\rho\chi\acute{o}\mu\epsilon\nu o s$ comme un participe ayant valeur d'un simple adjectif
ou comme formant avec $\mathring{\eta}\nu$ une construction périphrastique ?

H. SAHLIN, *Studien zum dritten Kapitel des Lukasevangeliums* (Uppsala Univer-
sitets Arsskrift, 2), Uppsala, 1949, pp. 75 s., pense que ce participe se rattache de
manière lâche à $\mathring{\prime}I\eta\sigma o\mathring{\upsilon}s$; étant donné les variations de la tradition textuelle, il n'hésite
pas dans le cadre de son hypothèse du Proto-Luc, à regarder $\dot{a}\rho\chi\acute{o}\mu\epsilon\nu o s$ comme une
' reine Interpolation ' (p. 77). D'autres qui soutiennent la même interprétation du
participe font remarquer qu'en grec $\dot{\omega}\sigma\epsilon\grave{\iota}$ $\dot{\epsilon}\tau\mathring{\omega}\nu$ $\tau\rho\iota\acute{a}\kappa o\nu\tau\alpha$ a nécessairement besoin du
verbe $\mathring{\eta}\nu$ pour indiquer l'âge ($\mathring{\eta}\nu$ plus le génitif de qualité : cfr Bl.-Debr. § 165),
en raison de quoi il faut détacher le $\dot{a}\rho\chi\acute{o}\mu\epsilon\nu o s$ de $\mathring{\eta}\nu$ et n'y voir qu'un simple adjectif.

Notons cependant que F. PREISIGKE, *Wörterbuch der griechischen Papyrusurkunde*,
t. I, Berlin, 1925, col. 607, signale de nombreux cas comme $\acute{o}$ $\delta\epsilon\mathring{\iota}\nu\alpha$ $\dot{\omega}s$ $\dot{\epsilon}\tau\mathring{\omega}\nu$, « âgé
d'autant d'années » sans le verbe $\epsilon\mathring{\iota}\nu\alpha\iota$; cette remarque permettrait peut-être en *Lc.*,
III, 23 de rattacher $\dot{a}\rho\chi\acute{o}\mu\epsilon\nu o s$ à $\mathring{\eta}\nu$ et d'y voir une construction périphrastique,
comme c'est le cas très fréquemment chez Luc ; cfr Bl.-Debr. § 353.

44. En *Act.*, XIII, 24-25 où il est question de l'entrée en scène de Jean-Baptiste,
on trouve les termes $\pi\rho o\kappa\eta\rho\acute{\upsilon}\xi\alpha\nu\tau o s$ et $\pi\rho\grave{o}$ $\pi\rho o\sigma\acute{\omega}\pi o\upsilon$ $\tau\mathring{\eta}s$ $\epsilon\mathring{\iota}\sigma\acute{o}\delta o\upsilon$ qui soulignent bien
l'aspect préparatoire de l'activité de Jean-Baptiste.

45. Ainsi, outre les commentaires de Hauck, Lohmeyer, Branscomb, Schniewind,
Schmid, Grundmann, W. MARXSEN, *Der Evangelist Markus*, p. 25 ; G. DELLING,
art. $\check{a}\rho\chi\omega$, dans *ThWNT*, t. I, Stuttgart, 1933, p. 481 ; H. CONZELMANN, *Die Mitte*,
p. 21 ; O. J. F. SEITZ, *Praeparatio evangelica in the Markan Prologue*, dans *JBL*, 82
(1963), 201-206.

ἀνελήμφθη (*Act.*, I, 1-2). On s'est interrogé sur la valeur à accorder à
ἤρξατο ποιεῖν τε καὶ διδάσκειν. Une première ligne d'exégèse, largement
représentée d'ailleurs [46], tend à ne donner aucun sens particulier à
ἤρξατο. Joint aux infinitifs qui le suivent, il forme avec eux une expression
pléonastique ; on peut négliger sans plus de le traduire et rendre le
texte par : «tout ce que Jésus a fait et enseigné... ». Les tenants de
cette position ont certainement en leur faveur quelques solides études
sur la formule ἤρξατο *cum infinitivo*. Retenons les considérations de
G. Dalman [47] et de C. C. Torrey [48] qui estiment tous deux que l'emploi
de ἄρχομαι avec l'infinitif ne s'explique qu'en remontant à des sources
araméennes. Pourtant ces indications devaient être corrigées et élargies
par J. W. Hunkin [49] ; étudiant tous les emplois de ἄρχομαι avec l'infinitif
dans les évangiles synoptiques, il faisait remarquer sur la base d'exemples
empruntés aux papyri, à Xénophon et à Plutarque que ce sens pléonastique existait déjà dans le grec classique. Il contestait de ce fait la
position trop étroite de C. C. Torrey qui n'accordait d'existence possible
à la formule que dans l'hypothèse d'un substrat araméen [50]. D. Tabachovitz [51] estime de son côté que les parallèles avec la littérature rabbinique invoqués par G. Dalman n'expliquent pas certains emplois de la
tournure en discours direct, notamment chez Luc [52]. De plus, selon lui,
les évangélistes ont usé, pour décrire la vie et les actes de Jésus, de
tournures qui, dans la Septante, se référaient à Dieu lui-même : c'est

---

46. Ainsi E. PREUSCHEN, *Die Apostelgeschichte* (HNT, IV, 1), Tubingue, 1912,
p. 4 ; J. RENIÉ, *La Sainte Bible*, t. 9, p. 35 ; K. LAKE et H. J. CADBURY, *The Beginnings of Christianity*, I /4, *English Translation and Commentary*, Londres, 1933, p. 3,
bien qu'ils traduisent : « ... which Jesus did and taught from the beginning until
the day... » ; O. BAUERNFEIND, *Die Apostelgeschichte* (ThHNT, V), Leipzig, 1939,
p. 19 ; W. BAUER, *Wörterbuch*, col. 206 ; E. HAENCHEN, *Die Apostelgeschichte*,
p. 106, qui estime que tout autre traduction fait violence au texte grec.

47. G. DALMAN, *The Words of Jesus*, Édimbourg, 1912, p. 26-28. Il base son étude
sur un examen de la formule dans la littérature rabbinique tant hébraïque
qu'araméenne.

48. C. C. TORREY, *The Composition and Date of Acts*, p. 23, pense que ἤρξατο
est la façon habituelle de rendre l'araméen שָׁרִי qui, dans le dialecte palestinien,

s'employait constamment comme une forme redondante. Selon lui, il est en tout
cas très improbable que le mot ait été employé ici dans un texte primitivement
composé en grec. Contre Torrey, voir cependant M. WILCOX, *The Semitisms of
Acts*, p. 125-126 et p. 149, note 1.

49. J. W. HUNKIN, « *Pleonastic* » Ἄρχομαι *in the New Testament*, dans *JTS*, 25
(1923-24), 390-402.

50. Pour W. BAUER, *Wörterbuch*, col. 206, ce recours à un substrat araméen est
aussi tout à fait superflu.

51. D. TABACHOVITZ, *Die Septuaginta und das Neue Testament* (Skriften utgivna
av Svenska Institut i Athen, IV), Lund, 1956, p. 24-29.

52. Il renvoie par exemple à *Lc.*, XIV, 9, mais aussi à *Lc.*, III, 8 ; XIII, 25, 26.

le cas, pense-t-il, en *Mc.*, VI, 7 qui renvoie à *4 Reg.*, XV, 37. Ainsi en est-il pour la formule d'*Act.*, I, 1-2 qui rappellerait non seulement *Deut.*, I, 5 (ἤρξατο Μωυσῆς διασαφῆσαι τὸν νόμον τοῦτον λέγων) mais surtout *Gen.*, II, 3 : ἀπὸ πάντων τῶν ἔργων αὐτοῦ, ὧν ἤρξατο ὁ θεὸς ποιῆσαι[53].

Selon une autre interprétation[54], la formule viserait l'évangile comme la phase primaire de l'activité de Jésus, et Luc signifierait ainsi dans le prologue de son second Livre que celui-ci racontera la phase ultérieure de cette activité, à travers les apôtres cette fois. La principale réserve à émettre vis-à-vis de cette position réside dans l'absence de l'idée d'une activité spirituelle de Jésus dans le livre des Actes[55]. De plus, ποιεῖν et διδάσκειν en *Act.*, I, 1 caractérisent l'activité historique concrète de Jésus[56].

C'est pourquoi, après A. Loisy[57] et H. Conzelmann[58], nous pensons pouvoir retrouver dans la formule ἤρξατο ποιεῖν τε καὶ διδάσκειν le concept

---

53. Il rend *Act.*, I, 1 ainsi : « Le premier livre, je l'ai fait, cher Théophile, de tout ce que Jésus commença, l'un et l'autre (' beides '), de faire et d'enseigner » (p. 27).

54. C'est la façon de voir adoptée par la Vulgate, Luther, la traduction protestante néerlandaise ; celle aussi de F. J. F. JACKSON, *The Acts of the Apostles* (MNTC), Londres, 1931, p. 1 ; J. KEULERS, *De Handelingen der Apostelen* (De Boeken van het N.T., IV), Roermond-Maaseik, 1957², p. 31 ; G. STAEHLIN, *Die Apostelgeschichte* (NTD, II), Goettingue, 1962, p. 11 : « Wenn jene Tätigkeit Jesu nach den Worten des Verfassers ' eine erste Periode ' (wörtlich : ' einen Anfang ') bedeutete, dann will das vorliegende zweite Buch offenbar die zweite Periode von Jesu Wirken darstellen, nur dass dieses hier als ' Taten der Apostel ' in Erscheinung tritt ».

55. Signalons la position de W. C. VAN UNNIK, *The « Book of Acts »* the Confirmation of the Gospel, dans *Nov. Test.*, 4 (1960), 26-59, surtout p. 46 s. L'auteur adopte un point de vue différent. Il propose de considérer le livre des Actes comme une confirmation de l'évangile. Les deux livres ont comme objet la parole de Dieu. Mais alors que dans l'évangile, nous avons l'ἀρχὴ σωτηρίας, dans les Actes, cette parole de Salut est réelle pour le monde entier, car elle est apportée aux Gentils. Jésus est un « début » qui doit être « confirmé » par le livre des Actes. Et l'auteur découvre en *Heb.*, II, 3-4 la clef de son interprétation : ἥτις ἀρχὴν λαβοῦσα... διὰ τοῦ κυρίου... εἰς ἡμᾶς ἐβεβαιώθη. Il écrit (p. 58) : « Two the volumes of Luke's work show... : God's plan of σωτηρία... Acts is the confirmation (βεβαίωσις) of what God did in Christ as told in the first Book ».

56. Cfr dans le même sens la formule de *Lc.*, XXIV, 19 : περὶ Ἰησοῦ τοῦ Ναζαρηνοῦ... ἐν ἔργῳ καὶ λόγῳ qui concerne l'activité thaumaturgique de Jésus et sa prédication ; voir une formule parallèle à propos de Moïse en *Act.*, VII, 22 et encore dans le témoignage de Papias conservé par EUSÈBE, *Hist. Eccl.*, III, 39, 15 (éd. E. SCHWARTZ, GCS 9, 1)... τὰ ὑπὸ τοῦ κυρίου ἢ λεχθέντα ἢ πραχθέντα. Cfr également *Mc.*, VI, 30 et *Mt.*, V, 19.

57. A. LOISY, *Les Actes des Apôtres*, Paris, 1920, p. 135. Pour lui, « le commencement de Jésus et du témoignage qui le concerne est au baptême de Jean..., le terme, la résurrection et l'ascension ». A la suite de H. H. WENDT, *Die Apostelgeschichte* (Meyer, 3), Goettingue, 9e éd., 1913, p. 66, il pense que le ἤρξατο « est une façon de noter un fait par son commencement en regard de son inexistence antérieure, et non pour différencier ce commencement de la suite. On pourrait traduire : ' les choses que Jésus s'était mis à faire ' ».

58. H. CONZELMANN, *Die Mitte*, p. 197, note 1 : *Die Apostelgeschichte*, p. 20.

d'ἀρχή cher à Luc. C'est aussi l'opinion de J. Dupont qui traduit : « tout ce que Jésus a fait et enseigné depuis le commencement jusqu'au jour où, après avoir donné ses instructions... il fut enlevé au ciel » [59]. Cette interprétation se recommande pour plusieurs raisons. La notion d'ἀρχή est très lucanienne ; or, d'un point de vue strictement littéraire, nous avons vu que, lorsqu'elle visait l'activité terrestre de Jésus, elle se coulait en *Act.*, I, 21-22 et X, 37ss. dans une formulation à deux termes, l'un fixant l'ἀρχή, l'autre la fin : l'ascension. On nous objectera peut-être que, lorsque Luc utilise cette notion du « début », il préfère le terme ἀρχή ou le participe ἀρξάμενος ; mais il faut tenir compte du ἄχρι ἧς ἡμέρας... ἀνελήμφθη en *Act.*, I, 2, qui nous rappelle une formule mieux connue : ἀρξάμενος ἀπὸ ... ἕως τῆς ἡμέρας ἧς ἀνελήμφθη (I, 22). Il nous semble donc que l'emploi de ἤρξατο en *Act.*, I, 2 n'a rien de pléonastique mais revêt la même portée théologique que ἀρχή et ἀρξάμενος en d'autres passages de l'œuvre lucanienne [60].

Nous voudrions maintenant exploiter l'intéressante remarque de D. Tabachovitz pour qui la formule d'*Act.*, I, 1 serait un pastiche littéraire de la langue des Septante, à rapprocher de *Gen.*, II, 3 et relever que ce dernier verset qui conclut le récit de la création dans la tradition sacerdotale rappelle les mots d'ouverture de ce même récit : Ἐν ἀρχῇ ἐποίησεν ὁ θεός (*Gen.*, I, 1). Si Luc a ici consciemment imité la formulation de *Gen.*, II, 3, il semble bien qu'*Act.*, I, 1 évoquerait alors, par un procédé d'inclusion, justement le « début » de cette activité du Christ qui s'est poursuivie jusqu'à l'ascension et que tout l'évangile a retracée. On reconnaîtra enfin que la notion d'ἀρχή convient bien au genre des prologues. La présence notamment de ἀπ' ἀρχῆς dans le prologue de l'évangile lucanien nous fournit une raison supplémentaire de comprendre le ἤρξατο d'*Act.*, I, 1 comme nous l'avons proposé.

5. Lc., I, 2

Nous ne pouvons pas entrer dans l'analyse précise du prologue de l'évangile lucanien, ni dans les problèmes qu'il soulève tant du point de vue de sa fonction (prologue du seul évangile ou prologue des deux Livres) que de son contenu [61]. Nous nous limiterons au sens à donner

---

59. J. Dupont, *Les Actes*, p. 35 ; cfr aussi A. Wikenhauser, *Die Apostelgeschichte* (RNT, 5), Ratisbonne, 1938, p. 21.

60. C. F. D. Moule, *An Idiom Book of New Testament Greek*, Cambridge, 2e éd. 1960, p. 181-182, arrive à la même conclusion : le ἤρξατο de *Act.*, I, 1, est utilisé dans un « comprehensive sense », embrassant non seulement le début de l'activité de Jésus, mais la suite et le terme de celle-ci ; il traduit : « all that Jesus did from the beginning... until... ».

61. Pour un premier examen des différentes possibilités d'interprétation, signalons un article déjà ancien mais intéressant de M. Devoldere, *Le prologue du troisième évangile*, dans *NRT*, 56 (1929), 714-719. Également E. Trocmé, *Le « Livre*

au ἀπ' ἀρχῆς du v. 2 et parallèlement à l'adverbe ἄνωθεν (v. 3) dont la signification dépend de celle de παρηκολουθηκότι à qui il se rattache. Comme l'a dit excellement J. Dupont [62] à propos du prologue de Luc (*Lc.*, I, 1-4), « l'auteur se situe d'abord par rapport à ses devanciers (v. 1) 'qui ont entrepris de composer un récit des événements qui se sont accomplis parmi nous ' ; ensuite il continue, en se situant par rapport à d'autres personnages : ' ceux qui furent dès le début témoins oculaires et ministres de la parole ' (v. 2) ». Et ce faisant, Luc se range au nombre des croyants qui reçurent le message de ceux-là mêmes qui furent présents aux événements (de la vie du Christ) — αὐτόπται — depuis le début et qui rendirent ensuite témoignage — ὑπηρέται —.

L'opinion commune voit dans le ἀπ' ἀρχῆς une expression stéréotypée pour désigner le début de la prédication de Jésus [63]. Nous pensons que cette exégèse est exacte. On aura remarqué le rapprochement établi par *Lc.*, I, 2 entre les témoins oculaires de l'activité de Jésus (αὐτόπται) et la mission de témoignage qui s'ensuivait (ὑπηρέται). Or, cette dernière idée, nous l'avons souvent trouvée liée au concept d'ἀρχή. Bien plus, une comparaison de *Lc.*, I, 2 avec *Act.*, I, 21-22 nous invite expressément [64] à un bref examen du terme ὑπηρέτης dans l'œuvre lucanienne.

---

des Actes » et *l'histoire* (Études d'Histoire et de Philosophie religieuses, 45), Paris, 1957, p. 41-50 ; 125-128. Outre les grands commentaires, les introductions au N.T. et les études approfondies sur la forme des prologues dans la littérature grecque, nous nous référerons plus loin à une série d'études que H. J. CADBURY a consacrées au prologue lucanien. Voir aussi la très intéressante étude de H. SCHUERMANN, *Evangelienschrift und kirchliche Unterweisung. Die repräsentative Funktion der Schrift nach Lk 1, 1-4*, dans *Miscellanea Erfordiana* (Erfurter Theologische Studien, 12), Leipzig, 1962, p. 48-73 ; G. KLEIN, *Lukas I, 1-4 als theologisches Programm*, dans E. DINKLER (éd.), *Zeit und Geschichte, Dankesgabe an R. Bultmann*, Tubingue, 1964, p. 193-216.

62. J. DUPONT, *Les Sources du livre des Actes. État de la question*, Bruges, 1960, p. 100-101.

63. Pour ne citer que quelques auteurs, signalons M.-J. LAGRANGE, *Évangile selon Saint Luc* (Ét. Bibl.), 7e éd., Paris, 1948, p. 4 ; F. HAUCK, *Das Evangelium des Lukas* (ThHNT, 3), Leipzig, 1934, p. 16-17 ; N. GELDENHUYS, *Commentary on the Gospel of Luke*, Londres-Édimbourg, 1950, p. 12 ; W. GRUNDMANN, *Das Evangelium nach Lukas* (ThHNT, 3), 2e éd., Berlin, 1963, p. 43 ; J. SCHMID, *Das Evangelium nach Lukas* (RNT, 3), 4e éd., Ratisbonne, 1960 ; G. KLEIN, *Lukas I, 1-4 als theologisches Programm*, p. 193-216.

64. Nous avons étudié précédemment cette péricope. Nous y revenons pour souligner le parallélisme de son contenu avec *Lc.*, I, 2. Des deux côtés, nous trouvons la notion d'ἀρχή : *Lc.*, I, 2 ἀπ' ἀρχῆς par. à *Act.*, I, 22 ἀρξάμενος ἀπό... ἕως. Des deux côtés, la notion d'« autopsia » : *Lc.*, I, 2 αὐτόπται par. à *Act.*, I, 21 où nous n'avons certes pas le terme mais bien l'idée : l'homme qui a été témoin oculaire de Jésus terrestre (ἐν παντὶ χρόνῳ ᾧ εἰσῆλθεν καὶ ἐξῆλθεν ἐφ' ἡμᾶς ὁ κύριος Ἰησοῦς) ; enfin la notion de μάρτυς (témoin) : *Act.*, I, 22 : μάρτυρα a un contenu analogue à celui des ὑπηρέται de *Lc.*, I, 2, comme nous allons pouvoir le montrer.

Ce terme n'apparaît guère chez Luc (*Lc.*, I, 2 ; IV, 20 ; *Act.*, V, 22.26 ; XIII, 5 ; XXVI, 16) [65], et il est certain que dans bon nombre d'emplois néo-testamentaires, le mot possède son sens juridique premier : « serviteurs du Sanhédrin » [66]. Ceci dit, l'affirmation de H. Sahlin [67] nous paraît nettement exagérée ; pour l'auteur en effet, le terme ὑπηρέτης garderait toujours, dans le Nouveau Testament, sa signification juridique (« le greffier »). Nous pensons au contraire que Luc, le premier, a forgé une notion chrétienne de ce concept, comme il appert de l'examen des textes qui suivent.

Déjà en *Lc.*, IV, 20, le terme ὑπηρέτης paraît avoir une acception plus large ; il ne vise plus le serviteur du Sanhédrin (sens juridique) mais l'employé de la synagogue, chargé de s'occuper des rouleaux de l'Écriture (fonction publique). Faut-il déjà donner un sens chrétien au terme qui revient en *Act.*, XIII, 5 et y voir la désignation de l'« évangéliste » Marc [68] comme ὑπηρέτης de Paul et de Barnabé ? On hésite à le faire devant la variante du codex Bezae qui lit : ειχον δε και Ιωαννην υπηρετουντα αυτοις ; il s'agirait plus simplement de quelqu'un qui est au service de Paul et de Barnabé, un service assez matériel, c'est-à-dire propre à un domestique [69]. Dans le troisième récit de sa vocation, Paul, dans un discours apologétique qu'il prononce devant le roi Agrippa, cite les paroles du Christ lors de sa vocation : εἰς τοῦτο γὰρ ὤφθην σοι, προχειρίσασθαί σε ὑπηρέτην καὶ μάρτυρα (*Act.*, XXVI, 16). Il paraît bien

---

65. On le rencontre deux fois chez Marc (*Mc.*, XIII, 54, 64) ; deux fois chez Matthieu (*Mt.*, V, 25 ; XXVI, 58) ; huit fois chez Jean (*Jo.*, VII, 32, 45, 46 ; XVIII, 3, 12, 18, 22, 36 ; XIX, 6) et une fois pour le reste du Nouveau Testament (*I Cor.*, IV, 1).

66. W. BAUER, *Wörterbuch*, col. 1530. Ainsi en est-il pour *Mc.*, XIV, 54 (par. à *Mt.*, XXVI, 58) ; XIV, 65 ; *Jo.*, VII, 32, 45, 46 (mission d'arrêter Jésus) ; *Jo.*, XVIII, 3, 12, 18, 22 (lors de la passion) ; *Act.*, V, 22, 26 (arrestation des apôtres). Ce sens est confirmé par *Mt.*, V, 25 où l'ὑπηρέτης est bien « celui qui exécute la sentence du juge ». C'est ce sens fondamental mais théologisé déjà qu'il faudrait donner à *I Cor.*, IV, 1. Insistant sur le rôle ministériel des apôtres, Paul utilise le terme ὑπηρέτης pour les qualifier : les apôtres doivent être des « serviteurs », des « assistants » du Christ, et par cette formule nouvelle, Paul caractérise le rôle subordonné des apôtres vis-à-vis du Christ.

67. H. SAHLIN, *Der Messias und das Gottesvolk. Studien zur protolukanischen Theologie* (ASNU, 12), Uppsala, 1945, p. 40-42.

68. B. T. HOLMES, *Luke's Description of John Mark*, dans *JBL*, 54 (1935), 63-72 ; aussi J. DUPONT, *Les Actes des Apôtres*, p. 121 note i qui renvoie à *II Tim.*, IV, 11 : « Jean-Marc ne rend pas seulement aux apôtres des services d'ordre personnel, mais les aide dans leur ministère même ». Contre Holmes, H. SAHLIN, *op. cit.*, p. 41 plus note 5 et p. 42, refuse ce sens d'« évangéliste » — « eine derartige Deutung der Stelle scheint aber sehr abenteuerlich » — ; le terme aurait ici selon lui son sens technique : celui qui est chargé des livres dans la synagogue, c'est-à-dire quelqu'un qui doit porter les livres ou qui doit rédiger un rapport.

69. Ainsi également E. HAENCHEN, *Apg.*, p. 339 plus note 7 ; H. CONZELMANN, *Apg.*, p. 73.

certain ici que le rapprochement du ὑπηρέτης et du μάρτυς [70] éloigne
le premier terme de son sens juridique, lui conférant un sens théologique
qui correspond à peu près à celui de μάρτυς : le service de la parole, la
prédication, le témoignage sont fonctions essentielles du témoin. Par
ailleurs, il est possible que la quasi-synonymie des deux termes résulte
du fait qu'à l'origine μάρτυς avait aussi un sens juridique qu'on retrouve
encore en *Act.*, VI, 13 et VII, 58 [71]. Ainsi, nous croyons être autorisé
à voir dans le ὑπηρέτης du prologue lucanien, une expression de la μαρτυρία
et à rapprocher plus valablement encore *Lc.*, I, 2 et *Act.*, I, 21-22. Par
ailleurs, pour H. Conzelmann, la correspondance de *Lc.*, I, 2 avec *Act.*,
I, 1 est consciente [72] : il faut voir dans le ἤρξατο d'*Act.*, I, 1 la notion
lucanienne d'ἀρχή qui correspondrait, dans le prologue de l'évangile,
au ἀπ᾽ ἀρχῆς du v. 2.

Il nous faut encore déterminer la signification de l'adverbe ἄνωθεν
par rapport à la notion exprimée par ἀπ᾽ ἀρχῆς. L'opinion la plus commune
détache les deux expressions l'une de l'autre et estime que ἄνωθεν vise
cette fois le début de l'incarnation, la naissance de Jésus ou, plus précisément encore, l'annonce de la naissance du précurseur [73]. Cette exégèse
a pour elle qu'effectivement Luc compare son travail à celui de ses
prédécesseurs, non pas nécessairement pour les critiquer [74] mais pour

---

70. Noter que le thème du μάρτυς revient en *Act.*, XXII, 15 (second récit de la
vocation de Paul) et paraît ainsi déterminant dans la vocation de l'apôtre : Paul a
été constitué μάρτυς.

71. Et encore *Mt.*, XXVI, 65 ; *Mc.*, XIV, 63 ; voir aussi l'emploi juridique de
μαρτυρία en *Mc.*, XIV, 55. 56. 59. *Lc.*, XXII, 71. On consultera pour cela H. STRATH-
MANN, art. μάρτυς, dans *ThWNT*, t. 4, p. 477-520, surtout 495-498. Aussi L. CERFAUX,
Témoins du Christ d'après le Livre des Actes, dans *Recueil Lucien Cerfaux*, t. 2,
p. 157-174, surtout p. 166-174, où il étudie longuement la signification juridique
du témoignage d'Étienne. Selon lui, les Actes ont gardé un certain aspect juridique
à propos du témoignage chrétien. Les chrétiens doivent rendre témoignage du Christ
devant les tribunaux, ce qui n'est pas sans évoquer la charge des faux témoins
lors du procès de Jésus. C'est en quelque sorte une revision du procès de Jésus,
une réfutation des faux témoins. Ce caractère juridique a peut-être facilité le rapprochement entre ὑπηρέτης et μάρτυς. C'est tout ce qu'on pourrait concéder à l'hypothèse
trop absolue de Sahlin.

72. H. CONZELMANN, *Die Mitte*, p. 197, note 1.

73. Ainsi É. OSTY, *L'Évangile selon Saint Luc* (La Sainte Bible), Paris, 2ᵉ éd.,
1953, p. 27, traduit : « ... après m'être informé *de tout depuis les origines* » et il
précise (note d) : depuis les origines « non seulement du ministère public de Jésus,
mais de Jésus lui-même (comme Matthieu) et de son précurseur Jean-Baptiste ».
C'est l'interprétation de Maldonatus, Jansenius, Knabenbauer, Bisping, Schanz,
Dausch, Girodon, Belser, Rose, Schäfer, Hahn, Bousset, B. Weiss, J. Weiss, Holtzmann, Plummer, Fillion, Valensin-Huby, Blass, Creed, Manson, Geldenhuys,
Grundmann.

74. Ce renvoi aux πολλοί est caractéristique du genre littéraire des prologues
hellénistiques. S'il établit une antithèse entre l'auteur et ses devanciers, la déprécia-
tion à l'endroit des derniers, qui pourrait y être adjointe, est, dans le cas de Luc,

signaler ce que son travail ajoute à ce que les autres ont déjà fait [75].
Cependant il faut reconnaître que, dans ce prologue, nous ne trouvons
aucune autre confirmation d'une attention spéciale de Luc pour l'évangile
de l'Enfance ; ἄνωθεν serait la seule indication. De plus, étant donné
la qualité du grec dans cette péricope, il est assez difficile de voir ἄνωθεν
former avec πᾶσιν une sorte de tautologie. C'est d'ailleurs pour éviter
cet inconvénient que M.-J. Lagrange [76] non seulement rapproche plus
directement le ἄνωθεν du παρηκολουθηκότι mais donne à l'adverbe un
sens plus large. Le mot ne préciserait plus l'objet de cette activité mais
la façon dont elle a été menée. On peut traduire alors : « moi, qui depuis
longtemps me suis appliqué à faire des recherches sur tout... » [77].
M. Devoldere, quant à lui, présente une solution intermédiaire. S'il
reprend à Lagrange le sens du verbe παρακολουθεῖν et à l'exégèse classique
le lien entre ἄνωθεν et πᾶσιν, c'est pour donner au v. 3 une signification
nouvelle. Luc, pense l'auteur, après avoir indiqué les sources de ses
devanciers, signale à son lecteur qu'il a voulu éprouver le bien-fondé
des événements de la vie de Jésus qui lui avaient été transmis oralement.
Pour cela, il a fait de soigneuses recherches « sur toutes les choses en
partant de l'origine (de la tradition) », c'est-à-dire en vérifiant les enseigne-

---

plus littéraire que réelle. C'est plus une formule synthétique qu'antithétique :
cfr J. BAUER, ΠΟΛΛΟΙ *Luk. 1, 1*, dans *Nov. Test.*, 4 (1960), 263-266. Pour les
parallèles dans la littérature hellénistique, on se reportera au travail de E. FRAENKEL,
Eine Anfangsformel attischer Reden, dans *Glotta*, 39 (1960), 1-5.

75. Nous pensons que G. KLEIN, *Lukas I, 1-4 als theologisches Programm*, p. 205-
206 a raison d'insister sur le fait qu'il est peu probable que Luc n'ait pas envisagé
cette différence énorme de son travail par rapport à celui des autres.

76. M.-J. LAGRANGE, *Évangile selon Saint Luc*, p. 4. Cette interprétation, Lagrange
la dégage des travaux de F. DIBELIUS, *Die Herkunft der Sonderstücke des Lukasevangeliums*, dans *ZNW*, 10 (1911), 325-344, surtout p. 338-339. Signalons cependant
que cet auteur s'en tient au sens strict de παρηκολουθηκότι (« suivre », « suivre en
esprit »), estimant qu'en traduisant par « suivre en recherchant », on a tronqué
« ein klein wenig » la signification originelle du verbe. Quant au ἄνωθεν, il ne fait
pas référence à la vie de Jésus mais au passé de Luc lui-même. La position de
Lagrange est également liée aux travaux de E. KLOSTERMANN, *Die Evangelien*
(HNT, II /1 : *Lukas*), Tubingue, 1919, p. 363. Voir aussi A. LOISY, *Les Évangiles
synoptiques*, I, Ceffond, 1907, p. 272, note c : « ἄνωθεν, ' de haut ', montre que l'auteur,
dans ses investigations, est remonté le plus loin qu'il a pu, et avant même ce qu'il
vient d'appeler le commencement. Il faut entendre παρηκολουθηκότι des recherches
que Luc a faites... non d'une participation aux événements qui ferait de lui un
témoin ».

77. Si Lagrange (p. 1) traduit : « ... à moi aussi, qui, dès l'origine, m'étais appliqué
à tout connaître exactement, ... », nous pensons n'avoir pas majoré sa pensée
dans la paraphrase que nous en avons faite. Il dit en effet (p. 6) : « ... ἄνωθεν nous
apprend que Luc a entrepris son *enquête depuis longtemps*, qu'il l'a poursuivie
toujours, ce qui est une garantie, car il a pu contrôler certains renseignements par
d'autres. Nous pensons donc avec Origène qu'ἄνωθεν signifie ' *depuis longtemps* ' ;
non rumore cognoverit, sed ab initio ipse fuerit consecutus (P.G. 13, col. 1804) ».

ments oraux sur la base d'informations recueillies auprès des témoins qui
étaient à l'origine de la tradition chrétienne [78].

Proche de l'interprétation de Lagrange, celle de H. J. Cadbury [79]
reprise récemment par J. Dupont [80] qui rapproche encore ἄνωθεν de
παρηκολουθηκότι mais en laissant au verbe son sens fort et bien attesté
d'« être témoin, assister aux événements eux-mêmes » [81]. Cependant
comme Luc vient d'affirmer (v. 2) qu'il n'a pas été témoin oculaire des
événements de l'évangile mais qu'il les a reçus par tradition, ces auteurs

---

78. M. DEVOLDERE, *Le prologue du troisième évangile*, p. 717-718. Partant du
fait qu'ἄνωθεν n'exprime que l'idée générale d'origine soit dans le temps, soit dans
l'espace, il rapproche ἄνωθεν de πᾶσιν ; ce dernier terme exprimerait les événements
en tant que formant le contenu de la tradition et non les événements considérés
en eux-mêmes. ἄνωθεν marque ainsi, non l'origine des événements mais l'origine
de la connaissance que Luc en a acquise. Dans le même sens, voir encore G. RINALDI,
« *Risalendo alle più lontane origini delle tradizioni* » (*Lc. 1, 3*), dans *Bibbia e Oriente*,
6 (1965), 252-258, pour qui ἄνωθεν viserait la valeur du contenu (marqué par πᾶσιν)
de l'œuvre de Luc, pour en garantir la crédibilité, et pourrait se traduire par « à
fond ».

79. H. J. CADBURY a exposé son idée dans une série d'études : *The Purpose
expressed in Luke's Preface*, dans *The Expositor*, 8e série, 21 (1921), 432-441 ;
The Knowledge Claimed in Luke's Preface, *Ibid.*, 8e série, 24 (1922), 401-410 ;
Commentary on the Preface of Luke (Appendix C), dans *The Beginnings of Christianity*
(F.J. F. JACKSON et K. LAKE), I /2, Londres, 1922, p. 489-510 ; *The Making of Luke-
Acts*, New-York, 1927, p. 344-348 et 358-359 ; ' We ' and ' I ' Passages in Luke-Acts,
dans *NTS*, 3 (1956-57), 128-132.,

80. J. DUPONT, *Les Sources du livre des Actes*, p. 99-107, qui, dans ces pages,
donne en plus un excellent état de la question.

81. Tel est aussi le sens dans les prologues hellénistiques : « suivre quelqu'un
ou les événements, être témoin des événements, assister personnellement aux événements ». Voir par ex. FLAVIUS JOSÈPHE, *Contra Apionem*, I, 10, 53 : « l'historien doit
connaître les faits historiques qu'il veut transmettre aux autres ; il doit d'abord
lui-même en avoir une connaissance exacte, soit qu'il ait suivi de près les événements
(ἢ παρηκολουθηκότα τοῖς γεγονόσιν), soit qu'il se soit renseigné auprès de ceux qui
les savent (ἢ παρὰ τῶν εἰδότων πυνθανόμενον). Aussi DÉMOSTHÈNE, *De Corona*, col. 53,
§ 172 : παρηκολουθηκότα τοῖς πράγμασιν ἐξ ἀρχῆς, καὶ συλλελογισμένον ὀρθῶς τίνος
ἕνεκα ταῦτ' ἔπραττεν ὁ Φίλιππος καὶ τί βουλόμενος et juste après τοῖς εἰδόσιν ἀκριβῶς
ἅπαντα ταῦτα τὰ πράγματα ὡς ἔχει καὶ παρηκολουθηκόσι ἐξ ἀρχῆς.

J. H. MOULTON et G. MILLIGAN, *Lexical Notes from the Papyri*, dans *The Expositor*,
7e série, 10 (1910), 282-288, avaient pensé pouvoir néanmoins donner au verbe
παρακολουθεῖν le sens de « faire des recherches », à partir du *Pap. Par.* 46, 19 (datant
de 153 av. J.-C.) : νομίζω γὰρ μάλιστα τῶν ἄλλων παρακολουθήσαντά σε τῆι ἀληθείαι
πικρότερον προσενεχθήσεσθ' αὐτῶι. Ils traduisaient (p. 287) : « When you have investigated the truth, you will deal with him most severely », rapprochant de *Lc.*, I, 3
qu'ils rendaient par « having investigated all the facts afresh ». En fait, ils se rallie-
rent quelques années plus tard à la critique que leur avait faite H. J. CADBURY,
The Knowledge, surtout p. 405-406. Dans ce même article, Cadbury étudia avec
soin l'emploi du verbe pour aboutir à ce sens fort et clair que nous avons donné
ci-haut. J. DUPONT, *Sources*, p. 101, à la suite de Cadbury, traduit *Lc.*, I, 3 par :
« il m'a paru bon, à moi aussi, qui ai suivi soigneusement tout depuis longtemps,
de l'écrire avec ordre pour toi, très puissant Théophile ».

estiment que le παρηκολουθηκότι ἄνωθεν vise la présence personnelle de Luc aux événements rapportés dans les Actes et spécialement aux sections en « nous » de ce Livre [82].

Dans une tout autre ligne, H. Conzelmann [83] estime que le ἤρξατο d'*Act.*, I, 1 correspond au ἄνωθεν du prologue de l'évangile. Cette interprétation reprend celle de A. Hilgenfeld [84] et peut se résumer ainsi : ἄνωθεν est synonyme de ἀπ' ἀρχῆς [85] ; le prologue de l'évangile vise par là le début de la vie publique de Jésus et ignore l'évangile de l'Enfance qu'il faut considérer comme une interpolation [86]. Cette exégèse tire son principal argument de la synonymie des deux termes en *Act.*, XXVI, 4-5. C'est le seul texte lucanien où les expressions sont mises en parallèle comme en *Lc.*, I, 2-3. Pour Hilgenfeld, le ἀπ' ἀρχῆς (v. 4) et le ἄνωθεν (v. 5) sont des synonymes stricts dans la bouche de Paul, et il en déduit que dans le prologue de l'évangile la signification des deux termes se recouvre pratiquement [87]. J. Dupont [88], de son côté, traduit ἀπ' ἀρχῆς

---

82. H. J. CADBURY, ' *We* ' *and* ' *I* ' *Passages*, p. 130 : Luc ne prétend pas disposer de ce genre de connaissance (de première main) pour l'ensemble de ses deux livres mais uniquement pour une période tardive et substantielle ; « ἄνωθεν, ' from a good while back ', the informants on whom the gospel writers including Luke rely. A similar accurately discriminating use of the two words occurs in the successive clauses of Acts XXVI, 4 f... ». Et (p. 131) il revient sur son idée en disant : « The preface of Luke, however, is... a preface to the whole, and his suggestion that he begins with second-hand reports and continues with more immediate information suits the ancient practice of historians. The section of his writing to which παρ-ηκολουθηκότι applies is therefore Acts as a whole or its later parts ».

83. H. CONZELMANN, *Apg.*, p. 20 : « ... und das ἤρξατο eine Entsprechung im Proömium des LcEv hat (ἄνωθεν) ».

84. A. HILGENFELD, *Das Vorwort des dritten Evangeliums. Luk I, 1-4*, dans *Zeitschr. Wiss. Theologie*, 44 (1901), 1-10. Aussi J. SCHMID, *Das Evangelium nach Lukas* (RNT, 3), Ratisbonne, 4ᵉ éd., 1960, p. 30 : « ... Er (Lukas) fühlt sich dazu befähigt, weil er ' allem von Anfang an ' d.h. von den Anfängen der christlichen Heilsgeschichte an, die mit dem Vorläufer beginnt, genau nachgegangen ist... ».

85. A. HILGENFELD, *op. cit.*, traduit : « ... gleichwie uns (Christen) überlieferten die von Anfang an Augenzeugen und Diener des Wortes gewordenen, beliebte es auch mir, nachdem ich allen (jenen Thatsachen) von vorn an genau nachgegangen, sie der Reihe nach dir zu schreiben » (p. 1) et il poursuit (p. 3) : « ... gleich ist der Christenheit erfüllten Thatsachen, von vorn an (ἄνωθεν) ... ».

86. A. HILGENFELD, *op. cit.*, p. 7 note 1 : « Luk I, 5-11, 52, die Geburts-und Kindheitsgeschichte Jesu, kann allerdings nicht durch solche Augenzeugenschaft gewähnt sein. Allein die jetzt weit verbreitete Ansicht, dass dieser Abschnitt spätere Zuthat sei, verdient immer noch Erwägung ». Cfr aussi H. CONZELMANN, *Apg.*, p. 20 ; *Die Mitte*, p. 9 plus note 2.

87. A. HILGENFELD, *op. cit.*, p. 7 : « ... denn ἄνωθεν muss, wie Apg. XXVI, 4. 5, dem vorhergehenden ἀπ' ἀρχῆς, dem terminus a quo der Augenzeugenschaft als Gewähr der Evangelienschreibung entsprechen ».

88. J. DUPONT, *Sources*, p. 104-105. Il résume aussi très bien l'évolution de la pensée de Cadbury sur les conséquences qu'il tirait de l'analyse d'*Act.*, XXVI, 4-5, pour *Lc.*, I, 2-3 (p. 104, note 3).

(*Act.*, XXVI, 4) par « depuis le début » et ἄνωθεν (*Act.*, XXVI, 5) par
« de longue date ». Il conclut que le « ἄνωθεν dit donc plus que ἀπ' ἀρχῆς,
et que le sens qui convient en *Act.*, XXVI, 5 s'adapte parfaitement
à *Lc.*, I, 3 : l'auteur affirme qu'il a suivi les événements non depuis les
origines, mais depuis un temps considérable. Il n'en faut pas davantage ».

D'accord avec Dupont, contre Hilgenfeld et Conzelmann, nous croyons
qu'en *Act.*, XXVI, 4-5 il n'y a pas de synonymie entre ἀπ' ἀρχῆς et ἄνωθεν.
S'il en était autrement, la construction de la phrase ne serait guère
heureuse puisque, par trois fois, Paul insisterait sur sa jeunesse (ἐκ
νεότητος, ἀπ' ἀρχῆς, ἄνωθεν). Pourtant nous accorderions avec G. Klein [89]
une valeur d'antériorité plus grande au ἄνωθεν qu'au ἀπ' ἀρχῆς et aussi
un sens moins vague et moins général. Comme il le propose, il faut
rattacher le ὅτι... ἔζησα Φαρισαῖος à τὴν μὲν οὖν βίωσίν μου ἐκ νεότητος
τὴν ἀπ' ἀρχῆς γενομένην... ἴσασι, la phrase participiale προγινώσκοντές
με ἄνωθεν apportant une autre précision. Le ἀπ' ἀρχῆς est ainsi une notion
relative qui parle du début du comportement de Paul et de sa vie comme
pharisien dès sa jeunesse. Le προγινώσκοντες [90] se situe dans une perspective antérieure de la vie de Paul et le ἄνωθεν entend ainsi parler des
« premiers débuts » de sa vie. Nous traduirions : « Ma conduite, dès ma
jeunesse, *depuis le début* au sein de ma nation, à Jérusalem, tous les
juifs — s'ils veulent témoigner — savent *(me connaissant depuis les
premiers débuts de ma vie)* que j'ai vécu suivant le parti le plus strict
de notre religion, en pharisien ».

De même dans le prologue lucanien, les deux termes sont assez différents : ἄνωθεν signifie « depuis les origines » et ferait allusion à l'évangile
de l'Enfance, tandis que le ἀπ' ἀρχῆς a le sens précis que nous avons déjà
montré [91]. Nous rejoignons ainsi la position traditionnelle en nous
heurtant, il est vrai, au sens du verbe παρακολουθεῖν défendu par Dupont
et Cadbury [92] et bien attesté dans le genre littéraire des prologues hellénistiques. Qu'opposer à cette constatation ? Remarquons tout d'abord
que l'intérêt majeur de Luc, dans son prologue, se porte sur l'évangile. A

---

89. G. KLEIN, *Lukas I, 1-4 als theologisches Programm*, p. 208-209 ; voir aussi
H. SCHUERMANN, *Evangelienschrift*, p. 57.

90. Nous ajouterions un élément qui accentue le caractère d'antériorité que nous
voulons lire dans le ἄνωθεν : le caractère composé du participe (προ-γιγνώσκω).

91. G. KLEIN, *Lukas I, 1-4 als theologisches Programm*, p. 209-210 : « Ist in Lk I,
1, 3 ἄνωθεν in analoger Weise auf einen ferneren Zeitpunkt als ἀπ' ἀρχῆς bezogen,
so deutet Lukas hier also an, dass er über die den Augenzeugen zugängliche ἀρχή der
Taufe Jesu hinausgegangen ist. Damit ist der Komplex der Kindheitsgeschichten
vom Prolog expressis verbis gedeckt und zugleich ein weiterer Grund dafür sichtbar
geworden, dass Lukas die Werke seiner Vorgänger für ergänzungsbedürftig hält ».

92. C'est sans doute une faiblesse de l'étude de Klein et de Schürmann de ne pas
rechercher le sens précis du verbe παρακολουθέω. L'un et l'autre, en accord avec
l'exégèse traditionnelle, supposent au point de départ le sens de « faire des
recherches ».

cet égard, l'insistance sur les témoins oculaires ἀπ᾽ ἀρχῆς de l'activité
de Jésus semble devoir orienter l'exégèse entière du prologue ; Luc
insiste sur l'évangile et non sur les Actes, son prologue est avant tout
celui de l'évangile. Par ailleurs, πᾶσιν est une formule très générale qui
peut s'appliquer à « *tout* » le récit (Ev. et Ac.). Pourquoi alors, comme le
veut Dupont, appliquer ἄνωθεν à une partie des Actes seulement, en
l'occurence les sections en « nous » qui supposent la présence de Luc
lui-même aux événements qu'il rapporte ? De plus, on voit mal comment
Luc opposerait au travail de ses devanciers, l'originalité des seules
sections en « nous » du livre des Actes.

Positivement d'ailleurs, on a plusieurs exemples où παρακολουθεῖν
signifie « suivre un exposé (oral ou écrit) »[93]. Il s'agirait alors moins
d'être « témoin oculaire » que d'« opérer des recherches » sur les écrits
des prédécesseurs[94]. Et du même coup, nous aurions ici l'affirmation
que Luc utilise des sources.

III. Conclusions

Au terme de cette enquête, récapitulons les données que nous pensons
avoir mises en lumière. Nous avons discerné, chez Luc, une double
notion de « début » : « début » de l'activité du Christ et « début » de
l'Église. Littérairement parlant, ces notions apparaissent tantôt sous

---

93. H. J. CADBURY, *Commentary on the Preface of Luke* (Appendix C), dans
Beginnings I /2, p. 501, note 1, qui renvoie à εὐπαρακολούθητος = « facile à suivre »
(JOSÈPHE, *Bel. Jud.*, VII, 3, 2 ; POLYBE, IV, 28, 6 ; V, 31, 4) et δυσπαρακολούθητος
= « difficile à suivre » (JOSÈPHE, *Ant.*, XI, 3, 10).

94. G. KLEIN, *Lukas I, 1-4 als theologisches Programm*, p. 210 ss., voit dans
καθεξῆς le pendant de ἄνωθεν. καθεξῆς revient 5 fois chez Luc. On le comprend
généralement comme l'expression d'une exigence de présentation bien ordonnée
(Klostermann, Rengstorf, Bauer, Kümmel) ou de correspondance avec la suite des
événements (Lohse, Trocmé, Grundmann). En fait il semble désigner moins l'ordonnance que le contenu, l'ampleur des éléments rapportés. Dans ce sens, il est
vraisemblable que Luc, en formulant ce qui distingue son œuvre, signale ce qui
manque à ses devanciers ; il serait peu compréhensible qu'il insiste sur l'ordre des
matériaux puisqu'en fait, au moins jusqu'en XXIV, 53, Luc lui-même suit le
même plan d'exposition. L'usage que fait Luc ailleurs de καθεξῆς ne favorise pas
non plus cette interprétation : en *Lc.*, VIII, 1, καθεξῆς définit un espace de temps,
joint à une phase antérieure ; en *Act.*, III, 24, le mot sert à lier une phase plus tardive
à une phase plus ancienne ; de même en *Act.*, XVIII, 23, καθεξῆς y apparaît en
connexion avec une présentation *complète* des événements. Aucune raison de
traduire que Pierre leur rapporta cela en bon ordre, comme si cela n'allait pas de soi.
Il vaut donc mieux penser que le καθεξῆς de *Lc.*, I, 3 à une portée *chronologique*,
et que le mot exprime la suite de différentes phases, la succession de l'histoire
de Jésus et le temps de l'Église. Tout comme ἄνωθεν reflète la reprise des récits
de l'Enfance dans l'évangile, « dürfte in dem καθεξῆς die beabsichtigte Fortsetzung
des LkEv. durch die Apg zum Ausdruck kommen » (p. 211).

une forme nominale (ἀρχή : ainsi *Lc.*, I, 2 et *Act.*, XI, 15), mais plus souvent dans une tournure participiale qui prend véritablement valeur de formule (ἀρξάμενος ἀπό : *Lc.*, XXIII, 5 ; XXIV, 47 ; *Act.*, I, 22 ; X, 37 ; ἀρχόμενος : *Lc.*, III, 23). Dans les cas de construction participiale, la notion de « début » est souvent liée à un second membre qui indique la « fin » (de l'activité de Jésus ou du témoignage apostolique) : ἀρξάμενος ἀπὸ ... ἕως (*Lc.*, XXIII, 5 ; *Act.*, I, 22 auxquels nous avons assimilé *Lc.*, XXIV, 47 et *Act.*, X, 37). Dans deux cas d'ailleurs, la présence de ce second terme nous a permis de retrouver la notion d'ἀρχή, tantôt implicite (*Act.*, I, 8), tantôt curieusement exprimée (*Act.*, I, 1).

Ces notions littéraires sont d'autre part porteuses, l'une et l'autre, d'un contenu théologique bien spécifique. L'ἀρχή de l'Église, c'est le début du « témoignage apostolique » qui s'ouvrira à Jérusalem et s'étendra jusqu'aux confins du monde. Ce « commencement » est conditionné par la venue de l'Esprit sur les apôtres et se réalise au jour de Pentecôte. L'ἀρχή de Jésus vise, quant à lui, non le début de la « vie » du Seigneur mais le début de son « activité terrestre ». Ce ministère s'ouvre en Galilée, après le baptême de Jean, lors de la venue de Jésus à Nazareth et s'achèvera au jour de son ascension. Comme pour les apôtres, ce commencement est lié à la venue de l'Esprit-Saint comme à sa condition préalable. La teneur théologique du concept d'ἀρχή (de l'activité de Jésus) interdit en tout cas de se prononcer sur l'authenticité ou non de l'évangile de l'Enfance. Si on voulait tirer argument de ce concept pour rejeter les deux premiers chapitres, en les considérant comme une interpolation postérieure, il faudrait logiquement rejeter aussi la section III, 1-20 qui concerne l'activité de Jean-Baptiste. L'activité en effet de ce dernier est nettement détachée de celle du Christ, dans la conception lucanienne. Positivement d'ailleurs, nous avons montré que ἄνωθεν renvoyait à l'évangile de l'Enfance.

Par ailleurs, sans exclure Jean-Baptiste de la période de l'accomplissement de l'histoire du salut, Luc distingue clairement son activité de celle de Jésus à laquelle seule il applique la notion d'ἀρχή, à la différence de *Mc.*, I, 1 pour qui le « début de l'Évangile » coïncide avec la prédication de Jean-Baptiste.

Le caractère personnel imprimé par Luc au concept d'ἀρχή s'affirme d'autant plus que la notion est quasi absente chez les autres synoptiques (seule exception en *Mc.*, I, 1), qu'elle est par contre chez Luc un rouage important dans l'ordonnance de ses deux livres. A cet égard, il est remarquable de constater à quels endroits de son œuvre se retrouvent les notions de « début » :

ἀρχή de l'activité de Jésus :

— dans le prologue de l'évangile (*Lc.*, I, 2), repris dans le résumé qu'il donne de son « premier » Livre en *Act.*, I, 1.

— juste après le baptême de Jésus dans l'Esprit, au « commencement »
   de son ministère public (*Lc.*, III, 23).
— au terme de son ministère d'enseignement proprement dit à travers
   toute la Judée, et juste avant les événements de sa mort, de sa
   résurrection et de son ascension qui ont pour cadre la ville de
   Jérusalem (*Lc.*, XXIII, 5 = sommaire).
— au début du livre des Actes, quand il est question de compléter
   le collège des douze apôtres (*Act.*, I, 22), juste avant la Pentecôte.
— Il en est une dernière fois question lors du discours de Pierre chez
   Corneille, ouvrant les portes de l'Église à la Gentilité (*Act.*, X, 37 =
   sommaire de l'activité de Jésus).

ἀρχή du témoignage apostolique :

— en finale de l'évangile lucanien (*Lc.*, XXIV, 47), dans une section
   qui résume le contenu du message qu'annonceront les apôtres
   depuis Jérusalem et jusqu'aux nations entières.
— au début du livre des Actes (*Act.*, I, 8), dans un morceau-prologue
   qui annonce le plan géographique que suivra le témoignage apostolique.
— dans le plaidoyer en faveur de Corneille et des siens, que Pierre
   soutient devant la communauté de Jérusalem (*Act.*, XI, 15 =
   qui rappelle la Pentecôte).

Ce constat préliminaire nous fait poser une autre question : celle
de la relation entre les deux ἀρχή. Si le parallélisme de contenu de ces
deux notions en effet est très clair, il ne suffit cependant pas pour conclure
à la dépendance de l'une vis-à-vis de l'autre. En d'autres mots encore,
la question que nous posons est la suivante : le parallélisme entre l'ἀρχή
de l'activité de Jésus et l'ἀρχή du témoignage apostolique est-il un
parallélisme de simple juxtaposition ou de profonde connexion ? Autrement dit encore : y-a-t-il entre le temps de Jésus et le temps de l'Église
une césure ou un lien organique étroit ? L'ἀρχή du témoignage apostolique est-il réellement un nouveau début par rapport à l'activité terrestre
de Jésus, sans autre lien que cette similitude tout externe d'une
représentation du ministère apostolique à l'instar du ministère de Jésus,
ou au contraire, le ministère apostolique se relie-t-il à l'activité de Jésus
comme un effet à sa cause ?

Revenons encore brièvement aux travaux de H. Conzelmann
concernant la conception lucanienne de l'histoire du salut. Dans la perspective d'ensemble de cet auteur, nous comprendrons mieux à présent
sa pensée quant à l'emploi lucanien du concept d'ἀρχή (de l'Église).
Il s'en dégage que, s'il admet, comme volontairement conscient, le
parallélisme établi entre le « début » en Galilée et le « début » de l'Église,

il n'en demeure pas moins vrai pour lui que cet emploi prégnant de l'ἀρχή concernant le commencement de l'Église n'a aucune attache dans l'évangile. En soi, il présuppose seulement la conscience d'être devenu une Église et doit se comprendre « dans le cadre d'un schéma qui n'a pas pu contenir l'idée de la préexistence de l'Église »[95]. Pour appuyer sa thèse, Conzelmann renvoie aux Épîtres johanniques dans lesquelles il croit retrouver un emploi similaire de l'ἀρχή qui, une nouvelle fois, s'empresse-t-il d'ajouter, ne trouve aucune racine dans l'évangile johannique.

Contre cette autonomie que Conzelmann affirme entre l'ἀρχή de l'Église et celle du ministère de Jésus, nous ferions valoir l'argument suivant : Luc lie expressément le concept de μαρτυρία à la notion d'ἀρχή (cfr *Lc.*, I, 2 ; XXIV, 47 ; *Act.*, I, 8 ; I, 22 ; X, 37) et l'ἀρχή de l'Église paraît bien consister en ce début du témoignage apostolique ; or, il n'y a de témoignage pour lui qu'en liaison avec ce que Jésus a fait ; il n'y a donc de début du témoignage qu'en liaison avec le début de l'activité de Jésus. En sorte que nous pensons que chez Luc, l'ἀρχή de l'Église reste secondaire, secondaire en ce sens qu'elle n'a d'existence qu'en fonction du « début » du ministère de Jésus. Le temps de l'Église ne se définit qu'en fonction du temps de Jésus qu'il présuppose. « Début » de l'Église et « début » de l'activité de Jésus sont d'essentielles notions théologiques. Elles n'obéissent pas d'abord chez Luc à un souci de pallier au retard de la parousie, mais servent, par leur présence aux articulations majeures des deux livres, à mieux mettre en lumière le plan, lui aussi théologique, qu'il assigne à son œuvre[96]. Luc est resté fondamentalement fidèle au schéma binaire du temps de la promesse et de celui de son accomplissement, cher aux synoptiques. Mais mieux qu'eux, il a su dégager le rôle conjoint de l'Église dans ce temps de l'accomplissement inauguré par Jésus.

Nous sommes redevable à H. Schürmann[97] d'avoir à bon droit corrigé ce que la thèse de Conzelmann a de trop rigide. Luc est parti

---

95. H. CONZELMANN, *Die Mitte*, p. 197, note 1.

96. J. DUPONT, *Le salut des Gentils et la signification théologique du Livre des Actes*, dans *NTS*, 6 (1959-60), 132-156, a bien mis en lumière ce plan théologique poursuivi par Luc : « L'évangélisation des Gentils... réalise les prophéties que le Messie apporterait le salut aux nations païennes. Elle fait donc partie intégrante du programme assigné au Christ par les Écritures. C'est la raison pour laquelle Luc a voulu ajouter au récit de la vie de Jésus celui des missions apostoliques : sans elles, l'œuvre de salut décrite par les prophéties messianiques ne serait pas achevée. L'histoire rapportée dans le livre des Actes apparaît ainsi comme toute chargée de théologie » (p. 136). Et il conclut (p. 156) : « Les Actes feraient comprendre non seulement que les Écritures sont accomplies, mais aussi qu'elles justifient la mission chrétienne auprès des païens en la présentant comme le prolongement nécessaire de l'œuvre de Salut du Christ Jésus ».

97. H. SCHUERMANN, *Evangelienschrift*, p. 63, plus note 53 et p. 54. Nous avons pourvu de guillemets les passages que nous empruntons à l'auteur.

du temps de la proclamation, du temps de cette Église dont il était, et c'est de ce point qu'il a considéré tout le temps de l'accomplissement. De ce « milieu du temps » (de l'accomplissement) qui était aussi le « maintenant de la proclamation », il pouvait rétrospectivement embrasser le chemin de Jésus comme un tout dans lequel « l'agir divin et le caractère d'accomplissement devenaient manifestes ». Il pouvait aussi prospectivement, sans s'y arrêter cependant, entrevoir le moment final de cette restauration, lors du retour du Seigneur. Ici encore, nous ne pouvons renvoyer à meilleur exemple que celui d'*Act.*, X, 34-44. Dans cette péricope, nulle trace d'une césure entre la vie de Jésus et la vie de l'Église. Comme Jésus « a été envoyé porter la Bonne Nouvelle » (v. 36), les apôtres eux aussi ont reçu, pour aujourd'hui, « mandat de proclamer et de témoigner » (v. 42). Luc part du présent qu'est la proclamation ecclésiale (« nous sommes les témoins de tout ce qu'il a fait » : v. 39, point central du discours) ; rétrospectivement, il peut saisir que Jésus est le « Seigneur de tous » (v. 36b) — qu'en lui les promesses ont trouvé accomplissement — et prospectivement, qu'il est le « juge établi par Dieu des vivants et des morts » (v. 42). Ainsi l'Église n'est finalement que cette assemblée de témoins qui proclament, à la face du monde, ce que Jésus a fait et enseigné en attendant qu'il revienne [98].

Rue des Jésuites, 28   É. SAMAIN
7500 Tournai

---

98. Nous reprendrions volontiers ici la thèse de W. C. van UNNIK, *The « Book of Acts », the Confirmation of the Gospel*, p. 26-59 : Jésus est un « début » (évangile) que « confirme » la prédication apostolique au monde entier (livre des Actes).

Les discours de Pierre dans les Actes et le chapitre XXIV de l'évangile de Luc *

On compte habituellement dans les Actes vingt-quatre discours. Sur ce nombre huit reviennent à Pierre, neuf à Paul, les sept autres étant répartis entre autant de personnages différents [1].

Huit discours : c'est évidemment beaucoup trop pour pouvoir en envisager une étude complète dans les limites d'un article. Il s'agit donc de préciser l'aspect par lequel nous allons les aborder. Commençons par dire que nous n'avons pas l'intention de nous contenter d'un bilan des recherches. L'entreprise ne serait sans doute pas bien difficile : on pourrait partir des exposés simples et lumineux que Mgr Cerfaux a consacrés aux discours dans ses introductions au Livre des Actes [2],

---

* Article rédigé en vue d'une conférence au *Centro internazionale di Studi Petriani*, à Rome, dans le cadre d'un cycle consacré à saint Pierre. En le dédiant à la chère mémoire de Mgr Cerfaux, nous voulons témoigner de notre gratitude envers le maître qui nous a initié à l'exégèse et qui a orienté nos recherches vers les Actes : il nous avait demandé, en juin 1949, de nous préparer à l'aider pour le commentaire du Livre des Actes qu'il espérait publier.

1. Les 8 discours de Pierre : I, 16-22 ; II, 14-36 (ou 14-40) ; III, 12-26 ; IV, 8-12 ; V, 29-32 ; X, 34-43 ; XI, 5-17 ; XV, 7-11. Les 9 discours de Paul : XIII, 16-41 ; XIV, 15-17 ; XVII, 22-31 ; XX, 18-35 ; XXII, 1-21 ; XXIV, 10-21 ; XXVI, 6-23 ; XXVII, 21-26 ; XXVIII, 17-20. Les 7 autres discours : V, 35-39 (Gamaliel) ; VII, 2-53 (Étienne) ; XV, 13-21 (Jacques) ; XIX, 25-27 (Démétrius) ; XIX, 35-40 (le grammate d'Éphèse) ; XXIV, 2-8 (Tertullus) ; XXV, 24-27 (Festus). Cette manière de compter, la plus communément adoptée, est celle de M. DIBELIUS, *Die Reden der Apostelgeschichte und die antike Geschichtsschreibung* (Sitzungsberichte der Heidelberger Akademie der Wissenschaften, Philos.-hist. Kl., 1949/1), Heidelberg, 1949, p. 17 s. ; cette étude est reproduite dans M. DIBELIUS, *Aufsätze zur Apostelgeschichte*, ed. H. GREEVEN (FRLANT, 60), Goettingue, 1951, p. 120-162 (130). On pourrait augmenter le nombre des discours en comptant d'autres pièces, à commencer par l'entretien de Jésus avec ses apôtres, I, 4-5. 7-8. Certains le réduisent : ainsi A. WIKENHAUSER, qui arrive à un total de 18 (il omet XI, 5-17 ; XIV, 15-17 ; XIX, 25-27 ; XXV, 24-27 ; XXVII, 21-26 ; XXVIII, 17-20) : *Die Apostelgeschichte und ihr Geschichtswert* (Neutest. Abhandlungen, VIII, 3-5), Munster-W., 1921, p. 146.

2. Dans A. ROBERT et A. FEUILLET, *Introduction à la Bible*, II, Tournai, 1959, p. 355-358, et dans L. CERFAUX-J. DUPONT, *Les Actes des Apôtres* (La Sainte

ou encore résumer l'excellent état de la question par lequel commence l'ouvrage de U. Wilckens sur les discours missionnaires des Actes [3] ; on trouverait un appoint précieux dans les pages que le P. Rasco a réservées aux discours de Pierre dans son cours de la Grégorienne [4], dans les études toutes récentes de J. Schmitt sur la prédication aposto-lique d'après les Actes [5], ou dans les recherches de C. Ghidelli concernant spécialement le discours de la Pentecôte [6]. Une vue d'ensemble sur ce qui a été dit au sujet de ces discours serait donc très possible, et elle aurait sans doute son utilité. Ce n'est cependant pas ce que nous voulons faire ici : plutôt que de rapporter l'opinion des exégètes sur les discours que les Actes attribuent à Pierre, nous voudrions aborder ces discours eux-mêmes, montrer comment ils se présentent, faire saisir les problèmes qu'ils soulèvent.

Autre voie d'approche que nous croyons devoir écarter : celle qui consisterait à poser aux textes une question très limitée ; par exemple, puisqu'il s'agit de discours attribués à Pierre, la question de savoir dans quelle mesure cette attribution peut être critiquement justifiée : est-il raisonnable de chercher dans ces discours le reflet de la pensée et l'écho des paroles du prince des apôtres ? Cette question mérite assurément d'être posée ; mais la poser dès le départ et concentrer toute son attention sur elle serait une erreur. Elle tendrait à faire prendre l'étude des discours sous un angle beaucoup trop étroit. La réponse à lui faire suppose qu'on ait d'abord compris les textes, qu'on se soit

---

Bible... de Jérusalem), Paris, 1953 (3e éd., 1964), p. 20-24. Mentionnons aussi, d'un genre un peu différent, l'état actuel des questions, bref et substantiel, fourni dans (P. Feine-J. Behm) W. G. Kuemmel, *Einleitung in das Neue Testament*, Heidelberg, 1963, p. 107-110.

3. U. Wilckens, *Die Missionsreden der Apostelgeschichte. Form- und traditions-geschichtliche Untersuchungen* (Wissenschaftliche Monographien zum A. und N.T., 5), 2e éd., Neukirchen-Vluyn, 1963, p. 7-31.

4. Aem. Rasco, *Actus Apostolorum. Introductio et exempla exegetica*, fasc. 2, Rome, 1968, p. 176-270 : « De sermonibus in Ac ac potissimum S. Petri ». Noter la bibliographie (p. 176-178).

5. J. Schmitt, *La prédication apostolique. Les formes. Le contenu*, dans l'ouvrage en collaboration *Où en sont les études bibliques ? Les grands problèmes actuels de l'exégèse* (L'Église en son temps, 14), Paris, 1968, p. 107-133 ; *Prédication aposto-lique*, dans *Supplément au Dictionnaire de la Bible*, 8, fasc. 42 (1967), col. 246-256 ; fasc. 43 (1968), col. 257-273.

6. C. Ghidelli, *Il discorso di Pietro nel giorno di Pentecoste (Atti 2, 14-41)*, dans T. Ballarini, *Introduzione alla Bibbia con antologia esegetica*, V/1, Turin, 1966, p. 85-110 ; *Le citazioni dell'Antico Testamento nel cap. 2 degli Atti*, dans *Il Mes-sianismo. Atti della XVIII Settimana Biblica* (Associazione Biblica Italiana), Brescia, 1966, p. 285-305 ; *Tradizione o redazione nel martyrion di San Pietro a Gerusalemme*, dans *San Pietro. Atti della XIX Settimana Biblica* (Assoc. Bibl. It.), Brescia, 1967, p. 215-240 ; *Bibliografia Biblica Petrina*, dans *La Scuola Cattolica*, 96 (1968), 62*-110* (discours de Pierre dans les Actes : p. 86*-93*).

rendu compte de la manière dont les discours sont composés et de la nature de la documentation qu'ils mettent en œuvre. On peut finir par le problème de l'authenticité pétrinienne ; ce n'est pas par là qu'il faut commencer.

Nous nous proposons donc d'aborder les discours de Pierre tels qu'ils se présentent à nous. Comme il n'est pas possible de les envisager ici à tous les points de vue, nous comptons nous attacher avant tout aux rapports qui les unissent entre eux : aux éléments qui les rapprochent plutôt qu'à ceux qui les distinguent les uns des autres. Même à ce point de vue, il faudra se limiter : nous comptons laisser de côté l'aspect purement philologique de la question ; il a son importance, mais il nous semble possible d'entrer suffisamment dans le sujet sans devoir faire appel à des considérations de langue et de style qui prennent nécessairement un caractère fort technique.

Autre limitation, inhérente au point de vue que nous adoptons : prenant les discours tels qu'ils se présentent à nous et en considérant surtout ce qui les unit, nous mettrons nécessairement l'accent sur le travail littéraire de Luc dans la composition de ces discours et dans le rôle qui leur est assigné dans l'ensemble de son ouvrage. Nous ne pourrons guère faire plus qu'évoquer les recherches ultérieures, qui auraient à s'intéresser aux matériaux traditionnels repris dans les discours. A cet égard encore, notre étude risque de paraître incomplète. Mais notre but n'est pas de tout dire. Nous croirons en avoir fait assez si notre exposé permet au lecteur de saisir, d'une manière concrète, la nature propre des discours dont nous nous occupons et la manière dont se posent les problèmes qui les concernent. A quoi bon chercher la solution d'un problème si d'abord on ne s'est pas rendu compte des termes dans lesquels il se pose ?

Les huit discours dont nous avons à parler se partagent en deux groupes bien distincts : d'une part, ceux qui annoncent le message chrétien à un auditoire qui ne l'a pas encore accueilli ; d'autre part, ceux qui s'adressent à la communauté chrétienne. Notre étude examinera successivement ces deux groupes.

La première partie s'occupera des cinq discours qu'on appelle « missionnaires » : ceux des ch. II et III, dans lesquels Pierre harangue le peuple juif de Jérusalem ; ceux des ch. IV et V, beaucoup plus courts, qui sont prononcés devant le Sanhédrin ; celui enfin du ch. X, adressé au centurion Corneille, un homme « craignant Dieu » qui, sans avoir accepté la circoncision, partage cependant la foi et la piété d'Israël. L'étude de ces cinq discours suppose de constants rapprochements avec deux autres textes : d'abord, au ch. XIII, le discours de Paul dans la synagogue d'Antioche de Pisidie, étroitement apparenté aux discours de Pierre ; ensuite le ch. XXIV de l'évangile de Luc et le récit qu'il fait des événements du jour de Pâques. C'est donc finalement à sept textes que nous aurons affaire dans notre première partie.

La seconde, qui pourra être beaucoup plus courte, n'aura à s'occuper que des trois discours de Pierre à la communauté chrétienne de Jérusalem : celui du ch. I, exposant les raisons pour lesquelles il convient de pourvoir au remplacement de Judas ; ceux des ch. XI et XV, dans lesquels Pierre précise les leçons qui doivent se dégager de l'histoire de la conversion de Corneille.

Première partie : Les discours missionnaires

A. ANALYSE DES DISCOURS

Nous commencerons par faire l'analyse des discours, de façon à avoir une idée un peu précise de leur contenu ; après quoi nous pourrons passer à quelques observations d'ensemble.

L'analyse ne peut pas s'arrêter aux particularités de chacun des discours, à la variété de leurs moyens d'expression. Elle s'attachera plutôt à ce qu'ils ont en commun, ce qui permet d'en parler comme d'un groupe homogène. Leur unité résulte du fait qu'ils proposent les mêmes thèmes, en suivant un même schéma fondamental. Il est assez facile de les rapprocher les uns des autres en comparant ce qu'ils disent sur chacun des points de ce schéma. Nous distinguerons six points [7] : (1) un exorde de circonstance, (2) un rappel du ministère de Jésus et (3) des conditions dans lesquelles il est mort, (4) une affirmation solennelle de sa résurrection, (5) des explications qui éclairent par l'Écriture la

---

[7]. Ce schéma équivaut pratiquement à celui que définit M. DIBELIUS, *Die Formgeschichte des Evangeliums*, 3e éd., Tubingue, 1959, p. 15-16 ; *Die Reden der Apg*, p. 33 (*Aufsätze*, p. 142). Il nous paraît mieux correspondre aux données que celui, en six points, proposé par C. H. DODD, *The Apostolic Preaching and its Developments*, Londres, 1936 (1950), p. 21-24. On arrive à sept points avec B. GAERTNER, *Missionspredikan i Apostlagärningarna*, dans *Svensk Exegetisk Aorsbok*, 15 (1950), 34-54 ; *The Areopagus Speech and Natural Revelation* (Acta Seminarii Neotestamentici Upsaliensis, XXI), Lund-Copenhague, 1955, p. 30-32. On redescend à cinq points avec T. F. GLASSON, *The Kerygma : Is Our Version Correct ?*, dans *The Hibbert Journal*, 51 (1952-53), 129-132. On remonte à neuf points avec E. SCHWEIZER, *Zu den Reden der Apostelgeschichte*, Theol. Zeitschrift, 13 (1957), 1-11, reproduit dans E. SCHWEIZER, *Neotestamentica*, Zurich, 1963, p. 418-428, traduit en anglais : *Concerning the Speeches in Acts*, dans *Studies in Luke-Acts. Essays presented in honor of Paul Schubert* (ed. L. E. KECK et J. L. MARTYN), Nashville-New York, 1966, p. 208-216. Schéma en sept points dans B. M. F. VAN IERSEL, « *Der Sohn* » in den synoptischen Jesusworten. *Christusbezeichnung der Gemeinde oder Selbstbezeichnung Jesu ?* (Suppl. to Nov. Test., III), 2e éd., Leyde, 1964, p. 40-43. Autre système chez Bo REICKE, *A Synopsis of Early Christian Preaching*, dans A. FRIDRICHSEN et al., *The Root of the Vine. Essays in Biblical Theology*, Londres, 1953, p. 128-160 (139), etc.

signification de cette résurrection ; (6) on termine en annonçant que la rémission des péchés est offerte à ceux qui accueillent le message. Nous allons prendre successivement ces six points et examiner la manière dont ils sont présentés dans les cinq discours de Pierre, dans le discours de Paul à Antioche de Pisidie, et aussi dans le ch. XXIV de l'évangile de Luc.

<h2 style="text-align:center">1. L'exorde</h2>

L'exorde a pour but d'assurer le rattachement du message chrétien à la situation dans laquelle le discours est placé. On constate assez vite que cette entrée en matière retient habituellement, dans la situation supposée, un trait qui suscite l'étonnement et appelle ainsi les explications que l'orateur se dispose à fournir.

Cette présentation est particulièrement claire dans l'introduction du discours de la Pentecôte (*Act.*, II, 14-21). Des phénomènes étranges viennent de se produire, plongeant la foule dans la stupeur (vv. 7 et 12a) ou provoquant ses sarcasmes (v. 12b). Pierre part de là ; il invite ses auditeurs à reconnaître dans la venue de l'Esprit l'accomplissement d'un oracle de Joël, et donc à l'interpréter comme un signe eschatologique [8].

En III, 12, le discours dans la cour du Temple part de la réaction d'effroi et de stupeur (v. 10) provoquée sur les assistants par la guérison miraculeuse qui vient de se produire : « Hommes d'Israël, pourquoi

---

8. Le rapport de la citation de Joël avec le récit qui précède n'épuise pas sa signification, comme pourraient le faire penser les explications, par exemple, de B. LINDARS, *New Testament Apologetic. The Doctrinal Significance of the Old Testament Quotations*, Londres, 1961, p. 36-38. On ne saurait se contenter non plus d'y voir un simple raccord entre la situation qui vient d'être décrite et le kérygme christologique proclamé par Pierre (U. WILCKENS, *Die Missionsreden*, p. 34). Non seulement l'événement de la venue de l'Esprit recevra une interprétation christologique au v. 33, mais l'affirmation sur laquelle s'arrête la citation, « Quiconque invoquera le nom du Seigneur sera sauvé » (v. 21 = *Jl.*, III, 5a), commande d'une certaine manière toute la suite du discours, qui pourrait être considéré comme son commentaire : cfr M. RESE, *Alttestamentliche Motive in der Christologie des Lukas*, Bonn, 1965, p. 54-56. Le discours se termine d'ailleurs par un appel à la suite du v. 5 de Joël, où on lit : « Car sur le mont Sion et à Jérusalem il y aura des sauvés, comme l'a dit le Seigneur, et des évangélisés que le Seigneur appellera » ; ce qui devient sur les lèvres de Pierre : « C'est pour vous qu'est la promesse ainsi que pour vos enfants et pour tous ceux qui sont au loin, en aussi grand nombre que le Seigneur les appellera » (*Act.*, II, 39). La promesse « Quiconque invoquera le nom du Seigneur sera sauvé » concerne aussi « tous ceux qui sont au loin » : dans la perspective de Luc, l'expression fait allusion aux Gentils. Cfr notre article *Le salut des Gentils et la signification théologique du Livre des Actes*, dans NTS, 6 (1959-60), 132-155 (145 s.) = *Études sur les Actes des Apôtres* (Lectio Divina, 45), Paris, 1967, p. 393-419 (408 s.) ; M. RESE, *op. cit.*, p. 63.

vous étonner de cela ? » (v. 12a). Et tout de suite, encore sous une forme
interrogative, Pierre écarte une explication erronée : « Qu'avez-vous
à nous regarder, comme si c'était par notre propre puissance ou grâce
à notre piété que nous avons fait marcher cet homme ? » (v. 12b).

En IV, 9, le premier discours devant le Sanhédrin commence par
souligner l'étrangeté de la situation : les apôtres ont à répondre en
justice du bien qu'ils ont fait à un infirme.

Lors de la deuxième comparution des apôtres devant le Sanhédrin,
c'est au grand prêtre qu'il revient de mettre en valeur la singularité de
la conduite des apôtres : alors que la plus haute instance religieuse
leur avait interdit de continuer leur prédication, ils n'en continuent
pas moins à remplir Jérusalem de leur doctrine (V, 28). Pierre commence
son discours en répondant, au nom des apôtres : « Il faut obéir à Dieu
plutôt qu'aux hommes » (v. 29).

Nouvelle anomalie dans la situation du discours de Césarée : contrairement aux prescriptions religieuses qui interdisent à un Juif « de frayer
avec un étranger ou d'entrer chez lui » (X, 28), Pierre se trouve chez un
centurion romain auquel il s'apprête à annoncer le message chrétien.
Son discours commence par une explication sur cette situation où Dieu
lui même l'a mis : « Je constate en vérité que Dieu ne fait pas acception
des personnes... » (vv. 34-35) [9].

---

9. D'accord avec l'ensemble des exégètes, nous pensons que le v. 36 entame
le kérygme proprement dit. Il n'y a donc pas lieu de rattacher ce verset aux affirmations des vv. 34-35 auxquelles il apporterait une précision complémentaire :
interprétation qui a été proposée sous différentes formes (E. JACQUIER en mentionne
cinq : *Les Actes des Apôtres*. Études Bibliques, Paris, 1926, p. 329), mais qu'on ne
rencontre plus qu'assez rarement aujourd'hui : cfr F. W. GROSHEIDE, *De Handelingen
der Apostelen* (Kommentaar op het N.T., V), I, Amsterdam, 1942, p. 343 s. ;
J. COMBLIN, *La paix dans la théologie de saint Luc*, dans *Eph. Theol. Lov.*, 32 (1956),
439-460 (443-446) ; J. JERVELL, *Das gespaltene Israel und die Heidenvölker. Zur
Motivierung der Heidenmission in der Apostelgeschichte*, dans *Studia Theologica*, 19
(1965), 68-96 (85, n. 35). Nous ne nous rallions pas pour autant à l'opinion qui fait
dépendre directement le v. 36 du verbe « vous savez » par lequel commence le
v. 37 : à peu près complètement abandonnée par l'exégèse récente, cette explication
reparaît soudain dans *The Greek New Testament*, ed. K. ALAND, M. BLACK,
B. M. METZGER, A. WIKGREN, Philadelphia-Stuttgart, 1966, p. 457. Il n'y a pas lieu
non plus de voir dans le v. 36 une sorte de doublet du v. 37, suivant l'hypothèse
de M. DIBELIUS (*Aufsätze zur Apg*, p. 82 s. et 98, n. 1) récemment reprise par
H. CONZELMANN, *Die Apostelgeschichte* (Handbuch zum N.T., 7), Tubingue, 1963,
p. 65. Mieux vaut penser que la phrase commencée au v. 36 est restée en suspens ;
plutôt que d'achever une période déjà surchargée de précisions disparates, Luc a
préféré reprendre sa pensée à nouveaux frais (cfr la phrase inachevée qui sert
de prologue aux Actes). Voir les explications de H. H. WENDT, *Die Apostelgeschichte*
(Krit.-exeg. Komm. über dans N.T., III, 9e éd.), Goettingue, 1913, p. 183 s. ;
A. LOISY, *Les Actes des Apôtres*, Paris, 1920, p. 445 s. ; U. WILCKENS, *Die Missionsreden der Apg*, p. 47 s. Nous avons commenté *Act.*, X, 34-38 dans un article paru
dans la collection « Assemblées du Seigneur », 2e série, no 12, Paris, 1969, p. 40-47.

Le discours d'Antioche de Pisidie constitue une exception. Il n'est lié à aucune circonstance extraordinaire. Il commence simplement (XIII, 16-23) par le rappel de quelques événements de l'histoire sainte : sortie d'Égypte, accession de David à la royauté.

Au ch. XXIV de l'évangile, le message pascal est proclamé une première fois par les deux anges du tombeau ; il est introduit par une question qui souligne l'étrangeté de la conduite des femmes : « Pourquoi cherchez-vous parmi les morts celui qui est vivant ? » (v. 5b). La deuxième version du message est fournie par le dialogue entre les pèlerins d'Emmaüs et le voyageur inconnu qui s'est joint à eux ; le rappel du ministère de Jésus et des circonstances de sa mort est introduit par la remarque dans laquelle Cléophas exprime sa surprise : « Tu es bien le seul habitant de Jérusalem à ignorer ce qui s'y est passé ces jours-ci ! » (v. 18). La troisième version, prononcée par Jésus à l'intention des apôtres, commence par une question qui semble traduire un certain étonnement : « Pourquoi tout ce trouble et pourquoi des pensées montent-elles en votre cœur ? » (v. 38) [10].

On s'en rend compte : des circonstances très variées dans lesquelles le message est annoncé, Luc retient de préférence le trait étonnant, qui appelle explication : cette explication fournit le point de départ des discours missionnaires ; à l'exception du discours d'Antioche de Pisidie.

2. *Le ministère terrestre de Jésus*

Ce rappel ne se rencontre que dans les discours plus développés ; il manque dans les ch. III, IV et V. Disons tout de suite que le ch. XIII remonte au-delà du ministère terrestre de Jésus en faisant appel au témoignage de Jean-Baptiste : « Dès avant sa venue (la venue du descendant de David), Jean avait proclamé un baptême de repentir à tout le peuple d'Israël. Et comme Jean achevait sa course, il disait : Ce que vous supposez que je suis, je ne le suis pas ; mais voici que vient après moi celui dont je ne suis pas digne de délier la chaussure de ses pieds » (XIII, 24-25). Cette référence à Jean-Baptiste étonne sur les lèvres de Paul ; il est facile de se rendre compte qu'elle correspond très précisément à la manière dont Luc lui-même a présenté Jean au début de son évangile (voir surtout *Lc.*, III, 15-16a) [11].

---

10. Comme la première formulation du message pascal, son complément eschatologique est confié à deux anges, qui commencent également par une question étonnée : « Hommes de Galilée, pourquoi restez-vous ainsi à regarder le ciel ? » (*Act.*, I, 11a). Notons que les deux prédications missionnaires de Paul à l'adresse des païens commencent aussi par des questions qui expriment l'étonnement : XIV, 15a ; XVII, 19b-20a. Il s'agit manifestement d'un procédé littéraire destiné à piquer l'attention et à donner plus de relief aux explications qui suivent.

11. « Malgré divers *hapax eiremena* dont certains pourraient n'être pas rédactionnels, *Act.*, XIII, 23-25 accuse, à quelques touches près (à comparer v. 25b et *Lc.*, III,

L'évocation du ministère public de Jésus est particulièrement explicite au ch. X : il est avantageux de partir de là. Pierre situe d'abord ce ministère dans l'espace et dans le temps : « Vous savez ce qui est arrivé dans la Judée tout entière, en commençant par la Galilée, après le baptême qu'avait prêché Jean » (v. 37). Les précisions géographiques répètent une addition de Luc dans le récit de la Passion [12] : « Il soulève le peuple, enseignant dans la Judée tout entière, et en commençant par la Galilée jusqu'ici » (*Lc.*, XXIII, 5). La précision chronologique, « après le baptême qu'avait prêché Jean », correspond à la perspective de Luc, pour qui le ministère de Jean est terminé au moment où Jésus commence le sien [13] : c'est le point de vue que nous venons de rencontrer en XIII, 24-25 [14], celui aussi qui correspond aux indications de l'Évangile de l'enfance sur le ministère de Jean (I, 17.76), à l'anticipation de l'emprisonnement de Jean en *Lc.*, III, 19-20, à la retouche significative opérée dans le logion de *Lc.*, XVI, 16, où l'on voit que le temps du Royaume commence, non plus avec Jean (*Mt.*, XI, 12), mais après Jean, qui appartient encore au temps de la Loi et des Prophètes [15].

Pierre continue en X, 38 : « Jésus de Nazareth, comment Dieu l'a oint d'Esprit Saint [16] et de puissance [17], lui qui a passé en faisant le

---

16 par.), les traits caractéristiques des péricopes johannites du troisième évangile : le rôle de « précurseur » imparti au Baptiste est marqué d'emblée avec vigueur (v. 24 = *Lc.*, I, 76 ; III, 15. 16 par. ; VII, 27 par.) ; le « kérygme » de Jean porte sur « le baptême de la repentance » (v. 24 = *Lc.*, III, 3...) ; il vise à la conversion de « *tout le peuple* d'Israël » (v. 24 = *Lc.*, III, 15. 18. 21 ; cfr aussi v. 7 et 10) ; Jean rend témoignage du Messie « au moment de terminer sa course » (v. 25a = *Lc.*, III, 16-17. 18-19) ; le témoignage enfin, qui souligne l'infériorité du Baptiste par rapport au Christ, réagit apparemment contre le sentiment « populaire » que Jean serait déjà le Messie (v. 25 = *Lc.*, III, 15) » (J. SCHMITT, *Suppl. au Dict. de la Bible*, 8, col. 253).

12. Il s'agit d'une transition permettant de passer de la comparution devant Pilate à la comparution devant Hérode.

13. Le quatrième évangile ne partage pas cette manière de voir : cfr *Jn.*, III, 22-30.

14. Voir aussi *Act.*, XIX, 4.

15. Sur le caractère secondaire de la version de Luc, voir W. G. KUEMMEL, *Verheissung und Erfüllung. Untersuchungen zur eschatologischen Verkündigung Jesu* (Abhandlungen zur Theol. des A. und N.T., 6), 3e éd., Zurich, 1956, p. 114-117. Sur la portée des retouches opérées par Luc : H. CONZELMANN, *Die Mitte der Zeit. Studien zur Theologie des Lukas* (Beitr. zur hist. Theol., 17), 3e éd., Tubingue, 1960, p. 17 s. et 20 ; U. WILCKENS, *Die Missionsreden*, p. 101-106 ; A. GEORGE, *Tradition et rédaction chez Luc. La construction du troisième évangile*, dans *Ephem. Theol. Lov.*, 43 (1967), 100-129 (104-105) = *De Jésus aux Évangiles. Tradition et Rédaction dans les Évangiles synoptiques* (Bibl. Ephem. Theol. Lov., 25 = *Mélanges J. Coppens*, II), Gembloux-Paris, 1967 (même pagination).

16. Allusion à *Is.*, LXI, 1 (cfr *Lc.*, IV, 18).

17. Luc insiste sur la « puissance » déployée par Jésus : voir les précisions ajoutées en *Lc.*, IV, 36 ; V, 17 ; VI, 19 ; IX, 1. Il met un rapport étroit entre « Esprit » et

bien [18] et en guérissant [19] ceux qui étaient tombés au pouvoir du diable, car Dieu était avec lui [20]. » Même présentation en II, 22, dans le discours de la Pentecôte : « Jésus le Nazaréen, cet homme que Dieu a accrédité auprès de vous par les miracles, prodiges et signes qu'il a opérés par lui au milieu de vous [21]. » En *Lc.*, XXIV, 19, les disciples d'Emmaüs s'expriment d'une manière très semblable : « Jésus le Nazarénien, qui s'est montré un prophète puissant en œuvres et en paroles [22] devant Dieu et devant tout le peuple. » L'analogie entre ces trois descriptions du ministère terrestre de Jésus ne peut manquer de frapper [23]. Mais il est trop tôt pour en tirer des conclusions.

3. *La crucifixion*

En parlant de la crucifixion de Jésus [24], les discours missionnaires soulignent régulièrement deux traits. Ils la présentent comme l'œuvre des habitants de Jérusalem et de leurs chefs et sous la forme d'une accusation. Ce premier trait correspond à une série de retouches qui, dans le récit lucanien de la Passion, insistent sur la responsabilité des Juifs de Jérusalem (cf. *Lc.*, XXIII, 2.4.5.20.22.23.25.51) ; la forme de l'accusation se retrouve dans le discours d'Étienne : « Lequel des prophètes vos pères n'ont-ils pas persécuté ? Ils ont tué ceux qui annonçaient

---

« puissance » : *Lc.*, I, 17. 35 ; IV, 14 ; *Act.*, I, 8 ; comparer aussi *Lc.*, XXIV, 49 avec *Act.*, I, 5 ; *Act.*, VI, 3. 5 avec VI, 8.

18. « Faisant le bien », εὐεργετῶν : même vocabulaire en *Lc.*, XXII, 25, εὐεργέτης (l'épithète des souverains hellénistiques), et *Act.*, IV, 9, εὐεργεσία. Sur ces termes, voir G. BERTRAM, dans *Theol. Wörterb. zum N.T.*, II (1935), p. 651-653. En « guérissant ceux qui sont tombés au pouvoir du diable », Jésus apparaît comme un « bienfaiteur », au sens où ce terme équivaut pratiquement à « sauveur » : cfr G. Voss, *Die Christologie der lukanischen Schriften in Grundzügen* (Studia Neotest., Studia, 2), Paris-Bruges, 1965, p. 46 s. et 55.

19. ἰάομαι, verbe pour lequel Luc montre une prédilection : J. C. HAWKINS, *Horae Synopticae. Contributions to the Study of the Synoptic Problem*, 2ᵉ éd., Oxford, 1909, p. 19. Il a cependant été omis dans la citation de *Lc.*, IV, 18, sans doute parce que *Is.*, LXI, 1 le prend dans un sens figuré : cfr I. DE LA POTTERIE, *L'onction du Christ. Étude de théologie biblique*, dans *Nouv. Rev. Théol.*, 80 (1958), 225-252 (p. 230, n. 16).

20. Même expression en *Act.*, VII, 9, à propos du patriarche Joseph (cfr *Gen.*, XXXIX, 21).

21. *Act.*, VII, 36 dit de Moïse : « Il les fit sortir en opérant prodiges et signes au pays d'Égypte » ; d'après *Ex.*, VII, 3, c'est Dieu lui-même qui déclare qu'il va multiplier signes et prodiges au pays d'Égypte. *Act.*, II, 22 concilie les deux aspects.

22. Cfr *Act.*, VII, 22 : Moïse « était puissant en paroles et en œuvres ».

23. Ces trois passages, qui caractérisent de la même manière le ministère de Jésus, signalent d'abord son origine nazaréenne : ce trait, mais lui seul, apparaît au même endroit en *Act.*, IV, 10 : « Jésus Christ le Nazaréen... ».

24. Cfr U. WILCKENS, *Die Missionsreden der Apostelgeschichte*, p. 109-137.

d'avance la venue du Juste, celui-là même dont vous vous êtes faits maintenant les traîtres et les assassins » (*Act.*, VII, 52).

Le second trait, qu'on peut appeler apologétique, affirme la conformité de la mort de Jésus avec le dessein divin tel qu'il était exprimé dans les Écritures. Cette note est également chère à Luc, comme on le voit en particulier par *Lc.*, XVIII, 31 : au lieu d'écrire, comme *Mc.*, X, 33, « Voici que nous montons à Jérusalem, et le Fils de l'homme sera livré... », Luc précise : « Voici que nous montons à Jérusalem et que sera accompli tout ce qui a été écrit par les prophètes au sujet du Fils de l'homme ; car il sera livré... » On peut signaler un troisième trait, qui n'apparaît que dans deux discours (III, 13 et XIII, 28) et qui correspond également à une préoccupation de Luc dans son récit de la Passion (cf. *Lc.*, XXIII, 4.14.15.32) : Jésus était innocent, il n'avait rien fait de mal pour mériter le supplice qui lui a été infligé.

En *Act.*, II, 23, Pierre déclare : « Cet homme qui a été livré selon le dessein arrêté et la prescience de Dieu (trait apologétique, dans une formulation qui fait écho à *Lc.*, XXII, 22), vous l'avez pris et fait mourir en le clouant à la croix par la main des impies »[25]. L'accusation est répétée au v. 36 : « ... ce Jésus que vous, vous avez crucifié ».

Le discours dans la cour du Temple est particulièrement insistant : « ... Jésus, que vous avez livré et que vous avez renié devant Pilate, alors qu'il était décidé à le relâcher[26]. Mais vous, vous avez chargé le Saint et le Juste[27] ; vous avez réclamé la grâce d'un assassin[28], tandis que vous faisiez mourir le Prince de la vie » (*Act.*, III, 13-15a). Après l'accusation, la note apologétique : « Je sais que c'est par ignorance que vous avez agi, ainsi d'ailleurs que vos chefs ; Dieu, lui, a accompli ainsi ce qu'il avait annoncé d'avance par la bouche de tous les prophètes : que son Christ souffrirait » (III, 17-18).

IV, 10 : « C'est au nom de Jésus Christ le Nazaréen, que vous, vous avez crucifié... » L'accusation n'est pas accompagnée ici de la note apologétique ; elle est sous-jacente cependant dans l'allusion que le v. 11 fait au *Ps.* CXVIII, 22[29] : « C'est lui la pierre que vous, les bâtisseurs, avez dédaignée ».

---

25. Cfr *Lc.*, XXIV, 7 : « Il faut que le Fils de l'homme soit livré aux mains des pécheurs et soit crucifié » ; IX, 44 : « Le Fils de l'homme va être livré aux mains des hommes ».

26. Allusion à un point sur lequel, à la différence des deux autres Synoptiques, Luc a fortement insisté dans l'histoire de la Passion : *Lc.*, XXIII, 16 : « Je le relâcherai » ; XXIII, 20 : « Voulant relâcher Jésus » ; XXIII, 22 : « Je le relâcherai. » Cfr J. Schmitt, *Suppl. au Dict. de la Bible*, 8, col. 252.

27. Cfr *Lc.*, XXIII, 47 : « Sûrement, cet homme était un juste. »

28. Autre point souligné dans le récit lucanien de la Passion : les Jérusalémites ont « réclamé » (XXIII, 25 ; cfr v. 24) Barabbas, un « assassin » (vv. 19 et 25).

29. Cfr *Lc.*, XX, 17 = *Mc.*, XII, 10.

V, 30 : « ... ce Jésus que vous, vous avez fait mourir en le suspendant au bois ». Ici encore, la note apologétique fait défaut, à moins qu'on ne la soupçonne dans l'allusion à *Dt.*, XXI, 23.

X, 39 : « ... au pays des Juifs et à Jérusalem. Lui qu'ils ont fait mourir en le suspendant au bois ».

XIII, 27-29 : « Les habitants de Jérusalem et leurs chefs [30] ont accompli sans le savoir les paroles des prophètes qu'on lit chaque sabbat : sans trouver en lui aucun motif de mort [31], ils l'ont condamné et ont demandé à Pilate de le faire périr. Lorsqu'ils eurent accompli tout ce qui était écrit de lui... » [32].

Les pèlerins d'Emmaüs s'exprimaient déjà de la même manière : « Comment nos grands prêtres et nos chefs l'ont livré pour être condamné à mort et l'ont crucifié » (*Lc.*, XXIV, 20). L'argument apologétique se trouve dans la réponse de Jésus : « O cœurs sans intelligence, lents à croire à tout ce qu'ont annoncé les prophètes ! Ne fallait-il pas que le Christ endurât ces souffrances... ? » (vv. 25-27 ; cfr vv. 44-46 et déjà le v. 7) [33].

Nous nous trouvons donc en présence d'un tableau très homogène. Dans tous les textes, la crucifixion de Jésus est présentée sous la forme d'une accusation, non pas contre les Juifs en général, mais contre les Jérusalémites et leurs chefs. On retrouve en même temps dans la bouche de Jésus (*Lc.*, XXIV), dans celle de Pierre (*Act.*, II et III) et celle de Paul (*Act.*, XIII) la même explication apologétique se référant au dessein de Dieu révélé par les prophètes [34].

---

30. Cfr *Act.*, III, 17. Luc est seul à mentionner les « chefs » dans le contexte de la Passion : *Lc.*, XXIII, 13. 25 ; XXIV, 20.

31. L'expression est employée avec insistance dans l'évangile de Luc, et là seulement, mais à propos de Pilate : XXIII, 4 : « Je ne trouve aucun motif (de condamnation) en cet homme » ; XXIII, 14 : « Je n'ai trouvé en cet homme aucun motif (de condamnation) » ; XXIII, 15 : « Rien qui motive la mort n'a été fait par lui » ; XXIII, 22 : « Je n'ai trouvé en lui aucun motif de mort ».

32. Le verset ajoute : « L'ayant descendu du bois, ils le déposèrent dans un tombeau. » Luc répète ce qu'il a écrit dans l'évangile, mais en parlant de Joseph, « homme bon et juste » : « L'ayant descendu, il le roula dans un linceul et le déposa dans un tombeau taillé dans le roc » (*Lc.*, XXIII, 53). Il ajoute cependant la mention du « bois », comme en *Act.*, V, 30 et X, 39.

33. Sur la structure de ce chapitre et les trois étapes de sa révélation du message pascal (vv. 5-7, 25-27 et 44-49), voir P. SCHUBERT, *The Structure and Significance of Luke 24*, dans *Neutestamentliche Studien für Rudolf Bultmann* (Beihefte ZNW, 21), Berlin, 1954, p. 165-186.

34. U. WILCKENS (*Die Missionsreden der Apg*, p. 137) conclut : « Abgesehen von wenigen Ausnahmen, wo Lukas vorgegebene Einzelüberlieferungen aufgenommen hat, lässt sich im ganzen im Blick auf die Aussagen über Verurteilung und Tod Jesu in den Actareden feststellen, *dass sie in ihrer jetzigen Gestalt durchgehend von Lukas selbst formuliert sind, und zwar nachweislich in engem Anschluss an den Wortlaut der Leidensgeschichte seines eigenen Evangeliums...* »

4. La résurrection

Deux traits caractérisent la manière dont les discours missionnaires des Actes présentent la résurrection de Jésus. Ils la mentionnent d'abord comme un acte de Dieu, dont l'intervention fait contraste avec l'action criminelle des Jérusalémites ; cette formulation antithétique est particulière à ces discours : on ne la retrouve pas ailleurs dans le Nouveau Testament. Ensuite l'affirmation de la résurrection est accompagnée d'une référence à ceux qui ont reçu le mandat pour en être les témoins ; le sens précis dans lequel le mot « témoin » est employé dans ces discours se retrouve uniquement en *Lc.*, XXIV, 48 et *Act.*, I, 8.22, et pas ailleurs dans le Nouveau Testament [35].

Dans le discours de la Pentecôte : « ... vous l'avez pris et fait mourir en le clouant à la croix par la main des impies, mais Dieu l'a ressuscité... » (II, 23-24). L'affirmation est reprise au v. 32 : « Dieu l'a ressuscité, ce Jésus ; nous en sommes tous témoins. »

III, 15 : « Vous avez fait mourir le Prince de la vie, que Dieu a ressuscité des morts ; nous en sommes témoins. »

IV, 10 : « C'est par le nom de Jésus Christ le Nazaréen, que vous, vous avez crucifié, que Dieu a ressuscité des morts... (que l'infirme a été guéri) ». Nous avons ici le seul cas où il n'y a pas appel au témoignage apostolique ; sans doute parce que le miracle suffit.

---

35. Sur la valeur particulière que cette notion reçoit chez Luc, on consultera encore avec profit les notices Μάρτυς de R. P. CASEY, dans F. J. FOAKES JACKSON et K. LAKE, *The Beginnings of Christianity*, I/V, Londres, 1933, p. 30-37, et de H. STRATHMANN, dans ThWNT, IV (1942), p. 477-520 (495-497). Parmi les récentes, retenons surtout Ph.-H. MENOUD, *Jésus et ses témoins. Remarques sur l'unité de l'œuvre de Luc*, dans *Église et Théologie*, 23 (1960), 7-20 ; N. BROX, *Zeuge und Märtyrer. Untersuchungen zur früchristlichen Zeugnis-Terminologie* (StANT, 5), Munich, 1961, p. 43-69 ; U. WILCKENS, *Die Missionsreden der Apg*, p. 145-150. Il faut rappeler aussi (sans chercher à être complet) L. CERFAUX, *Témoins du Christ (d'après le Livre des Actes)*, dans *Angelicum*, 20 (1943), 166-183 = *Recueil Lucien Cerfaux* (Bibl. Ephem. Theol. Lov., 6-7), II, Gembloux, 1954, pp. 157-174 ; A. RÉTIF, *Témoignage et prédication missionnaire dans les Actes des Apôtres*, dans *Nouv. Rev. Théol.*, 73 (1951), 152-165 ; K. H. RENGSTORF, *Zum Begriff des Zeugen im Osterkerygma*, dans *Die Auferstehung Jesu. Form, Art und Sinn der urchristlichen Osterbotschaft*, 2e éd., Witten, 1954, p. 106-114 ; R. KOCH, *Témoignage d'après les Actes*, dans *Masses Ouvrières*, 13 (1957), no 129, p. 16-36, et no 131, p. 4-25 ; W. C. VAN UNNIK, *The « Book of Acts » the Confirmation of the Gospel*, dans *Nov. Test.*, 4 (1960), 26-59 (54-56) ; G. KLEIN, *Die zwölf Apostel. Ursprung und Gehalt einer Idee* (FRLANT, 77), Goettingue, 1961, p. 204-210 ; J. GALOT, *Vous serez mes témoins*, *Spiritus*, 7 (1961), 153-162 ; J. BIHLER, *Die Stephanusgeschichte im Zusammenhang der Apostelgeschichte* (Münchener Theol. Studien, I. Hist. Abt., 16), Munich, 1963, p. 211-212 ; C. GHIDELLI, dans *Introduzione alla Bibbia*, V/1, p. 101-102. Et, naturellement, les commentaires.

V, 30 : « Le Dieu de nos pères a ressuscité Jésus, que vous, vous aviez fait mourir... ». Le v. 32 ajoute : « De ces choses nous sommes témoins, nous et l'Esprit Saint que Dieu a donné à ceux qui lui obéissent. »

X, 40-42 : « Celui qu'ils ont tué en le suspendant au bois, Dieu l'a ressuscité le troisième jour et lui a donné de se manifester [36], non à tout le peuple, mais aux témoins [37] qui avaient été choisis d'avance par Dieu, à nous qui avons mangé et bu avec lui après sa résurrection d'entre les morts. » Le dernier trait, « mangé et bu avec lui », rappelle un signe de la réalité de la résurrection sur lequel Luc a insisté (*Lc.*, XXIV, 41-43 ; *Act.*, I, 3-4) [38] et qu'on trouve aussi chez Jean.

A Antioche de Pisidie, après avoir rapporté le forfait des gens de Jérusalem (« ... et le mirent au tombeau »), Paul continue : « Mais Dieu l'a ressuscité. Pendant de nombreux jours [39], il est apparu à ceux qui étaient montés avec lui de Galilée à Jérusalem, ceux-là même qui sont maintenant ses témoins auprès du peuple » (XIII, 30-31). Tout à l'heure Paul faisait valoir une déclaration de Jean-Baptiste ; voici maintenant qu'il appuie son Évangile sur l'attestation des apôtres galiléens, en les présentant comme les seuls témoins attitrés du Christ auprès du peuple. Vraiment, on n'imagine pas Paul s'exprimant de la sorte ! Peut-être ne faudrait-il pas cependant exagérer l'opposition entre Luc et Paul : Luc fait des Douze les témoins du Christ auprès d'Israël [40], mais il ne refuse pas pour autant à Paul la qualité de témoin du Christ auprès des Gentils [41].

---

36. « Se manifester », ἐμφανῆ γενέσθαι, rappelle l'expression opposée de *Lc.*, XXIV, 31 : ἄφαντος ἐγένετο, « il disparut ».

37. Le mot avait déjà été employé au v. 39, à propos du ministère public, dont le témoignage de la résurrection ne saurait être séparé (cfr I, 21-22) : « Et nous, nous sommes témoins de tout ce qu'il a fait dans le pays des Juifs et à Jérusalem. »

38. Voir aussi *Lc.*, XIII, 26, différent de *Mt.*, VII, 22.

39. Rappel de I, 3.

40. La manière dont Luc parle en XIII, 31 de « ceux qui étaient montés avec lui de Galilée à Jérusalem, ceux-là même qui sont maintenant ses témoins auprès du peuple », doit être rapprochée de X, 41-42, où il est question des apparitions du Christ ressuscité, « non à tout le peuple, mais aux témoins choisis d'avance par Dieu », auxquels il a « prescrit de proclamer au peuple et de rendre témoignage que c'est lui qui a été établi par Dieu juge des vivants et des morts ». Le « peuple » auprès duquel les apôtres galiléens ont été constitués « témoins » et auquel ils ont à proclamer le message n'est autre qu'Israël, le « Peuple » par excellence, le « Peuple de Dieu », opposé aux nations païennes.

41. Voir XXII, 15 : « Tu lui seras témoin auprès de tous les hommes de ce que tu as vu et entendu » ; le sens dans lequel il faut entendre « tous les hommes » est explicité au v. 21 : « C'est vers les Gentils, au loin, que je veux t'envoyer » (cfr IX, 15). Également XXVI, 16-18 : « Je te suis apparu pour t'instituer serviteur et témoin de la vision dans laquelle tu m'as vu et de celles où je me montrerai encore à toi. Je te délivrerai du Peuple et des Gentils, vers lesquels je t'envoie pour leur ouvrir les yeux... » En sa qualité de « témoin » du Christ ressuscité, Paul est envoyé aux Gentils, c'est-à-dire à tous les non-Juifs. Luc refuse à Paul

Cette manière de voir les choses se rapproche singulièrement de celle de Paul lui-même [42].

Il faut ajouter que le ch. XXIV de l'évangile, décrivant la prise de conscience progressive de la résurrection, ne présente pas celle-ci comme un acte de Dieu qui s'oppose au forfait des gens de Jérusalem. Jésus conclut l'instruction qui fixe le programme de la prédication des apôtres, en déclarant : « De ces choses, c'est vous qui êtes témoins » (v. 48), et en leur promettant l'envoi de l'Esprit, qui les rendra capables de remplir leur mission (v. 49). Encore une fois, le message de la résurrection s'accompagne d'une référence aux « témoins », dans le sens précis que les discours des Actes donnent à ce terme [43].

5. Signification messianique de la résurrection

Après avoir proclamé le fait de la résurrection de Jésus, attesté par les « témoins », il reste à en dégager la portée. C'est à l'Écriture qu'on demande l'interprétation de l'événement. Les prophètes ont annoncé

---

le titre d'apôtre au sens d'envoyé et de témoin auprès du peuple d'Israël ; mais tout porte à penser qu'il ne lui contesterait pas le titre d'Apôtre des Gentils.

42. Voir surtout *Gal.*, II, 7-9, et à ce propos notre article *Saint Paul, témoin de la collégialité apostolique et de la primauté de saint Pierre*, dans *La Collégialité épiscopale. Histoire et Théologie* (Unam Sanctam, 52), Paris, 1965, p. 11-39 (29-32).

43. « Les choses » dont les apôtres sont les témoins, d'après *Lc.*, XXIV, 48, et qui faisaient en même temps l'objet des prophéties, ne sont pas seulement la passion du Christ et sa résurrection le troisième jour ; il y a aussi la proclamation, en son nom, du repentir en vue de la rémission des péchés, qui doit être annoncée à toutes les nations. L'expression étonne T. Jacobs, *De christologie van de redevoeringen der Handelingen*, dans *Bijdragen*, 28 (1967), p. 177-195 (178-180) : les apôtres seraient témoins au sujet de leur propre prédication, alors que partout ailleurs leur témoignage concerne le Seigneur qu'ils annoncent. Il faudrait voir dans cette anomalie l'indice d'un groupement de deux éléments hétérogènes : au thème habituel représenté par *Lc.*, XXIV, 46. 48, Luc aurait ajouté au v. 47 une donnée traditionnelle, qui revient à sa vraie place en *Act.*, II, 38. Ces considérations ne tiennent malheureusement pas compte du parallèle fourni par *Act.*, XXVI, 22-23, où Paul définit sa prédication comme un « témoignage ($\mu\alpha\rho\tau\upsilon\rho\acute{o}\mu\epsilon\nu\sigma\varsigma$) rendu devant petits et grands, ne disant rien en dehors de ce que les Prophètes et Moïse ont annoncé devoir arriver, à savoir que le Christ aurait à souffrir et que, le premier ressuscité d'entre les morts, il annoncerait la lumière au Peuple et aux Gentils ». Dans la pensée de Luc, l'évangélisation des nations, comme la résurrection, a valeur de signe messianique, alors même que d'autres l'accomplissent au nom du Christ. Elle fait partie de la tâche assignée au Messie par les Écritures. On s'en aperçoit en particulier par l'oracle d'*Is.*, XLXI, 6, cité en *Act.*, XIII, 47 : voir à ce sujet notre article « *Je t'ai établi lumière des nations* », dans « Assemblées du Seigneur », 2e série, no 25 (*Quatrième dimanche de Pâques*), Paris, 1969, p. 19-24. Nous ne pensons donc pas qu'il y ait lieu, en *Lc.*, XXIV, de considérer le v. 47 comme une pièce rapportée.

que le Messie ressusciterait : puisque ces oracles se sont réalisés en la personne de Jésus, Jésus doit être reconnu comme le Messie promis [44].

Le ch. XXIV de l'évangile ne présente l'argument que d'une façon globale. D'abord dans les paroles des anges du tombeau, qui rappellent l'enseignement de Jésus : « Il faut, disait-il, que le Fils de l'homme soit livré aux mains des pécheurs, qu'il soit crucifié et qu'il ressuscite le troisième jour » (v. 7). « Il faut » : le sens de cette nécessité se précise un peu dans les explications données par Jésus aux disciples d'Emmaüs : « O cœurs sans intelligence, lents à croire à tout ce qu'ont annoncé les prophètes ! Ne fallait-il pas que le Christ endurât ces souffrances pour entrer dans sa gloire ? Et partant de Moïse et de tous les Prophètes, il leur interpréta dans toutes les Écritures ce qui le concernait » (vv. 25-27). Le thème est repris dans l'entretien avec les apôtres : « Ce sont là mes paroles que je vous ai dites quand j'étais encore avec vous : Il faut que s'accomplisse tout ce qui se trouve écrit de moi dans la Loi de Moïse, les Prophètes et les Psaumes. — Alors il leur ouvrit l'esprit à l'intelligence des Écritures, et il leur dit : Ainsi est-il écrit que le Christ souffrirait et ressusciterait d'entre les morts le troisième jour... » (vv. 44-46). Voilà le principe de la démonstration que les discours missionnaires des Actes ont à mettre en œuvre.

Cette démonstration n'est vraiment développée que dans le discours inaugural de Pierre, au jour de la Pentecôte (*Act.*, II, 24b-36), et dans le discours inaugural de Paul, à Antioche de Pisidie (XIII, 32-37). Chaque fois, elle repose sur deux textes principaux : au ch. II, le *Ps.*, XVI, 10 et le *Ps.* CX, 1 ; au ch. XIII, le *Ps.* II, 7 et de nouveau le *Ps.* XVI, 10. Le *Ps.* XVI, 10, « Tu ne permettras pas que ton Saint voie la corruption », est expliqué comme une annonce de la résurrection qui ne peut concerner que le Messie. Longuement exposé en II, 25-32, l'argument est simplement rappelé en XIII, 35-37 : Luc suppose que le lecteur du discours de Paul se souviendra des explications qui lui ont été fournies dans le discours de Pierre [45]. Les déclarations divines du *Ps.* CX, 1,

---

44. Nous avons consacré deux études à cette argumentation scripturaire : *L'utilisation apologétique de l'Ancien Testament dans les discours des Actes* (1953) et *L'interprétation des psaumes dans les Actes des Apôtres* (1962), toutes deux reproduites dans *Études sur les Actes des Apôtres* (1967), p. 245-307. Un nouvel examen de la question devrait tenir compte surtout de la dissertation, déjà signalée, de M. Rese, *Alttestamentliche Motive in der Christologie des Lukas*, Bonn, 1965. Nous ne pouvons pas entreprendre ici la discussion des points sur lesquels il y a désaccord : il s'agit surtout de la fonction centrale que nous attribuons à la proclamation et à l'interprétation du fait de la *résurrection* de Jésus.

45. Cfr J. T. Townsend, *The Speeches in Acts*, dans *Angl. Theol. Rev.*, 42 (1960), 150-159. Du cas de XIII, 35-37, qui suppose les explications données en II, 25-32, cet auteur rapproche le cas de VII, 37, où la citation de Dt 18, 15 ne se comprend bien que si l'on se souvient de *Act.*, IV, 22-23, ainsi que le cas de XVII, 23-24,

« Le Seigneur a dit à mon seigneur : Assieds-toi à ma droite », et du *Ps.* II, 7, « Tu es mon fils, c'est moi qui t'engendre aujourd'hui », parlent d'une glorification céleste du Messie qui ne peut se concevoir sans une résurrection. La résurrection de Jésus atteste qu'il est bien le Messie, le Seigneur et le Fils de Dieu dont parlent ces oracles.

Les autres discours ne présentent l'argument qu'en raccourci. En III, 22-24, Jésus apparaît, en vertu de sa résurrection, comme le Prophète semblable à Moïse, annoncé au ch. XVIII du Deutéronome. En IV, 11, il réalise la parole du *Ps.* CXVIII, 22 : la pierre rejetée par les bâtisseurs a été faite pierre d'angle. En V, 31, l'argumentation reste implicite et résulte de simples allusions : « exalté par la droite » de Dieu (*Ps.* CXVIII, 16), Jésus ressuscité reçoit des titres, « Chef et Sauveur », qui font de lui un nouveau Moïse (cfr VII, 25.35). Enfin le discours de Césarée se contente d'un appel général à « tous les prophètes » (X, 43) [46].

6. *Annonce de la rémission des péchés*

Le discours missionnaire se conclut normalement par une exhortation invitant les auditeurs soit à se repentir, soit à croire, et leur promettant alors la rémission de leurs péchés. Cette promesse revient régulièrement et caractérise bien la finale du discours.

En II, 37-40, le discours de la Pentecôte s'achève sous forme de dialogue. Les auditeurs demandent à Pierre et aux apôtres : « Frères, que devons-nous faire ? » (v. 37). Pierre répond : « Repentez-vous et que chacun de vous se fasse baptiser au nom de Jésus Christ pour la rémission de ses péchés, et vous recevrez alors le don du Saint Esprit » (v. 38).

Au ch. III, l'exhortation commence avant l'argumentation scripturaire, à laquelle elle sert ainsi de cadre (vv. 19-21 et 25-26) ; elle développe l'appel : « Repentez-vous et convertissez-vous, afin que vos péchés soient effacés... » (v. 19).

Devant le Sanhédrin, où il comparaît en accusé, Pierre ne se permet pas d'exhorter directement ses auditeurs. En IV, 12, il se contente d'affirmer en terminant son premier discours : « Il n'y a pas sous le ciel d'autre nom donné aux hommes, par lequel nous devions être sauvés. » Sous l'influence du texte de Joël III, 5, l'idée de rémission des péchés est remplacée par celle de salut : c'est le seul cas où un discours missionnaire ne mentionne pas explicitement la rémission des péchés. Elle figure dans le second discours de Pierre devant le Sanhédrin : « C'est lui que Dieu a exalté par sa droite, le faisant Chef et Sauveur, afin

---

où l'enchaînement des idées ne devient clair que si l'on fait appel à XIV, 15-17. Voir aussi W. G. Kuemmel, *Einleitung in das N.T.*, p. 108.

46. Cfr *Act.*, III, 18, 24 ; *Lc.*, XXIV, 27.

d'accorder par lui à Israël le repentir et la rémission des péchés » (V, 31).

En dehors de Jérusalem, la rémission des péchés s'attache, non au repentir (pour un forfait qui a été commis à Jérusalem), mais à la foi [47]. Pierre termine le discours de Césarée en affirmant : « Quiconque croit en lui recevra, par son nom, la rémission des péchés » (X, 43b). La finale du discours d'Antioche de Pisidie est particulièrement insistante : « Sachez-le donc, frères, c'est par lui que la rémission des péchés vous est annoncée ; l'entière justification que vous n'avez pu obtenir par la Loi de Moïse, c'est par lui que quiconque croit l'obtient » (XIII, 38-39). Il est clair que Luc a voulu faire allusion ici à la doctrine paulinienne de la justification par la foi.

La rémission des péchés est également mentionnée en *Lc.*, XXIV, 47, dans l'instruction de Jésus qui définit le programme de la prédication apostolique : Il était écrit « qu'en son nom le repentir en vue de la rémission des péchés serait proclamé à toutes les nations, en commençant par Jérusalem. » On retrouve la même expression dans la définition que Paul donne de sa mission en s'adressant au roi Agrippa : sur le chemin de Damas, le Christ l'a envoyé vers les Gentils « pour leur ouvrir les yeux, afin qu'ils reviennent des ténèbres à la lumière et de l'empire de Satan à Dieu, et qu'ils obtiennent, par la foi en moi, la rémission de leurs péchés et une part d'héritage avec les sanctifiés » (*Act.*, XXVI, 17-18). Le cantique *Benedictus* définit d'une manière toute semblable la mission de Jean-Baptiste : « ... pour donner à son peuple la connaissance du salut par la rémission de ses péchés » (*Lc.*, I, 77).

7. *Annonce de la parousie ?*

Un certain nombre d'auteurs estiment que l'annonce du retour imminent du Christ dans sa gloire pour juger le monde constitue un des points fondamentaux de la prédication missionnaire des apôtres ; il faudrait lui réserver une place dans le schéma des discours missionnaires des Actes : ce thème précéderait normalement l'exhortation finale. Tel est l'avis, notamment, de C. H. Dodd [48] et de B. Gärtner [49].

---

47. Nous avons attiré l'attention sur cette différence dans deux articles publiés en 1960 : *Repentir et conversion d'après les Actes des Apôtres*, et *La conversion dans les Actes des Apôtres* ; ils sont repris dans *Études sur les Actes des Apôtres*, p. 421-476.

48. C. H. DODD, *The Apostolic Preaching and its Developments*, p. 23. Voir la critique de T. F. GLASSON dans le *Hibbert Journal*, 1952-53, p. 129-132 : Dodd omet un thème essentiel, celui du témoignage apostolique, et introduit un thème qui n'est pas suffisamment attesté dans les discours missionnaires des Actes, celui du retour glorieux du Christ pour opérer le jugement.

49. Dans *Svensk Exegetisk Aorsbok*, 1950, p. 43-44, et dans *The Areopagus Speech*, p. 31-32. Voir aussi J. GEWIESS, *Die urapostolische Heilsverkündigung nach der Apostelgeschichte* (Breslauer Studien zur hist. Theol., N.F. V), Breslau, 1939,

Il faut reconnaître d'abord que, comme W. Thüsing vient de le rappeler [50], la perspective de la parousie non seulement avait sa place dans la plus ancienne prédication chrétienne à laquelle nous pouvons remonter, mais qu'elle y jouait un rôle prépondérant. Les indices sont nombreux. Il y a le témoignage des épîtres pauliniennes, à commencer par le résumé du kérygme conservé en *1 Th.*, I, 9-10 : l'apôtre invitait ses auditeurs à « se convertir au Dieu vivant et véritable » et à « attendre des cieux son Fils, qu'il a ressuscité d'entre les morts, Jésus, qui nous délivre de la Colère à venir ». Cette attente marque de son empreinte la célébration eucharistique (*1 Co.*, XI, 26 ; *Lc.*, XXII, 15-18) et inspire l'invocation *Maranatha* (*1 Co.*, XVI, 22 ; *Ap.*, XXII, 20), en même temps qu'elle provoque un intérêt tout particulier à l'égard des enseignements eschatologiques de Jésus.

Luc n'ignore pas que ce thème faisait partie de la prédication apostolique [51]. Son expression la plus caractéristique se trouve dans la finale du discours de Paul devant l'Aréopage : « Dieu fait maintenant savoir aux hommes d'avoir tous et partout à se repentir, parce qu'il a fixé un jour pour juger l'univers avec justice, par un homme qu'il y a destiné, offrant à tous une garantie en le ressuscitant des morts » (*Act.*, XVII, 30-31). Dans le groupe des textes qui nous occupent sa place est très réduite. Il y a une allusion dans la finale du discours de Pierre à Césarée : « Il nous a enjoint de proclamer au peuple (juif) et d'attester qu'il est, lui, le juge établi par Dieu pour les vivants et les morts » (X, 42). L'affirmation porte sur la dignité de Juge suprême conférée à Jésus ressuscité, mais sans aucune mention de son avènement pour exercer la charge qui lui a été départie. Il n'est question de cet avènement que dans le discours du ch. III : « Repentez-vous donc et convertissez-vous, afin que vos péchés soient effacés, et que viennent d'auprès du Seigneur des temps de rafraîchissement, et qu'il envoie le Christ qui vous a été destiné d'avance, Jésus, lui que le ciel doit accueillir jusqu'au temps de la restauration universelle dont Dieu a parlé par la bouche de ses saints prophètes » (vv. 19-21). Le texte n'est pas particulièrement clair [52]. Il applique à Jésus ressuscité la fameuse prophétie de *Mal.*, III, 23-24 sur le retour d'Élie qui doit préparer la venue du Jour de Yahvé. Le Christ n'apparaît

---

p. 31-38 ; M. WILCOX, *The Semitisms of Acts*, Oxford, 1965, p. 169 ; A.-L. MOORE, *The Parousia in the New Testament* (Suppl. to Nov. Test., XIII), Leyde, 1966, p. 58-60.

50. W. THUESING, *Erhöhungsvorstellung und Parusieerwartung in der ältesten nachösterlichen Christologie*, dans *Bibl. Zeitschr.*, 11 (1967), 95-108 et 205-222 ; 12 (1968), 54-80 et 223-240. Nous visons le passage de 1968, p. 223-226 ; voir aussi 234 s.

51. Cfr W. G. KUEMMEL, *Einleitung in das N.T.*, pp. 111 s.

52. Voir l'exposé, bien informé, de E. RASCO, *Actus Apostolorum*, p. 238-248. Tenir compte aussi de M. RESE, *Alttestamentliche Motive*, p. 97 s.

pas ici dans son rôle de souverain Juge et son retour, que les conversions semblent pouvoir hâter, ne paraît pas faire l'objet d'une attente impatiente.

L'attente de la parousie ne joue aucun rôle dans le programme du message apostolique défini par Jésus ressuscité au ch. XXIV de l'évangile de Luc (surtout vv. 46-48) et, à l'intention de Paul, en *Act.*, XXVI, 16-18 (cfr vv. 22-23) ; elle ne joue aucun rôle dans les deux discours de Pierre devant le Sanhédrin (ch. IV et V), ni dans le discours de Paul à la synagogue d'Antioche de Pisidie (ch. XIII). Présentant l'effusion de l'Esprit comme un signe eschatologique (II, 17-21), le discours de la Pentecôte n'y voit pas une raison d'attendre le retour du Christ, mais simplement une attestation de l'élévation céleste de Jésus (II, 33) : l'expérience de la venue de l'Esprit se substitue d'une certaine manière à l'attente de l'avènement du Christ (cfr I, 6-8) [53].

Il faut reconnaître que l'attente de la parousie, sans être absente des discours missionnaires des Actes, n'y reçoit qu'une place fort réduite et peu significative. Plutôt que d'en faire un des points fondamentaux du schéma de ces discours, mieux vaut n'y voir qu'un complément occa-

---

[53]. Ou à l'attente de la venue du Royaume : cfr I, 3-8 et les explications de E. GRAESSER, *Das Problem der Parusieverzögerung in den synoptischen Evangelien und in der Apostelgeschichte* (Beithefte ZNW, 22), Berlin, 1957, p. 204-207. Rappelons à ce propos l'expression de XIV, 22b : « C'est (en passant) par bien des tribulations qu'il nous faut entrer dans le Royaume de Dieu. » On sait que, dans l'évangile, Luc évite le mot « tribulation » (*Mc.*, IV, 17 ; XIII, 19. 24 ; *Mt.*, XIII, 21 ; XXIV, 9. 21. 29), sans doute en raison des résonances eschatologiques qui s'y attachaient : cfr H. SCHLIER, dans ThWNT, III (1938), p. 139-148 ; L. CERFAUX, *Fructifiez en supportant (l'épreuve). A propos de Luc VIII, 15*, dans *Rev. Bibl.*, 64 (1957), 481-491 (485-488) = *Recueil Lucien Cerfaux*, III (Bibl. Eph. Theol. Lov., 18), Gembloux, 1962, p. 111-122 (116-119) ; H. CONZELMANN, *Die Mitte der Zeit*, p. 90 ; J. DUPONT, *La Parabole du Semeur dans la version de Luc*, dans *Apophoreta. Festschrift für Ernst Haenchen* (Beihefte ZNW, 30), Berlin, 1964, p. 97-108 (103). Luc n'éprouve plus le moindre scrupule à parler de « tribulations » dans les Actes (VII, 10. 11 ; XI, 19 ; XIV, 22 ; XX, 23), où le terme n'a évidemment plus de portée eschatologique. On constate en même temps dans les Actes que le « Royaume de Dieu » continue de faire l'objet de la prédication apostolique (I, 3 ; VIII, 12 ; XIV, 22 ; XIX, 8 ; XX, 25 ; XXVIII, 23. 31), mais sans qu'il soit jamais question de sa « venue ». Le changement de perspective dont témoignent ces indices doit entrer en ligne de compte lorsqu'on interprète l'expression, d'ailleurs évangélique (*Lc.*, XVIII, 17. 25 ; cfr XIII, 24. 29), « entrer dans le Royaume de Dieu ». On ne doit pas oublier non plus que *Act.*, XIV, 22b trouve son meilleur parallèle en *Lc.*, XXIV, 26 : « Ne fallait-il pas que le Christ endurât ces souffrances pour entrer dans sa gloire ? » La nécessité des tribulations par lesquelles les chrétiens doivent passer pour entrer dans le Royaume dérive sans doute de la nécessité des souffrances du Christ avant son entrée dans la gloire. A partir de ces observations, il serait possible d'aborder la question, toujours discutée, de savoir si, et dans quelle mesure, la notion de « Royaume de Dieu » conserve ici sa valeur eschatologique (bref état de la question dans W. G. KUEMMEL, *Einleitung in das N.T.*, p. 112).

sionnel et accessoire. C. H. Dodd souligne le fait, l'interprétant comme
un indice du peu d'importance de l'attente eschatologique dans la toute
première prédication chrétienne [54] ; l'ensemble des données dont nous
disposons favorise davantage l'explication plus courante, que W. Thüsing
vient de reprendre [55] : la présentation du discours missionnaire dans
les Actes témoigne d'un affaiblissement de la tension eschatologique
des débuts, reflétant ainsi l'esprit d'une période plus récente, en même
temps que le point de vue personnel de Luc.

B. Observations d'ensemble

Après cette analyse des discours missionnaires des Actes, centrée
sur la question de leur schéma commun, trois remarques générales me
paraissent devoir retenir l'attention : il convient de noter d'abord la
différence qui sépare ces discours de ceux que les évangiles synoptiques
attribuent à Jésus ; je résumerai ensuite ce qu'on peut dire de l'activité
littéraire de Luc dans la composition des discours missionnaires, pour
soulever finalement la question de la documentation plus ancienne qu'il
avait à sa disposition.

1. Les discours des Actes et les discours de Jésus

Chez Luc, comme chez Marc et chez Matthieu, les paroles de Jésus
nous parviennent essentiellement sous la forme de courts fragments.
Il s'agit de réponses données par Jésus à ses disciples ou à ses adversaires
et dont le souvenir se transmet avec celui de l'occasion qui les a provoquées. Il y a aussi les déclarations qui ne se rattachent pas à un cadre
narratif précis : sentences de sagesse, révélations prophétiques, règles
de conduite ; ces enseignements prennent volontiers une tournure
imagée qui atteint sa perfection classique dans les paraboles. Au cours
de la transmission orale, des regroupements se sont produits ; on a rapproché des paroles qui se ressemblaient, on les a enchaînées les unes
aux autres par le procédé mnémotechnique du mot-crochet. Le processus
s'est accentué au stade littéraire : on a attribué un cadre aux paroles
qui en étaient dépourvues ; on a composé des introductions explicatives
et des conclusions ; des transitions plus ou moins artificielles assurent
un semblant de continuité entre les sentences qu'on a groupées. Les
grands « discours » qui jalonnent le premier évangile constituent le

---

54. C. H. Dodd, *The Apostolic Preaching*, p. 33 s.
55. W. Thuesing, dans *Bibl. Zeitschr.*, 1967, p. 102 s. ; 1968, p. 234 s. Parmi
les études antérieures, signalons en particulier le paragraphe *Die Parusie im
Kerygma der Apostelgeschichte*, dans E. Graesser, *Das Problem der Parusieverzögerung*, p. 209-215.

point d'aboutissement du travail de rassemblement de matériaux épars ; ce ne sont, en réalité, que des compilations un peu arrangées.

Dans son évangile, Luc ne manifeste pas de goût particulier pour les « discours » de ce genre. Il en rapporte quelques-uns, comme le discours dans la plaine (VI, 20-49), le discours de mission (X, 2-16), le discours contre les Pharisiens et les légistes (XI, 39-52) ou le discours eschatologique (XXI, 8-36) ; dans tous ces cas, il ne fait que suivre sa documentation. Dans les groupements qui lui sont attribuables, il ne cherche pas à donner l'illusion d'un discours continu. Sa manière de faire en XIV, 1-24 est assez significative à cet égard[56] : différents enseignements de Jésus y sont présentés sous la forme de propos tenus au cours d'un repas ; le cadre du repas assure une unité purement extérieure.

Le cas du discours-programme de Nazareth (IV, 16-30) est particulièrement révélateur[57]. Nous avons déjà pu voir par les Actes l'intérêt que Luc porte aux discours-programmes : celui de Pierre au jour de la Pentecôte, celui de Paul dans la synagogue d'Antioche de Pisidie. Luc a tenu à placer à Nazareth le discours inaugural de Jésus, tout en sachant très bien que le ministère de Jésus n'avait pas commencé là (cfr IV, 23). Nous y trouvons quelques-uns des thèmes-clés de la prédication apostolique d'après les Actes : accomplissement des prophéties messianiques (IV, 17-21), annonce, à peine voilée, que les bienfaits de Dieu iront à des étrangers (IV, 25-27). Voici donc des idées auxquelles Luc attache une très grande importance. Mais peut-on vraiment dire qu'elles se présentent sous la forme d'un discours ? Jésus commence par lire un passage d'Isaïe (vv. 17-19). Son commentaire tient en une ligne : « Aujourd'hui cette Écriture s'accomplit à vos oreilles » (v. 21). Et on passe tout de suite (v. 22a) à l'émerveillement des auditeurs : ce qui suppose que le « discours » est fini. Mais la situation change tout à coup : les compatriotes de Jésus ne croient pas en lui, vérifiant le proverbe « Aucun prophète n'est bien reçu dans sa patrie » (vv. 22b-24 ; cfr *Mc.*, VI, 3-4). D'où la déclaration de Jésus rappelant les exemples d'Élie et d'Élisée (vv. 25-27) et provoquant la fureur de ses auditeurs (vv. 28-30). Le « discours » de Nazareth est donc fait de la brève affirmation du v. 21, de deux logia prononcés par Jésus (vv. 23 et 24) dans la discussion qui a suivi son intervention, et de la déclaration sur Élie et Élisée par laquelle Jésus termine cette discussion. Le discours proprement dit ne nous est pas donné ; nous n'avons qu'une indication générale sur son thème avec

---

56. Cfr X. DE MEEÛS, *Composition de Lc XIV et genre symposiaque*, dans *Eph. Theol. Lov.*, 37 (1961), 847-870.

57. Voir notre étude *Le salut des Gentils et la signification théologique du Livre des Actes*, dans *New Test. Studies*, 6 (1959-1960), 132-155 (141-144), reproduite dans *Études sur les Actes des Apôtres*, p. 393-419 (404-407).

trois sentences qui étoffent l'épisode et ouvrent une perspective sur l'avenir.

Le contraste est saisissant quand on passe aux discours des Actes. Nous avons affaire ici à de véritables discours, où l'on reconnaît un exorde et une péroraison, où le développement principal se divise en deux parties : la première aboutit à la proclamation de la résurrection de Jésus, la seconde met en valeur la signification messianique de cet événement. Chacun des discours que nous avons étudiés forme un tout complet et logiquement structuré. Il apparaît tout de suite que les conditions dans lesquelles ces discours nous parviennent sont absolument différentes de celles dans lesquelles les paroles de Jésus nous ont été conservées. On ne saurait donc juger de la manière de faire de Luc dans la présentation des discours des Actes en partant de son comportement à l'égard de la tradition évangélique [58] : les discours des Actes sont tout autre chose que les « discours » de Jésus dans l'Évangile.

2. La part littéraire de Luc

La part qui revient à Luc dans la composition des discours missionnaires des Actes est en tout cas très grande. De nombreux indices le suggèrent ; quatre surtout méritent l'attention :

(a) Il est clair d'abord que ces discours sont beaucoup trop courts pour être une reproduction littérale de ce qui a pu être dit. La lecture du discours de la Pentecôte demande environ trois minutes [59] ; si Pierre a prêché dans la circonstance qui nous est rapportée, il a sûrement parlé plus longtemps. Or ce discours, pas plus que les autres, ne se présente comme un résumé des idées principales qui ont été proposées par l'orateur [60]. Nous avons affaire à de véritables discours-miniatures ; on les a comparés aussi à des photographies en petit format [61]. Ils sont très habilement composés pour donner au lecteur l'impression d'un discours

---

58. « La fedeltà dimostrata da Luca nel riprodurre il parole di Gesù suggerisce una analogia almeno parziale per le parole degli apostoli » : C. GHIDELLI, dans San Pietro, p. 235. En estimant que cette considération manque de fondement, nous ne faisons pas nôtre celle qu'on rencontre souvent, niant a priori que les premiers chrétiens aient pu s'intéresser à la conservation des paroles des apôtres : cette thèse a provoqué une juste réaction de la part de J. JERVELL, Zur Frage der Traditionsgrundlage der Apostelgeschichte, dans Studia Theologica, 16 (1962), 25-41 ; cfr F. BOVON, L'origine des récits concernant les apôtres, dans Rev. de Théol. et de Philos., 3e série, t. 17 (1967), p. 345-350.

59. Cfr C. GHIDELLI, dans San Pietro, p. 235, n. 86.

60. « Knappe Zusammenfassungen der Hauptgedanken » : A. WIKENHAUSER, Die Apostelgeschichte (Regensburger N.T., 5), 3e éd., Ratisbonne, 1956, p. 17.

61. Expression de M. DIBELIUS, Aufsätze, p. 124, reprise par E. RASCO, Actus Apostolorum, p. 180.

réel, usant des procédés oratoires habituels et auxquels il ne manque rien. La part d'artifice littéraire qu'implique cette présentation fait honneur à la virtuosité de Luc [62] ; on ne saurait évidemment la faire remonter aux orateurs auxquels les discours sont attribués.

A propos des artifices littéraires employés dans la composition des discours, on pourrait signaler le procédé de l'interruption [63]. Luc y recourt à la fin du discours de Césarée (X, 44 ; cfr XI, 15) ; on le retrouve en finale d'autres discours des Actes [64]. L'interruption se produit toujours au moment où l'orateur a achevé tout ce qu'il avait à dire : nous l'avons constaté pour le discours de Césarée, qui va jusqu'au bout du schéma habituel. Il s'agit sans doute d'un moyen de faire comprendre à ceux qui entendront lire le texte que le discours est terminé. On peut le rapprocher du procédé qui marque, à l'intérieur d'un discours, la fin d'une citation importante [65] ; l'orateur interpelle alors ses auditeurs : « Hommes d'Israël » (II, 22), « Hommes frères » (XIII, 25), « Frères » (II, 29). Un simple pronom accentué peut suffire (III, 26 ; XIII, 23 ; cfr VII, 35). Le procédé vise les « auditeurs » du texte écrit. Il faut naturellement y reconnaître la main de Luc [66].

(b) Nous n'avons rien dit de la langue des discours. Sur ce point, il faut noter d'abord qu'on ne constate pas de différences sensibles entre les discours des premiers chapitres du livre, qui auraient été normalement prononcés en araméen, et ceux des chapitres X (Pierre à

---

62. « Ex quo etiam facilius explicatur constans praesentia dictionis ac stilus Lucae » : Rasco, *loc. cit.*

63. Cfr H. J. Cadbury, *The Speeches in Acts*, dans *Beginnings of Christianity*, V, p. 402-427 (425 s.) ; M. Dibelius, *Aufsätze*, p. 138 s.

64. *Act.*, XVII, 32 ; XIX, 28 ; XXII, 22 ; XXVI, 24. Le cas de V, 33 et VII, 54 est très semblable : sur l'étroite parenté rédactionnelle de ces deux finales, cfr J. Bihler, *Die Stephanusgeschichte*, p. 36. On peut en rapprocher aussi *Lc.*, IV, 28 ; *Act.*, IV, 1 ; XXIII, 7, et même XV, 12 : cfr E. Haenchen, *Quellenanalyse und Kompositionsanalyse in Act 15*, dans *Judentum Urchristentum Kirche. Festschrift für Joachim Jeremias* (Beihefte ZNW, 26), Berlin, 1960, p. 153-164 (156).

65. Cfr H. J. Cadbury, *art. cit.*, p. 426.

66. Les citations scripturaires incomplètes fournissent un autre indice de travail littéraire. L'exorde du discours de la Pentecôte est fait essentiellement d'une longue citation de *Joël* III, 1-5a (*Act.*, II, 17-21) ; le v. 1 du prophète trouve son écho plus loin, au v. 33 du discours, mais dans la finale de ce même discours, au v. 39, il y a une allusion à *Jl.*, III, 5c : « ceux que le Seigneur appellera à lui ». Il est clair que le rédacteur garde le texte sous les yeux ; il semble non moins clair que l'omission de la partie centrale du v. 5 de Joël, relative au salut de Jérusalem, correspond à une intention précise, celle qui fait découvrir dans le reste du verset une perspective universaliste. Le discours de Césarée rapproche, en X, 36 et 38, deux passages d'Isaïe, mais d'une manière si elliptique qu'on ne se rend pas compte qu'ils relèvent tous les deux du thème de la « bonne nouvelle » ($\varepsilon\dot{v}\alpha\gamma\gamma\epsilon\lambda\dot{\iota}\zeta o\mu\alpha\iota$). Le discours du ch. IV ne cite pas *Jl.*, III, 5a, dont il constitue cependant une paraphrase.

Césarée) et XIII (Paul à Antioche de Pisidie), qu'on imagine plutôt
en grec. Il n'apparaît pas, en particulier, que la Bible utilisée à la base
des arguments scripturaires soit jamais différente de la Bible grecque [67].

---

[67]. Nous pouvons nous réclamer sur ce point de l'accord entre M. RESE, *Altes-
tamentliche Motive in der Christologie des Lukas*, Bonn, 1965, et T. HOLTZ, *Untersuchungen über die alttestamentlichen Zitate bei Lukas* (Texte und Untersuchungen,
104), Berlin, 1968. Sans nier que Luc ait été influencé par des traductions particulières, Rese explique ses citations et allusions bibliques par un recours immédiat
à la LXX ; les divergences, surtout dans le cas des citations, s'expliqueraient par
des retouches intentionnelles : Luc traite assez librement les textes pour les rendre
plus significatifs. Holtz (qui, malgré sa date, ne tient pas compte de Rese) estime
que, quand Luc recourt personnellement à la Bible, il cite aussi exactement que
possible le texte qu'il a sous les yeux ; lorsque sa citation ne correspond pas à la
LXX, il faut donc supposer l'utilisation d'une source intermédiaire, qui est d'ailleurs
elle-même grecque et basée sur la Bible grecque : d'une manière comme de l'autre,
c'est la LXX qui est à la base de l'argumentation scripturaire. C'est aussi le présupposé de D. GOLDSMITH, *Acts 13, 33-37 : A Pesher on II Samuel 7*, dans *Journ.
of Bibl. Lit.*, 87 (1968), 321-324. Il y a cependant encore des partisans de la thèse
d'après laquelle Luc emploie une documentation dont l'argumentation scripturaire est fondée sur un texte sémitique de la Bible. C'est le cas dans deux ouvrages
récents : J. DE WAARD, *A Comparative Study of the Old Testament Text in the Dead
Sea Scrolls and in the New Testament* (Studies on the Texts of the Desert of Judah,
IV), Leyde, 1965 ; M. WILCOX, *The Semitisms of Acts*, Oxford, 1965 (voir déjà,
du même auteur, *The Old Testament in Acts 1-15*, dans *Australian Bibl. Rev.*, 5,
1956, p. 1-41). Bornons-nous à la contre-épreuve à laquelle nous invite Wilcox.
Admettant la dépendance générale de Luc à l'égard de la LXX, il découvre cependant
un certain nombre de cas qui feraient penser à un texte de base différent, ou du moins
à l'influence d'une tradition textuelle sémitique. Ce serait surtout vrai pour le
discours d'Étienne, dont nous n'avons pas à nous occuper ici. Pour ce qui concerne
les discours missionnaires, Wilcox s'intéresse particulièrement à XIII, 22, où
l'expression « un homme selon mon cœur, qui accomplira toutes mes volontés »
développerait le texte biblique sous l'influence de sa paraphrase targumique.
Nous avons dit ailleurs que cette conjecture paraît inutile : *Rev. Bibl.*, 68 (1961),
p. 100, n. 38 = *Études sur les Actes des Apôtres*, p. 346, n. 38 ; même remarque
chez T. HOLTZ, p. 135, n. 1 (qui nous attribue l'opinion que nous critiquons chez
Wilcox). *Act.*, VII, 32 cite *Ex.*, III, 6 sous cette forme : « Je suis le Dieu de tes
pères, le Dieu d'Abraham, d'Isaac et de Jacob » ; *Act.*, III, 13 emploie la même
formule : « Le Dieu d'Abraham, d'Isaac et de Jacob, le Dieu de nos pères... »
Des deux côtés, le mot « pères » est employé au pluriel, alors que le texte massorétique et la version des LXX s'accordent sur le singulier : « le Dieu de ton père » ;
se retrouvant dans le Pentateuque samaritain et son targum, le pluriel des Actes
témoignerait d'une influence de cette tradition sémitique. Notons qu'au moins
en III, 13 le pluriel s'imposait ; ajoutons qu'il s'agit d'une formule très courante
et que, si l'on tient à la rattacher à un texte précis, il suffirait de tenir compte
de la suite immédiate du récit de l'Exode (III, 13. 15. 16 : « le Dieu de vos pères » ;
IV, 5 : « le Dieu de leurs pères »). Le recours au texte samaritain ne paraît vraiment
pas très utile. Wilcox lui-même considère comme très douteuse l'utilité d'un appel
au targum du *Ps.* XI, 8 pour rendre compte de l'expression « Sauvez-vous de cette
génération dévoyée », en *Act.*, II, 40 ; n'insistons donc pas. Les autres cas sont
différents et posent plutôt la question de savoir sous quelle forme exacte le texte

Il n'y a sans doute pas, dans les discours qui nous ont occupé, d'exemple aussi frappant que celui du discours de Jacques au concile de Jérusalem, où l'argumentation repose sur des variantes propres à la version grecque (*Act.*, XV, 15-17). Jamais, en tout cas, on ne se voit dans l'obligation de faire appel au texte hébreu [68]. Dans la même ligne encore, je dois me contenter de signaler la présence de nombreux lucanismes : un peu partout, dans ces discours, on rencontre des mots, des expressions et des tournures de style qui caractérisent la manière d'écrire de Luc [69].

(*c*) C'est sur le schéma des discours missionnaires que notre attention s'est concentrée. Nous avons constaté partout la présence d'un même schéma fondamental, que l'orateur soit Pierre ou Paul, que le discours soit relativement long ou qu'il se limite à quelques lignes. Le même schéma paraît sous-jacent au récit des apparitions pascales, dans le ch. XXIV de l'évangile de Luc.

Luc n'a pas nécessairement inventé ce schéma ; il a pu l'emprunter à une tradition antérieure. Il faut convenir cependant que plusieurs des points de ce schéma caractérisent une manière de voir typiquement lucanienne, attestée par des retouches rédactionnelles de l'évangile. C'est Luc qui, à propos de la Passion, se plaît à souligner la responsabilité des Juifs de Jérusalem ou de leurs chefs (quitte à ajouter qu'ils ne savaient pas ce qu'ils faisaient) [70] ; Luc aussi qui insiste sur la conformité du

---

grec est parvenu à Luc. Pour XIII, 47, contentons-nous de constater que la citation est conforme au texte A, contre B et, sur trois points, contre l'hébreu. L'allusion de II, 24 reproduit une erreur de traduction de la LXX : nous nous en sommes occupé dans deux articles publiés en 1961 et 1962, que Wilcox ne connaît pas (cfr *Études sur les Actes des Apôtres*, p. 287, n. 13 et p. 343, n. 20). Les termes dans lesquels *Dt.*, XVIII, 15 est cité en *Act.*, III, 22 et VII, 37 correspondent à la LXX (différente de l'hébreu), mais ils ne sont pas disposés dans le même ordre ; plutôt que de faire appel à une source particulière, ne faudrait-il pas tenir compte de l'intention qui a pu pousser Luc à mettre en valeur le verbe ἀναστήσει, mis en relation avec la résurrection de Jésus ? Dans les allusions à *Dt.*, XXI, 22, « et qu'il meure, et que vous l'ayez suspendu au bois », *Act.*, V, 30 et X, 39 ne reprend pas le verbe « mourir » mais lui substitue deux autres verbes : y-a-t-il utilité à supposer une source particulière, plutôt que le désir, chez Luc, d'éviter une construction ambiguë ? On le voit : en partant du fait qu'en tout cas les discours utilisent habituellement la Bible des LXX, il ne paraît pas possible d'établir avec une probabilité suffisante le recours à un texte différent.

68. Wilcox n'envisage une affinité avec le texte massorétique que pour *Act.*, VII, 16 et VIII, 32. A propos de ce dernier cas, signalons simplement que la longue citation de VIII, 32-33 est rigoureusement identique, dans l'édition ALAND-BLACK-METZGER-WIKGREN, au texte grec d'*Is.*, LIII, 7-8 dans les éditions de RAHLFS et de ZIEGLER.

69. Cfr E. RASCO, *Actus Apostolorum*, p. 180. Voir, pour le discours de la Pentecôte, les indications relevées par C. GHIDELLI, dans *San Pietro*, p. 226-230.

70. *Act.*, III, 17 et XIII, 27, à comparer avec *Lc.*, XXIII, 34 (propre à Luc) et *Act.*, VII, 60. L'idée reparaît sous une autre forme à propos des païens : XVII, 23. 30.

drame avec le dessein de Dieu manifesté dans les Écritures. A propos de la résurrection, Luc tient à établir un lien étroit entre l'affirmation du fait et le rôle qui revient à ceux qui en sont les « témoins » attitrés. Même s'il s'est inspiré d'un schéma traditionnel, comme celui qui nous est conservé en *1 Co.*, XV, 3-5, c'est à lui qu'il faut attribuer la manière personnelle dont ce schéma a été précisé et appliqué systématiquement aux discours missionnaires.

(*d*) Nous n'avons pas fait appel jusqu'à présent au rôle que la technique de l'historiographie ancienne assigne aux discours dans la présentation des événements [71]. Ce serait une erreur de supposer *a priori* chez Luc la manière de faire des historiens anciens ; il est d'ailleurs clair qu'il ne doit rien à ces devanciers dans ce que son évangile rapporte des « discours » de Jésus. De plus, il y a bien des nuances, et plus que des nuances, dans l'usage que les historiens anciens font des discours dans leurs ouvrages ; la théorie élaborée par Thucydide [72] reçoit des applications fort variées chez les historiens grecs et romains, et l'on peut se demander jusqu'à quel point elle est applicable aux historiographes bibliques et juifs.

Il ne semble pas qu'on puisse nous reprocher de suivre le chemin inverse où, partant de la constatation d'une très large intervention de Luc dans la composition des discours des Actes, on chercherait à rendre compte du procédé adopté en faisant appel à la liberté dont usent les historiens anciens prêtant des discours à leurs personnages. C'est ici que des recherches comme celles de M. Dibelius peuvent nous être très utiles. D'après la théorie élaborée par Thucydide et d'après une

---

71. L'étude fondamentale reste celle, déjà citée, de M. DIBELIUS, *Die Reden der Apostelgeschichte und die antike Geschichtsschreibung* (1949) ; nous en avons donné un bref résumé dans *Études sur les Actes des Apôtres*, p. 47-50. Il convient de signaler aussi B. GAERTNER. *The Areopagus Speech* (1955), p. 7-36 ; M. ADINOLFI, *Storiografia biblica e storiografia classica*, dans *Rivista Biblica*, 9 (1961), 42-58, avec la mise au point de P. ROSSANO, *Un canone storiografico di Tucidide e i discorsi degli Atti degli Apostoli*, ibid., p. 265-267, dont on retrouve le point de vue dans T. F. GLASSON, *The Speeches in Acts and Thucydides*, dans *Exp. Times*, 76 (1964-65), 165 ; E. RASCO, *Actus Apostolorum*, p. 180-184.

72. *Hist.*, I, 22, 1 : « J'ajoute qu'en ce qui concerne les discours prononcés par les uns et par les autres, soit juste avant, soit pendant la guerre, il était bien difficile d'en reproduire la teneur même avec exactitude, autant pour moi, quand je les avais personnellement entendus, que pour quiconque me les rapportait de telle ou telle provenance : j'ai exprimé ce qu'à mon avis ils auraient pu dire qui répondît le mieux à la situation, en me tenant, pour la pensée générale, le plus près possible des paroles réellement prononcées » (trad. J. DE ROMILLY, dans la Coll. des Universités de France, Paris, 1953, p. 14). L'accent peut se placer soit sur « j'ai exprimé ce qu'à mon avis ils auraient pu dire qui répondît le mieux à la situation », soit sur « en me tenant, pour la pensée générale, le plus près possible des paroles réellement prononcées ».

pratique où Luc se rapprocherait davantage de Xénophon, les discours d'un ouvrage historique n'ont pas pour but de reproduire ce qui a été effectivement dit et comme cela fut dit à tel moment précis, par tel personnage ; ils veulent renseigner le lecteur sur le sens que l'historien attribue aux événements qu'il raconte, ou sur le caractère des protagonistes de l'action. Même lorsqu'ils possèdent des renseignements précis sur un discours qui a été réellement prononcé, les historiens classiques se font généralement un devoir de transformer le texte pour lui faire exprimer, dans leur style à eux, non pas ce qui a été dit, mais ce qui, à leur sens, devait être dit. Il faudrait également tenir compte de la liberté non moins grande dont jouissent les historiographes juifs : on sait par exemple comment le Chroniste accommode les renseignements qu'il emprunte aux livres de Samuel et des Rois, comment les *Jubilés* ou Josèphe réécrivent l'histoire biblique, comment les auteurs des Livres des Maccabées émaillent leur récit de discours.

L'appréciation à porter sur les discours des Actes ne peut pas ignorer ces usages de l'historiographie antique. Il semble assez normal que, voulant composer un ouvrage historique pour lequel il dispose d'une latitude qui ne lui était pas permise dans le traitement des matériaux évangéliques déjà fixés par la tradition, Luc n'ait pas négligé le procédé du discours qui s'imposait alors à l'historien [73]. Les discours missionnaires, en particulier, lui fournissaient l'occasion de remettre ses lecteurs en contact direct avec le message apostolique, et de continuer ainsi sa mission d' « évangéliste ».

3. *La documentation sous-jacente*

Il ne suffit pas de reconnaître dans la composition littéraire des discours des Actes l'œuvre de Luc ; il faut aussi s'interroger sur les maté-

---

73. De ce procédé on pourrait rapprocher celui du dialogue ou, si l'on veut, de l'intervention d'un personnage qui pose une question destinée à donner plus de relief à la déclaration qui sert de réponse. Le procédé est fréquent dans l'œuvre de Luc ; il est particulièrement visible dans les passages de l'évangile pour lesquels la source utilisée par Luc nous est connue par ailleurs. Les cas les plus clairs nous semblent être : *Lc.*, XII, 41 ; XIII, 23 ; XVII, 5 ; XVII, 37 ; XX, 16b ; XXII, 49 ; XXII, 70 ; XXIII, 2. 18. Le premier de ces textes appartient à un développement sur la vigilance groupant deux paraboles ; alors qu'en *Mt.*, XXIV, 43-51 ces deux paraboles se suivent sans aucune transition, *Lc.*, XII, 39-46 les sépare par une demande d'explication : « Pierre dit : « Seigneur est-ce pour nous que tu dis cette parabole, ou bien pour tout le monde ? » Cette intervention de Pierre relève d'un simple artifice littéraire ; il n'est pas nécessaire de supposer que, pour la mentionner, Luc devait posséder un renseignement que Matthieu n'a pas connu. On voit le danger qu'il y aurait à s'appuyer sur un trait de ce genre pour décrire la psychologie de Pierre. L'emploi lucanien de ce procédé littéraire a été bien mis en valeur, pour un autre passage qui y trouve sa vraie signification, par J. GEWIESS, *Die Marienfrage, Lk 1, 34*, dans *Bibl. Zeitschr.*, 5 (1961), 221-254.

riaux qu'il a utilisés pour son travail. Différentes voies d'approche se présentent :

(a) La *Quellenkritik*, qui se propose d'identifier et de délimiter l'étendue des sources utilisées par Luc, n'est plus guère à l'honneur aujourd'hui [74]. Cette méthode s'est avérée très décevante. Non que le texte ne fournisse pas d'indices d'utilisation de sources ; mais le chercheur qui veut partir de là pour retracer une piste s'aperçoit bien vite que celle-ci se perd dans les sables. Cette situation résulte avant tout de la maîtrise avec laquelle Luc marque de son empreinte personnelle tout ce qu'il écrit. A prendre en elle-même l'explication de la parabole du Semeur dans le troisième évangile (*Lc.*, VIII, 11-15), on n'hésiterait guère à y reconnaî-tre un développement purement lucanien ; or ici, la source nous a été con-servée, et il est facile de constater que Luc suit le texte de Marc en pratiquant simplement une série de petites retouches [75]. Si nous ne possédions pas Marc, nous ne pourrions pas le reconstituer à partir de Luc. Il n'est pas étonnant que les sources des Actes nous échappent.

Parmi les indices d'utilisation de sources dans les Actes, on a souvent fait valoir l'existence de « doublets » : Luc aurait juxtaposé deux versions des mêmes événements. C'est ainsi que, suivant Harnack [76], le ch. II et V, 17-42 auraient une autre origine que III, 1-5. 16. L'inconvénient de répartitions de ce genre saute aux yeux : elles ne tiennent pas compte de l'homogénéité des discours qui sont attribués à deux sources diffé-rentes.

La présence de sémitismes pourrait également témoigner de l'emploi de sources. Cette question des sémitismes, qui n'est pas nouvelle, vient de faire l'objet d'une enquête extrêmement soigneuse de la part de Max Wilcox (1965). Pour ce qui concerne les discours, l'auteur estime que son enquête est particulièrement concluante dans le cas du discours d'Étienne (ch. VII) et de la première partie du discours de Paul à An-tioche de Pisidie, celle qui constitue, comme le discours d'Étienne [77],

---

74. Aux travaux conduits selon cette méthode nous avons consacré la première partie de notre ouvrage *Les sources du Livre des Actes. État de la question*, Bruges, 1960.

75. C'est ce que nous avons cherché à montrer dans notre étude : *La parabole du Semeur dans la version de Luc*, dans *Apophoreta. Festschrift für Ernst Haenchen* (Beihefte ZNW, 30), Berlin, 1964, p. 97-108.

76. A. HARNACK, *Die Apostelgeschichte* (Beitr. zur Einl. in das N.T., III), Leipzig, 1908, p. 142-148. Sur cette théorie, ses antécédents et ses prolongements, cfr *Les sources du Livre des Actes*, p. 35-50.

77. Sur le discours d'Étienne, il y aurait intérêt à confronter les observations de Wilcox avec celles que propose, d'un point de vue diamétralement opposé, J. BIHLER, *Die Stephanusgeschichte* (1963), p. 33-185 (voir, en particulier, p. 81-86) : le discours s'expliquerait suffisamment comme composition de Luc à partir de la LXX. Nous avons dit ailleurs les réserves que nous inspire une méthode trop

un résumé de l'histoire sainte (XIII, 17-22) [78]. Constatons simplement qu'il n'y a là rien de spécifique aux discours missionnaires. L'étude des sémitismes ne paraît pas pouvoir fournir beaucoup de lumière sur leurs sources.

(b) La *Formgeschichte* semble ouvrir une voie plus prometteuse. Il convient de rappeler ici les noms de M. Dibelius et de C. H. Dodd, dont les travaux ont fait franchir une étape décisive à l'étude des discours missionnaires des Actes [79]. Indépendamment l'un de l'autre et à partir de points de vue très différents, ces auteurs sont arrivés à des résultats largement convergents qui ont exercé une influence déterminante sur

---

unilatérale (*Rev. d'Hist. Ecclés.*, 59, 1964, p. 529 s.) ; mais les remarques de Bihler pourraient aider à saisir le caractère relatif de certaines de celles que présente Wilcox. Un aspect de la question qui ne saurait être négligé dans un travail sérieux est celui de la présence, dans ce discours, de précisions qui ne s'expliquent pas par le texte biblique et qu'on retrouve dans le judaïsme, spécialement dans le judaïsme hellénistique (Philon, Josèphe) : cfr H. J. CADBURY, *The Book of Acts in History*, New York, 1955, p. 102-104 ; J. C. O'NEILL, *The Theology of Acts in its Historical Setting* (1961), p. 75 s. (deux ouvrages que Bihler et Wilcox ne connaissent pas).

78. « Like Stephen's speech, and, at first sight, unlike some others, this speech begins with a résumé of Israel's history, told in terms of God's redemptive activity. It is noteworthy that in precisely this earlier section of the speech are the points of contact with Stephen observed above. Further, this ' summary ' ends exactly with verse 22, in which — as we have just recalled — the Targum reading is located. From here on, verses 23-32, the speech assumes a different aspect, including not only material found in Mark and Luke, but also certain elements which may be traces of a kerygmatic or perhaps credal nature » (*The Semitisms of Acts*, p. 162). L'assimilation du cas de XIII, 17-22 à celui du discours d'Étienne est donc fondé, non seulement sur le fait qu'il s'agit de deux résumés d'histoire sainte, mais aussi sur différents points de contact unissant ces deux résumés, et sur la présence en XIII, 22 d'une expression influencée par la tradition targumique. Nous avons déjà signalé l'extrême fragilité de l'hypothèse qui recourt au targum pour rendre compte de XIII, 22. Les points de contact entre les deux résumés sont les suivants (p. 161) : XIII, 17 parle de « l'exil » d'Israël en terre d'Égypte, conformément à VII, 6, où Dieu annonce à Abraham que sa postérité serait « exilée » en terre étrangère ; XIII, 17 encore déclare que Dieu, « en déployant la force de son bras, les en fit sortir », ce qui correspond à VII, 36 : « C'est lui (Moïse) qui les fit sortir, en opérant prodiges et signes au pays d'Égypte » ; enfin XIII, 18 parle du séjour au désert « durant quarante ans environ », expression qui correspond à celle de VII, 23 : « Comme il (Moïse) atteignait quarante ans ». Nous avouons que ces trois rapprochements ne nous paraissent pas suffisants pour appuyer l'hypothèse d'une source commune. — Notons aussi l'appel à une documentation particulière pour ces deux aperçus de l'histoire biblique dans T. HOLTZ, *Alttestamentliche Zitate*, p. 172.

79. Il s'agit principalement des deux études auxquelles nous nous sommes déjà référé : M. DIBELIUS, *Die Reden der Apostelgeschichte und die antike Geschichtsschreibung* (1949 ; voir déjà *Die Formgeschichte des Evangeliums*, p. 14-25), et C. H. DODD, *The Apostolic Preaching and its Developments* (1936). Excellent résumé de leurs conclusions dans U. WILCKENS, *Die Missionsreden der Apg*, p. 13-21.

toute une génération d'exégètes [80]. Ils constatent que la prédication apostolique et la foi chrétienne se sont condensées très tôt dans des formules stables ; les épîtres pauliniennes les supposent, en s'y référant comme à la base indiscutable de toute réflexion théologique ultérieure. Le petit symbole de foi de *1 Co.*, XV, 3-5 constitue un des meilleurs exemples de ces formules prépauliniennes qui ont toute chance de remonter aux premières années de l'Église et d'avoir été fixées à Jérusalem même. Or ces vieilles formulations traditionnelles paraissent précisément fournir le noyau des discours missionnaires des Actes : ils en adoptent le schéma, ils en reprennent les expressions caractéristiques. Il faudrait en conclure qu'ils ont été élaborés par Luc sur la base de matériaux traditionnels qui reflètent bien la prédication apostolique des premiers temps de l'Église.

(*c*) Face au consensus qui semblait se réaliser, une réaction s'est produite depuis une quinzaine d'années ; on peut la rattacher au courant de la *Redaktionsgeschichte* et la caractériser par l'ouvrage que U. Wilckens a consacré en 1961 aux discours missionnaires des Actes [81]. L'intérêt se concentre ici sur l'activité rédactionnelle de Luc ; on cherche à rendre compte des discours en les considérant comme l'expression de sa pensée et de ses conceptions théologiques en fonction des besoins et des préoccupations de l'époque et du milieu où il compose son ouvrage. On tend ainsi à réduire au minimum les éléments traditionnels dont s'occupait la génération précédente.

Jusqu'à un certain point, il s'agit d'une question d'accentuation. Dibelius avait déjà montré que les discours sont des compositions littéraires de Luc, et Wilckens ne conteste pas l'utilisation de matériaux plus anciens. C'est ainsi que, contrairement à E. Haenchen [82], Ph. Vielhauer [83] et H. Conzelmann [84], il admet que *Act.*, III, 20-21 reprend un fragment traditionnel, qu'il fait d'ailleurs remonter à une tradition

---

80. Voir les nombreux auteurs cités par WILCKENS, p. 21-25.

81. U. WILCKENS, *Die Missionsreden der Apostelgeschichte*. La 2e éd. (1963) apporte peu de changements par rapport à la première. L'auteur rappelle les études antérieures qui avaient déjà remis en cause les résultats des travaux conduits dans l'esprit de Dibelius et de Dodd (p. 25-29).

82. E. HAENCHEN, *Die Apostelgeschichte* (Kritisch-exegetischer Kommentar über das N.T., III, 14e éd.), 5e éd., Goettingue, 1965, p. 170-171.

83. Ph. VIELHAUER, *Ein Weg zur neutestamentlichen Christologie ? Prüfung der Thesen Ferdinand Hahns*, dans *Evangelische Theologie*, 25 (1965), 24-72 (47-48) = *Aufsätze zum Neuen Testament* (Theol. Bücherei, 31), Munich, 1965, p. 141-198 (169-170).

84. H. CONZELMANN, *Die Apostelgeschichte* (Handbuch zum N.T., 7), Tubingue, 1963, p. 34-35.

juive baptiste [85] plutôt qu'au christianisme primitif [86]. Ces deux versets, qui appliquent au retour du Christ ce que l'espérance traditionnelle juive attendait du retour d'Élie, constituent un cas d'application très intéressant du problème du rapport entre tradition et rédaction dans la composition des discours des Actes [87]. Mais la question fondamentale reste celle de la relation à établir entre ces discours et les formules du kérygme prépaulinien qui apparaissent dans les épîtres de Paul. La position de Wilckens [88] sur ce point est peut-être trop négative, mais on ne saurait négliger les critiques qu'il adresse aux exégètes qui croient trop facilement retrouver ces formules dans les discours missionnaires des Actes. Les exigences de Wilckens invitent à un nouveau travail, qui serre les textes de plus près. Ce travail est en cours : nous pensons en particulier aux recherches de J. Schmitt et de W. Thüsing [89].

La christologie des discours des Actes mérite une attention toute spéciale. Ceci est vrai surtout de la manière dont Jésus y est présenté comme le Serviteur de Dieu [90]. Wilckens voit là le fruit d'une réflexion de Luc sur les prophéties du Livre d'Isaïe, plutôt que le reflet d'une vieille

---

85. *Die Missionsreden*, p. 43 et 153-156. Voir déjà O. BAUERNFEIND, *Die Apostelgeschichte* (Theol. Handkomm. zum N.T., V), Leipzig, 1939, p. 66-69. L'hypothèse reparaît chez H. FLENDER, *Heil und Geschichte in der Theologie des Lukas* (Beitr. zur ev. Theol., 41), Munich, 1965, p. 89.

86. Comme le pensent, par exemple, J. A. T. ROBINSON, *The Most Primitive Christology of All ?* dans *Journ. of Theol. Studies*, 7 (1956), 177-189 (187-188) = *Twelve New Testament Studies*, Londres, 1962, p. 139-153 (151-152) ; R. H. FULLER, *The Foundations of New Testament Christology*, Londres, 1965 ; R. E. BROWN, *How Much did Jesus Know ? — A Survey of the Biblical Evidence*, dans *Cath. Bibl. Quart.*, 29 (1967), 315-345 (332). L'archaïsme de cette tradition résulterait, d'après ces auteurs, du fait que Jésus n'est encore qu'un « Messias designatus » ; il ne sera vraiment « Christ » que lors de son avènement. F. HAHN s'engage plus ou moins dans la même direction : *Christologische Hoheitstitel. Ihre Geschichte im frühen Christentum* (FRLANT, 83), Goettingue, 1963, p. 184-185. Cette manière de faire remonter *Act.*, III, 20-21 aux origines du christianisme ne nous paraît pas correspondre au sens naturel du texte, ni pris en lui-même, ni surtout dans son contexte lucanien. On peut voir à ce propos S. S. SMALLEY, *The Christology of Acts*, dans *Exp. Times*, 73 (1961-62), 358-362 ; C. F. D. MOULE, *The Christology of Acts*, dans L. E. KECK-J. L. MARTYN (éd.), *Studies in Luke-Acts. Essays presented in honor of Paul Schubert*, Nashville-New York, 1966, p. 159-185 (167-169) ; G. VOSS, *Die Christologie der lukanischen Schriften in Grundzügen* (Studia Neotestamentica, Studia, 2), Paris-Bruges, 1965, p. 151-152.

87. Voir le bon exposé réservé à ces deux versets dans E. RASCO, *Actus Apostolorum*, p. 238-248. Bref état de la question dans W. G. KUEMMEL, *Einleitung in das N.T.*, p. 111 s.

88. Voir en particulier, pour ce qui concerne le schéma, *Die Missionsreden*, p. 72-91.

89. Articles cités n. 5 et n. 50.

90. *Act.*, III, 13. 26 ; IV, 27. 30. Nous avons indiqué en 1950 les différentes positions en présence : cfr *Études sur les Actes des Apôtres*, p. 108-115. Sur l'état

christologie traditionnelle [91]. Cette explication n'est guère satisfaisante, comme le remarque W. G. Kümmel [92]. La place que cette christologie du Serviteur de Dieu a occupée très tôt et a conservée longtemps dans la tradition liturgique plaide en faveur de son origine ancienne [93]. L'écho qu'elle trouve dans le discours du ch. III (vv. 13, 14 et 26), comme dans la prière du ch. IV (vv. 25, 27 et 30), permet de supposer que Luc ne l'emploie que sur la base d'une tradition qui reflète bien la première théologie chrétienne. Comment ne pas mentionner ici la suggestion de Cullmann qui, retrouvant cette christologie du Serviteur dans la *Prima Petri* (II, 21-25), se demande si elle ne refléterait pas plus précisément la pensée de Pierre [94] ? Il faudrait sans doute remonter plus haut

---

actuel des recherches, voir U. WILCKENS, *Missionsreden*, p. 163-170 (cfr p. 11, n. 3 ; p. 21, n. 2) ; F. HAHN, *Christologische Hoheitstitel*, p. 385-387 ; B. M. F. VAN IERSEL, « *Der Sohn* » *in den synoptischen Jesusworten*, p. 52-65 ; pour ce qui concerne la position de Harnack, tenir compte de la mise au point de M. RESE, *Alttestamentliche Motive*, p. 195-200.

91. « Die Verwendung von παῖς θεοῦ bei Lukas entspricht genau der ihm eigenen Verwendung des Christustitels als χριστὸς τοῦ θεοῦ ; offenbar hat Lukas die Aussagen nicht einer christologischen Tradition, sondern einfach der Schrift und traditioneller urchristlicher Schriftauslegung entnommen, wie Act 3, 13 zeigt » (*op. cit.*, p. 166).

92. « ... ebenso ist der παῖς-Titel für Jesus nicht erst das Resultat einer lukanischen Schriftexegese » (W. G. KUEMMEL, *Einleitung in das N.T.*, p. 110). Voir aussi M. DIBELIUS, *Aufsätze*, p. 142.

93. Ce point n'est pas contesté par WILCKENS : « Diese liturgische Wendung ist sehr alt, wie besonders A. von Harnack wahrscheinlich gemacht hat » (p. 165) ; il doute seulement que l'emploi du titre παῖς θεοῦ représente un usage liturgique « primitif ». Voir aussi, dans un sens plus ou moins analogue, J. C. O'NEILL, *The Theology of Acts in its Historical Setting*, Londres, 1961, p. 133-139.

94. L'hypothèse apparaît dans O. CULLMANN, *Gesù, Servo di Dio (Jesoûs Paîs Theoû)*, dans *Protestantesimo*, 3 (1948), 49-58 : « Il Libro degli Atti ci offre la prova più evidente dell'esistenza di una antica cristologia dell'Ebed Jahvè, probabilmente la più antica cristologia con cui i primitivi cristiani hanno spiegato il mistero della persona e dell'opera di Gesù... Bisogna notare che i 4 passi citati, che sono i soli in tutto il Nuovo Testamento in cui Gesù sia chiamato 'Paîs', fanno parte dei discorsi di Pietro... Certo l'autore del libro degli Atti non ci ha dato una riproduzione letterale dei discorsi di Pietro. Ma sembra che con intenzione abbia posto precisamente sulla bocca dell'apostolo Pietro l'uso del titolo Servitore, perchè si ricordava che effettivamente l'apostolo Pietro, dopo la morte di Gesù, aveva applicato al Maestro questo titolo... Si potrebbe trovare una conferma di questa ipotesi nel fatto che uno dei passi del N.T. che identifica nella maniera più esplicata Gesù con l'Ebed Jahvè si trova nella I Epistola di Pietro (2, 21-24) ... » (p. 56-57). Ce même article a paru en français, *Jésus, serviteur de Dieu*, dans *Dieu Vivant*, n⁰ 16 (1950), 17-34. L'hypothèse est reprise dans *Saint Pierre, disciple, apôtre, martyr. Histoire et théologie* (Bibl. théol.), Neuchâtel-Paris, 1952, p. 58-60, et dans *Christologie du Nouveau Testament* (Bibl. théol.), Neuchâtel-Paris, 1958, p. 66-68. Cette suggestion apparaît aussi dans un paragraphe de E. G. SELWYN sur *I Peter and St. Peter's Speeches in Acts*, dans l'introduction du commentaire : *The First Epistle of St. Peter*, 2ᵉ éd., Londres, 1947, p. 33-36. Les différents rapprochements que ces

encore, jusqu'à la pensée de Jésus lui-même, dans l'interprétation qu'il a donnée de son sacrifice accompli « pour nous », « pour la multitude », conformément au Chant du Serviteur souffrant, *Is.*, LIII [95].

Il n'est guère possible de faire plus ici que de donner une idée générale de l'orientation que devraient prendre des recherches, nécessairement complexes et délicates, sur la documentation dont Luc a disposé pour composer les discours missionnaires que les Actes attribuent à Pierre et à Paul [96]. On voit aussi ce qu'on peut attendre de ces recherches : nous faire connaître beaucoup moins ce qu'a pu être la prédication personnelle de Pierre en ce qui la spécifie par rapport à ce que prêchaient Jean ou Jacques, Étienne ou Barnabé, que bien plutôt un reflet de la prédication chrétienne, en général, aux premiers temps de l'Église [97]. Le fait que Luc a profondément marqué de son empreinte les matériaux traditionnels dont il disposait et qui, eux-mêmes, lui étaient déjà par-

---

pages établissent entre l'épître et les discours des Actes ne sont pas sans intérêt, bien qu'il soit difficile de construire sur eux des conclusions quelque peu fermes. Notons à ce propos que C. GHIDELLI suggère un autre rapprochement, beaucoup plus discutable : « È assai sintomatico che μάρτυς, nel significato tecnico della vita, morte e Risurrezione di Gesù ricorra solo in Atti e in I Piet. 5, 1 » (*Introduzione alla Bibbia*, V /1, p. 101, n. 5). En se disant « témoin des souffrances du Christ », l'auteur de l'épître emploie le mot μάρτυς dans un sens tout différent de celui où nous l'avons rencontré dans *Lc.*, XXIV et *Act.*, I-XIII.

95. Voir, par exemple, J. JEREMIAS, *Die Abendmahlsworte Jesu*, 3ᵉ éd., Goettingue, 1960, p. 216-223 ; B. M. F. VAN IERSEL, « *Der Sohn* », p. 65.

96. Il convient de signaler le point de vue, très intéressant, auquel se place J. SCHMITT dans son étude du discours de la Pentecôte (*Suppl. au Dict. de la Bible*, 8, col. 259-261) : il cherche à mettre en valeur son caractère composite. Le discours serait fait de « trois morceaux disparates de forme et de ton » auxquels la rédaction de Luc n'a donné qu'une unité apparente et dans lesquels elle est intervenue à des degrés variables. Ces matériaux eux-mêmes reflètent des traditions différentes se rattachant à des milieux divers et se situant à des dates inégalement anciennes. Bonne mise en garde, en tout cas, contre les jugements sommaires et massifs.

97. Nous n'entendons nullement exclure *a priori le fait* d'allusions à des expressions ou à des idées particulièrement chères à Pierre. Il paraît assez clair que *Act.*, XIII, 38-39 veut délibérément évoquer la doctrine paulinienne de la justification par la foi, et le discours de XX, 18-35 contient plusieurs traits qui sont parfaitement en situation sur les lèvres de Paul (cfr *Le Discours de Milet, testament pastoral de saint Paul.* Lectio Divina, 32, Paris, 1962). Il n'y a aucune raison de refuser *a priori* la présence de traits pétriniens dans les discours de Pierre. Nous voulons simplement constater que nous ne sommes pas en mesure d'identifier ces traits, s'ils existent. Les recoupements avec la *Prima Petri*, en particulier, s'avèrent peu éclairants. On nous parle du titre παῖς θεοῦ, mais il faut reconnaître 1⁰ qu'il n'apparaît pas dans 1 Pt, 2⁰ qu'il n'a peut-être pas le même sens en *Act.*, III, 13. 26 et en *Act.*, IV, 27. 30, où la proximité de IV, 25 lui donne une résonance royale. Dans l'état des renseignements dont nous disposons, nous croyons toujours valables les remarques reprises dans *Études sur les Actes des Apôtres*, p. 43-47.

venus sous une forme grecque [98], donc en tout cas transposée, n'empêche pas entièrement d'y retrouver des traits qui semblent avoir caractérisé très tôt la prédication missionnaire du christianisme. Cette première cristallisation du message se comprend mieux à partir de l'influence d'un prédicateur particulièrement marquant. Le nom qui s'impose immédiatement est celui du porte-parole attitré du groupe des premiers apôtres : Pierre.

Deuxième partie : Discours à la communauté de Jérusalem

Les trois discours qui nous restent se situent à Jérusalem ; Pierre s'y adresse à la communauté chrétienne, ou du moins, pour le ch. XV, à ses dirigeants. Ces allocutions n'ont pas l'importance des discours missionnaires ; elles posent aussi moins de problèmes. Nous pourrons donc aller plus vite.

A. Discours pour le remplacement de Judas (I, 16-22)

Trois remarques permettront de caractériser les données essentielles de ce texte :

1. Ce que les vv. 18-19 rapportent au sujet de la mort misérable du traître doit être rapproché de la version qu'en donne *Mt.*, XXVII, 3-10. Le P. Benoit [99] a bien montré que, malgré tout ce qui les sépare, ces deux versions reposent sur un fond commun : elles reproduisent

---

98. M. Wilcox ne nous contredit pas ; il écrit, à propos des discours : « From these and other considerations it appears that such sources as Luke may have had here were probably before him already in Greek » (*The Semitisms of Acts*, p. 182).

99. P. Benoit, *La mort de Judas*, dans *Synoptische Studien A. Wikenhauser*, Munich, s.d. (1964), p. 1-19 = *Exégèse et Théologie*, I, Paris, 1961, p. 340-359. La bibliographie de ce passage est fournie par E. Haenchen dans son commentaire (p. 127 et p. 659), qui ne connaît cependant pas cette étude de P. Benoit, non plus que J. Dupont, *La destinée de Judas prophétisée par David (Actes 1, 16-20)*, dans *Cath. Bibl. Quart.*, 23 (1961), 41-51 = *Études sur les Actes des Apôtres*, p. 309-320. On retiendra surtout l'étude de Ph.-H. Menoud, *Les additions au groupe des douze apôtres d'après le livre des Actes*, dans *Rev. d'Hist. et de Philos. rel.*, 37 (1957), 71-80, et celle de J.-P. Charlier, dans *L'Évangile de l'enfance de l'Église. Commentaire de Actes 1-2* (Études religieuses, 772), Bruxelles-Paris, 1966, p. 82-106. A signaler aussi une étude qui s'intéresse moins au récit qu'aux présupposés théologiques du fait que la première communauté a voulu reconstituer le collège des Douze : K. H. Rengstorf, *Die Zuwahl des Matthias (Apg 1, 15 ff.)*, dans *Studia Theologica*, 15 (1961), 35-67, et les remarques de E. Haenchen dans son article *Judentum und Christentum in der Apostelgeschichte*, dans ZNW, 54 (1963), 155-187 (161 s.) = *Die Bibel und Wir. Gesammelte Aufsätze*, II, Tubingue, 1968, p. 338-374 (345 s.).

des traditions populaires liées à un nom de lieu de la topographie hiéro-solymitaine. C'est évidemment à Jérusalem qu'il faut chercher ces traditions, mais à une date qui ne peut pas être trop proche des événements. Il est assez clair d'ailleurs que les explications de ces deux versets s'adressent en réalité, non pas aux auditeurs de Pierre, mais aux lecteurs des Actes : c'est Luc qui fait ici état d'une tradition populaire hiéro-solymitaine [100].

2. Les deux versions de la mort de Judas ont encore ceci en commun qu'elles découvrent dans les traditions relatives à *Haqeldama* l'occasion de signaler l'accomplissement d'une prophétie : Matthieu cite Jérémie (en réalité Zacharie) ; Luc se réfère au *Ps.* LXIX : « Que sa métairie devienne déserte et qu'il ne se trouve personne pour y habiter. » Notons d'abord que le verset ne peut s'appliquer au « Domaine du Sang » que si on le lit dans le grec [101] ; l'hébreu parle d'un campement et de tentes. Soulignons surtout le présupposé de l'application de ce texte à Judas [102]. Le *Ps.* LXIX est considéré par les premiers chrétiens comme une prophétie de la passion du Christ : c'est à ce titre qu'il est allégué par Matthieu, par Jean et par Paul [103]. Cette interprétation messianique s'étend naturellement au traître, en raison du rôle qu'il a joué dans le drame de la Passion. C'est donc en vertu d'une interprétation tradition-nelle qu'on peut voir l'accomplissement d'une prophétie dans l'horreur qui s'attache au « Domaine du Sang ».

Le v. 20b ajoute une seconde citation : « Qu'un autre reçoive sa charge » (*Ps.* CIX, 8). Contrairement à la première, cette Écriture n'est pas encore accomplie ; mais l'accomplissement de la première permet de conclure au nécessaire accomplissement de la seconde, et donc au devoir de remplacer Judas (v. 21). Le principe d'interprétation reste le même : les souffrances dont parle le psalmiste étant celles du Christ, les malé-dictions portées contre le responsable de ces souffrances s'appliquent à l'apôtre qui a trahi son Maître.

Nous nous trouvons donc ici en présence de deux applications concrètes du principe en vertu duquel les discours missionnaires parlent de la

100. Le P. Benoit conclut son article en disant que, là où la tradition reprise par Luc s'écarte de celle qui nous est conservée dans Matthieu, c'est celle-ci qui offre les meilleures garanties.

101. Cfr E. HAENCHEN, *Die Apostelgeschichte*, p. 126 et 128 ; *Tradition und Komposition in der Apostelgeschichte*, dans *Zeitschr. für Theologie und Kirche*, 52 (1955), 205-225 (207 s.) = *Gott und Mensch. Gesammelte Aufsätze*, Tubingue, 1965, p. 206-226 (208 s.). Voir aussi Ph.-H. MENOUD, *Les additions au groupe des douze apôtres*, p. 74 ; E. SCHWEIZER, *Zu Apg 1, 16-22*, dans *Theol. Zeitschr.*, 14 (1958), 46 = *Neotestamentica*, Zurich, 1963, p. 416 s.

102. Voir notre article *La destinée de Judas prophétisée par David*.

103. *Mt.*, XXVII, 34. 48 ; *Mc.*, XV, 36 ; *Lc.*, XXIII, 36 ; *Jn.*, XV, 25 ; XIX, 29 (II, 17) ; *Rom.*, XI, 9-10 ; XV, 3.

nécessité divine de la Passion : il fallait que les Écritures s'accomplissent (*Act.*, III, 18 ; XIII, 27 ; cfr II, 23 ; *Lc.*, XXIV, 7.25-27.44-46). Il s'agit d'une exégèse traditionnelle, mais qui ne se vérifie qu'à partir de la version grecque de la Bible, au moins dans le cas de la première citation [104]. Il est clair que Pierre n'aurait pas pu raisonner sous cette forme dans la circonstance où Luc place son discours.

3. Les vv. 21-22 précisent les conditions à remplir par celui qui remplacera Judas, pour lui permettre d'être, avec les Onze, « témoin de la résurrection » de Jésus [105]. On reconnaît là le sens particulier du titre de « témoins » appliqué aux apôtres en *Lc.*, XXIV, 48 ; *Act.*, I, 8 et dans les discours missionnaires de Pierre et de Paul.

Il est essentiel aux « témoins de la résurrection » d'avoir été associés à la totalité du ministère de Jésus, « en commençant au baptême de Jean, jusqu'au jour où il a été enlevé d'auprès de nous » (v. 22a). Cette manière de définir le ministère de Jésus correspond à celle du prologue des Actes (I, 1-2). Le discours de Césarée précise qu'il a commencé « après le baptême proclamé par Jean » (X, 37), et le discours d'Antioche de Pisidie rappelle, conformément à la perspective de Luc, que c'est « au moment de terminer sa course » que Jean a rendu témoignage au Christ (*Act.*, XIII, 25) [106]. Aux yeux de Luc, le ministère de Jésus fait suite à celui de Jean, auquel il se rattache par l'épisode du baptême ; ce point de vue ne paraît pas correspondre exactement à celui de Marc, qui englobe Jean-Baptiste dans « l'Évangile » (*Mc.*, I, 1-11).

En résumé, ce premier discours de Pierre contient des données traditionnelles : c'est le cas pour ce qui concerne les indications qu'il fournit sur la mort de Judas, d'après une tradition populaire hiérosolymitaine, mais relativement tardive ; c'est le cas aussi pour le principe exégétique qui permet de faire appel aux psaumes comme à des prophéties de la Passion, bien que l'emploi d'un argument qui suppose l'usage de la Bible grecque ne puisse évidemment pas remonter aux tout premiers jours de l'Église. Nous avons reconnu la main de Luc dans la définition

---

104. T. HOLTZ estime que, pour la première citation, il n'est pas possible d'arriver à une certitude sur la question de savoir si elle est faite sur la LXX ; mais il n'y a aucun doute, selon lui, que la seconde est empruntée à la LXX, le passage de l'optatif à l'impératif étant évidemment attribuable à Luc : *Untersuchungen über die alttestamentliche Zitate bei Lukas*, p. 47 s. Sur la dépendance de la première citation à l'égard de la LXX, voir B. LINDARS, *New Testament Apologetic*, p. 102 s.

105. Le v. 26 conclut en disant que Matthias « fut adjoint aux onze apôtres » (texte courant), ou « fut mis au nombre des douze apôtres » (texte occidental). Il est curieux de constater que, dans le canon de la messe, la tradition romaine lui refuse cet honneur : Paul prend sa place dans la liste des Douze, et Matthias se voit relégué dans une seconde liste, où il cède le pas à Étienne !

106. Voir plus haut, p. 336.

de l'apostolat sur laquelle le discours se termine ; il ne serait pas difficile de la montrer également dans les premières lignes du discours. Inutile d'insister : la composition littéraire du discours est manifestement l'œuvre de Luc. Cela n'exclut pas le recours à des traditions antérieures, mais qui ne paraissent pas très anciennes.

B. Le sens de l'histoire de Corneille

Les deux discours que nous avons encore à examiner (XI, 4-17 et XV, 7-11) sont inséparables du long récit de la conversion de Corneille, qui occupe tout le ch. X. Leur but est précisément de fournir la clé théologique de cet épisode, de mettre en lumière la signification profonde de l'événement et la raison pour laquelle Luc lui attribue une si grande importance dans le cadre de son histoire [107]. On pourrait comparer le rôle de Pierre dans ces deux discours à celui des deux anges-interprètes dans le récit de la résurrection (*Lc.*, XXIV, 4-7) et de l'ascension de Jésus (*Act.*, I, 10-11).

1. *Le discours du ch. XI*

A son retour de Césarée, Pierre se voit pris à partie par les judéo-chrétiens de Jérusalem : en séjournant chez des incirconcis [108], il a manqué à ses devoirs religieux les plus élémentaires. On le somme donc de s'expliquer. Ne nous attendons pas à ce que Pierre se retranche derrière l'autorité qu'il doit à son mandat et rappelle aux contestataires les devoirs de l'obéissance. Il s'agit pour lui d'obtenir l'assentiment de l'Église de Jérusalem à ce que Dieu, Dieu seul, vient d'accomplir par son ministère.

---

107. Cfr E. Haenchen, *Die Apostelgeschichte*, p. 301-308 ; F. Hahn, *Das Verständnis der Mission im Neuen Testament* (Wiss. Monogr. zum A. und N.T., 13), 2ᵉ éd., Neukirchen-Vluyn, 1965, p. 116 ; J. Jervell, *Das gespaltene Israel und die Heidenvölker. Zur Motivierung der Heidenmission in der Apostelgeschichte*, dans *Studia Theologica*, 19 (1965), 68-96 (92-95). A propos de ce dernier article, d'ailleurs très suggestif, nous nous permettons de signaler que nous en avons discuté la thèse fondamentale dans une petite étude, *Je t'ai établi lumière des nations* (*Act.*, XIII, 42-53), dans le vol. sur le *Quatrième Dimanche de Pâques*, de la coll. « Assemblées du Seigneur », 2ᵉ série, nº 25, Paris, 1969.

108. Malgré son adhésion intime à la foi juive et une conduite qui se conforme au plus pur idéal religieux du judaïsme, Corneille ne reste pas moins, au point de vue de l'orthodoxie juive, un étranger par rapport au peuple élu, et donc un homme impur. Cfr K. G. Kuhn, art. προσήλυτος, dans ThWNT, VI (1959), p. 727-745 (743 s.). Mais il y aurait évidemment erreur à faire de ce Gentil un « païen », au sens religieux que ce mot prend dans notre vocabulaire, ou à assimiler le cas de Corneille à celui des idolâtres dont il est question en *Rom.*, I, 18-32 ; *Act.*, XIV, 17 ; XVII, 22-32 : ce que n'évite pas suffisamment un article, dont l'optique correspond mal aux données du texte, publié par W. Bieder, *Zum Problem Religion-christlicher Glaube*, dans *Theol. Zeitschr.*, 15 (1959), 431-445.

Son discours consiste presque entièrement en un exposé des faits que le lecteur des Actes connaît déjà par le chapitre précédent. Luc n'a plus à entrer dans le détail. Son résumé met en valeur les interventions surnaturelles qui ont déterminé la conduite de Pierre. Il rapporte d'abord la vision de Joppé (vv. 5-10), à peu près dans les mêmes termes qu'au ch. X (vv. 10b-16) ; il mentionne également l'intervention de l'Esprit l'invitant à accompagner les envoyés de Corneille (XI, 11-12 ; cfr X, 17-20). Il fait ensuite état de l'apparition dont le centurion avait été favorisé (XI, 13-14 ; cfr X, 3-6 et 30-32) et de l'effusion de l'Esprit qui se produisit au moment où il commençait à parler (XI, 15 ; cfr X, 44).

Cette dernière intervention constitue le signe décisif. Pierre commence par la présenter comme un accomplissement de la parole prophétique prononcée par le Seigneur : « Jean a baptisé avec de l'eau, mais vous, vous serez baptisés dans l'Esprit Saint » (XI, 16). A vrai dire, la tradition évangélique attribue cette parole à Jean-Baptiste (*Mt.*, III, 11 ; *Mc.*, I, 8 ; *Lc.*, III, 16 ; *Jn.*, I, 25.33) ; mais elle avait déjà été reprise comme parole de Jésus en *Act.*, I, 5. Dans ce dernier texte, il y avait une précision supplémentaire : « Vous serez baptisés dans l'Esprit Saint *sous peu de jours.* » La prédiction se rapportait clairement à l'événement de la Pentecôte. La venue de l'Esprit Saint sur la famille de Corneille apparaît ainsi comme le nouvel accomplissement d'une parole du Seigneur qui s'était déjà réalisée en faveur du groupe apostolique le jour de la Pentecôte.

Tel est précisément le présupposé dont le v. 17 tire la conclusion : « Si donc Dieu leur a accordé le même don qu'à nous, pour avoir cru au Seigneur Jésus Christ, qui étais-je, moi, pour faire obstacle à Dieu ? » La question rappelle celle que Pierre avait déjà posée à Césarée : « Peut-on refuser l'eau du baptême à ceux qui ont reçu l'Esprit Saint aussi bien que nous ? » (X, 47). Il faut remarquer le point sur lequel les textes insistent : « aussi bien que nous » (X, 47), « tout comme sur nous au début » (XI, 15), « comme à nous aussi » (XI, 17). L'effusion de l'Esprit sur les incirconcis de Césarée est assimilée à celle dont les apôtres ont été gratifiés à Jérusalem le jour de la Pentecôte. Cette assimilation ne résulte pas simplement des effets produits par la venue de l'Esprit : les Gentils de Césarée ont « parlé en langues et magnifié Dieu » (X, 46) comme les apôtres l'avaient fait à Jérusalem (cfr II, 11). Le détail n'est pas rappelé ; il n'a qu'un rôle accessoire. L'essentiel ne se trouve pas dans les manifestations de l'Esprit, mais dans le fait que l'Esprit lui-même est donné : comment refuser de considérer comme membres de l'Église des gens qui ont reçu l'Esprit tout comme les apôtres [109] ?

---

109. Comment ne pas évoquer à ce propos le problème de l'œcuménisme tel que le pose le décret de Vatican II ? Aux chrétiens qui ne sont pas en pleine communion avec elle, l'Église catholique reconnaît la réalité de la communion incomplète

En pratique : comment subordonner l'admission de ces Gentils dans l'Église à leur acceptation de la circoncision ?

Il revient aux judéo-chrétiens eux-mêmes de dégager le sens de ce qui vient d'arriver à Césarée : « Ainsi donc, aux Gentils également Dieu a accordé le repentir qui conduit à la vie ! » (v. 18). Il y a moyen d'être sauvé tout en restant Gentil ; il n'est pas nécessaire pour les Gentils de se faire Juifs par la circoncision. Voilà ce qui donne à la « Pentecôte » de Césarée son importance décisive dans l'histoire de l'Église apostolique. Mais ceci ne sera pleinement mis en lumière que dans le discours du ch. XV.

2. Le discours du ch. XV

Le discours de Pierre au concile de Jérusalem revient sur la conversion de Corneille pour expliciter davantage encore l'enseignement qu'il convient d'en tirer. Il peut le faire parce que, entre le ch. XI et le ch. XV, le problème s'est élargi et s'est précisé. Les judéo-chrétiens de Jérusalem sont allés dire aux fidèles d'Antioche : « Si vous ne vous faites pas circoncire suivant l'usage qui vient de Moïse, vous ne pouvez être sauvés » (XV, 1). Ils reviennent à la charge à Jérusalem : « Il faut les circoncire et leur enjoindre d'observer la Loi de Moïse » (v. 5). Sur cette question clairement posée Pierre projette l'éclairage de l'histoire de Corneille. A s'en tenir aux termes mêmes du discours, le rappel peut paraître vague et peu compréhensible ; mais le lecteur des Actes, à l'intention duquel le discours est écrit, ne saurait s'y tromper : amplement informé sur l'événement de Césarée, il reconnaîtra sans peine l'enseignement qui en a déjà été dégagé [110].

---

qui leur est donnée. Où se trouve le fondement de cette communion partielle ? Il semblait obvie de le chercher dans l'Esprit Saint, et c'est ce que faisait effectivement, à trois reprises, le texte approuvé par les Pères conciliaires. On n'a pas été peu surpris d'apprendre que, par décision de l'Autorité Supérieure, les trois passages en question avaient été modifiés : contrairement à l'avis général, on peut reconnaître dans la vie des non-catholiques, non pas « les dons de l'Esprit Saint », mais uniquement « des œuvres vertueuses » (n° 4) ; il est inexact de dire que l'« Esprit Saint agit dans leur cœur », mais on peut admettre que « la grâce du Saint Esprit agit sur eux » (ib.) ; il faut écarter l'idée que, « sous la motion du Saint Esprit, ils trouvent Dieu dans les Écritures », mais rien n'empêche de penser qu'ils « cherchent Dieu dans les Écritures en invoquant le Saint Esprit » (n° 21). Les théologiens n'ont pas encore expliqué, à notre connaissance, cette disjonction entre participation à l'Esprit et communion avec l'Église.

110. Cfr M. DIBELIUS, *Das Apostelkonzil*, dans *Theol. Literaturzeitung*, 72 (1947), 193-198 (194 s.) = *Aufsätze zur Apostelgeschichte*, p. 84-90 (85 s.) ; E. HAENCHEN, *Die Apostelgeschichte*, p. 386 et 400 ; H. FLENDER, *Heil und Geschichte in der Theologie des Lukas*, p. 20 s. ; J. JERVELL, *Studia Theologica*, 1965, p. 92 s. Nous n'avons pas à évoquer ici toute la littérature consacrée au Concile apostolique, ni même les études qui, sans guère s'embarrasser des questions littéraires soulevées par la

Les vv. 7-9 constituent un rappel des faits. Laissant de côté ce qui est accessoire, à commencer par les visions, Pierre va droit à l'essentiel : Dieu, « qui connaît les cœurs » [111], a rendu son témoignage en faveur des Gentils « en leur donnant l'Esprit Saint tout comme à nous » (v. 8). « Tout comme à nous » : on reconnaît le point qui a déjà été fortement accentué en X, 47 ; XI, 15 et 17. Il y a ressemblance parfaite entre l'effusion de l'Esprit à Césarée et celle de la Pentecôte à Jérusalem.

Le v. 9 explique la portée de ce « tout comme à nous » : Dieu « n'a fait aucune distinction entre eux et nous ». Le verbe διακρίνω, qui, en X, 20 et XI, 12, invitait Pierre à ne pas « hésiter », est repris ici dans un autre sens : Dieu n'a pas « fait de différence » entre Gentils et Juifs. Si les Gentils ont pu recevoir l'Esprit [112] aussi bien que les apôtres et les chrétiens issus du judaïsme, c'est parce que Dieu a « purifié leur cœur par la foi ». La séparation entre Juifs et Gentils venait précisément de ce que ceux-ci étaient « impurs » au point de vue de la Loi juive. La suppression de cette différence a été enseignée à Pierre par la vision de la nappe, à l'occasion de laquelle la voix céleste lui a déclaré : « Ce que Dieu a purifié, toi, ne le dis pas souillé » (X, 15 ; XI, 9). Pierre l'a bien compris, comme l'indiquent ses paroles à Corneille : « Dieu vient de me montrer qu'il ne faut appeler aucun homme souillé ou impur » (X, 28). Nous voyons en XV, 9 comment la distinction peut être abolie : même sans la circoncision, un Gentil devient pur grâce à la foi, par laquelle Dieu lui purifie le cœur. Suite à cette purification, non plus rituelle mais intérieure, le Gentil est pur, et donc susceptible de recevoir le don de l'Esprit aussi bien qu'un Juif.

Les vv. 10-11 tirent la leçon de l'expérience de Césarée. En réalité, seul le v. 10 se rapporte directement à la question soulevée par les judéo-chrétiens : « Pourquoi donc maintenant tentez-vous Dieu en voulant imposer aux disciples un joug que ni nos pères ni nous-mêmes n'avons eu la force de porter ? » La pointe finale : les Juifs eux-mêmes sont incapables d'observer la Loi, correspond à celle sur laquelle s'achèvent

---

composition du chapitre, concentrent leur intérêt sur le rôle qu'il attribue à Pierre dans cette circonstance ; il s'agit souvent de mises au point contre l'hypothèse de O. CULLMANN (*Saint Pierre*, p. 34 ss.), pour qui Pierre aurait abdiqué sa primauté en faveur de Jacques. Voir, par exemple, J. H. CREHAN, *Peter at the Council of Jerusalem*, dans *Scripture*, 6 (1953-54), 175-180 ; M. MINGUÉNS, *Pietro nel concilio apostolico*, dans *Riv. Bibl.*, 10 (1962), 240-251 ; E. RAVAROTTO, *La figura e la parte di Pietro in Atti 8-15*, dans *San Pietro. Atti della XIX Settimana Biblica* (Assoc. Bibl. It.), Brescia, 1967, p. 241-278. La question qui nous est posée est différente : celle de savoir sur quelle base Luc rapporte le discours de Pierre.

111. καρδιογνώστης, le même mot qu'en *Act.*, I, 24 (pas ailleurs dans le N.T.) ; il reprend l'idée qui avait été exprimée en X, 34 au moyen d'un autre *hapax* : « Dieu n'est pas προσωπολήμπτης », il n'a pas égard au visage, à la personne (cfr E. LOHSE, dans ThWNT, 6, 1959, p. 780 s.).

112. C'est sur ce point précis que X, 45 met l'accent.

le discours d'Étienne (VII, 53) et le discours de Paul à Antioche de Pisidie (XIII, 38-39). L'important n'est pas là. Il se trouve dans l'idée que Dieu a suffisamment manifesté sa volonté à l'égard des Gentils pour qu'on ne puisse, sans le « tenter » et se révolter contre lui, obliger les Gentils à passer dans le judaïsme en se soumettant à la circoncision et aux observances de la Loi. Purifiés par la foi, ils n'ont pas besoin de cela pour être des « saints », pour recevoir l'Esprit et parvenir au salut.

Le v. 11 termine par une sorte d'argument *ad hominem* qui retourne la perspective. Jusqu'ici Pierre insistait : « eux comme nous » ; maintenant c'est « nous comme eux » : « D'ailleurs, c'est par la grâce du Seigneur Jésus que nous croyons être sauvés, exactement comme eux. » S'il n'y a plus de différence entre les Gentils et les Juifs (v. 9), il n'y en a pas davantage entre les Juifs et les Gentils : les judéo-chrétiens savent bien que leur salut ne peut être dû qu'à la grâce du Seigneur Jésus. La circoncision n'a rien à voir avec le salut, contrairement à ce qu'ils affirmaient au v. 1 : « Si vous ne vous faites pas circoncire suivant l'usage qui vient de Moïse, vous ne pouvez être sauvés. » N'étant sauvés qu'au titre de la grâce du Seigneur Jésus, les Juifs se trouvent sur le même pied que les Gentils. On reconnaît ici, sous une autre forme, le principe qui avait déjà été énoncé en XIII, 38-39, dans la finale du discours d'Antioche de Pisidie.

3. *Origine de ces deux discours*

Il reste à s'interroger sur les renseignements dont Luc disposait quand il a rédigé ces deux discours de Pierre.

Il est clair d'abord que ces discours supposent le récit de la conversion de Corneille tel qu'il a été rapporté au ch. X : ils en reprennent les éléments essentiels, les points de vue et les expressions caractéristiques. Il faut donc admettre que les discours reposent, au moins indirectement, sur les informations que Luc a mises en œuvre dans sa rédaction du ch. X.

Les discours supposent en plus l'interprétation qui vaut à l'épisode de la conversion de Corneille l'importance considérable que Luc lui attribue dans le cadre général de l'histoire de la première expansion chrétienne. La fonction de ces discours consiste précisément à expliquer au lecteur la raison pour laquelle on ne saurait exagérer la portée d'un événement qui nous est présenté comme la Pentecôte des Gentils. Les discours sont donc au service d'une interprétation, celle qui vaut à l'histoire de Corneille la place de choix qu'elle occupe dans les Actes, celle qui rapproche avec insistance cette histoire de celle de la première Pentecôte, ou même en dégage un enseignement qui rappelle la finale du discours d'Étienne et celle du discours de Paul à Antioche de Pisidie.

Les deux discours de Pierre traduisent ainsi une certaine « philosophie de l'histoire » qu'il faut naturellement attribuer à Luc ; rien n'invite à penser qu'il l'ait empruntée à une source.

On pourrait ajouter que l'interprétation en vertu de laquelle Luc donne un tel relief à l'épisode de Corneille ne paraît pas aller sans un certain arrangement des faits. On peut se demander, au point de vue de la chronologie comme à celui des répercussions pratiques, s'il était si naturel de donner le pas à l'incident de Césarée sur l'histoire de la fondation de l'Église d'Antioche [113]. En XI, 19ss., Luc ne cache ni le lien étroit qui unit les origines de l'Église d'Antioche à la persécution survenue à l'occasion d'Étienne (cfr VIII, 1.4), ni la nouveauté de l'initiative des missionnaires hellénistes qui se sont adressés pour la première fois à des « Grecs » [114] (XI, 20). S'il accorde la priorité à l'événement de Césarée sur celui d'Antioche, on peut penser que c'est pour des raisons d'ordre théologique plutôt qu'historique.

La place prépondérante que Luc attribue au cas de Corneille dans les délibérations du concile de Jérusalem peut également soulever des doutes. *Gal.*, II, qui confirme le rôle de Pierre et de Jacques en cette circonstance, ne mentionne pas Corneille ; on ne saurait s'en étonner : cela n'intéressait pas les Galates. Mais il y est question de Tite, et Paul donne l'impression que la question de la circoncision se serait posée d'une manière très concrète à son propos. Or Luc ne mentionne pas Tite. Bien plus, il a pratiqué à l'égard de cet intime collaborateur de Paul un procédé d'*erasio nominis* assez déconcertant au point de vue de ce que nous entendons par objectivité historique. Quoi qu'il en soit de cette question de Tite, il faut avouer qu'il y a quelque chose d'un peu artificiel dans la manière dont *Act.*, XV centre les entretiens de Jérusalem sur le cas de Corneille.

Nous pouvons donc penser que l'interprétation qui donne tant de relief à l'épisode de Corneille et qui se traduit dans les deux discours de Pierre est attribuable à Luc lui-même plutôt qu'à une source dont il aurait disposé. En dehors des renseignements qui sont à la base du récit rapporté au ch. X, on ne découvre dans ces discours la trace d'aucune

---

113. H. CONZELMANN (*Apostelgeschichte*, p. 67) durcit la difficulté : « Das vorlukanische Material erscheint in v. 20 ; denn diese Notiz passt nicht in seine Geschichtsauffassung. Sie besagt ja für sich genommen, dass die Hellenisten als erste den Schritt zur Heidenmission tun (...) ; sie weiss nichts von Petrus/Cornelius und vollends nichts von einem prinzipiellen Sinn dieser Episode... Lk hat die Nachricht hier verwendet, weil sie nunmehr in die Beleuchtung von 10, 1-11, 18 rückte. » Luc aurait donc repris une notice antérieure (sur les origines de l'Église d'Antioche) qui ne s'accordait pas avec sa propre présentation des faits ; il a sans doute jugé qu'il suffisait de la reporter après l'épisode de Corneille pour en réduire la portée.

114. Sur l'emploi de ce mot dans les Actes, voir H. WINDISCH, *art.* Ἕλλην, dans ThWNT, II (1935), p. 501-514 (507 s.).

donnée traditionnelle qui permettrait de remonter au-delà de la rédaction de Luc.

Conclusion générale

Nous terminerons notre exposé par trois remarques, la première concernant l'attribution des discours à Pierre, la deuxième le travail littéraire de Luc, la troisième les matériaux traditionnels mis en œuvre.

1. Chacun des cinq premiers chapitres du Livre des Actes contient un discours de Pierre : cela montre d'abord l'idée que Luc se fait du rôle, absolument prépondérant, joué par Pierre dans la communauté chrétienne de Jérusalem dans les premières années de son existence. Pierre est vraiment le personnage central sur qui se concentrent les feux de la rampe, celui à qui il revient de prendre la parole. Entre le ch. VI et le ch. XV l'horizon s'élargit progressivement : le message évangélique s'étend hors de Jérusalem et franchit les limites du judaïsme ; on voit en même temps d'autres personnages retenir l'attention : Étienne, Philippe et les Hellénistes, puis surtout Paul. A cette étape c'est encore à Pierre que Luc réserve le rôle décisif : Pierre a été, à Césarée, le premier missionnaire auprès des Gentils, et c'est lui qui, à Jérusalem, a fait prévaloir la thèse de l'admission des Gentils dans l'Église. Après quoi, son rôle est achevé ; il quitte définitivement la scène, laissant toute la place à l'Apôtre des Gentils.

L'importance accordée à Pierre dans la première moitié des Actes n'a rien de surprenant. Elle correspond au témoignage que Paul rend à la primauté de Pierre [115]. Elle prend toute sa signification à la lumière des traditions évangéliques, de la priorité qu'elles reconnaissent à Pierre, de ce qu'elles nous apprennent de la mission particulière confiée par Jésus au prince des apôtres.

Il ne paraît pas nécessaire d'insister sur ce point, qui ne fait aucune difficulté. Peut-être faudrait-il plutôt mettre en garde contre une insistance unilatérale qui, en isolant Pierre du groupe apostolique, fausserait gravement la perspective de Luc, déformant ainsi l'idée qu'il se fait de la primauté de Pierre. Avec une inlassable persévérance qui ressemble à de l'acharnement, Luc revient sans cesse sur l'unité qui existe entre Pierre et les autres apôtres. A cette préoccupation il sacrifie même la grammaire, lui qui est cependant soucieux de bien écrire. L'avertissement, si souvent répété, mérite d'être entendu : Pierre, oui, mais pas

---

115. Cfr notre article, déjà cité : *Saint Paul, témoin de la collégialité apostolique et de la primauté de Pierre* (p. 27-39).

séparé des autres. Les textes sont nombreux [116] ; il faut se contenter de quelques exemples : nous prendrons ceux qui concernent plus directement les discours.

Voici d'abord des formules employées par Luc pour introduire un discours de Pierre. A la Pentecôte : « Pierre, debout avec les Onze, éleva la voix » (II, 14). Lors de la seconde comparution devant le Sanhédrin : « Prenant alors la parole (ἀποκριθείς, au singulier), Pierre et les apôtres dirent (εἶπαν, au pluriel) » (V, 29). Noter aussi IV, 19 : « Mais Pierre et Jean, prenant la parole, leur dirent » [117].

Réactions provoquées par les discours de Pierre sur les auditeurs : à la Pentecôte, ceux-ci demandent : « Frères (au pluriel), que devons-nous faire ? » (II, 37). En finale du discours dans la cour du Temple : « Tandis qu'ils parlaient au peuple (pluriel : Λαλούντων δὲ αὐτῶν) survinrent les prêtres..., contrariés de les voir enseigner le peuple (au pluriel)... » (IV, 1-2). Après le premier discours de Pierre devant le Sanhédrin : « Considérant le franc-parler (παρρησία) de Pierre et de Jean et se rendant compte que c'étaient des gens sans instruction... » (IV, 13). A Samarie, Simon répond à la semonce de Pierre : « Intercédez vous-mêmes (pluriel) pour moi auprès du Seigneur » (VIII, 24) [118].

Dans les discours, Pierre s'exprime naturellement au pluriel ; il ne parle pas simplement en son nom personnel : « Qu'avez-vous à nous regarder, comme si c'était par notre propre puissance ou grâce à notre piété que nous avons fait marcher cet homme ? » (III, 12). Pierre ne dit pas : « ... que j'ai fait marcher cet homme » ! [119] Au ch. IV : « Nous avons à répondre en justice du bien fait à un infirme » (v. 8). A propos de la résurrection de Jésus, Pierre précise, au pluriel : « Nous en sommes témoins » (II, 32 ; III, 15 ; V, 32 ; cfr X, 39) [120].

Inutile d'insister davantage : il est clair que, dans la pensée de Luc, Pierre est inséparable de ses compagnons dans l'apostolat. Cette observa-

---

116. Cfr E. HAENCHEN, *Judentum und Christentum in der Apostelgeschichte*, dans ZNW, 54 (1963), p. 162-164 = *Die Bibel und Wir*, p. 346-348.

117. En IV, 7, le discours de Pierre est introduit par la question des Sanhédrites : « Par quel pouvoir ou par quel nom avez-vous fait cela, vous autres ? »

118. Pierre et Jean sont, en Samarie, les délégués des apôtres (VIII, 14). C'est à eux, non à Pierre seul, que Simon s'est adressé (VIII, 18-19).

119. Bien que le récit ne mentionne que des miracles opérés par Pierre, (III, 6-7 ; V, 1-10. 15-16), les sommaires parlent, en général, des miracles des apôtres (II, 43 ; IV, 33 ; V, 12a). Au ch. VI, l'institution des Sept est attribuée à une initiative des Douze (vv. 2 et 6). En V, 2, c'est « aux pieds des apôtres » qu'Ananie dépose son argent, non aux pieds de Pierre qui est cependant le seul à intervenir.

120. Noter encore IV, 23. 24. 29. 31 ; V, 20. 21. 25. 28. 40-42. L'emploi systématique du pluriel (qui n'est pas de majesté !) est évidemment intentionnel. Il faut signaler aussi un cas très significatif : d'après *Gal.*, I, 18, Paul est monté une première fois à Jérusalem après sa conversion en vue de s'entretenir avec Pierre ; d'après *Act.*, IX, 27, c'est aux apôtres qu'il a rendu visite.

tion entraîne une conséquence importante pour l'interprétation des discours. Les lecteurs modernes seraient facilement portés à y chercher des indications sur la manière personnelle dont Pierre prêchait, sur les idées théologiques ou les expressions qui caractérisaient sa prédication : bref, sur ce qui le distinguait des autres apôtres. Il faut bien se rendre compte que ce point de vue ne correspond aucunement à celui de Luc. Ce qu'il veut faire connaître à ses lecteurs en leur présentant les discours de Pierre, c'est la prédication apostolique comme telle, ou « l'enseignement des apôtres » (II, 42) [121]. Qu'on ne s'étonne donc pas en constatant que les textes nous renseignent si peu sur la personnalité du prince des apôtres : ce n'est pas ce qui intéresse Luc, qui veut justement montrer en Pierre le porte-parole du groupe apostolique.

2. La part de Luc dans la rédaction des discours est si considérable qu'ils doivent être regardés comme sa composition littéraire. Ils nous sont apparus tels à un double titre [122]. D'abord en raison de leur formulation. Si nous n'avons pas pu nous arrêter aux indices purement philologiques, résultant du vocabulaire et du style, ceux que nous avons relevés suffisent à montrer que, tels qu'ils se présentent à nous, les discours que nous avons étudiés sont le résultat du travail rédactionnel de Luc. Une autre raison nous invite à les attribuer à Luc : le rôle qui revient à ces discours dans l'économie générale du récit. On ne saurait les isoler des parties narratives de l'ouvrage sans faire perdre à celles-ci la signification que Luc leur attache, et sans leur enlever à eux-mêmes l'arrière-plan qui précise leur portée [123].

3. Il faut ajouter, avec le P. Rasco : « Ex eo quod redactio sit lucana, non eo ipso reiciuntur fontes, traditiones, documenta [124]. » Nous n'avons guère fait plus que donner quelques indications et ébaucher un programme dont la réalisation permettrait de déceler dans les discours,

---

121. Ce n'est sans doute pas par hasard que, chez Luc, le mot « apôtre » n'apparaît jamais au singulier, mais toujours au pluriel (6 fois dans l'évangile, 28 fois dans les Actes). Cfr F. MUSSNER, *Praesentia salutis, Gesammelte Studien zu Fragen und Themen des Neuen Testamentes* (Kommentare und Beiträge zum A. und N.T.), Düsseldorf, 1967, p. 216, n. 22.

122. Dans son article du *Supplément au Dictionnaire de la Bible* (8, col. 251), J. SCHMITT commence ainsi son exposé sur les discours missionnaires des Actes : « Une expression somme toute lucanienne, un rôle essentiel dans l'économie du récit : telle est la marque, éminemment rédactionnelle, de nos sources ' directes ' au regard des critiques, sur ce point unanimes ». Nous ne faisons que reprendre ce jugement.

123. Ces conclusions peuvent faire difficulté pour certains esprits qui connaissent mal la doctrine catholique de l'inspiration et de l'inerrance ; ils trouveront une bonne mise au point dans l'article que C. GHIDELLI a publié dans le volume *San Pietro* (p. 236-238).

124. E. RASCO, *Actus Apostolorum*, p. 183. Cfr J. SCHMITT, *art. cit.*, col. 253.

surtout les discours missionnaires, la présence de matériaux ou de thèmes traditionnels attestant l'utilisation par Luc d'une documentation qui peut être assez ancienne. Si l'on se souvient du rôle que Pierre a incontestablement joué aux origines de l'Église, il n'est pas téméraire de supposer que son influence a marqué de manière durable l'annonce traditionnelle du message chrétien. Il paraît donc légitime de reconnaître dans le kérygme des Actes un écho, sans doute indirect et transformé mais non dépourvu de valeur, du témoignage rendu par le prince des apôtres au Christ ressuscité.

Allée de Clerlande, 1 J. DUPONT
1340 Ottignies

TABLE DES AUTEURS

L'index contient les noms des auteurs modernes qui sont cités dans les études sur Luc. L'astérisque * signale une référence complète.

GÄRTNER, B. 149* 289* 290-292 332* 345 354
GALOT, J. 340*
GARDTHAUSEN, V. 117*
GARITTE, G. 292* 293 294*
GASTON, L. 177* 178* 179
GELDENHUYS, F. 207 317* 319
GEORGE, A. 97* 101 103 106* 108 130* 185 284* 312 336
GEWIESS, J. 345* 355*
GHIDELLI, C. 330* 340* 350 353 361 373
GILBERT, A. M. 278*
GILS, F. 282*
GIRODON, P. 319
GLASSON, T. F. 332* 345 354*
GNILKA, J. 144*
GODET, F. 207 278
GOGUEL, M. 251*
GOLDSMITH, D. 352*
GOODENOUGH, E. R. 153*
GOPPELT, L. 102*
GRÄSSER, E. 96* 97 99 101 177 178 347 348
GRANT, R. M. 287* 289 291 292 295 *
GRASS, H. 231*
GRENFELL, B. P. 121
GRIESBACH, J. J. 157 249*
GROBEL, K. 180* 183 184 266 293* 294
GROLLENBERG, L. 228* 229 230 234
GROSHEIDE, F. W. 334*
GRUNDMANN, W. 133 162 168 173 178 196 197 207* 208 252 272 279 281 313 317 319 324
GUTHRIE, D. 207

HAARDT, R. 287* 291* 292
HAENCHEN, E. 94-98 104 105 115* 177 179 205* 231 289* 291 292 297 304 307 314 318 351* 358* 362* 363* 365 367 372
HAHN, F. 226* 282 359 360 365*
HAHN, G. L. 267* 319
HANSEN, T. 194* 218-220
HANSON, C. 146*

HANSON, R. P. C. 143*
HARE, D. R. A. 246* 252
HARLOW, V. E. 264*
HARNACK, A. 61-63 161* 356* 360
HAUCK, F. 171 173 178 207 208* 252 254 260* 273 279 313 317
HAWKINS, J. C. 160 161* 167 168 180 182-184 187 195* 196 197 215 258 259 269 270 274 337
HEDLEY, P. L. 121
HENGEL, M. 228* 233 234 240
HILGENFELD, A. 322* 323
HILGERT, E. 226*
HIRSCH, E. 173 227* 246
HOFMANN, J. C. K. 278
HOLMES, B. T. 318*
HOLTZ, T. 297* 352 357 364
HOLTZMANN, H. J. 168 169 182 208* 263 278 319
HOOKER, M. D. 149* 155
HORT, F. J. A. 113 184
HUBY, J. 272 279 319
HUNKIN, J. W. 314*
HUNZINGER, C.-H. 160 289*
HUCK, A. 182 246*
HUNT, A. S. 121

JACKSON, F. J. F. 315*
JACOBS, T. 342*
JACQUIER, E. 334*
JELLICOE, S. 113*
JEREMIAS, J. 159* 182* 183-185 196 197* 201 247* 250* 255 289 296 361
JERVELL, J. 334* 350* 365 367
JOHANNESSOHN, M. 187* 188-190

KÄSEMANN, E. 94* 95 97* 98 99
KASSER, R. 111* 289* 291
KECK, L. E. 130* 141 205*
KEIL, C. F. 278
KELLY, J. N. D. 146* 147 150
KENYON, F. G. 121
KEULERS, J. 207 279 315*
KIEFFER, R. 124* 125 126
KILPATRICK, G. D. 119
KLEIN, G. 97* 98 99 102 104 108 135 225* 228 230-234 236 240

TABLE DES RÉFÉRENCES BIBLIQUES

Textes étudiés de l'évangile de Luc et du livre des Actes

IMPRIMERIE J. DUCULOT - GEMBLOUX
IMPRIMÉ EN BELGIQUE